シュワッガーの
テクニカル分析

初心者にも分かる実践チャート入門

ジャック・D・シュワッガー
Jack D. Schwager

訳 森谷博之

Pan Rolling

日本語版への序文
Preface for Japan

　この本に書かれているテクニカル分析の技法は、資産運用を効率的に行うために米国のマーケットで生まれ育ったものであるが、日本のマーケットでも同じように有効である。なぜなら、マーケットを動かす原動力は、どのマーケットでも同じだからである。マーケットを動かしているのは人間であり、人間の心の動きは世界中どこでもそう違いはないからである。事実、私の運用会社ウィザード・トレーディングでは、この本で解説したようなテクニカル分析をコンピューター化したシステムを用いて、日本のマーケットで日経平均先物、日本国債、ユーロ円、天然ゴム、大豆などをトレードしている。しかも、日本の市場で取引する際に使っている運用モデルは、アメリカの市場で用いているものと全く同じものである。

　この本が『マーケットの魔術師』（パンローリング刊　1992年）、『新マーケットの魔術師』（パンローリング刊　1999年）に続き日本語に翻訳されたことを私は大変光栄に思っている。この本を書くにあたって、私はただ単に理論を解説するのではなく、実際の運用に何が有効で、何が有効でないかに気を遣った。実践で役に立つものを伝えることが、アメリカの読者にとっても日本の読者にとっても等しく重要であると信じている。最後の章では、私が偉大なトレーダーたちに行ったインタビューを基に42の教訓を選んだ。運用を志す日本のみなさんがこれらの教訓から多くのことを学ぶことを信じて止まない。

　独自の運用技法を開発するために、この本で解説したものを参考に、さらに、最後の章に述べられている教訓を肝に銘じておけば、あなたにもプロの運用者になる道が開けるであろう。

1999年8月

ジャック・シュワッガー

GETTING STARTED IN TECHNICAL ANALYSIS
by
Jack D. Schwager

Copyright ©1999 by Jack D. Schwager
All rights reserved. Authorized translation from the English language
edition published by John Wiley & Sons,Inc.
This translation published by arrangement with John Wiley & Sons,Inc.
through The English Agency(Japan)Ltd.

訳者まえがき

　テクニカル分析はチャートを読む秘伝的な奥義という印象が強く、ファンダメンタルズ分析と並び、歴史ある投資手法の一つである。われわれの経済システムは個人個人の相対取引から成る部分と多くの人々が何かを共有したり、平等という概念を持ち込んで成り立っている部分があり、すべての経済活動を理論的に説明することはできない。そのような経済ではモノの価値は市場原理に則った合理性だけで測ることはできないし、その値動きを理論的に予測することもできない。だからこそ非合理的な事象をも分析してしまうテクニカル分析は有効なのであると、私は確信している。

　この本の訳出にあたりパン・ローリング社を紹介して下さった増沢浩一氏には心からお礼を申し上げたい。また、このような機会を与えて下さったパン・ローリング社の後藤康徳氏にはここに改めて感謝の意を表したい。及川茂氏、柳谷雅之氏にはアドバイザーとして貴重なご指摘をいただいた。本書の翻訳に素晴らしいところがあるとすれば、それはこの２人の尽力によるものである。また、阿部達郎氏には編集・校正を担当していただき、内容の正確さ、読みやすさは飛躍的に向上した。その他多数の人から激励をいただいた。心からお礼を申し上げたい。なお、著者との密接なやり取りにより最善を尽くしたつもりであるが、至らぬ所は訳者の責任である。

　未来の技術革新のために、そして、また、明日の食糧を生産するために、世界の至るところで資金が必要とされている。大きなリスクを伴う投資が特に開発途上の国々で必要とされている。この本が読者の方々の投資判断に少しでもお役に立てればと願うと同時に、そのような所に僅かなお金でも流れて行くことを心から願って止まない。

　　　　　　　　　　　　　　　　　　１９９９年１１月　　　森谷博之

CONTENTS

日本語版への序文　　　　　　　　　　　　　　　　　1

訳者まえがき　　　　　　　　　　　　　　　　　　　3

序文　　　　　　　　　　　　　　　　　　　　　　　6

序論　　　　　　　　　　　　　　　　　　　　　　　7

Part 1　基本的な分析ツール

第1章　チャート：「予測の道具」か「言い伝え」か　　13

第2章　チャートの種類　　　　　　　　　　　　　　24

第3章　トレンド　　　　　　　　　　　　　　　　　41

第4章　トレーディング・レンジ、支持線、抵抗線　　60

第5章　チャート・パターン　　　　　　　　　　　　85

第6章　オシレーター　　　　　　　　　　　　　　　124

第7章　チャート分析は今でも有効か？　　　　　　　135

Part 2　トレーディングの問題

第8章　トレンド半ばでの仕掛けと増し玉　　　　　　145

第9章　損切りポイントの選択　　　　　　　　　　　153

第10章　目標値の設定とその他のポジションを閉じる条件　　161

第11章　チャート分析における最も重要なルール　　　171

第12章　実践チャート分析　　　　　　　　　　　　　200

CONTENTS

Part 3　トレーディング・システム

第13章　チャート分析とソフトウエア分析　　　　　　　**245**

第14章　テクニカル・トレーディング・システム──構造とデザイン　　**251**

第15章　トレーディング・システムのテストと最適化　　**281**

Part 4　実践的トレードのガイドライン

第16章　計画的トレーディング　　　　　　　　　　　　**309**

第17章　82のトレーディング規則と教訓　　　　　　　　**321**

第18章　Market Wiz(ar)dom──魔術師たちの金言集42カ条　　**334**

付録
追加の概念と数式　　　　　　　　　　　　　　　　　**355**

用語集　　　　　　　　　　　　　　　　　　　　　　**366**

※チャートの出所は、特記以外、オメガ・リサーチ社のトレード・ステーションによる

序文
Preface

　トレーディングの成功は、無数の本、宣伝、カタログなどに書かれているような単純な指標、公式、システムに要約することはできない。この本は、理想化されたイラストを使って書かれた分析技法、指標、システムの要約ではなくて、トレーダーの立場からトレーダーによって書かれたものである。

　様々な分析技術と手法を説明する中で、テクニカル分析の著者たちによって時には無視されてきた最前線の重要な質問をいつも忘れずにいた。ここで説明された方法がどのように実践に応用できるのか？　実践ではどれが役に立ち、どれが役に立たないのか？　方法がうまくいかなかったときの影響は何か？　過去の成績ではなくて将来の成績を最高のものにするためにトレーディング・システムはどのように設計され、どのようにテストされるべきか？

　これは実践書である。この本で説明されているたくさんの方法は、私が実際の資金運用をしながら高収益のトレーディング方法を構築するために使ったものである。では、なぜ私がこのような情報を共有したいのか？　それを比喩的に言えば、道具を供給するが、しかし、建築デザインは供給しないということになる。建築デザインは読者の皆さんに残してある。成功するトレーダーになるためにテクニカル分析を真剣に使いたいと思っている読者が、そして、そのゴールが自分自身の仕事であるということが分かっている読者が、この本の内容を本当に有効だと思うのである。

序論
Introduction

「偉大なファンダメンタルズ分析」vs「テクニカル分析」対決

　おかしなことに一文無しになってしまったテクニカル分析を用いるトレーダーは奇妙にも彼の技法について何の疑いも持っていないのである。何よりも、彼は以前にもまして熱心なのである。失礼だと分かっていても、なぜ破産したのかと彼に尋ねてみたまえ。彼は、チャートを疑ってしまうという人間として当たり前の間違いを犯してしまったのだと、しゃあしゃあと答えるであろう。恥ずかしいことに、私は友人のチャーチストと晩餐をしていて彼がそのようなことを言うものだから、一度著しくむせてしまったことがあった。それ以来、私は、チャーチストとは決して食事をしないことに決めたのである。消化に悪いので。

　　　　　バートン・G・マルキール（『ウォール街のランダムウォーク』の著者）

　ある夜、ファンダメンタリストと食事をしていて、間違って私はテーブルの端にナイフを強くぶつけて落としてしまったことがあった。彼は、ナイフがくるくる回りながら宙を舞って、彼の靴にその先端が突き刺さっていくのを見ているだけだった。「彼にどうして足を動かさないのか？」と私は叫んでしまった。「それがテーブルに戻って来るのを待っているのです」と、彼は答えたのである。

　　　　　　　　　　　　　エド・スィコータ（自ら認めるテクニカル派）

多くの投機家で、特に株式投資に夢中な人は、ファンダメンタルズな立場からトレードをしたがる習性がある。ファンダメンタルズ分析は、経済に関するデータを、価格予測や真の価値を判断するために使用する。例えば、株の場合にはＰ／Ｅレシオや簿価、商品先物の場合には穀物レポート、輸出入に関する統計などである。

それに比べてテクニカル分析は好ましい取引機会を確認するために値動きを研究する。正確には値動きではなくてパターンである。この方法の基礎となる論理は２つある。１つは特定の株、商品、金融先物の価格には、そのときの資産の情報とその情報に関する市場参加者の意見のすべてが反映されている。２つ目は、ファンダメンタルズな情報と市場の意見は価格に反映されていて、繰り返される価格のパターンが将来の値動きの重要な要素を提供している。そのため、テクニカル派は、過去の価格のパターンを分析することで、トレンドの始まりや終わり、継続を示す値動きを探すのである。

ファンダメンタルズ分析とテクニカル分析のどちらが良いのだろうか？　この質問は大きな議論を呼ぶ。興味深いことには、専門家も初心者と同様にこのことに関しては意見が二分している。１９８８年の『マーケットの魔術師』（パンローリング刊）と１９９２年の『新マーケットの魔術師』（パンローリング刊）の２つの対になっている本で、私は世界最高のトレーダーの何人かとのインタビューをして、私はこの問題についてあまりにもいろいろな意見があることに驚いた。

ジム・ロジャースの意見は両極端の意見の一方である。１９７０年代にジム・ロジャースとジョージ・ソロスは、今日最も成功したウォール・ストリートのファンドであるクオンタム・ファンドを運用する中核の２人であった。１９８０年、ロジャースは管理責任者としての立場から逃れ、自分自身の投資にすべてを没頭させるためにそのファンドを去った。努力の結果、彼は再び驚異的な成功を収めたのである。クオンタム・ファンドは、ジョージ・ソロスの指揮の下で最高の成績を今でも維持し続けている。何年にもわたり、ロジャースは市場の予測の正確さで高い成績を残している。１つの例では、１９８８年の私のインタビューで、ロジャースは日本の株式市場のクラッシュと金相場の長期的下落を正確に予測してみせた。明らかにジム・ロジャースとは、その意見

に耳を傾けなければならない男である。

　私がロジャースにテクニカル手法の元祖であるチャートの読みに関して意見を求めたとき、彼は「私は金持ちのテクニカル派にはお目にかかったことがない。もちろん、チャートのサービスを売って金儲けをしている奴らを除いてね」と答えた。この皮肉な回答に、テクニカル分析に対するロジャースの意見が集約されている。

　※マーティー・シュワルツの意見はロジャースとは対極にある。独立した株式指数先物のトレーダーであったシュワルツが金銭以外の経営について考えていたとき、私たちはインタビューをした。それで、彼は彼個人の運用成績の監査を受けていて、私にその結果を見せてくれた。過去１０年間、彼は平均で２５％の利回りを達成していた。月にである。それと同じくらい印象的なのは、この１２０カ月で、彼はたったの２カ月しか損失を出していないのである。それもちっぽけな２％と３％の下落である。再び、並外れた相場観を持つ人がここにいた。

　私はロジャースのコメントをシュワルツには言わなかったが、彼になぜファンダメンタルズからテクニカル分析に完全に乗り換えてしまったか、と尋ねた（シュワルツは株式アナリストとして金融街で仕事を始めていた）。彼はジム・ロジャースとは全く正反対のようである。「その通り。『私は金持ちのテクニカル派にお目にかかったことがない』と言う人を見るとおかしくして仕方がないね。でも、私はそんなことを言う人が好きなんだ。無礼で、無意味なことを言う人を。私はファンダメンタルズを９年間もやって、そしてテクニカル派として金持ちになったのだから」

　やった！　２人の非凡な相場での成功者がファンダメンタルズ分析とテクニカル分析の有効性に対して全く別の意見を持っているのである。どっちを信じますか？

　私は、ロジャースとシュワルツの両方の立場とも真実を含んでいると思っている。完全なファンダメンタリストでも、完全なテクニカル・アナリストでも、その２つを組み合わせたものでも、とにかくトレーダーとして成功することは可能である。この２つは互いに独立しているわけではない。事実、多くの世界的に成功しているトレーダーはファンダメンタルズ分析を使って市場の方向を決め、テクニカル分析でそのトレードの出入りのタイミングを測っている。

※マーティー・シュワルツ著『ピット・ブル』（パンローリング刊）

私が発見した成功しているトレーダーの間に共通する傾向は、彼らの性格に合った最高の方法をつかんでいることである。あるトレーダーは非常に長期的な方法を好み、別のトレーダーは日計りのトレードに傾斜している。一部のトレーダーは自動化されたコンピューター・プログラムの出すシグナルに従うことで満足を感じるが、別のトレーダーはそのような機械的な方法をタブー視している。あるトレーダーは取引所のフロアに立って混乱している環境で成功しているが、非常に静かなオフィスで決断を下したときだけ成功する人もいる。ファンダメンタルズ分析が自然な方法であることを発見するも人いれば、テクニカル分析に直観的に飛びつく人もいる。また、この2つを混ぜる人もいる。

　テクニカル分析とファンダメンタルズ分析は対極に位置するものとして扱われてきたが、これらは原理的にはどちらか一方しか信じることのできない人たちが考えているよりも、ずっと似通ったものなのである。テクニカル派は多くの部分で、ファンダメンタルズな要素との関係を否定しているわけではない。価格がこれらの要素もすべて織り込んでいて、それらの価格動向に対する影響を理解する最適な方法は価格を分析することであると信じているだけなのである。この2つの方法の根本的な違いはファンダメンタルズ分析は、なぜ相場はそのように動くのかを考え、テクニカル分析はいつ動くのかについて考えているのである。

　本質的には、ファンダメンタルズ分析とテクニカル分析のどちらが良いのか？という、この質問に対する普遍的な答えはない。それは単純に人によるのである。ある人にとっては、ファンダメンタルズ分析が最も安心して使うことのできる効果的な方法であり、別の人にとっては、テクニカル分析が好ましい方法なのである。そしてまた別の人にとっては、この2つの組み合わせが最適な方法なのである。事実、ファンダメンタルズ分析にテクニカル分析を組み合わせることは特に効果的な方法であり、世界で最も成功している一部のトレーダーで使われている方法でもある。それぞれの個人が、自分に最も適した方法を決めなくてはならないのである。

Part 1
基本的なツール

第1章

チャート:「予測の道具」か「言い伝え」か
Charts:Forecasting Tool or Folklore?

*常識はそれほど常識的*ではない。

ヴォルテール

　失敗を重ねるたびに勝利者でありたいと願う意志を強めていった投機家がいた。彼は、ファンダメンタルズ分析、チャート分析、コンピューター化されたトレーディング・システム、そして波動を数えることから占星術まで、あらゆる秘伝の方法を試みた。ところが、これらの方法でつもり売買をすると、うまく働くように見えるが、ひとたびこれらの方法で実際に取引を始めると奇妙なことが起こるのである。売り建てると強気相場に転換し、堅調である上昇トレンドで強い確信の下に買い建てるとその途端に相場は反転してしまうのである。数年間、このようなことを繰り返した後に、彼はあまりの腹立たしさに相場から手を引くことにした。

　ちょうどそのとき彼はヒマラヤの山奥に住み、すべての巡礼者の質問に答えるという有名な賢者がいることを耳にした。彼はネパール行きの飛行機に乗り、ガイドを雇い、2カ月の行程の後、この有名な賢者のところにたどり着いた。

　「導師殿、私は怒りに満ちあふれています。何年もの間、私はトレードで成功するために様々なことをやってきました。ところが私が試みたものはすべて失敗です。何か成功する秘訣はないのでしょうか？」

　賢者はほんの少し間を置き、一瞬、鋭く彼を見つめると、「ＢＬＡＳＨ」と、一言だけ答えた。

「ブラッシュ（ＢＬＡＳＨ）？」。彼は家路についたが、賢者の言葉を理解することはできなかった。ずっとその言葉を気にとめていたが、その意味を悟ることはできずにいた。彼は多くの人にこの話を語り続け、ついにある人がその賢者の言葉を解読してくれた。

「それは至って単純なことさ」と彼は言った。「安きを買い、高きを売ることだ（Buy Low And Sell High）」。

賢者のこのメッセージはトレーディングの奥義を探している読者をがっかりさせたかもしれない。ブラッシュは常識過ぎて、私たちの欲求を満たしてくれるものではないからである。さて、ヴォルテールが示唆するように「常識はそれほど常識的ではない」のなら、ブラッシュも当たり前ではないことになる。例えば、「市場が新高値を付けに行くということはトレーディングにどのような影響をもたらすのか？」という質問を考えてみよう。「常識」であるブラッシュ理論なら、その次に実行すべきことは売ることである。

投機家の多くはこの解釈に納得するようである。多分、ブラッシュ手法の魅力は賢明さを見せびらかしたいとするトレーダーたちの願望と結び付いているからであろう。結局、どんな愚か者でも長い上昇トレンドの後に買うことはできるが、トレンドに逆らい、天井をとらえるには非凡な才能が必要とされるのである。どんな場合でも、安きを買い高きを売りたいと願うことほど直感的なことはないのである。

その結果、多くの投機家は、市場が新高値を更新すると売り手に回ることになる。この手法の欠点は役に立たないということである。市場が新値を付け、それを維持することができるということは、価格をもっと高く押し上げる力強さがあるということである。これが常識？　その通り！　トレーディングで良い結果を出すために必要なものは、常識であるブラッシュ手法のそれとは全く相反するものなのである。このことにまず目を向けて欲しい。

ここでのポイントは、相場活動に関する多くの直感的な常識は正しくないということである。ところが、チャート分析を使うとこのトレーディングに対する常識を養うことができるのである。その到達点は、今、思い浮かべるものよりもずっととらえ難いものかもしれない。例えば、トレードを始める前に過去の相場チャートを必死で研究し、市場が新値に到達するかどうかを確かめたのなら、その人は初心者が最も陥りやすい常識的な落とし穴に入らずにすむだろ

う。同様に、過去の価格パターンを注意深く学ぶことによって、別の市場でも応用できる真実をつかめるかもしれない。

　将来の価格の方向を示唆するものとして、チャートの有効性は当然、議論されるべきである。そこで、チャート分析の善し悪しを並べるだけでなく、金融市場に関する人気テレビ番組がこの議論に焦点を当てたとき、そこで起きたエピソードについて紹介することにしよう。

司会者　私は『ウォール・ストリート・ウイーク』のルイス・プネイサーです。今夜は通常のインタビュー形式ではなく、商品相場でのチャートの有効性についての議論をしたいと思います。この波状の線とパターンは本当に将来を予測するのでしょうか？　シェークスピアの人生に対する言葉「人生は愚か者の語る物語、響きと怒りはすさまじいが、意味などありはしない」も、チャート分析に当てはまるのでしょうか？　今日のゲスト、フェイス・N・トレンドさんはウォール・ストリートのチャーナム&バーナム社の有名なテクニカル・アナリストです。フィリップ・A・コインさんはアイボリータワー大学の教授で『市場に勝つための唯一の方法――ブローカーになること』の著者です。コイン教授は、ランダムウォーカーと呼ばれるグループに所属しています。これは、山の地図にダートを投げてどこへ行くかを決めるハイキング・クラブのようなものなのでしょうか？（カメラに向かって微笑みながら）

コイン教授　いいえ、そうではありません、プネイサーさん。ランダムウォーカーは市場の価格の動きはランダム（予測不能）であると信じる経済学者の集まりなのです。システムに将来を予測させる機能を付けることはしないで、ルーレットを何回も回して玉がどの穴に入ったかを調べたときに、それぞれの穴に入る頻度がどうなるかを予測させる機能をシステムに付け加えようとする人たちです。どちらの出来事も厳密には確率の問題なのですが。価格は記憶を持たないので、昨日の出来事は明日の出来事には影響しないのです。言い換えれば、チャートは過去の出来事については説明できるが、将来を予測することには役に立たないということです。

トレンド女史　教授、あなたは大変重要な事実を見逃しています。日々の価格はくじを引いて決めるようなものではなくて、あらゆる市場参加者の行動を総集めにした結果なのです。人の行動は、物理学によって支配されている天体

の動きを予測するようにはいきません。ですが、完全にランダムでもありません。もしそうでないなら、あなたの専門の経済学は、錬金術のような運命をたどることになるでしょう（コイン教授はこのたとえに対して不満気に椅子の中でもじもじしていた）。チャートは基本的な行動パターンを明らかにします。買い手と売り手との間の同じようなやりとりが同じような価格パターンをもたらすのであれば、過去は将来の指針として使うことができるでしょう。

コイン教授 もし過去の価格が将来の価格予測に使えるのであれば、どうしてテクニカルな法則をテストし、手数料を差し引いた後でどのような運用成績になるのかを調べた結果、これらのテクニカル手法では単純な買い持ちによる利回りを上回ることができないとする学術論文がたくさんあるのですか。

トレンド女史 そのような研究に使われる法則は単純化され過ぎています。その研究は特定の法則が働かないと説明しているのです。チャート分析、もしくはより複雑なテクニカル・システムといった価格情報の経験豊かな分析手法が有効なトレードの判断を作りえていない、ということを証明してはいません。

コイン教授 それではなぜチャート分析が予測ツールとして有効であると結論付けた報告がないのですか。

トレンド女史 あなたは単にチャート理論を計量化することの難しさを議論しているのであって、チャーチストの欠陥について議論しているわけではないでしょう。ある人にとって高値を形成するパターンは別の人にとっては揉み合いの領域なのです。何か非常に単純化されたパターンであっても、チャート上に現れる値動きのパターンを数学的に定義することには大変な困難が伴います。チャートの図が相いれないパターンを示していることに気が付いたとき、この問題はもっと複雑になります。そのため多くのチャート理論を客観的にテストすることは実際には不可能です。

コイン教授 それはあなたにとって大変都合が良すぎはしませんか？　これらの理論が十分にテストできないのなら、何の役に立つと言うのですか？　チャート上で取引することが５０％以上の確率で成功を導くということをどのようにして知るのですか？　それは手数料を含んでいないのですか？

トレンド女史 あなたの意味するところが機械的にどのチャートのシグナルにも従うというのであれば、ブローカーにお金をばらまいているようなものでしょう。そのことに反対はしません。しかし、チャート分析は職人芸であり、

科学ではないと思うのです。基本的なチャート理論に精通することは出発点でしかありません。チャートの真の有効性は標準化された概念の下でそれぞれの経験をうまく合成するトレーダー個人の能力にかかっているのです。チャートは私の重要なツールとして、主要な市場の傾向を予測するのに大きな価値を持っています。チャートを使って決断し多くの成功を収めたトレーダーがいますが、彼らの成功は何に起因するのでしょうか？　運ですか？

コイン教授　はい、その通り、運です。多くのトレーダーがいれば、チャートを読んで決断しようと、新聞の商品の価格欄にダートを投げて決断しようと、その何人かは勝者となります。それは方法ではなくて、確率の法則です。カジノにおいてもある割合の人は勝者になりますが、これらの成功が洞察力であるとかシステムによるなんて言わないでしょう。

トレンド女史　証明されなければならないことは、一部のチャーチストによる優れた成績は偶然であるということでしょう。熟練したチャーチストが特別な優位性を持っているという命題は反証されていませんね。

司会者　今、私はひどいレジスタンス（抵抗）を感じています。何かもっとサポート（支持）するものが必要だと思います。それぞれのポジションが正しいとするような何か証拠をお持ちではないでしょうか？

コイン教授　はい！（このとき、コイン教授は彼のブリーフケースから厚い原稿を取り出し、プネイサーさんの手に渡した。司会者はページをめくりながら豊富なおかしな小さなギリシャ文字を見つけて頭を横に振っている）

司会者　私は数学は全く苦手ですから。いつも教育テレビを見ているような人ですら、分からないでしょうね。

コイン教授　そうですか。これも持ってきました（彼は1枚の紙を取り出し、トレンドさんに手渡す）。トレンドさん、このチャートをどのように解釈しますか？（彼はにやにや笑うことをうまく抑えられずにいる）

トレンド女史　このチャートはコインをはじいて作ったもののように見えますね。表が出るとひとこま上がり、裏が出るとひとこま下がるという具合に！

コイン教授　（にやにやした笑いが明らかに見て分かるようなしかめ面に変わって）どうして分かりましたか？

トレンド女史　運です。ただ、単に言い当てられたのです。

コイン教授　そうですか。とにかくこのことは私の議論に影響しませんので。

図1.1 1980年7月限銀

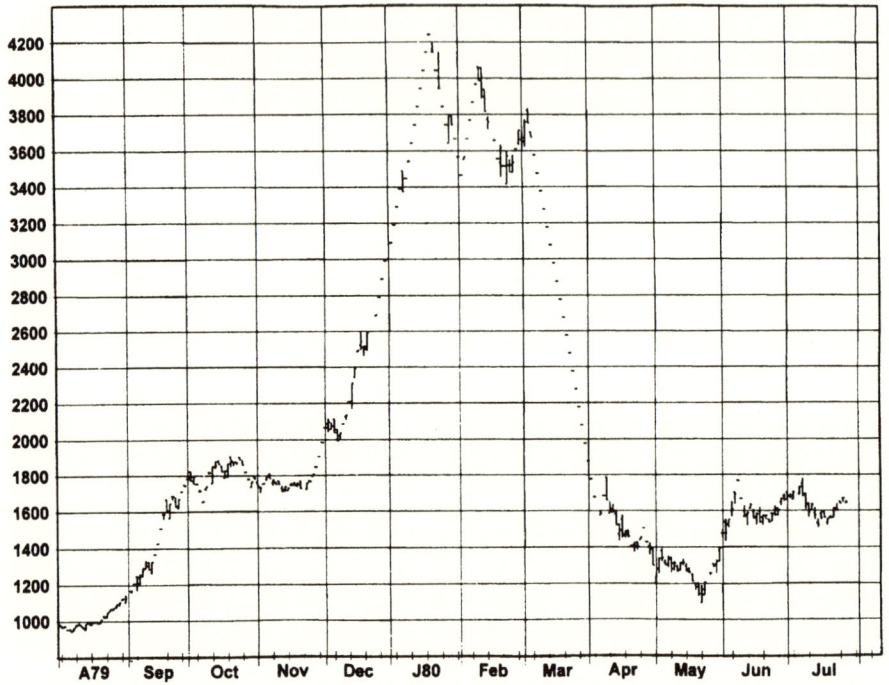

このチャートを見てください。ここがトレンドです。そして、ここです。ヘッド・アンド・ショルダーと呼ばれているものです。

司会者 ヘッド・アンド・ショルダーについて語るなんて、どちらか「プロクター＆ギャンブル」と関係があるのですか？

コイン教授 （続けて）これは無作為抽出法から得たチャート・パターンにそっくりです。これと同じようなパターンが幾つも相場チャートの中に発見できるでしょう？

トレンド女史 はい。だからといってすぐに、結論を出すのは早計ではありませんか？ 例えば、経済学者は高い学歴を持つ傾向があるという事実に対して、それは偶然ではないと言うことができますか？

コイン教授 もちろんです。

トレンド女史 でも、無作為な抽出によって選ばれた人の中にも何人かは高

図1.2　1994年12月限コーヒー

学歴の人がいますよね。そうだとすると、あなたの論法からすれば経済学者が高い学歴の持ち主であるという事実も偶然だということになりませんか？

コイン教授　それはそうかもしれませんが、それでもさっきの相場チャートと私の無作為抽出法により作られたチャートはそっくりだと思いますが。

トレンド女史　本当にそうですか？　では、このチャートも無作為抽出法により創られたチャートにみえますか？（トレンド女史は１９８０年７月限の銀のチャートを取り上げた。**図1.1**参照）

コイン教授　完全にランダムな動きをしているとは言えないかもしれませんが……。

司会者　確かにすべての銀のチャートがトレンド・ラインを持っているわけではない、ということは言えるかもしれませんね。

トレンド女史　（攻撃的に）これはどうですか（彼女は１９９４年１２月限

のコーヒーのチャートを取り上げている。**図1.2**参照)。先に進みましょう。

司会者 (コイン教授に向かって)トレンドさんは本当に努力されていますね。彼女のサンプルを却下する根拠がありますか?

コイン教授 ええ。これらの例はどれも特殊なものだと言えます。過去の価格が将来の価格を予測すると証明できたわけではありません。

司会者 時間切れとなる前に、いわば、私たちのチャート(方向)を立て直したいのですが。あなたはファンダメンタルズ分析についてどう思いますか?

コイン教授 ええ。価格の動きを説明できるという意味で、チャーチストより良いです。ですが、これらの将来の価格を予測する試みもまた無意味なものでしかないと思います。どんな瞬間でも、市場はすべての公開された情報を織り込んでいます。ですから、干ばつとか輸出停止などの予知できない将来の出来事を予測できない限り価格を予測する方法はありません。

トレンド女史 まずチャート・アナリストがファンダメンタルズを無視することの影響について話しましょう。事実、わたしたちは相場チャートに、すべてのファンダメンタルズと精神的な要素の影響が至極簡潔に要約されていると信じています。逆に、ファンダメンタルズの優れたモデルがいやしくも構築されたとすると、それは非常に複雑なものになります。その上に、経済指標の発表は発表される時点では過去のものとなっています。そのため、予測の基礎となるファンダメンタルズに関するデータそのものを予想しなければならず、価格の予測は精度が落ちることを免れません。

司会者 あなた方2人は、ファンダメンタリストは、最後には彼ら自身が掘った穴に陥るということに賛成なのですね。

トレンド女史 はい。

コイン教授 はい。

司会者 それでは、お2人の快諾を得たことで、今夜の番組を終了します。

「ランダムウォーカー」とチャーチストの間の議論は、ある意味で明確に白黒付けられるものではない。市場のランダムな性質を証明することは不可能であることを分かっていなければならない。証明できることといえば、特定のパターンが存在しないということである。しかも、多くのチャート・パターンに対する数学的な定義を行うことには無理がある。したがって、価格を予測する

手段としてこれらのパターンが有効かどうかについては、証明されてもいないし、また反証されてもいない。

　トレーディング・レンジをブレイクアウトすることが、有効なトレードのシグナルになるかどうかを決定するためには、最初にトレーディング・レンジとブレイクアウトを正確に定義しなければならない。以下の定義が採用可能だと仮定しよう。①トレーディング・レンジとは、過去6週間のすべての価格変化を完全に含み、かつその期間において価格の中央値から5％以上離れていない価格の範囲のことである。②ブレイクアウトとは、6週間のトレーディング・レンジを上回る終値が付いたときのことである。

　しかしトレーディング・シグナルとしてのブレイクアウトの有効性は、これらの特定された定義によってテスト可能となるが、定義そのものは多くの人に批判されることになるだろう。幾つかの反対意見は次の通りである。

1. 価格帯が狭すぎる。
2. 価格帯が広すぎる。
3. 6週間は長すぎる。
4. 6週間は短すぎる。
5. 値幅を限定するのに例外的な日を設けることは許されない。多くのチャート・アナリストが同意したのであれば、基本的なパターンを崩していない。
6. トレーディング・レンジの前にあったトレンドの方向を考慮していない。多くのチャーチストが、ブレイクアウトの信頼性を計るのに重要なデータであると考えている要素である。
7. ブレイクアウトが有効と見なされるには、トレーディング・レンジの境界線を最低限決められた量（価格レベルの1％）だけ超えていなければならない。
8. ブレイクアウトを確認するためにはトレーディング・レンジを何回か上回った終値が必要である。
9. ブレイクアウトの有効性をテストするためには時間が必要である。例えば、最初にこのレンジを突き破ってから1週間は、価格がトレーディング・レンジを上回っていなくてはならない。

以上の例は、私たちのトレーディング・レンジとブレイクアウトの仮の定義に対して、反対意見となり得るものである。これらのすべてが最も基本的な1つのチャート・パターンについてのものである。ヘッド・アンド・ショルダーのような曖昧さと複雑さを伴ったパターンを定義する場合にどうなるかを想像してみて欲しい。

　チャーチストだって、議論には勝てない。チャート・アナリストは一般原理を基にしてはいるが、その利用方法は個人の解釈に頼っているのが現状だからである。チャート分析で成功しているトレーダーは、その有効性にいささかの疑いも持ってはいない。ランダムウォークの理論家たちは、何人もの人間に完全なランダム・トレードを行わせた場合、そのうち何人かは勝者になることから、チャーチストの成功を単に確率問題であると簡単に片付けてしまっている。

　議論に決着が付いたわけではない。

　さて、これら2つのランダムウォーカーとチャーチストの相反する立場を結論付けるようなテストが可能であったとしても、これら2つの立場は矛盾しているわけではないのである。市場は、長期ではランダムに変動するが、短期にはランダムとは言えない動きをすれば、この状況を説明することができるのではないか。そのため、全体としてランダムに見える一連の価格も、決定的なパターンを持つ期間があるのである。チャート分析のゴールは、大きなトレンドのようなこれらの期間を探し出すことである。

　長い間の経験からくる私の考えでは、個人的な経験からチャートはなくてはならないものではないとしても、あれば役に立つものである。だからと言って、このような意見は何かをはっきりさせたわけではない。ランダムウォーカーは、私の結論が限られた記憶を基にしているか（これは成功したチャート分析は覚えており、失敗したものは忘れてしまうという傾向のことだが）、単なる運であるとしている。そして、彼らは正しいのだ。そのような説明は、多分、的を射ているのだろう。

　各トレーダーは独自にチャート分析を行い、自分の結論を導かなくてはならない。ここで、多くの成功したトレーダーがチャートは非常に有効なトレーディングの道具であると考えていることを強調しないわけにはいかない。そして、そのために新米のトレーダーは直感的に、この方法を単純に排除することはできないと思うのだ。幾つかのチャートを使う本質的な利点を以下に並べておく。

たとえ、チャートを価格予測に使うことができるという可能性を否定したとしても、チャートを使うことは有益なことだということを覚えておいて欲しい。

1. チャートは正確な価格の歴史を提供する――どのようなトレーダーにとっても不可欠な情報である。
2. チャートはトレーダーに市場の価格変動性に関する良き判断力を提供する――リスクの算定に重要な要因である。
3. チャートはファンダメンタルアナリストにとってとても有効な道具である。長期の相場チャートがあると、ファンダメンタリストにとって主要な価格トレンドを簡単に分離することが可能となる。このようなトレンドを生み出したファンダメンタルズや出来事を決定することによって、ファンダメンタリストは価格変動を主に引き起こす要素を認識することができる。この情報は価格変動モデルを構築する際に有効である。
4. たとえトレーダーが別の情報（ファンダメンタルズ）を基にトレーディングの結論を導くとしても、チャートはタイミングを計る道具として使える。
5. チャートは資金管理の道具として現実的な損切りポイントを決めるのに使うことができる。
6. チャートはある種の繰り返されるパターンの相場への動向を反映している。十分な経験を積めば、値動きを予測する方法として先天的な能力に目覚めるトレーダーが何人かは出てくるはずである。
7. チャートの概念を理解することは収益性の高いテクニカル・トレーディング・システムの開発には極めて不可欠である。
8. 皮肉なことだが、特別な状況において、古典的チャート・シグナルへの逆を仕掛ける投資（逆張り）手法は非常に収益の高いトレードの機会を提供する。この特殊な手法については第１１章で詳しく説明する。

第１章を要約すると、チャートをあざ笑う者から信奉者まで、チャートはすべての人に何かを提案できるはずである。この章では古典的チャート理論の重要な概念について再検討し、評価し、同時にトレードの道具としてチャートを使うにはどうしたらよいのかという重要な問題について焦点を当ててみた。

第2章

チャートの種類
Types of Charts

> 風がどっちに吹くかを知るために天気予報士はいらない。
>
> ボブ・ディラン

　もちろん、相場チャートはテクニカル・アナリストにとって最も重要な道具である。多くのチャートは、X軸に時間を取り、Y軸に価格を取るグリッド・システムを使っている。X軸の時間の取り方はアナリストの見方が長期的か短期的かにより、その間隔はどのようなものでも構わない。例えば、1年（年足）、1カ月（月足）、1週間（週足）、毎日（最も一般的な日足）、そして、日中（60分足、30分足など）。

バー・チャート（棒足、いかり足）

　バー・チャートは最も一般的な相場チャートであり、1日はその日の安値から高値に向かう垂直な線で表される。終値はこのバーの右側にある小さな突起で示され、始値はバーの左側にある突起で示されることもある。**図2.1**は、個別株の日足バー・チャートである。

　バー・チャートの始値と終値は先物市場ではそれぞれその日のトレーディングの最初と最後の数分の平均値である（一般的に取引所で限月ごとに認定されたプロのトレーダーによって決定される）。株の場合にはその特定の株に対してそれぞれ専門家が記録したその日の最初と最後の売り値である。

図2.1　日足バー・チャート（マイクロン・テクノロジー）

　日足バー・チャートはトレーディングには必要不可欠であるが、長期のバー・チャートも重要な相場観を与えてくれる。このような長期のバー・チャート（週足、月足）は、その垂直な線がその期間の値幅と最終的な価格のレベルを示しており、日足バー・チャートに類似したものである。週足、月足チャートにおいて、始値と終値はそれぞれバーが表す最初のトレーディング期間の始値と最後の期間の終値である。例えば、週足のバー・チャートは月曜日の始値と金曜日の終値を使っている。**図2.2**は、**図2.1**の株価の週足バー・チャートである。四角く囲まれた部分は、**図2.1**と一致している。**図2.3**は、同じ株式の月足バー・チャートである。大きな四角と小さな四角はそれぞれ**図2.2**と**図2.1**で示された期間を表している。

　月足、週足、日足バー・チャートを組み合わせて使うことは、望遠レンズ的効果を生み出す。月足、週足チャートは幅広い相場観と長期的トレンドに関するテクニカルな相場観を与えてくれる。日足チャートはトレードのタイミングを計るのに用いられ、テクニカルな状況が長期的に明確で、トレーダーが強い相場観を持っていれば、日足チャートを分析する。例えば、月足と週足のチャ

図2.2　週足バー・チャート（マイクロン・テクノロジー）

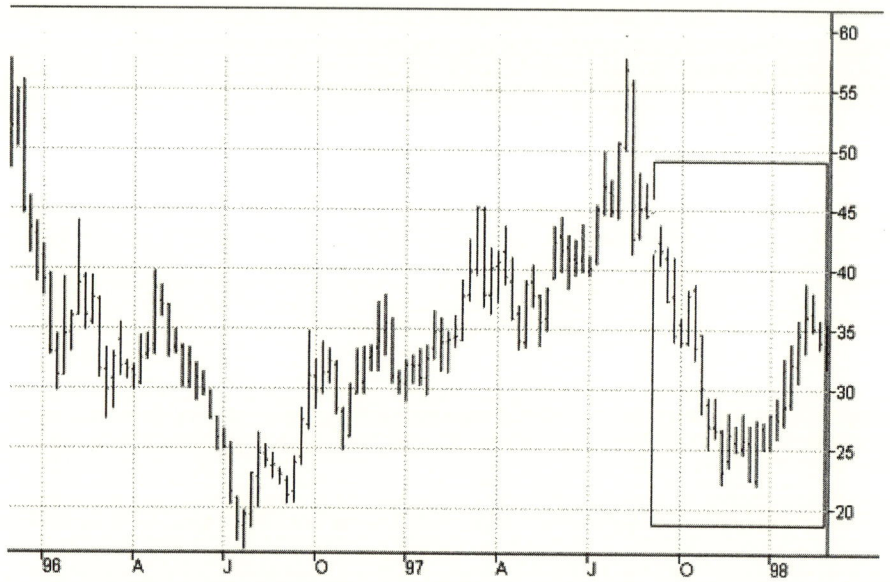

ートにより相場が長期的に見て天井圏にあると分かれば、トレーダーは日足チャートでの売りシグナルを監視する。

　将来の相場観が日足と週足チャートでは違う場合があり、そのようなときには両方のチャートを研究すべきである。

　例えば、１９９５年３月限の銀の日足チャート（**図2.4**）は、最も典型的な弱気パターンである。銀の週足チャート（**図2.5**）は、全く別の相場観を与えてくれる。１９９３年末から１９９４年の価格のパターンはまだ高値圏にあるようにみえるが、長期的には相場は底値に近付いていて、底固めは１９９１年から１９９３年の初めに達成されたとみられる。双方のチャートとも基調は弱気であるが、週足チャートは大幅な下落の後に買い場が訪れることを示唆し、一方、日足チャートはそのようなものを少しも示唆していない。

終値折れ線グラフ（クローズ・オンリー・チャート）

　文字通り、終値折れ線グラフは終値を基にし、高値、安値を無視している。

図2.3　月足バー・チャート（マイクロン・テクノロジー）

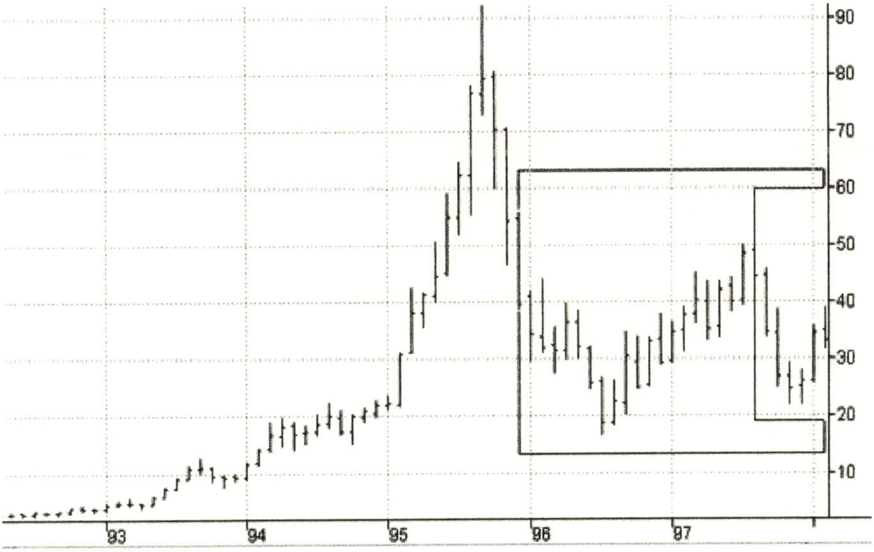

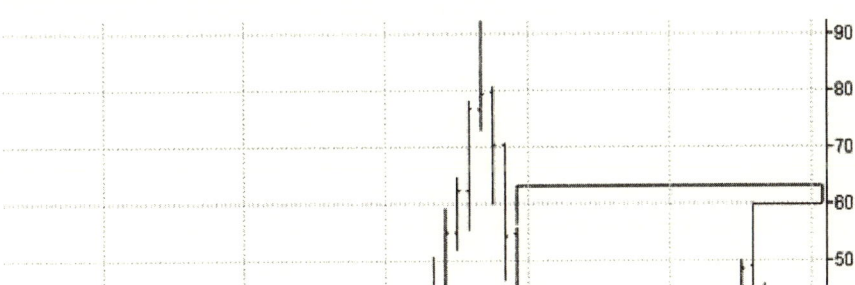

　日中のデータが十分に得られないのであれば、価格データは終値折れ線グラフで描かれる。例として、①現物価格データ（**図2.6**）と、②スプレッド（サヤ、**図2.7**）を挙げておく（スプレッド・チャートは2つの商品の価格差を示している）。

　一部のチャート・トレーダーは高値、安値、終値が入手できたとしても終値折れ線グラフを好んで使っている。相場観は、終値だけを使った方が明確になると感じているからである。彼らは、高値と安値は価格チャートを難しくし、終値はその日の価格情報を圧縮していると考えている。しかし、多くのチャート・パターンは高値と安値のデータを必要とするので、この情報を無視する前によく考えてみるべきである。実際に、バー・チャートは終値折れ線グラフに比べ圧倒的に入手しやすいのである。

ポイント・アンド・フィギュア・チャート

　ポイント・アンド・フィギュア・チャートの極めて重要な特徴は、すべての

図2.4　日足バー・チャートの概観（銀1995年3月限）

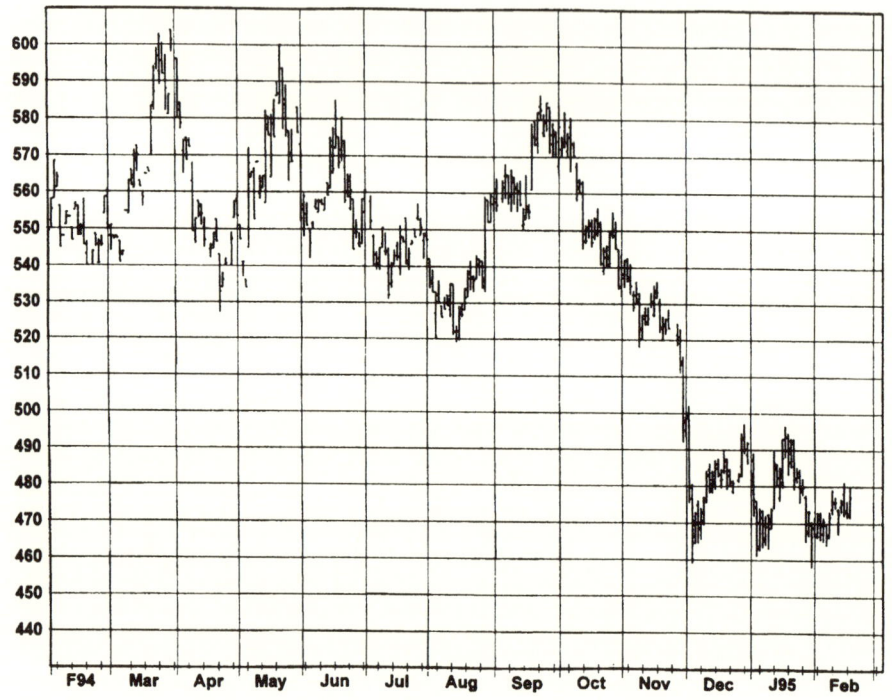

トレーディングを個々の連続した流れとしてとらえ、時間を無視していることである。ポイント・アンド・フィギュア・チャート（**図2.8**参照）は×と○で埋められた連続した枠で構成されている。ただし、チャートを描く一部のソフトウエアは○の代わりに四角とかその他のものを使っている。それぞれの×はボックス・サイズと呼ばれるあらかじめ定められた価格の動きの大きさを示している。価格が上昇し、その増し分がボックス・サイズに等しくなると×が枠に加えられる。しかし、価格の下落が一般的にはボックス・サイズの倍数で示されるリバーサル・サイズに等しいかそれより大きいときには新しい○の枠が始まり、それは下に向かって描かれていく。○の数は反転の大きさによるが、その大きさは少なくともリバーサル・サイズと同じでなければならない。最初の○は1つ前の枠の最後の×より一枠下に描かれる。同じことが価格の下落から上昇に転じたときにも当てはまる。枠とリバーサル・サイズの選択は任意で

※ポイント・アンド・フィギュアについていはトーマス・J・ドーシー著『最強のポイント・アンド・フィギュア』（パンローリング刊）を参照

図2.5　週足バー・チャートの概観（銀当限つなぎ足）

あり、枠が大きくなるほど短期のノイズはフィルターに掛けられたようにこのチャートには現れない。

　図2.8は、枠の大きさは０．５ポイントでリバーサル・サイズは３枠または１．５ポイントである。言い換えれば、価格が１．５ポイントかそれ以上落ちない限り、価格が０．５ポイント上がるごとに×はその決められた枠に加えられていく。価格が１．５ポイントか、それ以上落ちたときには、新しい枠に移り○の枠が始まり、最初の○は最後の×より一枠下になる。

　ポイント・アンド・フィギュア・チャートは、時間を反映していないので１つの枠は１日でも１カ月にでもなる。例えば、**図2.9**は**図2.8**のポイント・アンド・フィギュア・チャートに対応したバー・チャートである。バー・チャート上の１日（１という数値で示されている）とそれに続く５日間（矢印で囲まれて、２という数字で示されている）はポイント・アンド・フィギュア・チャ

図2.6　現物価格チャート（小麦、出所:1995年BRIDGE/CRB）

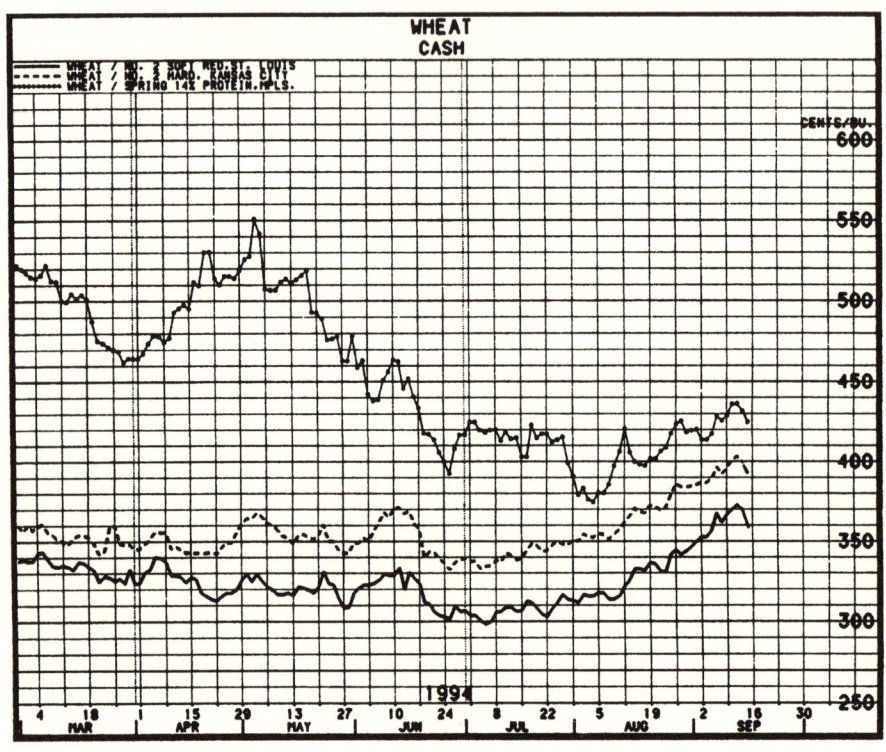

ートでは１つの枠（同じように示されている）になる。

ローソク足（キャンドルスティック・チャート）

　ローソク足は、バー・チャートの１次元的な表現から２次元的な表現へと発展させ色を付け加えたものである。始値と終値の間のレンジを表しているバーの実体（リアル・ボディー）は２次元的に表現されている一方、この範囲を超えた高値、安値は線で表されている（シャドウ＝影・ひげと呼ばれている）。１日の値幅で始値と終値が大きく開いた日には実体は大きくなり、始値と終値の差が正味で小さい日には実体は小さくなる。実体の色の区別、終値が始値よ

図2.7　綿花10月限と12月限のサヤ・チャート（出所:フューチャーソース）

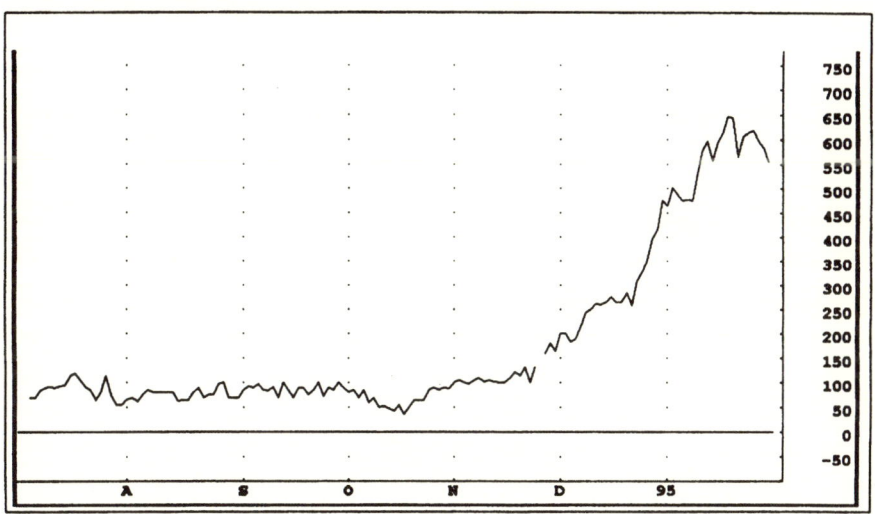

り高い場合は白（**図2.10**）、終値が始値より安い場合は黒（**図2.11**）で示す。**図2.12**は、**図2.9**の中間部分（１９９６年５月の終わりから９月の初めまで）を示したローソク足である。

　ローソク足は、バー・チャートと同じ価格データを使うが、その独特な表示方法はアナリストが相場の反転と継続の状況を判断するためには大変有効である。無数のローソク足のパターンとそのそれぞれの解釈については触れないが、１つだけ説明するとすれば、寄引同事足（ドージ：Doji）と呼ばれるローソク足は始値と終値が同じものである。**図2.12**で印象的にひげの長い日がそれである。寄引同事足は困難とか決断の難しい状況、トレンドの反転が今にも起こりそうな相場を警告していると言われている。ところで、ローソク足での寄引同事足はバー・チャートのものと同じになる（**図2.12**と**図2.9**を比較）。ローソク足はバー・チャートより多くの情報を含み、価格データを視覚的に訴えるので、一部のトレーダーはこのチャートが一般的なバー・チャートよりもより自然で役に立つと思っている。

図2.8 ポイント・アンド・フィギュア・チャート（シティコープ）

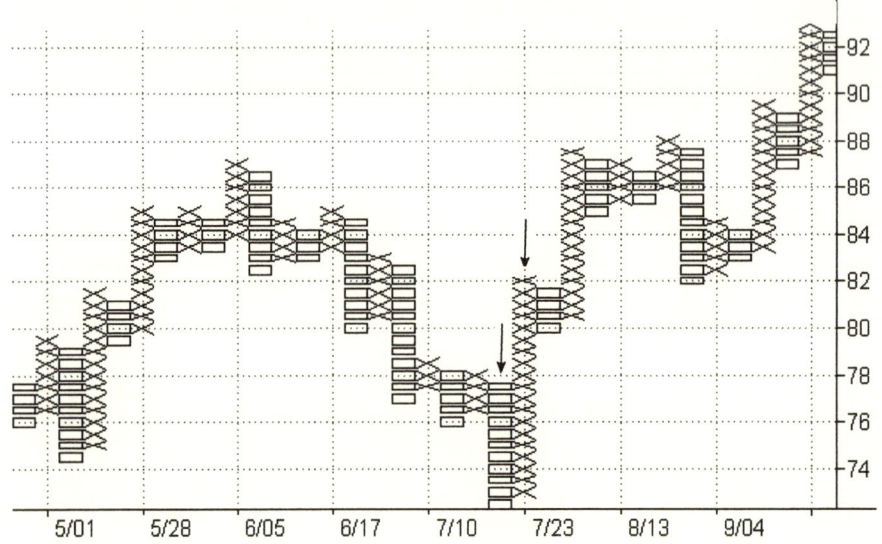

データ

　どのような種類のチャートを分析するときでも、そのデータの本質を理解していることは大切なことである。では、株と先物トレーダーによって見逃されている点について説明してみよう。

株式トレーダーのために：株式分割と価格データ
　株式分割のとき、すべての過去の価格はその割合に応じて修正されるので分割そのものは価格に影響しない。例えば、５０ドルで取引されている株式が２：１で分割されると、その価格は２５ドルになる。もし修正されなければ、チャートは５０ドルから２５ドルへの価格の変化をそのまま反映する。この不合理な揺れを取り除くためにすべての過去の価格は２（分割比率）で割られている。そうすることで株式分割以前の価格は現在の実際の価格を反映しなくなり、本来、真の価格の動きに影響されるはずのデータは、株式分割にも影響を受けなくなる。

Chapter 2
チャートの種類

図2.9 図2.8のポイント・アンド・フィギュア・チャート（シティコープ）を
バー・チャートにしたもの

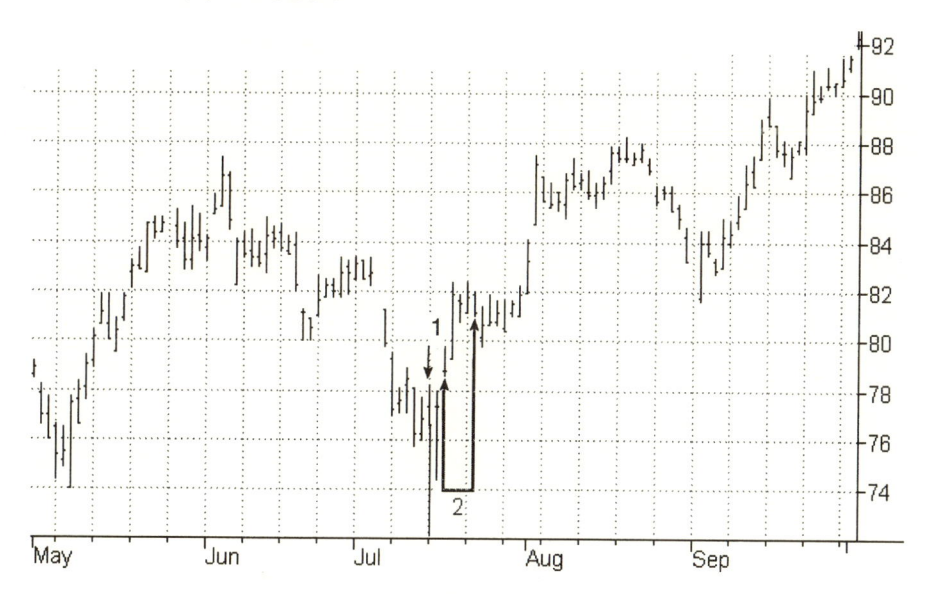

　その株価データを株式分割のために修正することは大変理にかなったことである。ただし、この過去のデータの値動きが実際の変化をすべて伝えていないことを忘れてはならない。例えば、株は２：１で３回分割されたとすると、これらの分割を修正するために２回目と３回目の間の株価は２で割られ、１回目と２回目の間の株価は４で割られ、分割以前の株価は８で割られることになる。分割されない時期の５ドルから８ドルへの株価上昇は１株あたり２４ドルの利益を意味し、３ドルではない。この考えは価格のパターンを変えるものではないが、トレーディング・システムがこの連続した価格全体をコンピューター・テストするとその結果は大きく歪められる。しかし、その説明はこの本では説明しきれないので取り上げないことにする。トレーディング・システムのテストに分割修正後の価格を使い、固定された株式数に対してではなく、株の固定されたドル・ポジション（例えば、１０００ドル）と仮定することにより、混乱は最小限に食い止められる。例えば、分割修正後の価格が５ドルであれば、トレード・サイズは２００株となり、一方、価格が５０ドルであれば、トレードのサイズは２０株となる。

図2.10　ローソク足
（白の実体。価格上昇の日）

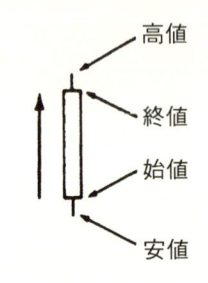

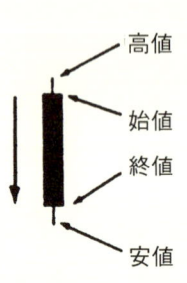

図2.11　ローソク足
（黒の実体。価格下落の日）

先物トレーダーのために：限月データのつなぎ合わせ

　株は一定不変で途切れることのない連なったデータであるが、先物はそうではない。商品と金融先物では限月が交代しながら取引され、それぞれの限月には期限があり、独自の価格（一般的には関係している）を持っている。例えば、Tボンド先物は4半期のサイクルを持ち、限月は3月、6月、9月、12月である。また、原油は暦にしたがって毎月限月がある。長期のポジションを抱えている先物トレーダーは、トレードを「乗り換え（ロールオーバー）」なければならない。納会する限月を手仕舞い、次の限月に乗り換えなければならない。そのため、週足とか月足のバー・チャートを描くには幾つかの限月が必要となる。このことは特に、長期的にみた天井と底の形の分析、支持線と抵抗線のレベルの決定に対しては重要である。

　チャート・アナリストが先物市場で直面する主な問題は、多くの先物の限月が比較的短期間であり、かつ残存期間の短いものほど取引が活発であることである。通貨、株式指数などの多くの先物取引は期近の2限月に集中し、多くの外国債券先物などの一部の市場では取引が当限に集中し、その結果、重要な価格データは1カ月から3カ月間しか存続しない。

　このような状況で、多くのチャート分析の技術を個別の限月に適用しようとしても事実上無理がある。たとえ個別の限月が1年かそれ以上の流動性のある

図2.12　図2.8のポイント・アンド・フィギュア・チャートと図2.9のバー・チャートに対応するローソク足（シティコープ）

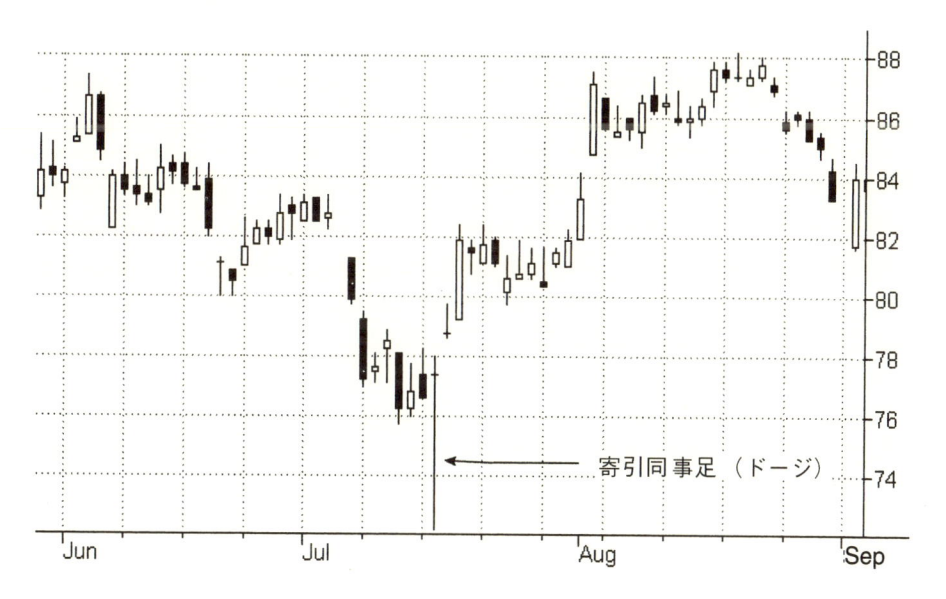

寄引同事足（ドージ）

データを持っていたとしても、ときに徹底的なチャート研究には何年にもわたる週足、月足のチャートが必要となる。そのため、チャート分析には1つのチャート上に先物限月データをつなぎ合わせる作業が必要となる。限定された個別限月でしか流動性のあるデータが得られない市場では、それぞれの限月をつなぎ合わせて作ったチャートが重要なチャート分析を行うために必要であり、一方、別の市場では限月をつなぎ合わせたチャートが長い年月にわたるチャート・パターンを分析するために不可欠となる。

当限つなぎ足

　一般的に先物契約は当限の契約をつなぎ合わせる方法で連結される。当限が納会するまで描かれ、また、それに続く限月が納会するまで続いてチャートに描かれる。そして、その後、それが繰り返される。ところがそうすると、このチャートは当限とそれに続く限月の間の価格差で大きな乱れを生ずることになる。

図2.13 当限つなぎ足チャートのブレ（ユーロ・マルクの週足当限つなぎ足）

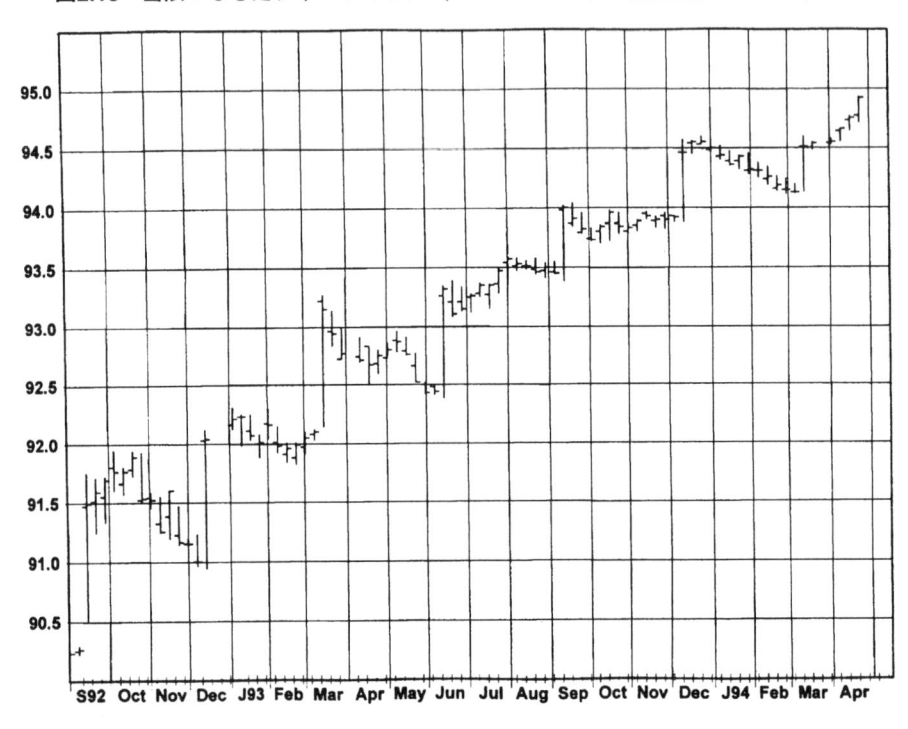

　図2.13はこのような乱れの典型的な例である。いくつもの揉み合いのパターンに、時計仕掛けのように3カ月ごとに急激な週足の価格上昇が現れていることに注目して欲しい。この期間、ユーロ・マルクは3カ月ごとに強気相場をもたらすような出来事があったのであろうか？　そうではない！　定期的に起こる週足の価格上昇は本来の価格上昇ではなく、当限から次の限月に移るために起こる見せかけの値動きに過ぎない。この期間、次の限月は当限に対して大きなプレミアムを持って取引されていたのである。

　事実、**図2.13**のすべての期間において、価格は下落している。買い持ちのポジションを持ち続けていると、1回1回の納会が近付くたびに次の限月に乗り換えなければならず、そのたびに損失を被ることになる。**図2.14**は同じ期間、同じ市場の修正つなぎ足であるが、このことを指摘している。後で定義される修正つなぎ足のチャートで価格の上下動は、買い持ちのポジションを持ち続け

図2.14　修正つなぎ足のチャートで純資産の揺れを正確に反映したもの
　　　　（ユーロ・マルク週足当限つなぎ足）

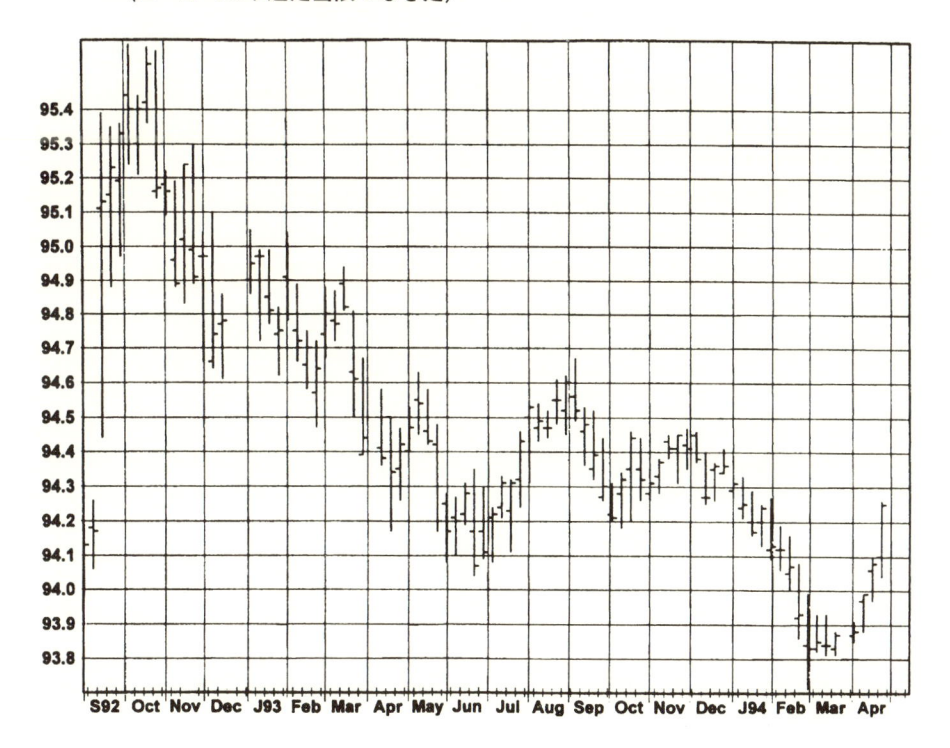

ることによる純資産の変動とぴったり一致している。**図2.13**に見られる急激な上昇が利益とならないのは、この期間、トレーダーは当限を手仕舞い、価格の高い次の限月にポジションを入れ替えているからである。事実、この限月間の価格差は3カ月ごとに見せかけの値動きとなって直近の先物チャートに現れている。

　当限つなぎ足チャートは大きな価格のブレに対して対策を施していない。つまり、このチャートに示されている価格の動きはトレーダーが現実に接しているものとは（ユーロ・マルクの場合のように）全く違うものである。そのため限月を連続させる他の表現方法が必要となり、そのようなアプローチの1つが修正つなぎ足チャートである。

修正つなぎ足（コンティニュアス・フューチャー）

　連続して現れる限月を互いに連結させ、前に説明した価格のギャップをなくすようにしたものが修正つなぎ足である。これは新しい限月に乗り換えるときにそれ以前の限月と新しいものとの差を累積的に足し合わせることによってできる。

　実例を挙げると分かりやすいので、６月限と１２月限を使ってコメックスの金の連続した価格データを合成してみよう（限月の組み合わせの選択は任意である。その市場において最も活発に取引されている月を組み合わせて使うことができる。例えば、コメックスの金の場合には、６つの活発に取引されている限月である２月、４月、６月、８月、１０月、１２月からなる価格データから１２月だけの単独の限月からなるものまで選択可能である）。価格データが暦年の初めから始まるとして、その修正つなぎ足データの初期値はその年に納会を迎える６月限の価格となる。限月を乗り換える日（必ずしも最終取引日である必要はない）に６月限の金は４００ドルで引け、１２月限の金は４１２ドルで引けたとする。この場合、これからの１２月限の価格はすべて１２ドル（限月を乗り換える日の１２月限と６月限の差額）下方修正される。

　次の限月交代の日に１２月限の金は４５０ドルで取引され、それに引き続く６月限は４６４ドルで取引されるとする。１２月限の価格４５０ドルの差額修正された価格は４３８ドルである。限月交代でこの２番目の６月限の価格は修正された価格データより２６ドル高い。その結果、この６月限のそれ以後の価格は２６ドル下方修正される。この過程を繰り返し、それぞれの限月の修正値は現在とそれ以前の変換点における価格差の総計となる。通常、最後の手順として、全データを累積修正分だけずらす。つまり、価格データの形状を変えずにデータの現在値を実際の取引価格と一致させる作業を行うことが便利である。この結果得られる価格データは、限月交代のときに見られた限月間スプレッドによるブレを持たない。

　限月交代のときに、次の限月が高いプレミアムで取引される強い傾向があるマーケットでは、累積修正された後、過去のある期間ではマイナスの価格となったものが事実、修正つなぎ足に含まれる可能性がある。このことは混乱を招きそうではあるが、システムをテストする際には何の問題にもならない。チャート分析の際には、トレーダーはマイナスであったり、現実的でないほど低い

価格レベルにある支持ポイントは無視するであろう。

合成先渡価格足（コンスタント・フォワード・データ）

　３番目のつなぎ足データは永久限月として知られている合成先渡価格足で、一定期間の先渡価格として表現される。合成先渡価格足は先物価格データを補完法で修正している。例えば、９０日間合成先渡価格足の計算で、９０日の先渡日が２つの期近限月の取引終了日の間の３分の１の時点であるとすると、合成先渡価格足の価格は当限の価格の３分の２とその次の限月の価格の３分の１を足し合わせたものとなる。日が経つにつれ、当限の比率は減り、それに比例して、その次の限月の比率は増える。実際には、当限が納会すると、計算から外され、合成先渡価格足はその次に続く２限月を補完法により修正する。

　合成先渡価格足は乗り換え時点の大きな価格のギャップをなくし当限つなぎ足を改善するが、この種の価格データには２つの欠点がある。まず、この価格データが現実の限月でないため、合成先渡価格足を取引することができない。２番目に、重要な点として、合成先渡価格足には実際の先物契約の持っている時間の消滅の影響がない。この欠点は、合成先渡価格足の価格パターンが実際に取引されている限月が示すパターンからかなりずれてしまうという望ましくない結果を生んでしまう。

価格データの比較

　つなぎ合わせた先物足は価格レベルと価格変動の両方ではなく、どちらか一方のみを正確に反映していることを理解することは重要である。それは、コインでは裏と表のどちらか一方が出て、両方同時に出ることはないのと同じである。当限つなぎ足は、実際の過去のレベルを正確に反映しているが、価格変動についてはそうではない。修正つなぎ足は価格変動を正確に反映するが、修正後の価格レベルは実際の過去のレベルではない。合成先渡価格足は価格のレベルも価格変動も正確に反映していない。

　修正つなぎ足は、価格の振幅と実際の取引金額に見合った純資産の変動を正確に反映する唯一の限月をつなぎ合わせたデータであり、トレーディング・システムをコンピューターでテストする際に正確なシミュレーションを生成するのに使える。既に述べたように各限月には期限があるため、これらの個別限月

は、長期的手法全般がそうであるように6カ月以上過去にさかのぼることが必要なシステムをテストすることには使えない。例えば、短期の取引手法をテストするときなどは理論的に可能であるが、実際の限月データを使うことは多くの個別限月の価格データを用いることを意味し、単独の限月をつなぎ合わせたデータを用いるよりはるかに複雑である。

　当限つなぎ足と修正つなぎ足の違いに読者は、当限つなぎ足と修正つなぎ足のどちらがチャート分析に適しているのか？という当たり前の質問を持っているはずである。これは新車を買う前の消費者に価格と品質のどちらをまず考えるか？という質問をするのに似ている。答えは明らかに両方である。それぞれの要素は他の要素では相いれない特別な情報を持っている。当限と修正のそれぞれの価格チャートは本質的な欠点を持っているので、より完璧な分析には双方のチャートを組み合わせることを勧める。ときどき、これら2種類のチャートは完全に違った相場観を提供するからである。

　当限つなぎ足は情報販売業者から提供される最も一般的な連結価格データである。多くの情報販売業者は修正つなぎ足、合成先渡価格足などの限月をつなぎ合わせたデータも提供している。これらの価格データには本質的な違いがあるので、どの方法で限月をつなぎ合わせたデータを購入し、使っているのかをまず確かめなくてはならない。

第3章

トレンド
Trends

> トレンドは最後にその方向を変えるまであなたの友人である。
> 　　　　　　　　　　　　　　　　　　　エド・スィコータ[※]

高値と安値によるトレンドの定義

　相場のトレンドは絶大な収益機会を与えてくれる。そのためチャート分析の基本的なゴールは価格のトレンドを定義し、発見することである。上昇トレンドの一般的な定義は、価格がジグザグな動きをしながらより高い高値を形成していく一方、一時的に下落した場合にもその前に下落したときに形成した安値を割らずに進んでいくことである。例えば、**図3.1**で3月から9月にかけて、それぞれの高値（RH）はその前に形成されている高値よりも高く、それぞれの安値（RL）はその前に形成されている安値を割らずに推移している。本質的には、上昇トレンドはその前の安値（RL。「支持線」となる底値）が割れるまで変わらないと考えることができる。この状態が崩されると、このトレンドの終わりが警告されていることになる。例えば、**図3.1**で9月に形成されている安値（RL）が10月に突破されているが、これは確かな下降への前兆であると考えられる。より高い高値と安値の連続で形成される波（より低い高値と安値の連続で形成される波）の中断は長期トレンドの反転の起こる可能性を示唆してはいるが、それが完全に確定されてしまったわけではない。**図3.2**も同様に上昇トレンドを表している。

※エド・スィコータ『マーケットの魔術師』（パンローリング刊）に登場

図3.1 連続した高値の更新と安値の切り上がりで構成される上昇トレンド
（1992年12月限ユーロ・ドル）

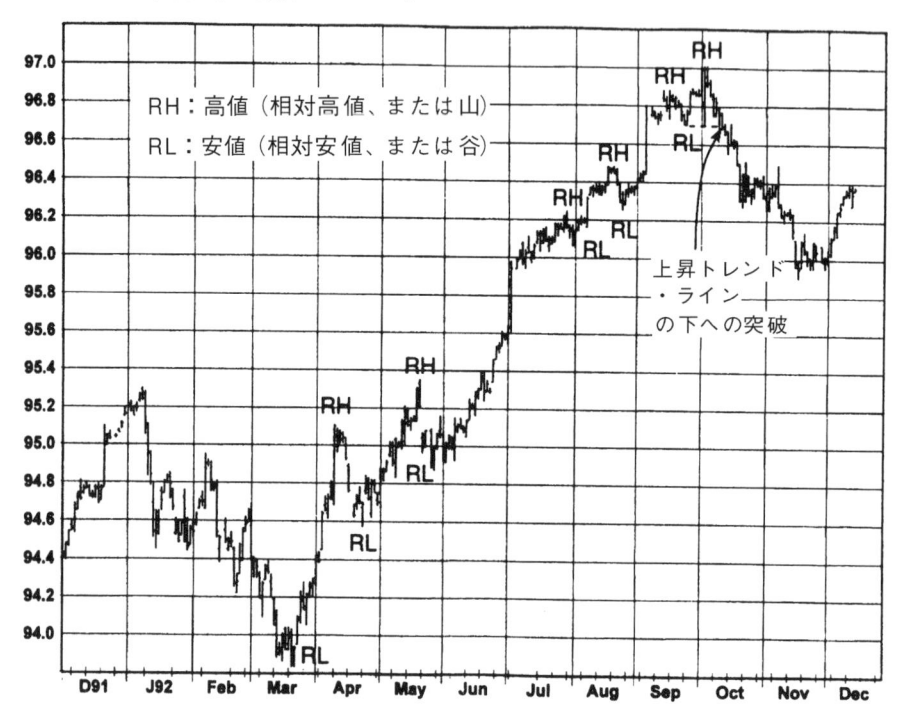

RH：高値（相対高値、または山）
RL：安値（相対安値、または谷）

上昇トレンド・ラインの下への突破

　同じ方法で、下降トレンドはより低い安値と高値の連続により形成される波（**図3.3**参照）と定義することができる。下降トレンドは、その前の高値（RH）が超えられるまで継続していると考えられている。

　上昇トレンドと下降トレンドはよくトレンド・ラインで定義される。上昇トレンド・ラインは上昇トレンドを形成するジグザグの波の安値（**図3.4**と**図3.5**参照）を結んだものである。下降トレンド・ラインは下降トレンドを形成するジグザグの波の高値（**図3.6**参照）を結んだものである。トレンド・ラインはときには何年にもわたることがある。例えば、**図3.7**のトレンド・ラインは7年にもわたる上昇トレンドである。

　トレンド・ラインに平行な線の近くに到達すると価格が反転することが繰り返されることがある。このとき、トレンドを包み込むトレンド・ラインとこの

**図3.2　連続した高値の更新と安値の切り上がりで構成される上昇トレンド
（1992年12月限Tボンド）**

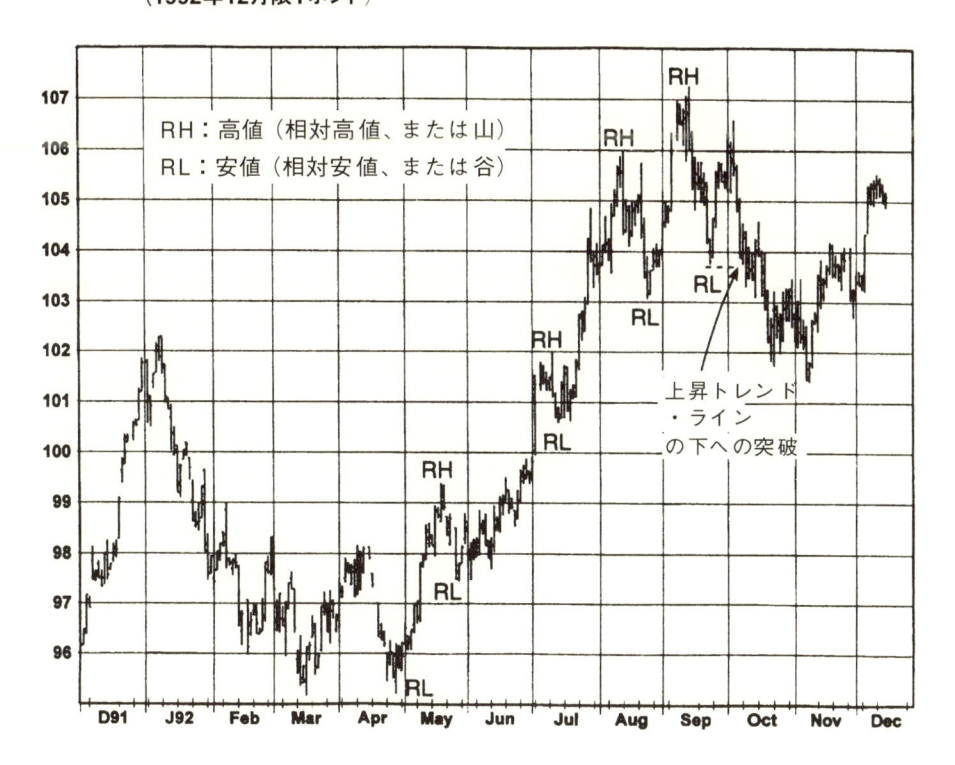

平行線の対はトレンド・チャネルと呼ばれている。**図3.8**と**図3.9**は延長された上昇トレンドと下降トレンドのチャネルを示している。

トレンドの法則

通常、以下の法則がトレンド・ラインとチャネルに適用される。

1．下落してきた価格が上昇トレンド・ラインに接近してきたときと、上昇してきた価格が下降トレンド・ラインに接近してきたときは、主要トレンドの方向にポジションを取る絶好の機会となることがある。
2．上昇トレンド・ライン（特に終値を基調として）の突破は売りシグナル

図3.3　連続した安値の更新と高値の切り下がりで構成される下降トレンド（1992年12月限コーヒー）

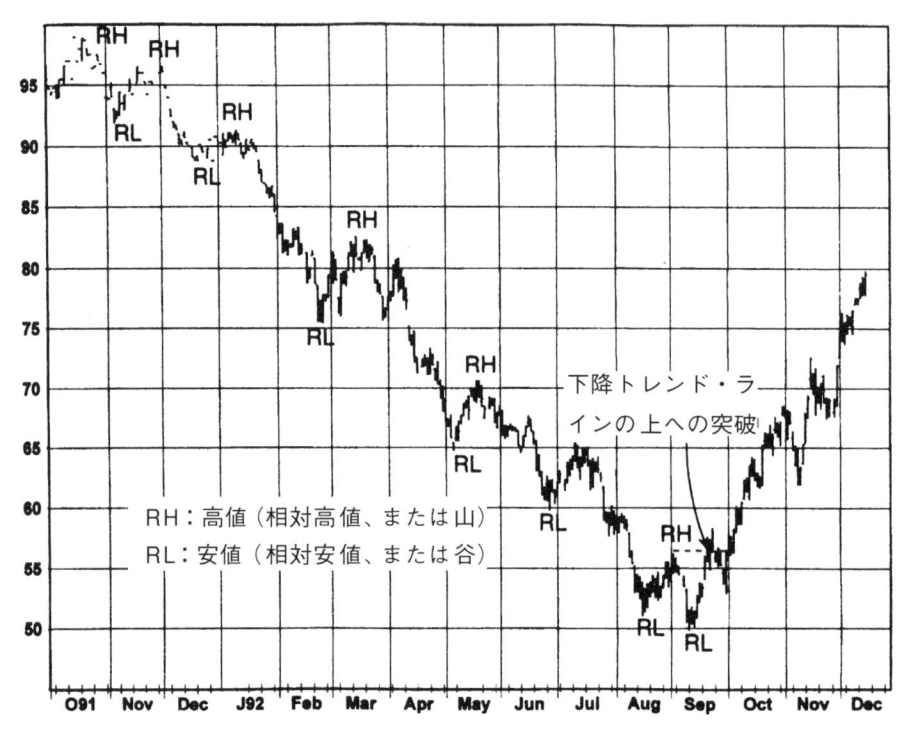

となる。下降トレンド・ラインの突破は買いシグナルとなる。一般的に、トレンド・ラインの突き抜けを確認するためには、価格がトレンド・ラインを超えて比率で定められた最低限の値動きをするか、または、終値がトレンド・ラインを最低限必要な数だけ超えて引けなければならない。

3. 下降トレンドのチャネルの下端と上昇トレンドのチャネルの上端は、短期トレーダーにとって利益を確定する可能性のある領域であることを示している。

トレンド・ラインとチャネルは有益であるが、その重要性は誇張され過ぎている。トレンド・ラインが後から描かれたとき、その信頼性を過大評価してしまう可能性がある。強気の相場とか弱気の相場が長引くときには、トレンド・

図3.4 上昇トレンド・ライン（アモコ）

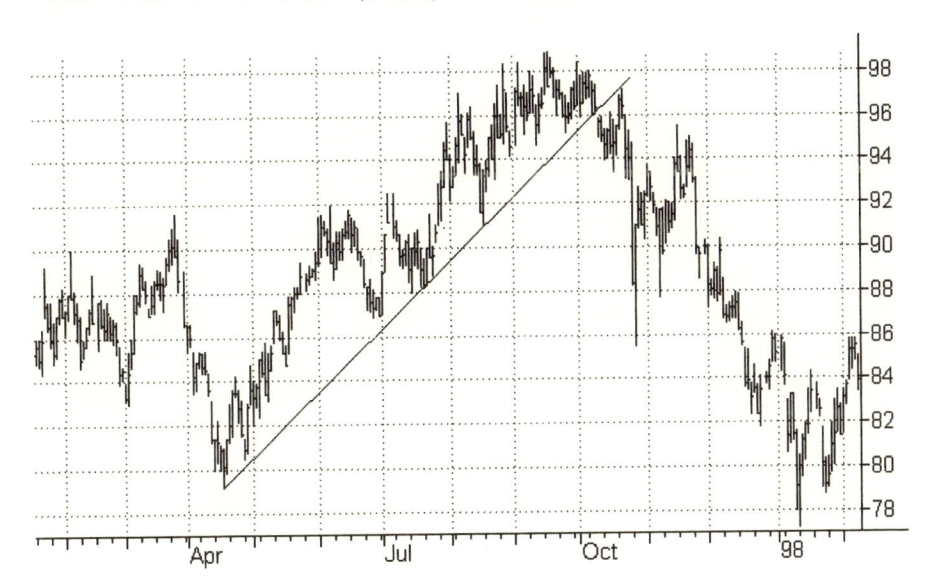

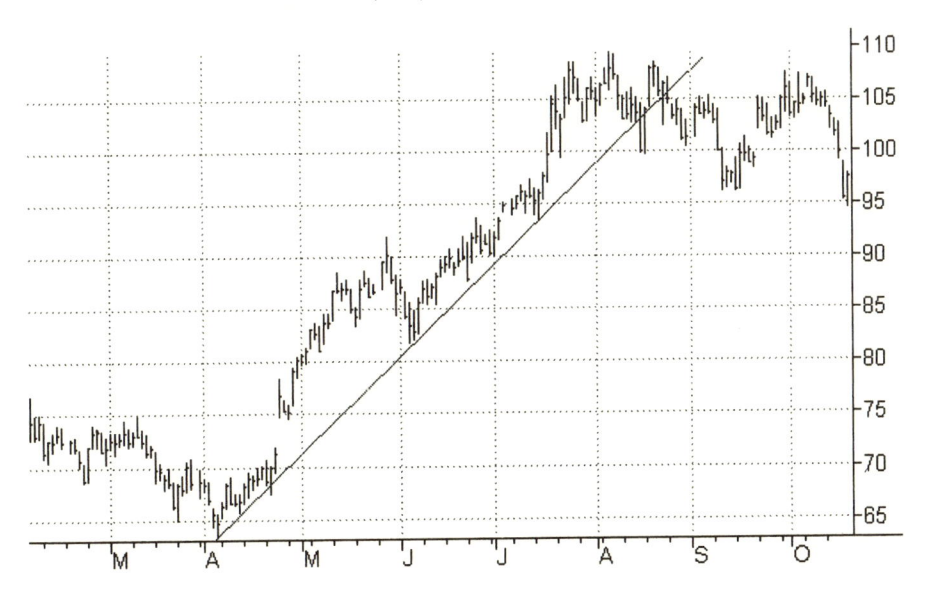

図3.5 上昇トレンド・ライン（IBM）

図3.6　下降トレンド・ライン（モトローラ）

図3.7　上昇トレンド・ライン（ゼロックス）

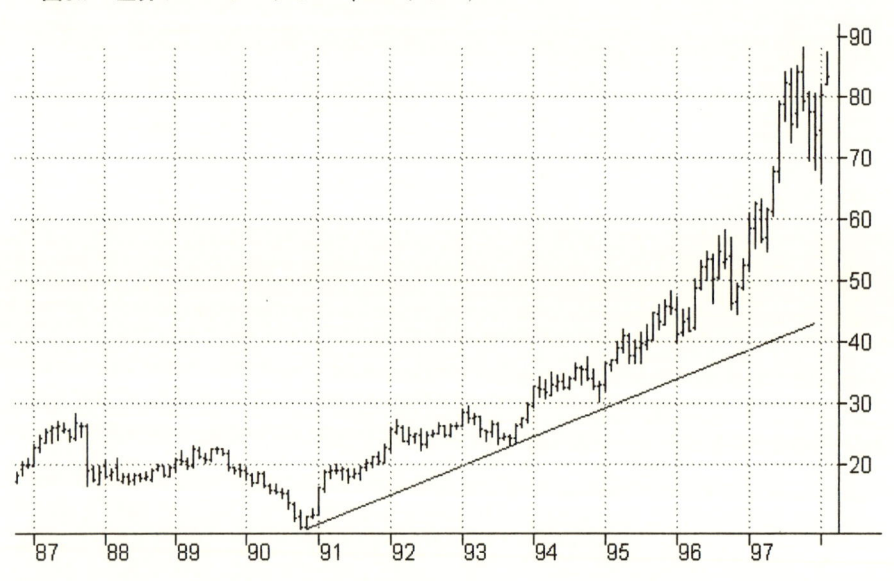

図3.8 上昇トレンド・チャネル（1991年6月限ユーロ・ドル）

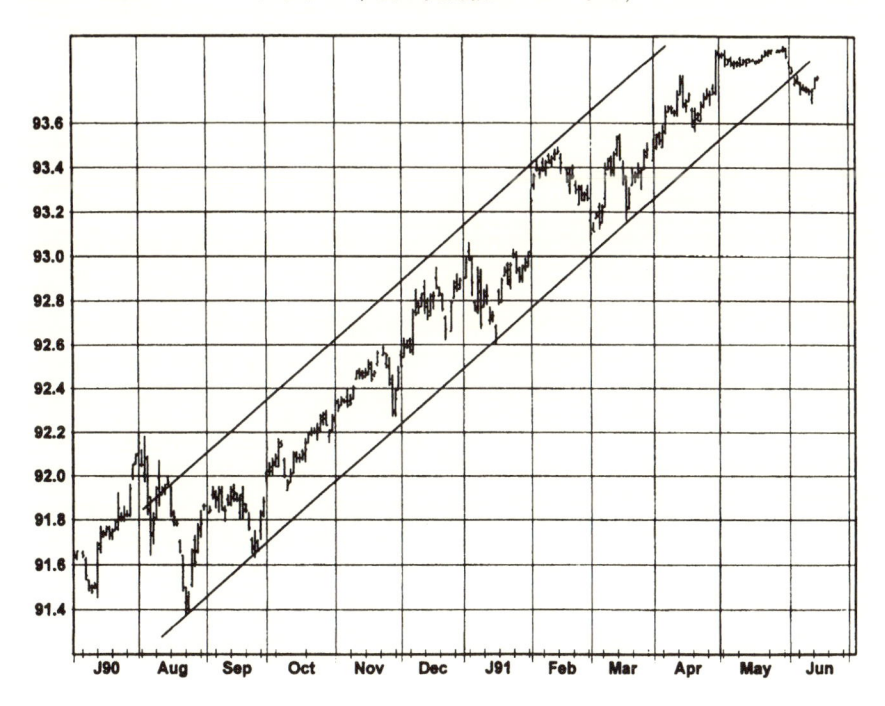

ラインを引き直す必要があることを忘れてはならない。トレンド・ラインの突破はトレンドが反転する早期の警告的なシグナルとなる。また、そのような展開はトレンド・ラインの引き直しを強要する。例えば、**図3.10**には３つのトレンド・ラインがあり、そのうちの最初の１番は４月から６月の急激な上昇トレンドをとらえている。しかし、６月半ばのこのトレンド・ラインの突破は反転とはならず、２番目のトレンド・ラインを引き直すことを必要としている。同様に、点線の３のラインは７月と８月の安値を加えたもう１つのトレンド・ラインである。

図3.11は、下降トレンドの例である。**図3.11**の上のラインは事後的に引いた下降トレンド・ラインである。下のラインは５月まで示されていた下降トレンドのラインを表している（５月から先は元のトレンド・ラインの特殊性を見るためのチャートである）。５月のトレンド・ラインの突き抜けはトレンドの反

図3.9　下降トレンド・チャネル（1992年9月限ココア）

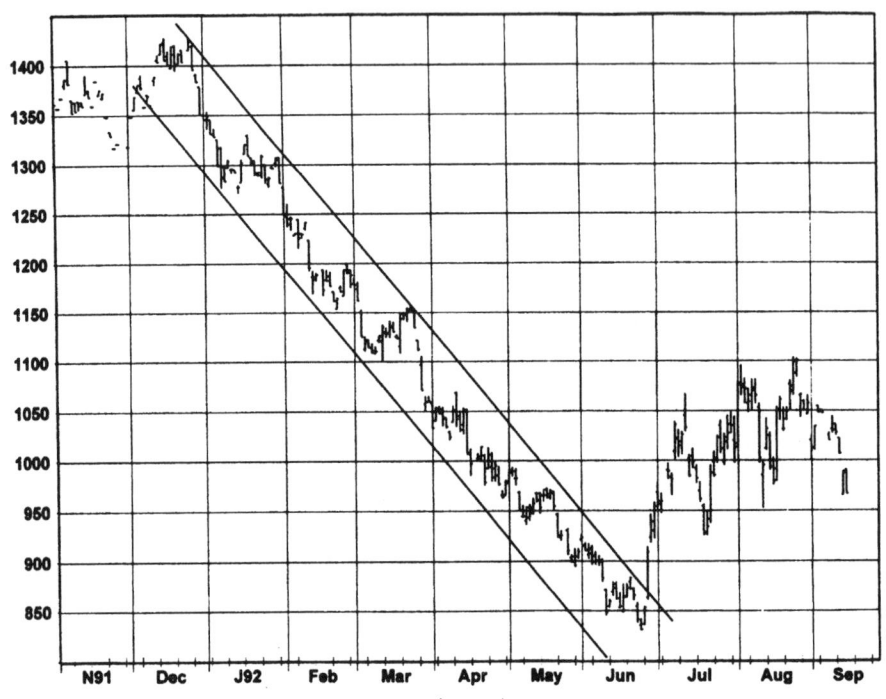

図3.10　定義を変えた上昇トレンド・ライン（アモコ）

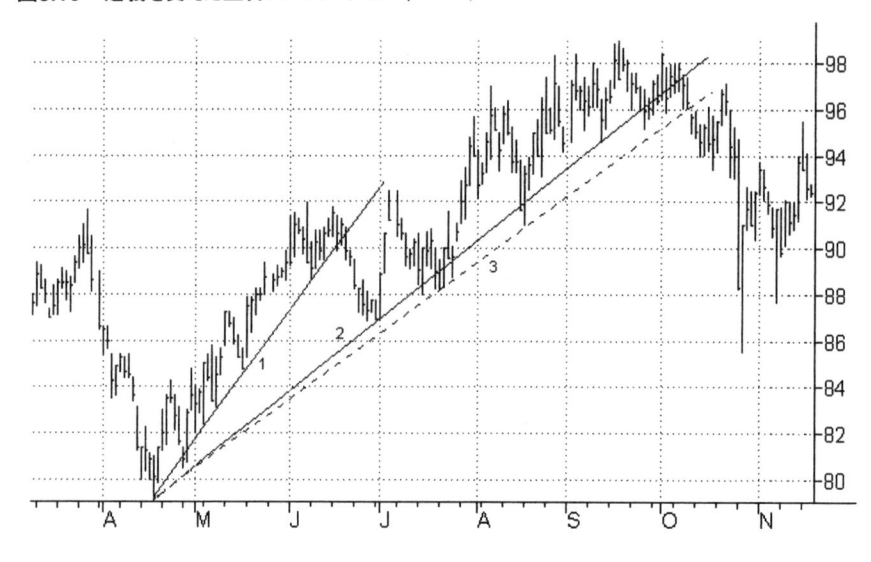

図3.11　定義を変えた下落トレンド・ライン（概念的な債券修正つなぎ足）

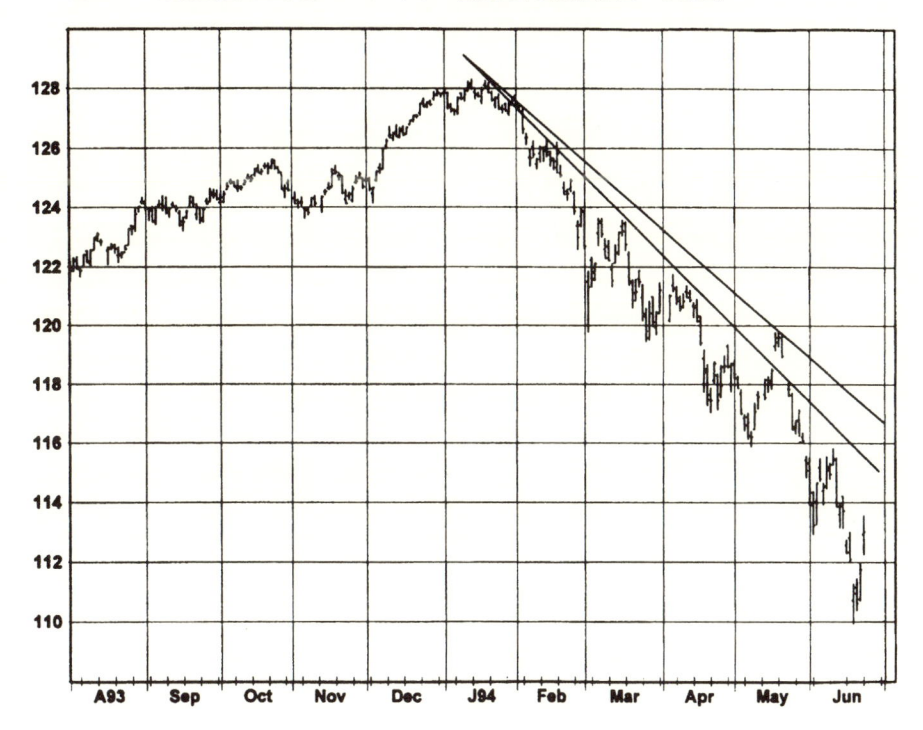

　転を引き起こさず、単にトレンド・ラインを再び引かなければならない状況を引き起こしている。同様な見方をすると、チャートが4カ月先まで描かれていることを除いては、**図3.12**と**図3.11**は同じものである。下のラインは**図3.11**からコピーしたもので、それぞれ5月と7月までのハッキリとした下降トレンド・ラインを表している。そしてまた、これらのトレンド・ラインの突破はトレンドの反転を引き起こさず、単にトレンド・ラインを描き直さなければならない状況を引き起こしている。これらの例はトレンド・ラインを何度も描き直さなければならないことを示している。

　前の例は、トレンド・ラインの突破は例外的なものであるというよりは法則に則ったものであるという核心を突いたものである。トレンドが長引くにつれ、何度となくトレンド・ラインが突破される傾向は単純な事実であって、トレンドが伸びるに従ってトレンド・ラインが再確定されると言っているのと同じこ

図3.12　2度にわたり定義を変えた下落トレンド・ライン
　　　　（概念的な債券修正つなぎ足）

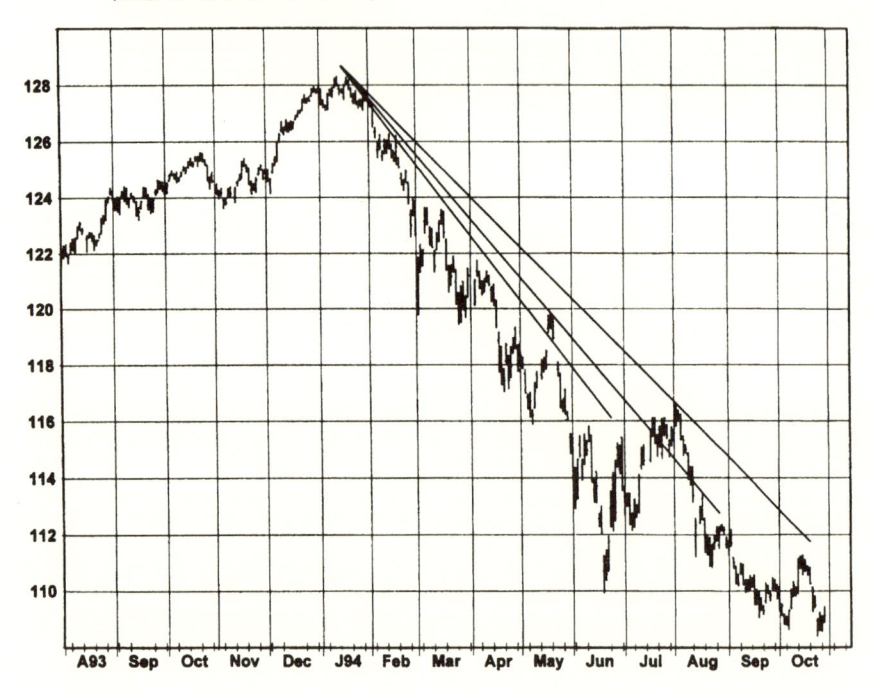

とである。これらの観察からトレンド・ラインは即時応答的であるというより事後的に引くともっともらしくなり、また、トレンド・ラインの突破はときにはだましシグナルになるということである。この後者に対する考察を第１１章で行う。

トレンド・ラインの引き方

　一般的にトレンド・ラインは、上昇トレンド・ラインについては重要な安値を、下降トレンド・ラインについては重要な高値を結んで引かれる。妥当なトレンド・ラインを引くために結ばれるべき高値と安値の数については幾つかの選択肢がある。もちろん、２つは必ず必要で、トレンド・ラインが重要であればあるほど結ばれるべき高値と安値の数も増えてくる。そのため、この過程は

図3.13　8日TD上昇トレンド・ライン（1994年12月限スイス・フラン）

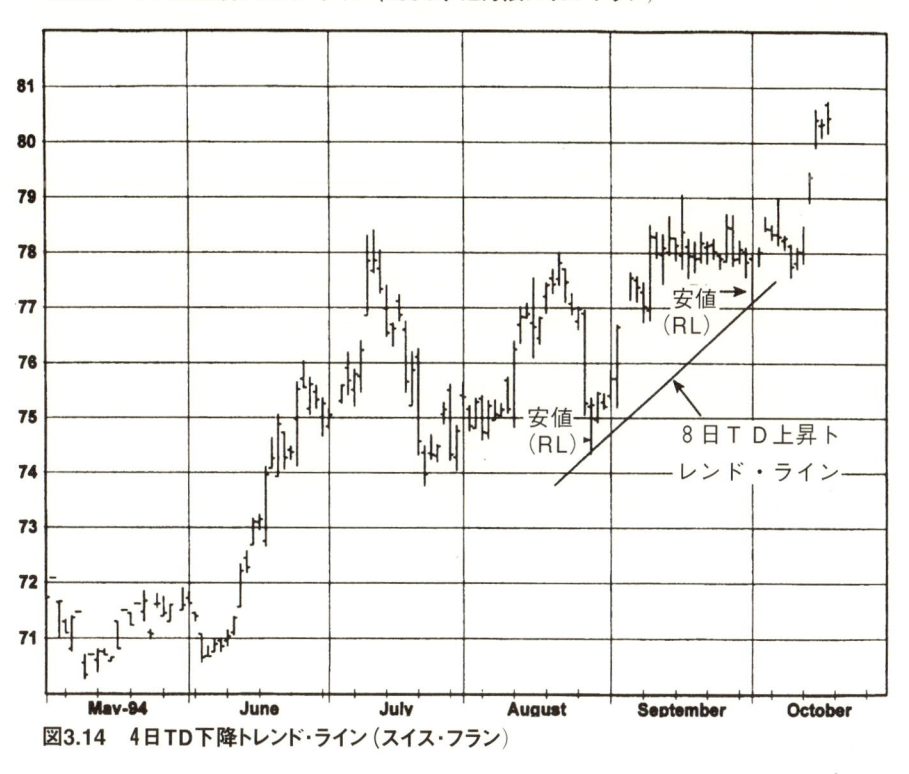

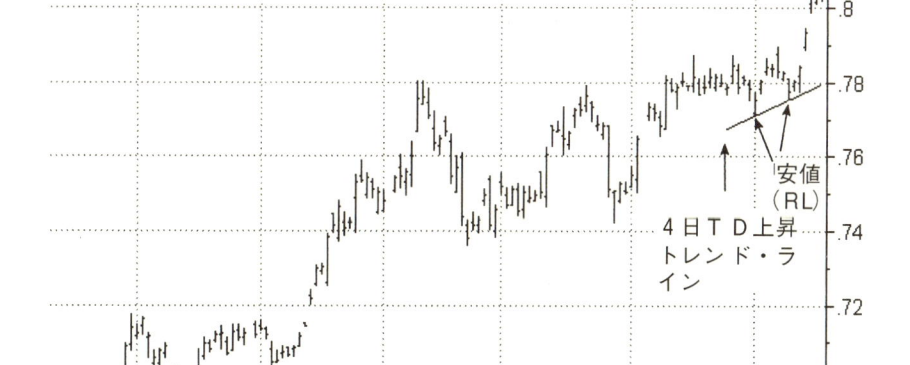

図3.14　4日TD下降トレンド・ライン（スイス・フラン）

主観的なものとならざるを得ない。例えば、上昇トレンドで６つの足の大体の安値を結んだトレンド・ラインは２つの足の正確な安値を結んだ線よりもトレンドを正確に確定している（この課題に関するこれ以上の議論は、次の「内部トレンド・ライン」参照）。

しかし、トレンド・ラインを客観的に定めることも可能である。トーマス・デマーク（**Thomas DeMark**）の著書 **"The New Science of Technical Analysis"** にそのような方法について説明されている。彼の「ＴＤライン」を形成する過程は２つの点を結び付けることで成り立っている。上昇トレンド・ラインでは、直近の安値（ＲＬ）とそれ以前の安値（ＲＬ）。下降トレンド・ラインでは、直近の高値（ＲＨ）とそれ以前の高値（ＲＨ）。直近の高値（ＲＨ）もしくは安値（ＲＬ）を用いてトレンド・ラインを引くことにすると、トレンド・ラインは新しい高値（ＲＨ）もしくは安値（ＲＬ）が更新される都度、引き直されることになる。この手法は過去の価格よりも最近の価格の重要性が強調されている。

ＴＤラインは、高値（ＲＨ）もしくは安値（ＲＬ）を定義するＮの値、つまりその前後の日数に大きく影響される。**図3.13**と**図3.14**は同じ市場における２つの異なるＮ＝８日とＮ＝４日によって生成されたＴＤラインを比較している。**図3.13**は前後８日間で見た安値と直近の安値を結んだＴＤラインである。**図3.14**は前後４日間で見た安値と直近の安値を結んだＴＤラインである。Ｎの値を大きく設定すれば、トレンド・ラインの数が減り、トレンド・ラインはより重要なものとなる。Ｎの値を大きくすることで失うものは、その結果得られたトレンド・ラインはトレーディング・シグナルをゆっくり出すことである。

内部トレンド・ライン

従来型のトレンド・ラインは極端な高値と安値を含んで描かれている。しかし、極端な高値と安値は市場の感情的な行き過ぎを表現し、そのため相場の主要なトレンドを表しているわけではないので論議の対象となっている。内部トレンド・ラインは極端に逸脱した価格を基にトレンド・ラインを引くという通常の方法には従っていない。内部トレンド・ラインは、極端な高値や安値を排除することにより、高値（ＲＨ）と安値（ＲＬ）を最もうまくカバーするよう

※参考文献：トーマス・Ｒ・デマーク著『デマークのチャート分析テクニック』（パンローリング刊）

に引かれたトレンド・ラインである。**図3.15〜図3.17**には、従来からのものと内部トレンド・ラインの両方の例を載せてある。多くの場合、チャートが見ずらくなることを避けるために、その値動きに見合った従来型のトレンド・ラインが１つか２つ描かれているだけである。内部トレンド・ラインの欠点は、それを描くことが非常に恣意的になってしまうことであり、それに関して極端な高値と安値によって必ず描くことのできる従来型のトレンド・ラインははるかに便利である。しかし、私の経験では、支持線と抵抗線の領域を定めるには従来型のトレンド・ラインより内部トレンド・ラインの方が、利益を得るにはずっと役に立つ。**図3.15〜図3.17**の考察は、これらのチャートに描かれた内部トレンド・ラインが従来型のトレンド・ラインに比べて相場が下落に持ちこたえるのか、それとも上昇に立ち往生するのかについて適切な指摘をしている。

図3.15　内部トレンド・ラインと通常のトレンド・ライン（1991年3月限綿花）

人それぞれの寓話的とも言える実践から得られた意見はそれこそ科学的証明そのものである。事実、内部トレンド・ラインの主観的な性質によって、それらの有効性を科学的に調査することはまず困難である。しかし、私の要点は、内部トレンド・ラインは非常にまじめなチャーチストによって展開された概念であるということである。内部トレンド・ラインを使うことでそれらがチャート分析手法として価値あるものである、と多くの読者が判断することを私は確信している。

移動平均線

移動平均線は、単純な算術平均を用いることで価格データを平滑にし、かつ

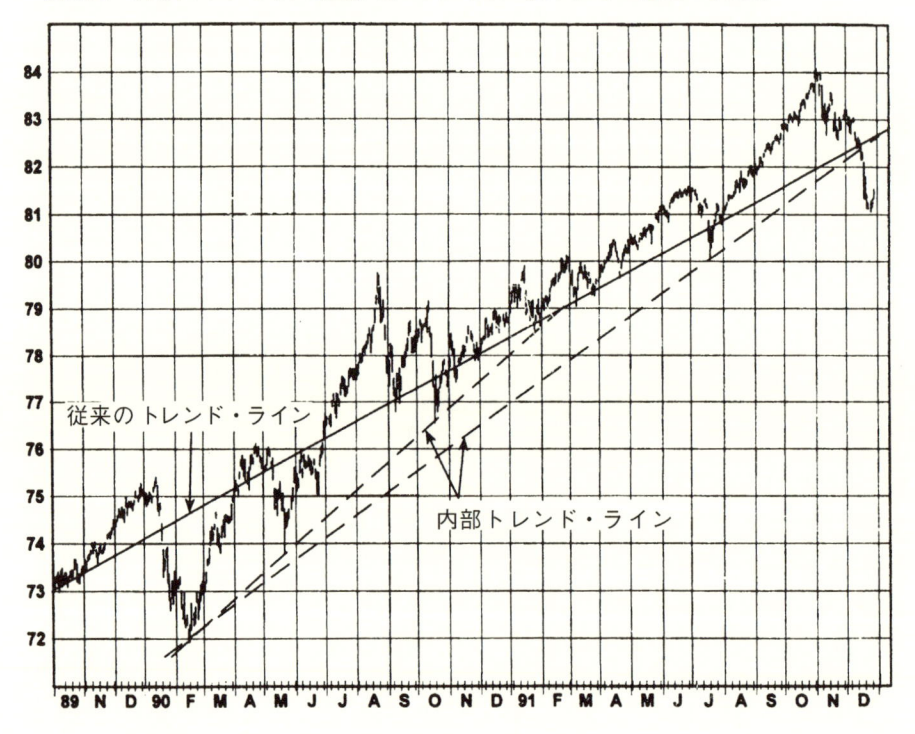

図3.16 内部トレンド・ラインと通常のトレンド・ライン（カナダ・ドル修正つなぎ足）

トレンドをより認識しやすくする。単純移動平均は、現時点から過去N日間の終値の平均と定義されている。例えば、４０日移動平均線とは現時点を含む過去４０日間の終値の平均である。特に、移動平均線は日々の終値を使って計算される。もちろん移動平均は、始値、高値、安値、または日々の始値、高値、安値、終値の平均を基にすることもできる。また、移動平均は日々ではなくてデータの時間間隔をおいて計算することもできる。この場合「終値」とは、定められた時間間隔の最後の提示価格を意味する。

　移動平均という用語は、平均の対象となる数があらかじめ定められ、その対象となる相手が連続的に時間とともに移動することから来ている。**図3.18**は、４０日移動平均を価格データの上に重ねて説明している。移動平均が価格データのトレンドを鮮明に反映し、データの中の意味のない変動を平滑化していることに注目して欲しい。価格が行ったり来たりする相場では、移動平均はサイ

図3.17　内部トレンド・ラインと通常のトレンド・ライン（日本円修正つなぎ足）

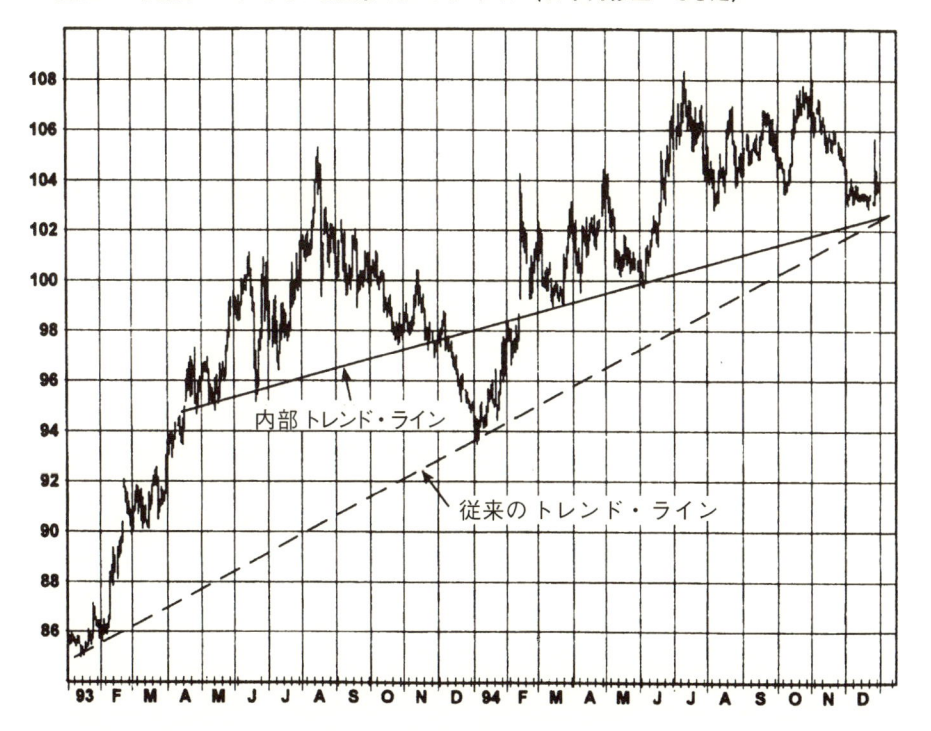

図3.18　トレンドのある市場での40日移動平均（ジレット）

ン波のように発振し、保ち合い（サイドウエー）のパターンを示す傾向がある（例えば、**図3.19**の１９９３年１０月～１９９４年５月参照）。移動平均が価格データを平滑化する度合いはその期間に比例している。４０日移動平均は短期の「無意味な動き」を５日移動平均よりも多く取り除いている。

　移動平均を使ってトレンドを判定する方法の１つは、前日の移動平均の値に対して今日の値が変わる方向を基にして行われる。例えば、今日の値が昨日の値より高ければ、移動平均（そしてそのトレンドへの影響）は上がっていると考えられ、今日の値が低ければ、下がっていると考えられる。

　移動平均が上がっているのは、今日の終値がＮ日以前の終値より高い状態であることを意味している。なぜか？　昨日の移動平均は、今日の移動平均にＮ日前の終値を加えて今日の終値を除いたものであるからである。そのため、もし今日の終値がＮ日前の終値より高ければ、今日の移動平均は昨日の移動平均よりも高くなる。同様に、移動平均が下がっているのは今日の終値がＮ日前の終値より安い状態であることを示している。

　移動平均の平滑化によるこれらの特質は、データの遅れの犠牲の下に成り立っている。定義によって、移動平均が過去の価格の平均を基にしているため、

図3.19　保ち合い相場での40日移動平均（1995年3月限ココア）

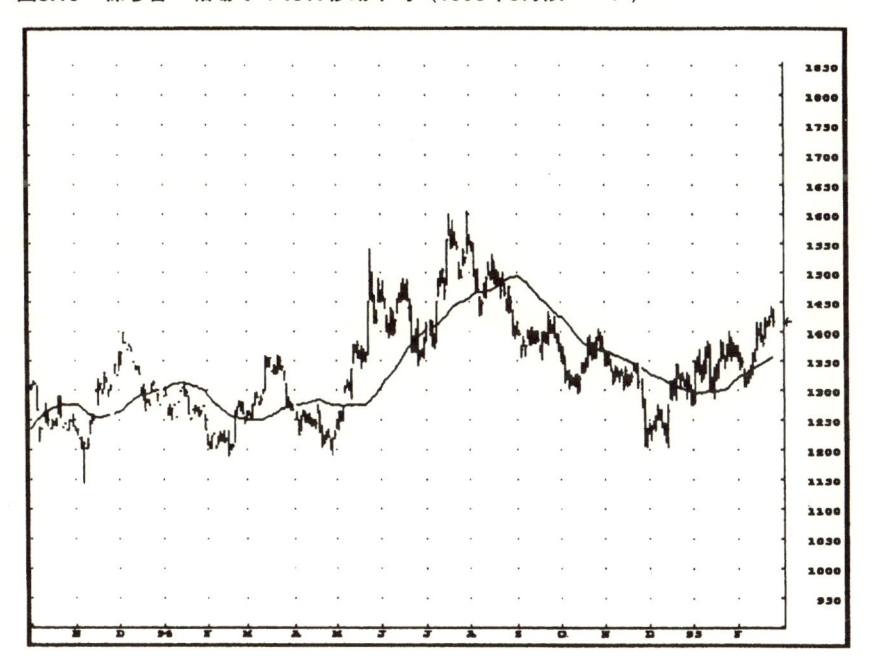

　移動平均の転換点が価格データのそれに対応している過渡期から常に遅れてしまう。この性質は**図3.18**と**図3.19**の両方に当てはまる。
　トレンドのハッキリしている相場では、移動平均は簡単かつ効果的にトレンドを識別する手段となる。**図3.20**は移動平均が反転してから少なくとも１０呼値上がったところで買いシグナルを、また、移動平均が下落に転じて少なくとも１０呼値下がったところで売りシグナルを出している（移動平均で転換点を確定するために最低限のしきい値を設ける理由は移動平均がゼロに近付いたときに、売り買いが交錯したり、だましに遭って、二重に持っていかれるようなトレンドのシグナルが出ないようにするためである）。**図3.20**で見られるように、この非常に単純な技術は見事なトレーディング・シグナルを出してきた。ここでの１７カ月間で、この方法は３つのシグナルを出した。最初のシグナルは８月から１２月の主要な下降をとらえている。２番目はわずかな損失となっ

図3.20　トレンドのある市場で移動平均を使って得たシグナル（1994年12月限天然ガス）

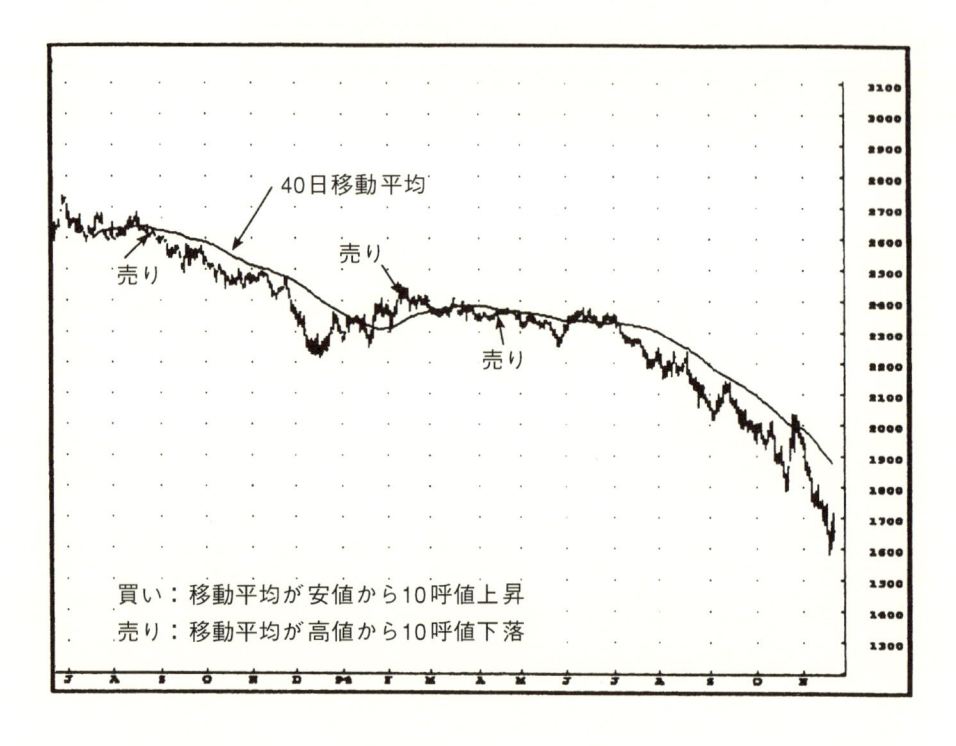

40日移動平均
売り
売り
売り

買い：移動平均が安値から10呼値上昇
売り：移動平均が高値から10呼値下落

　た。3番目は1994年の価格の滑り落ちをほぼすべてとらえている。ほとんど完璧である。

　問題は、移動平均がトレンドの強い相場ではうまくいくが、上下に行ったり来たりする相場とか、保ち合い相場ではだましシグナルを多く出すことである。例えば、**図3.21**は**図3.19**の複製であるが、移動平均が少なくとも10呼値上昇、または、10呼値下降した点で買いシグナル、売りシグナルを提示している。**図3.20**でうまく機能した同じ方法が、移動平均の上向くところを買い、移動平均の下向くところで売るような相場では悲惨な戦略であることを証明している。6回の連続した損失を生み、1回の損得のないトレードとなっている。

　この章で説明した単純な移動平均の他にも移動平均を算出する方法はたくさんある。第14章と付録でこれらの方法の一部と、トーレディング・システムに移動平均を利用することを紹介する。

図3.21 保ち合い市場で移動平均を使って得たシグナル（1995年3月限ココア）

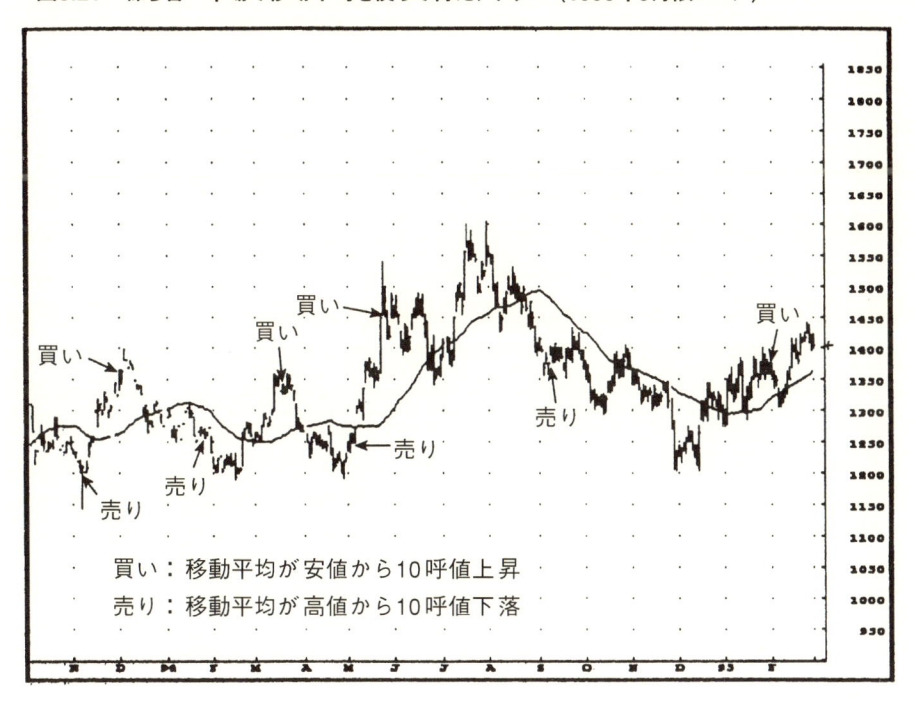

買い：移動平均が安値から10呼値上昇
売り：移動平均が高値から10呼値下落

第4章

トレーディング・レンジ、支持線、抵抗線
Trading Ranges and Support and Resistance

> *絶えず間違ったことをする実に愚かな者どもはどこにでもいるものだが、しかし、ウォール街の愚か者どもは絶えずトレードしていなければならないと考えている。*
>
> *価格がどこへ行くともいえずに値幅の狭いマーケットでうろうろしているとき、上であろうが、下であろうが、次の大きな動きを予測することにどれくらいの意味があるというのであろうか！*
>
> エドウィン・ルフェーブル

トレーディング・レンジ（トレーディング思考）

　トレーディング・レンジとは、長い間の価格変動がすべて含まれている水平な値幅のことである。一般的に、相場はトレーディング・レンジにとどまっていることが多い。残念ながら、このトレーディング・レンジで収益を上げることは難しく、事実、多くのテクニカル・トレーダーはトレーディング・レンジにおける最適な戦略は相場に参加することを極力控えることであると思っている。このような行動を取れと言うことはやさしいが行うことは難しい。

　トレーディング・レンジで収益を得る方法があるとすれば、それはオシレーター（第6章参照）である。この方法の問題点はトレンドのある市場では悲惨なことになるということと、トレーディング・レンジは過去を振り返れば簡単

Chapter 4
トレーディング・レンジ、支持線、抵抗線

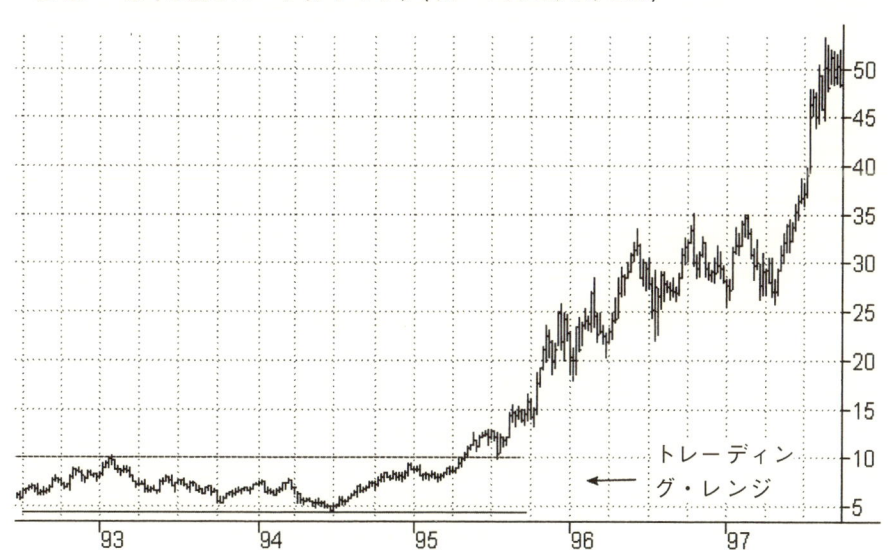

図4.1　数年に及ぶトレーディング・レンジ（サン・マイクロシステムズ）

に定めることができるが、それを予測することは不可能であるということである。そして、第5章で説明するが、トレーディング・レンジで生じる窓（ギャップ）、フラッグなどの多くのチャート・パターンは比較的無意味なものである。それに加え、トレーディング・レンジの中にある小さなトレンドを逆張りすることは、損切りのレベルをあらかじめ決めてトレードしていない限り、悲惨なことになることを忘れてはならない（そのために、価格がレンジの境界から指定幅を超えた場合、相場が最低限の日数以上にわたってレンジを超えて取引された場合、または、その両方の場合には、必ずポジションを手仕舞うことである）。

　トレーディング・レンジは時には数年にもわたることがある。**図4.1**のチャートは個別株の4年間にわたるトレーディング・レンジを示している。**図4.2**はダウ・ジョーンズ工業株平均の10年以上にわたるトレーディング・レンジの一部分を表している。それは1980年代と1990年代の強気の相場に先立つものであった。**図4.2**での内側の短い線は1974年の株式相場の安値に続くより狭いトレーディング・レンジを表している。**図4.3**と**図4.4**は木材相場

図4.2 数年に及ぶトレーディング・レンジ（ダウ工業株平均）

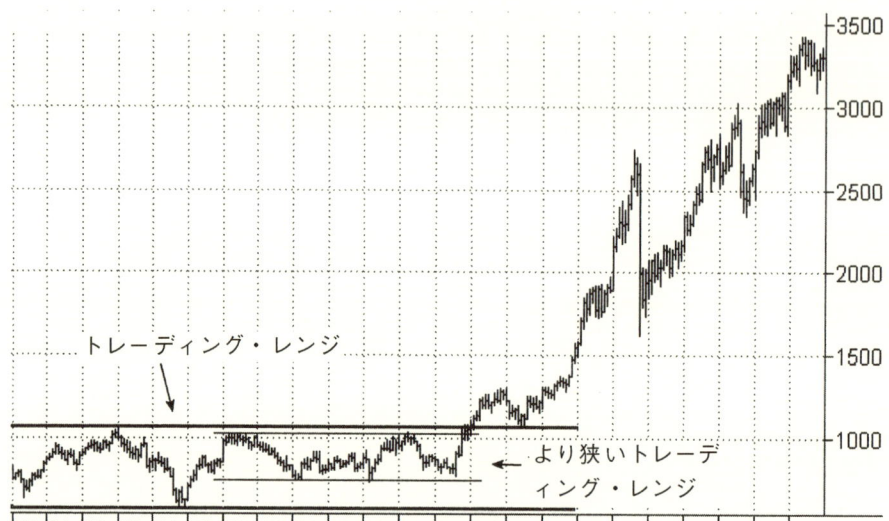

トレーディング・レンジ

より狭いトレーディング・レンジ

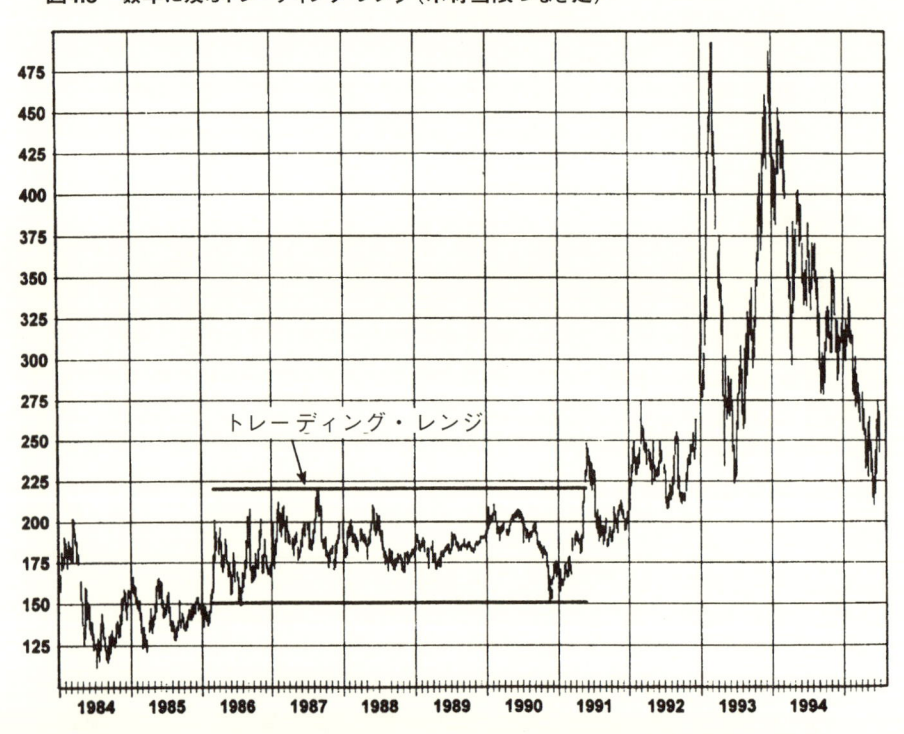

図4.3 数年に及ぶトレーディング・レンジ（木材当限つなぎ足）

トレーディング・レンジ

図4.4 数年に及ぶトレーディング・レンジ（木材修正つなぎ足）

トレーディング・レンジ

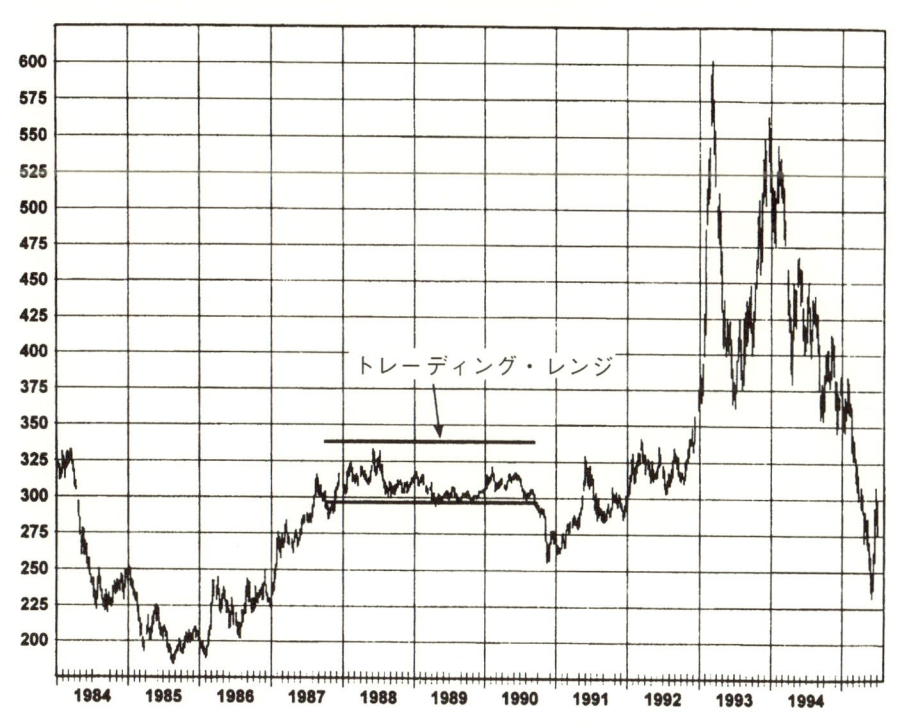

図4.5 トレーディング・レンジからの上方へのブレイクアウト（スリーコム）

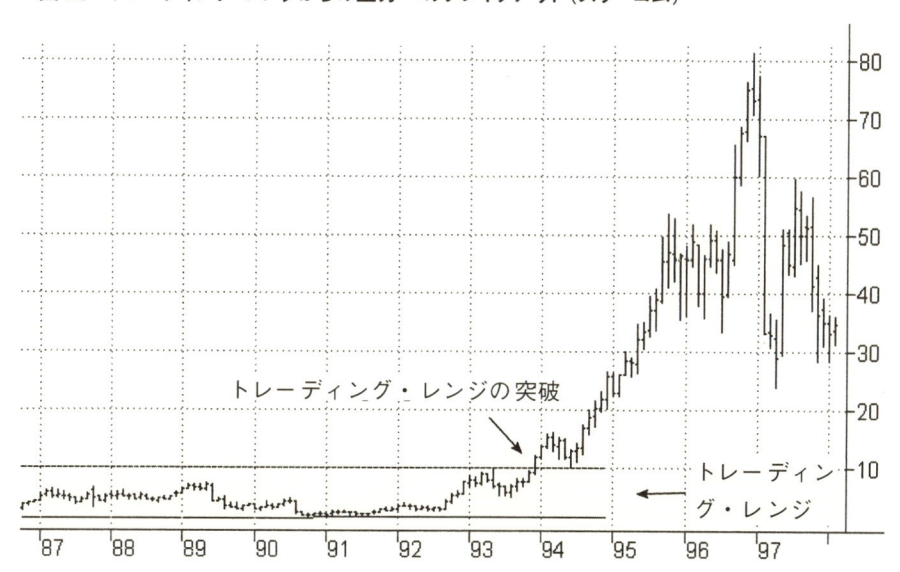

トレーディング・レンジの突破

トレーディング・レンジ

図4.6 トレーディング・レンジからの下方へのブレイクアウト（生牛修正つなぎ足）

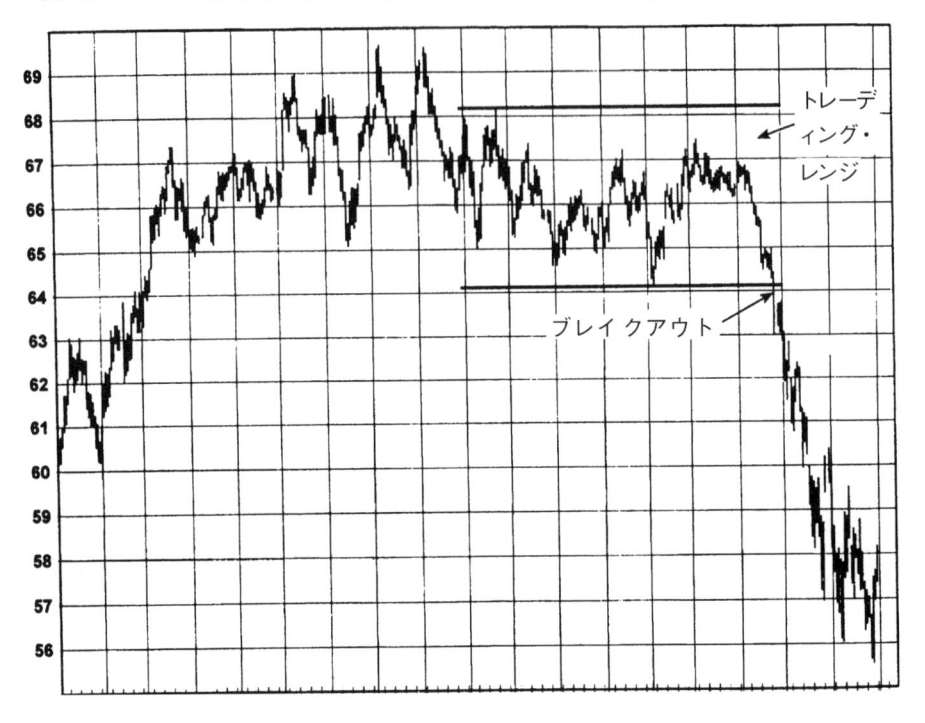

の長年にわたるトレーディング・レンジを示している。後の2つの図であるが、当限つなぎ足と修正つなぎ足ではトレーディング・レンジの期間に違いがあること、そして、多くの重複したところがあることに注目して欲しい。

　トレーディング・レンジが確定されると上下の境界線は支持線と抵抗線の領域になるようである。この話題についてはこの章の後半でより詳しく解説する。トレーディング・レンジをブレイクアウトする、放れる、破り抜ける、突き抜けることは重要なトレーディング・シグナルとなる。このことについて注意深く分析することが、次の課題である。

Chapter 4
トレーディング・レンジ、支持線、抵抗線

図4.7 　延長されたトレーディング・レンジからの上方へのブレイクアウト（銅当限つなぎ足）

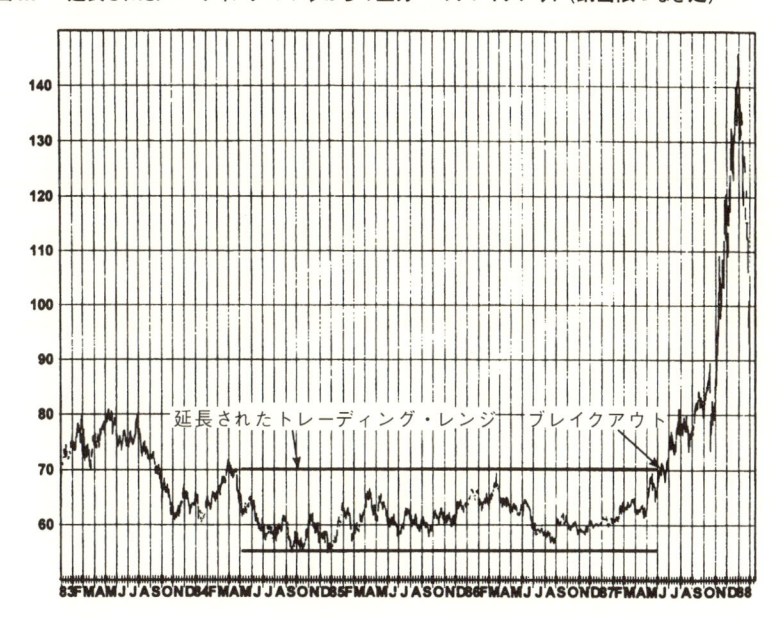

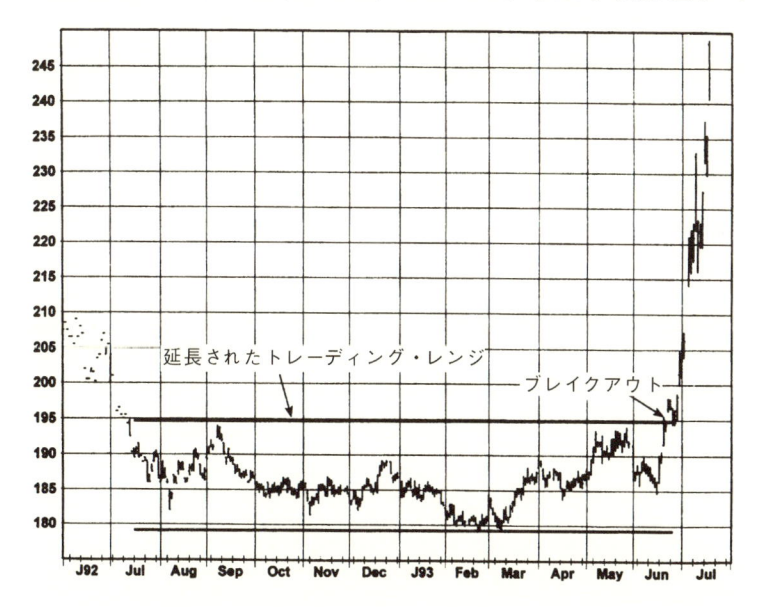

図4.8 　延長されたトレーディング・レンジからの上方へのブレイクアウト（1993年7月限大豆ミール）

図4.9 狭いトレーディング・レンジからの上方へのブレイクアウト（1990年9月限英ポンド）

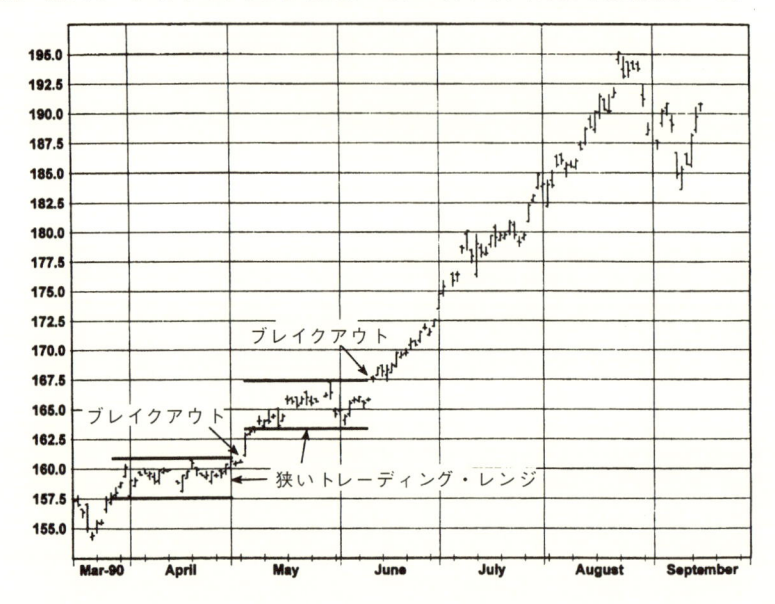

図4.10 狭いトレーディング・レンジからの上方へのブレイクアウト（1990年10月限ガソリン）

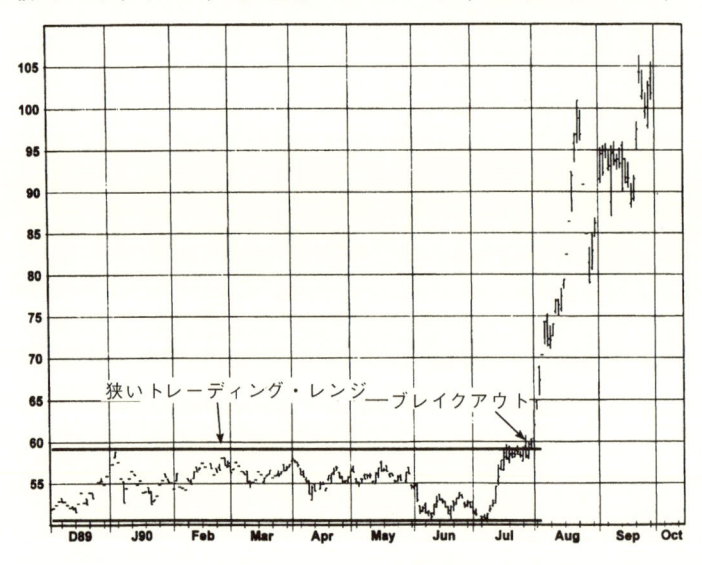

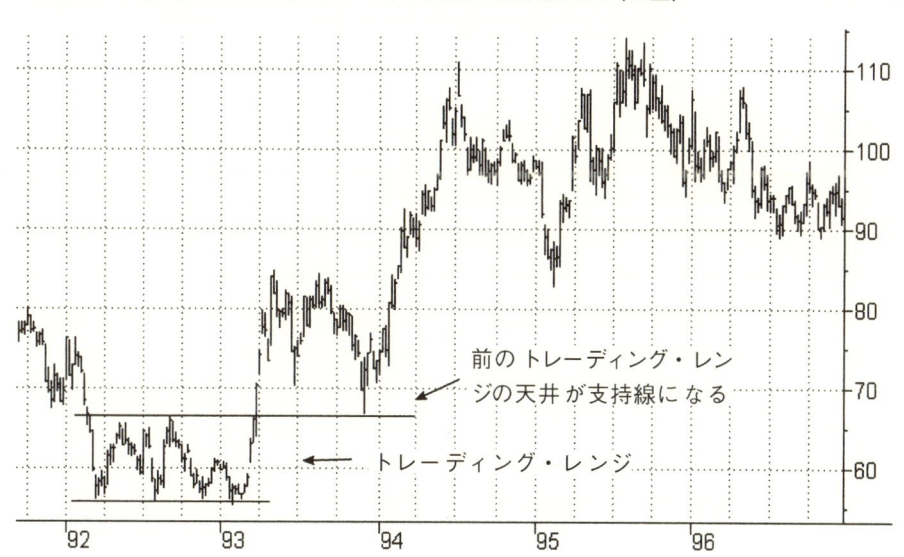

図4.11　その前のトレーディング・レンジの天井が支持線になる（日立）

トレーディング・レンジのブレイクアウト

　例えば**図4.5**と**図4.6**のようにトレーディング・レンジのブレイクアウトは放れた方向への値動きが差し迫っていることを示唆している。ブレイクアウトの重要性と信頼性は以下の要素により確実なものとなる。

１．トレーディング・レンジの長さ
　トレーディング・レンジの期間が長ければ長いほど、その結果として起こるブレイクアウトはより重要なものとなる可能性を秘めている。このことは**図4.7**の週足チャートの例と、**図4.8**の日足チャートの例に示されている。

２．レンジの狭さ
　狭いレンジからのブレイクアウトは特に信頼性の高いトレード・シグナルを出す傾向がある（**図4.9**と**図4.10**参照）。それに加え、そのような取引は特に魅力がある。この場合、チャート的に重要なところに設定された損切りは絶対金額で大きな損失とはならないからである。

図4.12 その前のトレーディング・レンジの天井近辺が支持線になる（1993年12月限大豆油）

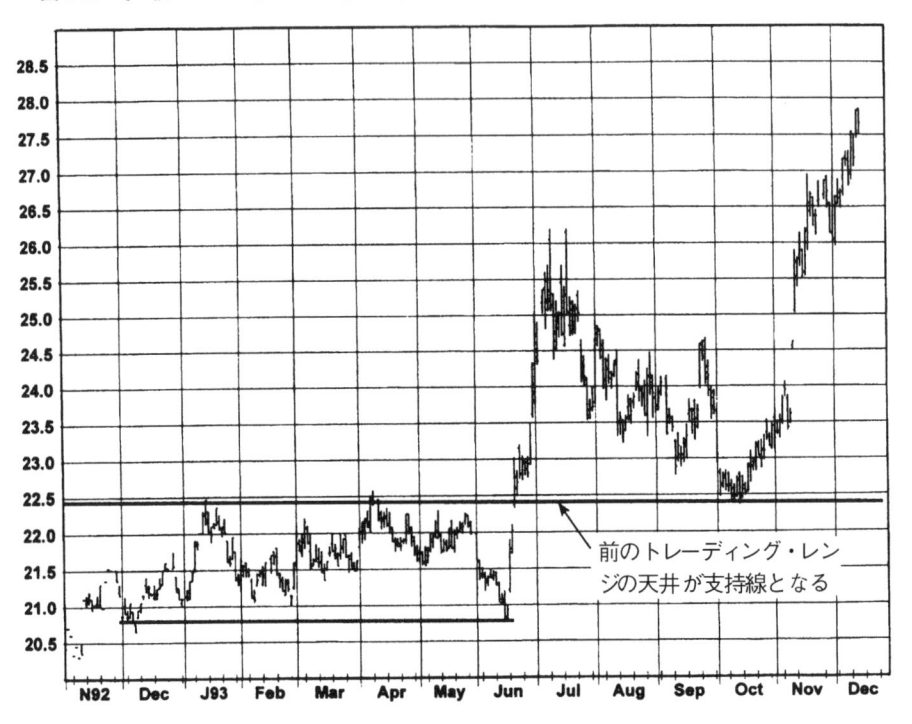

前のトレーディング・レンジの天井が支持線となる

3．ブレイクアウトの確認

　価格がほんの少しだけ、または数日だけトレーディング・レンジから放れ、そのレンジに戻ることは頻繁に起こる。1つの理由は、損切り注文がその近辺に固まっているため、その注文が執行されるとしばしば価格はトレーディング・レンジを超えてしまう。結果として、わずかなレンジを超える値動きは損切りの連発を引き起こすことがある。この最初の狼狽した注文が執行されると、トレンドを維持するための確固とした理由と買い勢力（下へのブレイクアウトの場合には売り勢力）がないかぎり、ブレイクアウトはだましに終わる。

　このような行動的観察から、ブレイクアウト後、例えば5日間とか数日間価格がこのレンジを超えていれば、トレーディング・レンジのブレイクアウトは

図4.13 その前のトレーディング・レンジの底近辺が抵抗線になる（1992年12月限カナダ・ドル）

前のトレーディング・レンジの安値が抵抗線になる

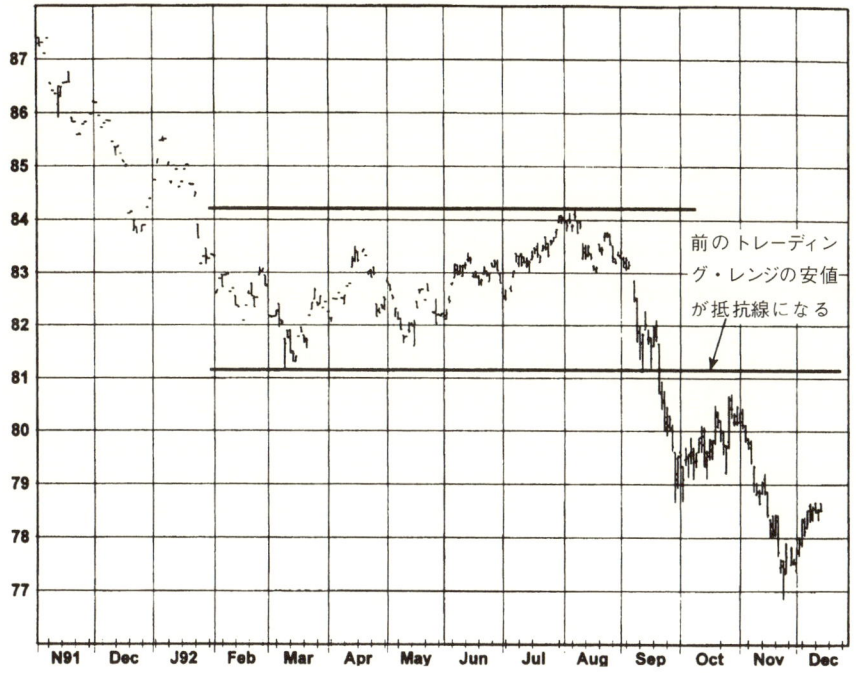

将来のトレンドを示すシグナルとして、その信頼性は飛躍的に改善されるはずである。第5章でも説明するが、突破しなければならない価格の最低限の比率を定めておく、また突破した日数をあらかじめ定めておくなど、他の種類の確認条件も使うことができる。ブレイクアウトに続く確認を持つことは正しいシグナルに対してより不利な値段で仕掛けることになるが、それは多くのだましシグナルを排除することにもなる。だましシグナルを減らすことのメリットと、仕掛ける時期を遅らせてしまうデメリットを総合した正味の優位性は、採用される確認条件により個々のトレーダーが評価すべきものである。重要な要素はトレーダーがなりふり構わず、すべてのブレイクアウトに従うのではなく、その裏付けの条件ごとに結果を確かめるべきである。テクニカル分析法の多用がブレイクアウトのだましを増やす結果となっているので、このア

図4.14 その前のトレーディング・レンジの底近辺が抵抗線になる（ガソリン修正つなぎ足）

前のトレーディング・レンジの安値が抵抗線になる

ドバイスは多分１０年前よりも、今（１９９８年）の方が有効である。

支持線と抵抗線

　少なくとも１カ月か２カ月の保ち合いの値動きの後、トレーディング・レンジが確立されると、価格はレンジの上端にある抵抗線とレンジの下端にある支持線に接するようになる。価格がトレーディング・レンジから突き抜けると、支持線か抵抗線かの判断は価格がどちらに突き抜けたかにより決まる。特にトレーディング・レンジを上方へ抜けたブレイクアウトが保持され確実になると、それ以前のレンジの上限の境界線が価格支持線の領域となる。**図4.11**と**図4.12**で右に延長された線は、それ以前のトレーディング・レンジの上限（抵抗

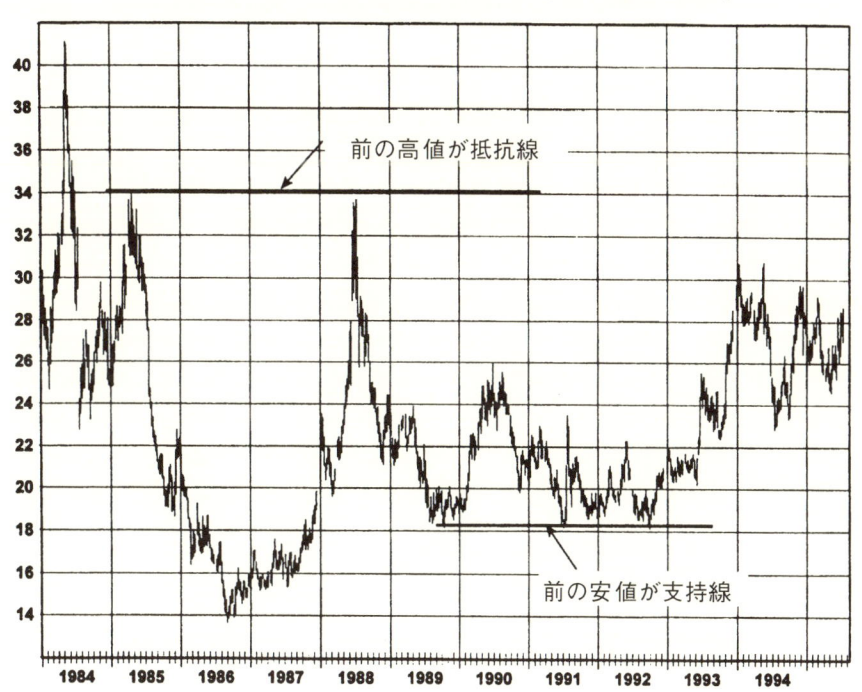

図4.15　その前の高値が抵抗線、その前の安値が支持線になる（大豆油当限つなぎ足）

線）が支持線になっていることを示している。トレーディング・レンジを下抜けたブレイクアウトが確認された場合、それ以前のレンジの下限の境界線が価格の抵抗線の領域となる。**図4.13**と**図4.14**の延長線は、それ以前のトレーディング・レンジの下限（支持線）が抵抗線になっていることを示している。

主要な高値と安値

　一般的に、抵抗線はその前の主要な高値近辺にあり、支持線はその主要な安値近辺にあるはずである。**図4.15**、**図4.16**、**図4.17**のそれぞれはこの両方を表している。例えば、**図4.15**において、１９８８年の主要なピークは１９８５年の高値の少し下に形成されていて、一方、１９８９年の安値は１９９１年と

図4.16 その前の高値が抵抗線、その前の安値が支持線になる（小麦当限つなぎ足）

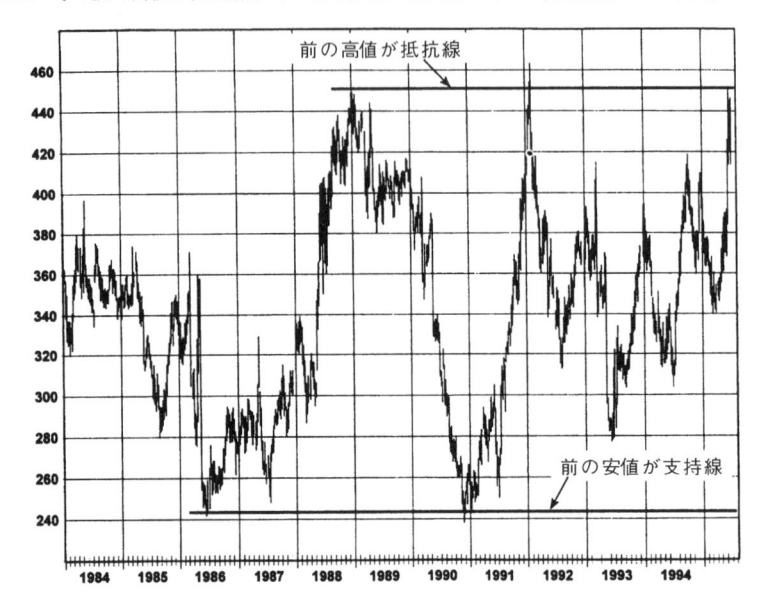

図4.17 その前の高値が抵抗線、その前の安値が支持線になる（大豆油修正つなぎ足）

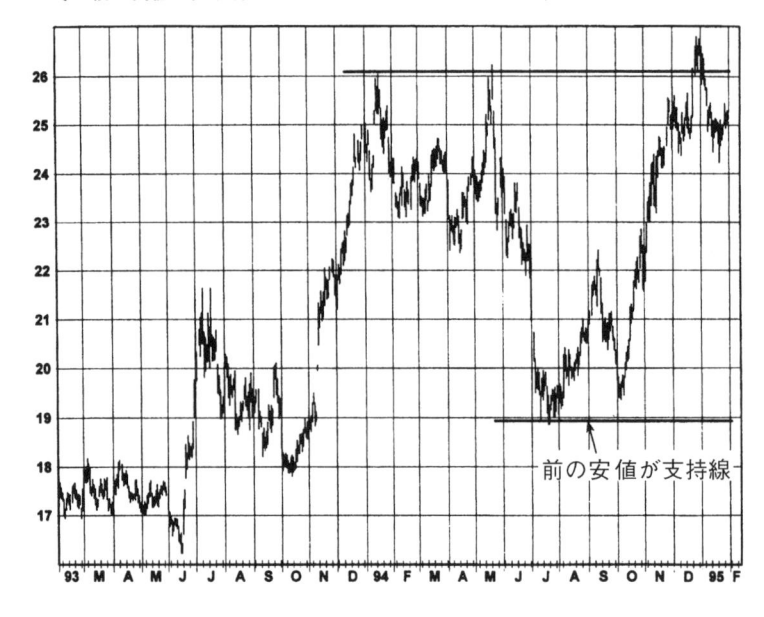

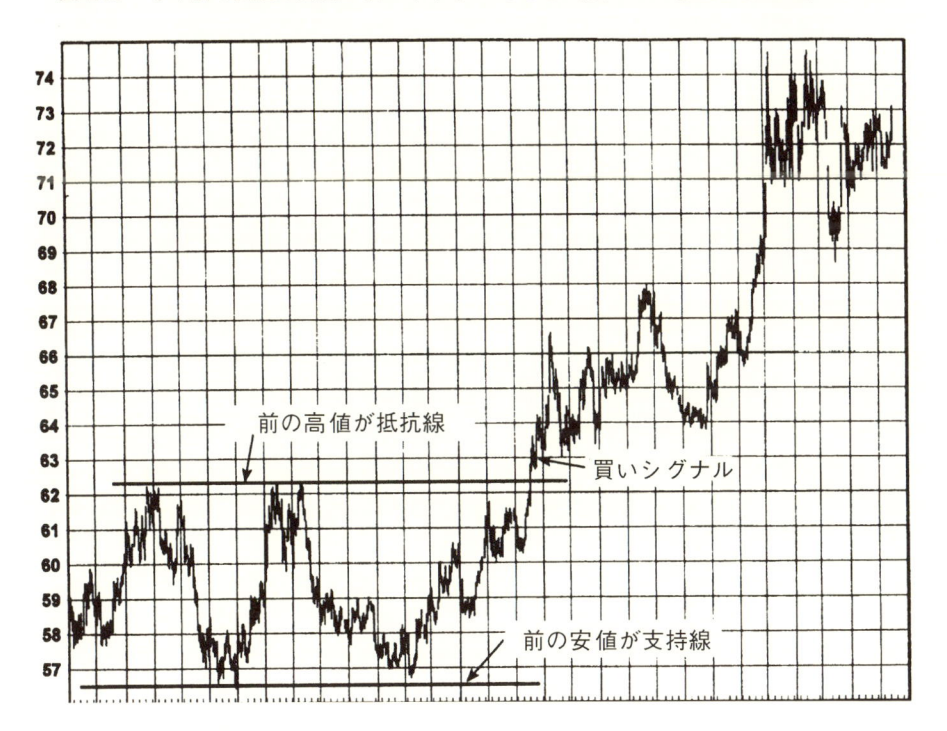

図4.18 その前の高値の突破が買いシグナルとなる（独マルク修正つなぎ足）

１９９２年の安値を下支えする支持線のレベルとなっている。

図4.16では、１９９０年後半の安値は１９８６年の底値の少し下で支えられていて、一方、１９９２年初めの反転は１９８９年初めのピークより少し上で形成されている。その前のピークに近いところの抵抗線とその前の安値に近いところの支持線の概念は**図4.15**と**図4.16**のような週足のチャートで最も重要であるが、**図4.17**のような日足のチャートでもその原則は適用可能である。**図4.17**のチャートでは、１９９４年５月と１９９４年１２月に起こった価格の反転は１９９４年１月のピークより少し上で形成されていて、一方、１９９４年１０月の安値は１９９４年７月の安値の少し上で形成されている。

その前の高値は、次の急上昇がその点かその点より下で停止することを意味せず、むしろ一般的にその近辺が抵抗線になるであろうと予想されていること

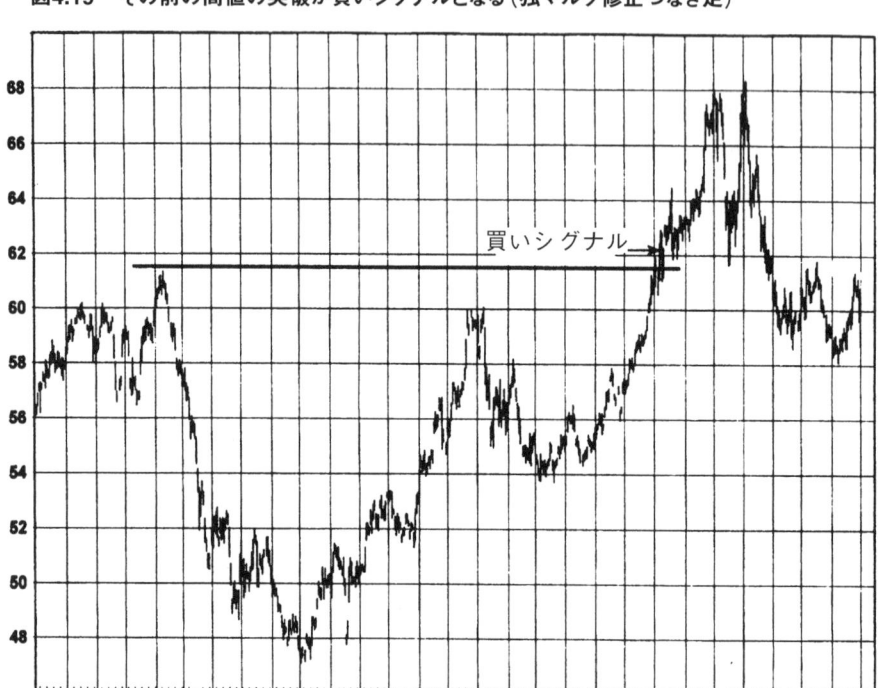

図4.19　その前の高値の突破が買いシグナルとなる（独マルク修正つなぎ足）

を強調したい。同様に、その前の安値は次の下落がその点か、その上で止まることを意味しているわけではなく、むしろ一般的にその近辺で支持されることが予想されているに過ぎない。一部のテクニカル・アナリストはその前の高値と安値は極めて神聖な意味を持っていると考えている。

　その前の株の高値が６５とすると、６５が主要な抵抗線と考え、例えば、もし相場が６６に急上昇したら、抵抗線は破られたと考える。これはナンセンスである。支持線と抵抗線は大体の領域と考えるべきで、正確な点ではあり得ないからだ。その前の主要な高値と安値は、**図4.15**、**図4.16**、**図4.17**のすべてのチャートにおいて抵抗線と支持線としてかなり重要であることに注目してほしい。ただ、**図4.15**はその後急上昇し、そして中断し、実際この地点に到達するか到達する以前に反転してしまっている。これらのチャートによって示されて

Chapter 4
トレーディング・レンジ、支持線、抵抗線

図4.20 その前の安値の突破が売りシグナルとなる（コーヒー当限つなぎ足）

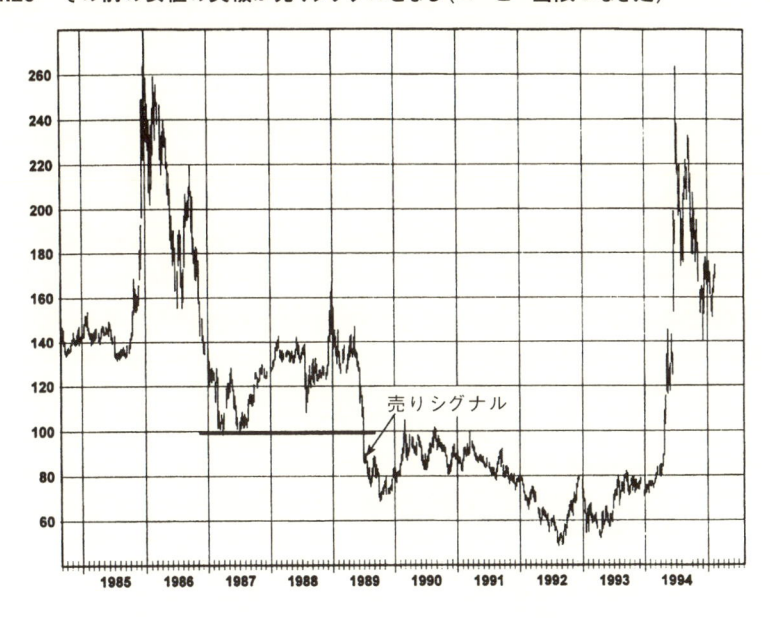

図4.21 その前の安値の突破が売りシグナルとなる（大豆油修正つなぎ足）

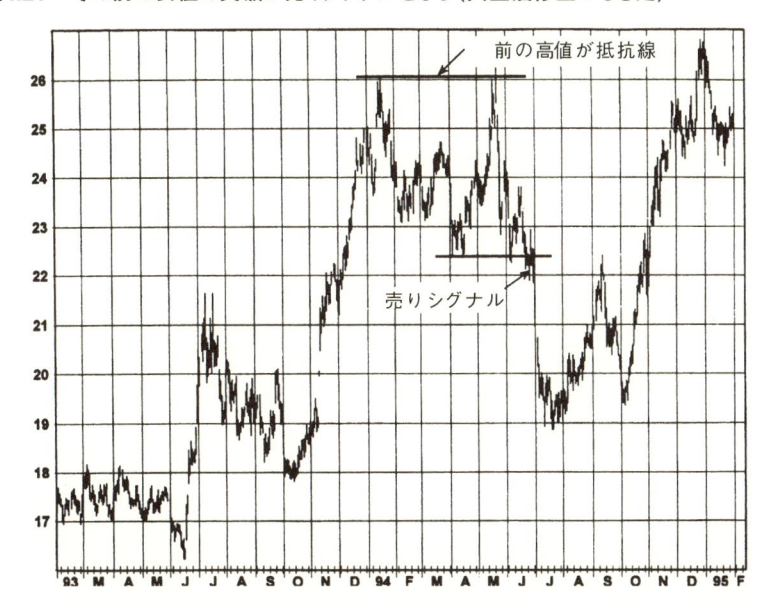

図4.22　以前の高値(RH)が支持線、以前の安値(RL)が抵抗線になる(独マルク修正つなぎ足)

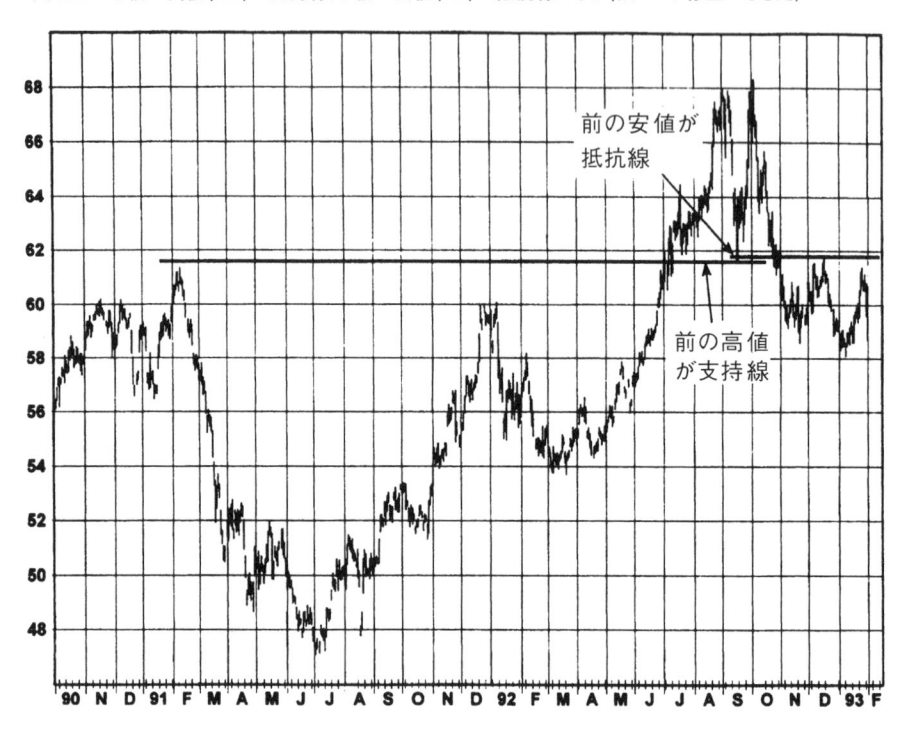

前の安値が抵抗線

前の高値が支持線

いるこのような種類の値動きはかなり一般的なものである。

　その前の高値を突き抜けることは買いシグナルと考えられ、その前の安値を突き抜けることは売りシグナルとみなされている。トレーディング・レンジからのブレイクアウトと同様、高値、安値を突き抜けることはトレーディング・シグナルと考えられ、価格の突き抜けの度合い、時間的長さの両方において極めて重要である。例えば、**図4.16**、**図4.17**に関してこの前の議論に続いて明らかにされるべきことは、一期間（日足チャートでは1日、週足チャートでは1週間）前の高値と安値を穏やかに突破することは何の意味も持たないと、いうことである。このような出来事が買いシグナル、売りシグナルと想定するには、その前の高値、安値への単なる突破より強い証拠が要求される。確認の条件となり得る幾つかの例としては、それ以前の高値や安値を最低限超えなければならない終値の数を定める、最低限突き抜けなければならない価格を比率で定め

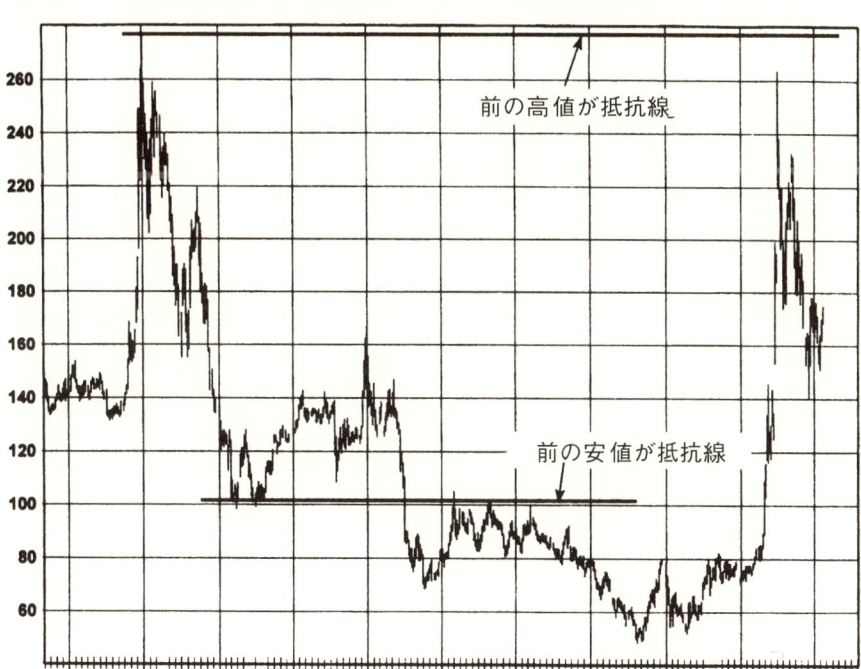

図4.23 それ以前の安値（RL）が抵抗線になる（コーヒー当限つなぎ足）

　　　　　　　　　　　　　　　　　前の高値が抵抗線

　　　　　　　　　　　　　　　　前の安値が抵抗線

る、または、この両方を合わせることが挙げられる。

　図4.18、**図4.19**では、その前の高値の突き抜けを買いシグナルとし、確認の条件を終値がその高値を3回超えることとしている。同様に**図4.20**、**図4.21**はそれ以前の安値の突き抜けを売りシグナルとし、同じような確認条件を用いた例である。ついでながら、**図4.18**はその前の高値が突き破られる前は抵抗線として機能し、また、その前の安値が支持線として機能している良い例である。一方、**図4.21**はその前の高値が主要な抵抗線となっている典型的な例である。

　それ以前の高値、安値を突き抜け、それを維持し続けられれば、それ以前の高値の領域は支持線になり、それ以前の安値の領域は抵抗線になる。例えば、**図4.19** を再構築した**図4.22** で、１９９２年７月に突き抜けられることになる１９９１年２月の高値は１９９２年９月の安値で支持線として機能していた。その後、１０月に突破された９月の安値は１１月の後半と１２月の前半の戻り

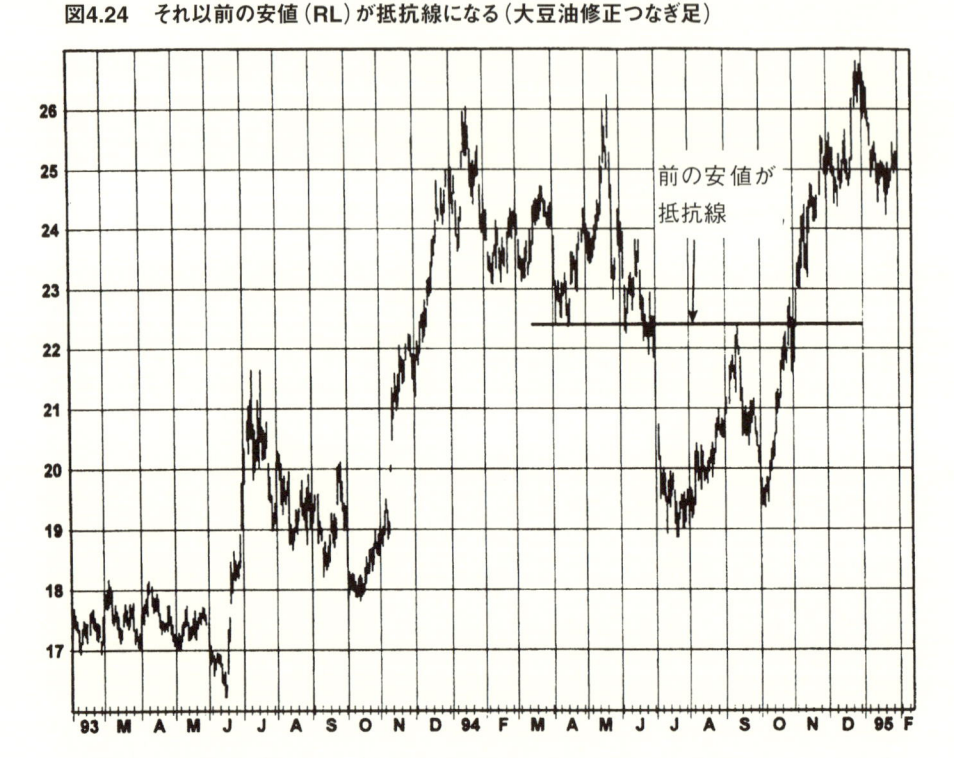

図4.24 それ以前の安値（RL）が抵抗線になる（大豆油修正つなぎ足）

前の安値が抵抗線

を止める抵抗線領域となっている。**図4.20**を再構築した**図4.23**で１９８９年に突き抜けられることになる１９８７年の安値は、１９９０年と１９９１年に起こった価格の反発の繰り返しをへし折るほど強力な抵抗線領域となった。ところでこのチャートは、それ以前の高値が抵抗線になったお手本のような例で、１９８６年初期のピークを少し下回るところで１９９４年の大きな価格上昇は失速していることに注目して欲しい。最後に、**図4.24**は**図4.21**を再構築したものであるが、１９９４年４月の安値は６月に突破されたが、９月における価格反転を引き起こす強い抵抗線領域となった。

値動きの中で幾つも生じる高値と安値への集中

この前の項では、それ以前に付いた高値、安値、そして単独の天井と底にお

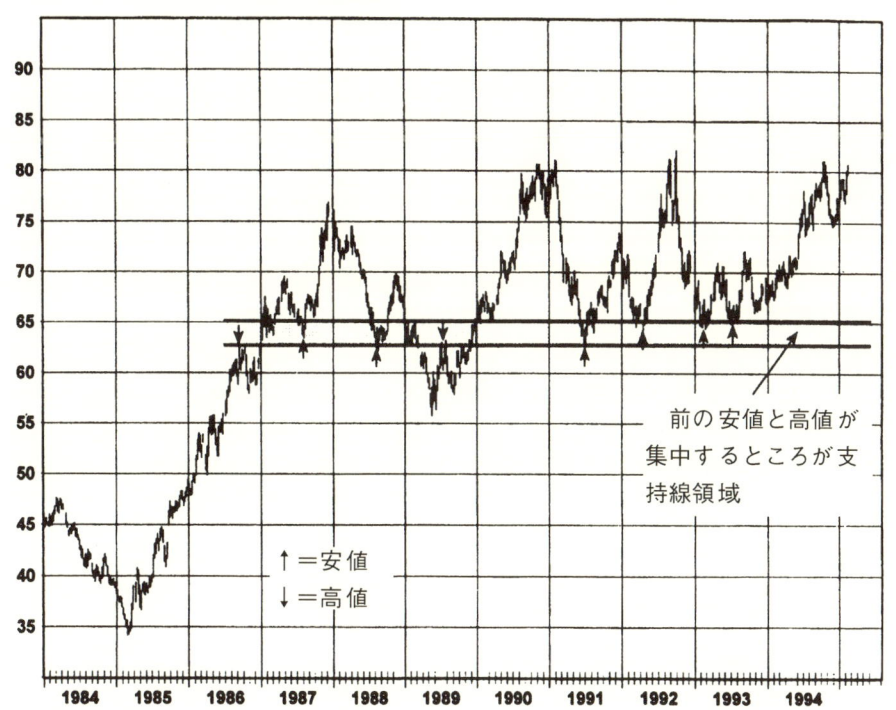

図4.25　それ以前の安値（RL）と高値（RH）が集中するところが支持線領域となる（スイス・フラン修正つなぎ足）

↑＝安値
↓＝高値

前の安値と高値が集中するところが支持線領域

ける支持線と抵抗線について取り扱った。ここでは絶対的な天井とか底よりも値動きの中で幾つも生じる高値（RH）と安値（RL）への集中が支持線と抵抗線の価格ゾーンになることを考察する。特に、値動きの中で幾つも生じる高値（RH）と安値（RL）は比較的狭い範囲に集中する傾向がある。これらの領域は現在の価格がそれより高ければ支持線領域を意味し、現在の価格がそれより低ければ抵抗線領域を意味する。この方法は特に長期のチャートによって支持線領域と抵抗線領域を予測するのに有効である。**図4.25**は値動きの中で幾つも生じる前の高値（RH）と前の安値（RL）が集中しているところに支持線ができている週足チャートの例である。**図4.26**はそれ以前の値動きの中で幾つも生じる前の高値（RH）と前の安値（RL）が集中しているところに抵抗線ができている週足チャートの例である。

値動きの中で幾つも生じる前の高値（RH）と前の安値（RL）の集中を使

図4.26 以前の安値（RL）と高値（RH）が集中するところが抵抗線領域となる（原油当限つなぎ足）

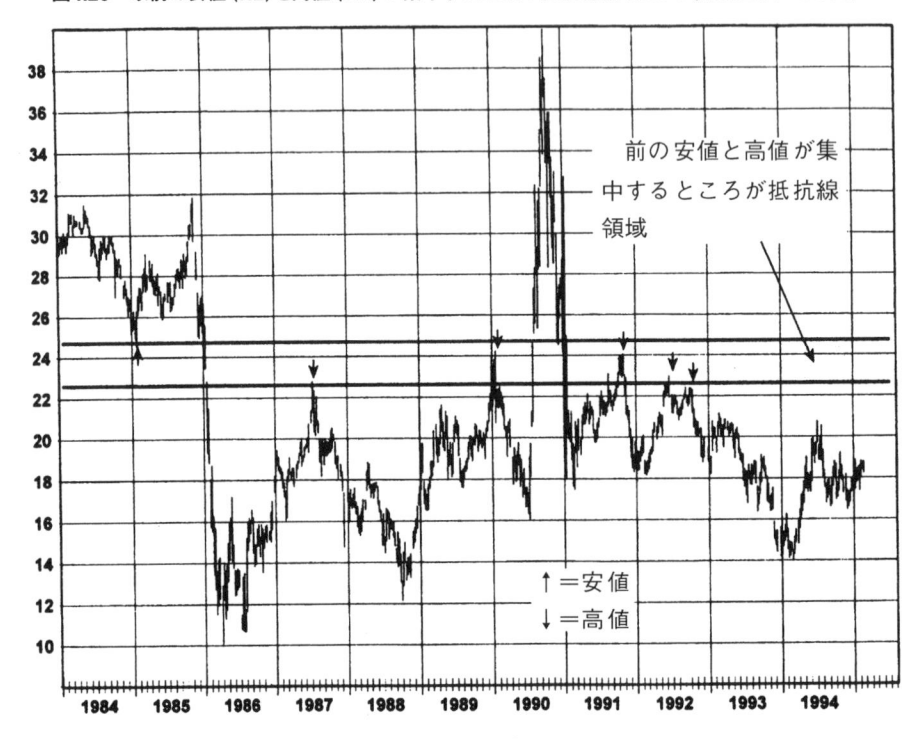

う方法は2年分とかの十分に長い日足チャートにも当てはめることができる。例えば、多くの個別の限月チャートはこの方法ではあまりにも短く効果的に適用できないが**図4.27**と**図4.28**は日足修正つなぎ足と日足株式チャートにおける値動きの中で幾つも生じる前の高値（RH）と前の安値（RL）によって定義された抵抗線領域を示している。

プライス・エンベロープ・バンド

　支持線と抵抗線を発見する他の方法として移動平均線から導き出されるプライス・エンベロープ・バンドがある。プライス・エンベロープ・バンドの上限は移動平均線にあらかじめ定められた割合の移動平均線を足したものと定義される。同様に、プライス・エンベロープ・バンドの下限は移動平均線にあらか

図4.27 以前の安値(RL)と高値(RH)が集中するところが抵抗線領域となる(独マルク修正つなぎ足)

前の安値と高値が集中するところが抵抗線領域

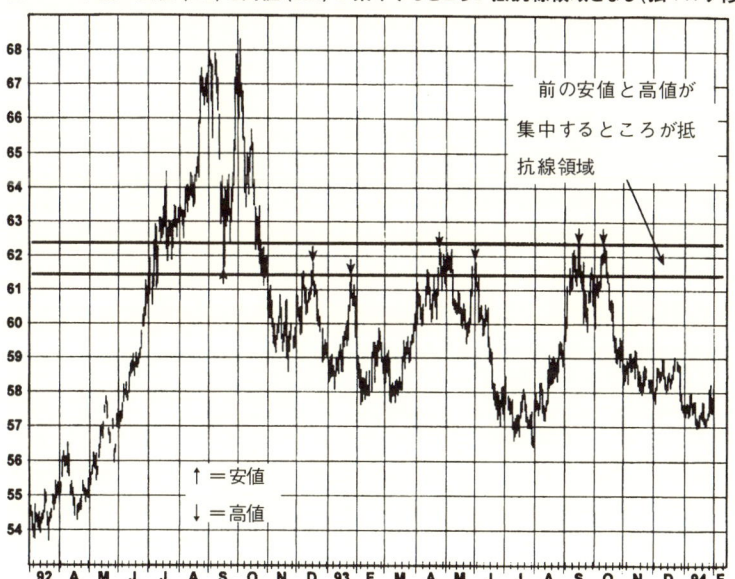

↑＝安値
↓＝高値

図4.28 以前の安値(RL)と高値(RH)が集中するところが抵抗線領域となる(エトナ生命)

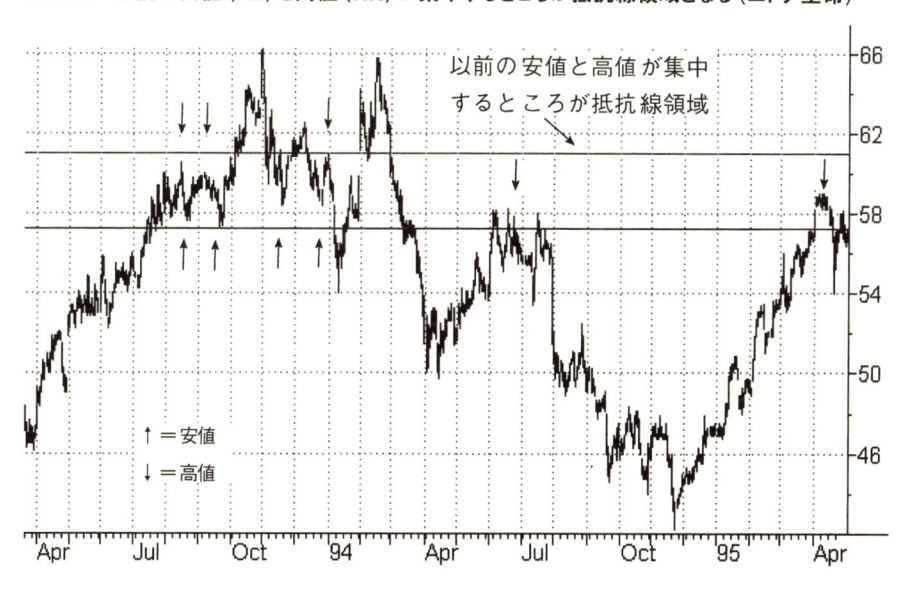

以前の安値と高値が集中するところが抵抗線領域

↑＝安値
↓＝高値

図4.29 日足チャートでの価格のエンベロープ・バンドが支持線と抵抗線の指標となる（1995年3月限Tボンド）

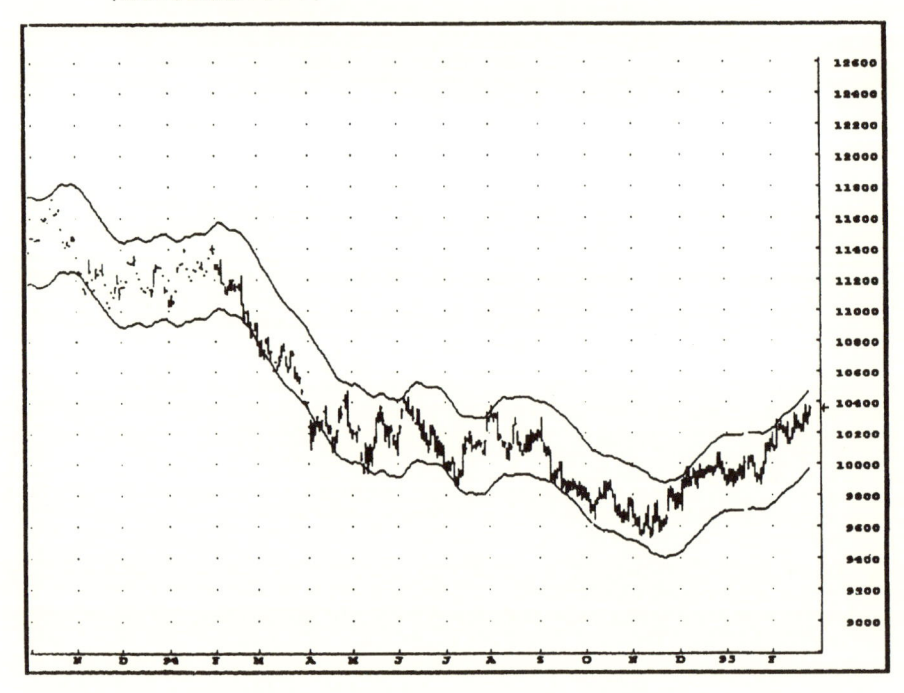

じめ定められた割合の移動平均線を差し引いたものと定義される。例えば、株式の現在の移動平均値が１００で比率が３％とすると、上限は１０３となり下限は９７となる。与えられた移動平均線に対して適切な限界線比率を設定することによって、エンベロープの示す値動きの範囲は値動きの中で幾つも生じる高値（ＲＨ）と安値（ＲＬ）にうまく重なり合うことになる。

　図4.29は、Ｔボンド１９９４年３月限の２０日移動平均と２．５％の比率を用いたプライス・エンベロープ・バンドを示している。見ての通り、プライス・エンベロープ・バンドは支持線と抵抗線レベルの良い指標となっている。これと同じようなプライス・エンベロープの使い方としては買われ過ぎ、売られ過ぎの判断に用いるものがある。詳しくは第６章参照。プライス・エンベロープ・バンドは日足以外の間隔のデータにも適用できる。例えば、**図4.30**は、**図4.29**と同じ相場で９０分足に１．２％のプライス・エンベロープ・バンドを

図4.30　90分足チャートでの価格のエンベロープ・バンドが支持線と抵抗線の指標となる
（1995年3月限Tボンド）

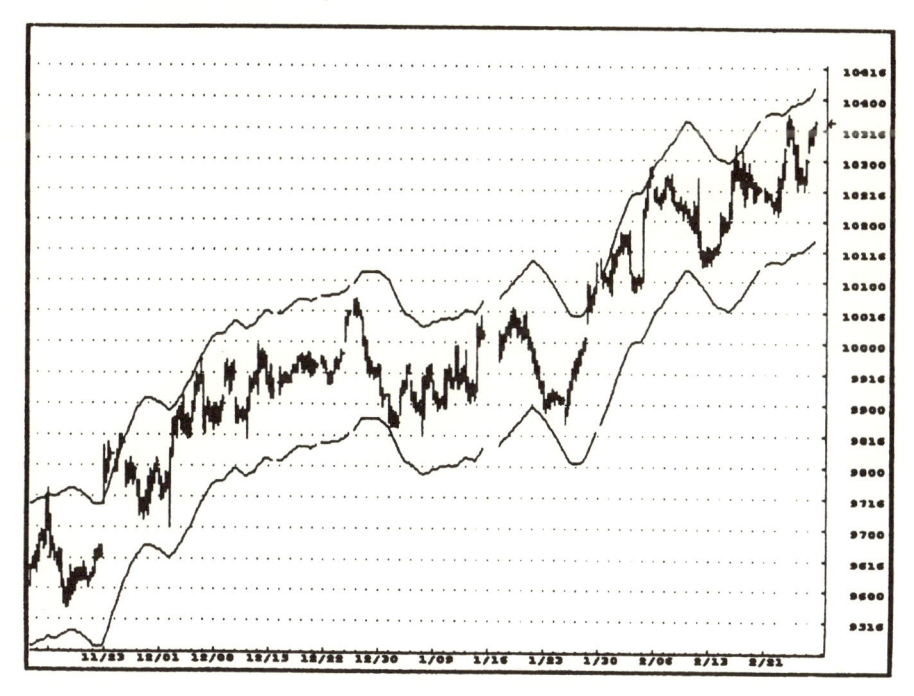

適用したものである（もちろん、期間は短くなっている）。ボリンジャー・バンドはプライス・エンベロープ・バンドの変形としてよく知られている。それはただ単に移動平均線の比率計算の代わりに標準偏差を用いて移動平均から足したり引いたりしたものである。

　しかし、プライス・エンベロープ・バンドは見た目ほどに効果的な手法ではない。一連のトレンドが伸びていて、その価格帯の端にしっかりと包囲されている間に相場が転換点に差し掛かったとき、妥当な指標となる。例えば、**図4.29**で１９９４年２月の後半から４月の間がこのパターンを示している。この期間、プライス・エンベロープは繰り返し価格が売られ過ぎていることを示唆しているが、価格は下がり続けている。よって、価格のプライス・エンベロープ・バンドからの逸脱は限られ、かつ一時的であることは確かであるが、価格が境界の一方に接近することが必ずしも価格の転換点が今にも来ることを意味

しているわけではない。結局、プライス・エンベロープは支持と抵抗の可能性のある領域を把握する手段を提供するが、決して常に正確なものではないのである。

第5章

チャート・パターン
Chart Patterns

強気相場で天才だと思うな！

ポール・ルビン

　テクニカル分析と言えば、人々は視覚的に訴えるチャート・パターン、例えばヘッド・アンド・ショルダー、三角形、ペナント、窓（ギャップ）などを思い浮かべるであろう。そのようなパターンはそれが１つの足で構成されようがたくさんの足で構成されようが、とにかくそれぞれの相場の性質により生まれる様々な形の値動きを表している。この章ではチャート・パターンの構造だけでなく、それらの解釈とどのように応用するかについて重要な役割を持つ要素について解説する。

日中パターン

窓（ギャップ）
　窓（ギャップ）とは、その日の安値が前日の高値より高いか、その日の高値が前日の安値より低いか、そのどちらかの状態にあることを言う。４つのタイプの窓がある。

1．コモン・ギャップ（Common Gap）
　この窓は通常のトレーディング・レンジの中で起き、特に重要な意味はない。

Part 1
基本的な分析ツール

図5.1　価格ギャップ（1994年12月限コーヒー）

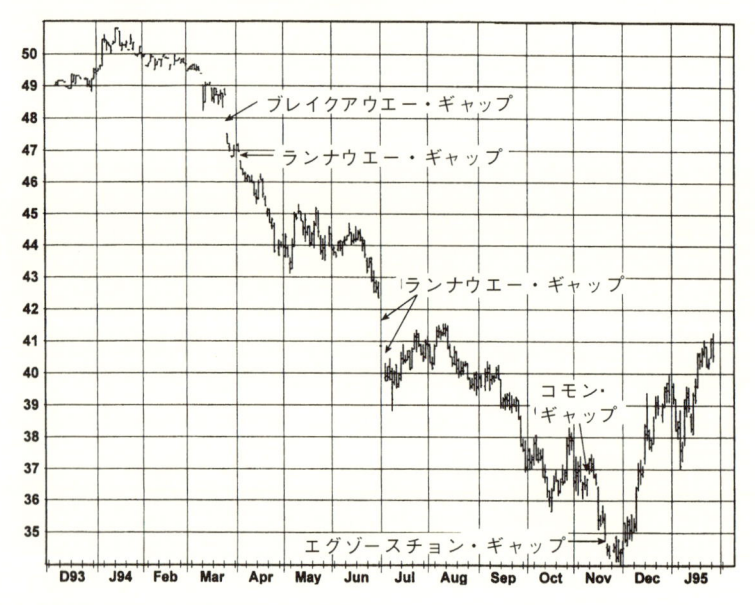

エグゾースチョン・ギャップ
ランナウエー・ギャップ
コモン・ギャップ
コモン・ギャップ
ブレイクアウエー・ギャップ

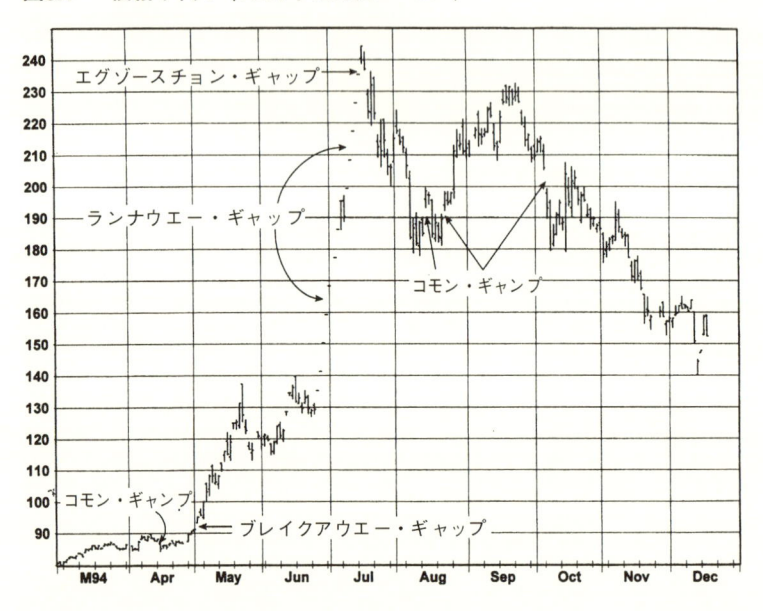

図5.2　価格ギャップ（1995年2月限生豚）

ブレイクアウエー・ギャップ
ランナウエー・ギャップ
ランナウエー・ギャップ
コモン・ギャップ
エグゾースチョン・ギャップ

図5.3　価格ギャップ（1992年3月限FCOJ）

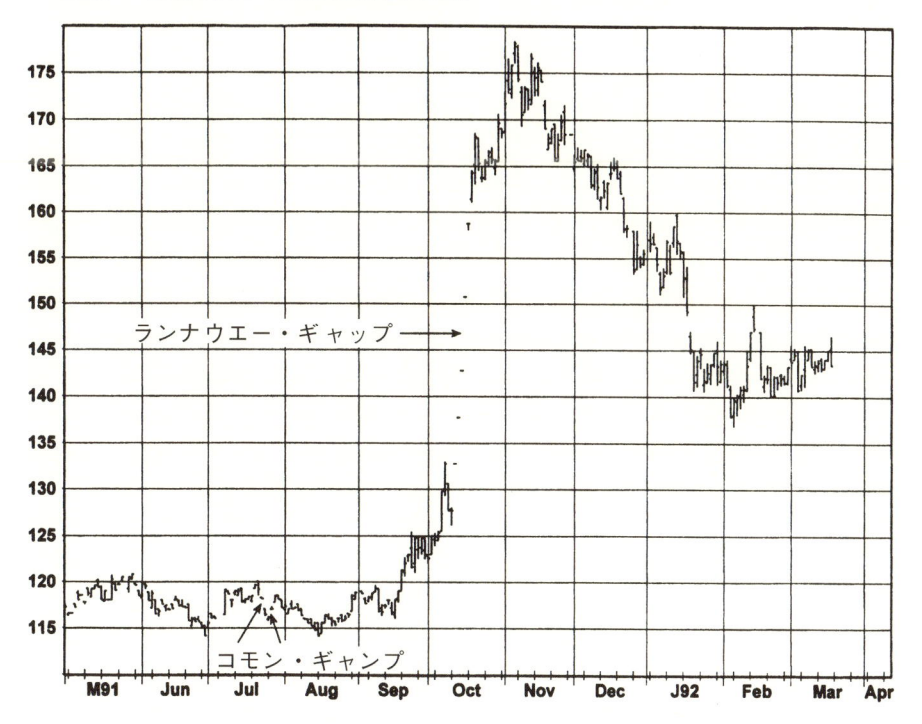

図5.1、図5.2、図5.3では幾つかのコモン・ギャップを紹介している。

２．ブレイクアウエー・ギャップ（Breakaway Gap）

　この窓は価格が通常のトレーディング・レンジの端を超えてかなり上昇したときに取引の起こらない価格帯が存在するものである（**図5.1**、**図5.2**）。数日間埋まらないブレイクアウエー・ギャップは最も重要で信頼のおける相場シグナルの１つである。

３．ランナウエー・ギャップ（Runaway Gap）

　この窓はトレンドが加速されているときに起き、かなり強気か弱気の相場の特徴である。特に力強い強気と弱気の相場において、数珠つなぎのランナウエー・ギャップが続けて起こる可能性がある（**図5.1**、**図5.2**参照）。

４．エグゾースチョン・ギャップ（Exhaustion Gap）

　この窓は価格がその後も更新されるがすぐに相場が反転してしまう状況で起

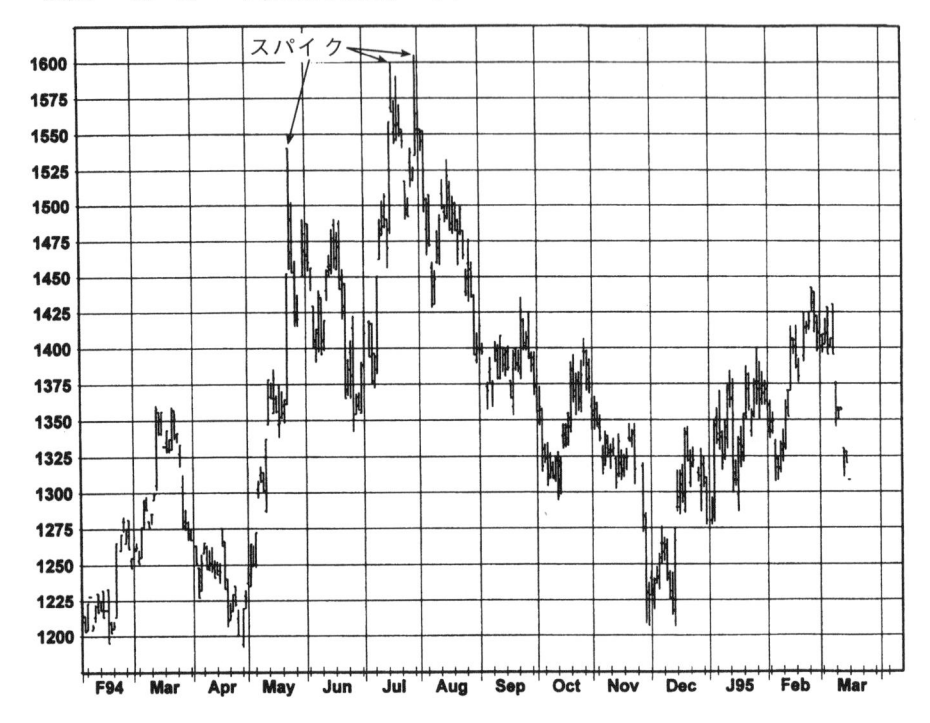

図5.4　スパイク・ハイ（1995年3月限ココア）

こる（**図5.1**、**図5.2**参照）。エグゾースチョン・ギャップは大変有効なシグナルにみえるが、実はそうではない。なぜなら、後になってみないと、エグゾースチョン・ギャップとランナウエー・ギャップの違いは分からないからである。しかし、幾つかの例では、エグゾースチョン・ギャップは相場反転の初期の段階で認識されている（「天井と大底の形成」でのアイランド・リバーサルの説明を参照）。

スパイク（突出高／突出安）

　スパイク・ハイはその前後の日の高値より突出した高値日のことである。しばしば、スパイク・ハイの日の終値はその日の値幅の安値に近付く。スパイク・ハイはそれが高値更新の後に起これば重要な意味を持ち、買い圧力により一時的な高値を付けることがあり、当面の高値になると考えられている。とき

どき、スパイク・ハイは大天井になる可能性がある。
　一般的に言って、スパイク・ハイの重要性は以下の要素により高められる。
　１．スパイク・ハイとその前後の日の高値との差。
　２．その日の安値に近い終値。
　３．スパイクの形成が顕著な高値更新に続いている。

　ぞれぞれの条件が顕著であればあるほど、スパイク・ハイは重要な当面の高値（ＲＨ）になるか、または主要な天井になる可能性が大きいだろう。
　同様に、スパイク・ローはその前後の日の安値より鋭く下げた安値日のことである。しばしば、スパイク・ローの日の終値はその日の値幅の高値に近いところとなる。スパイク・ローはそれが安値更新の後に起こったのであれば、重要な意味を持ち、ときどき売り圧力により一時的な底値を付けることがある。そのため、当面の安値（ＲＬ）になる可能性があると考えられている。ときどき、スパイク・ローは大底になる可能性がある。
　一般的に言って、スパイク・ローの重要性は以下の要素により高められる。

　１．スパイク・ローとその前後の日の安値との差。
　２．その日の高値に近い終値。
　３．スパイクの成立が顕著な安値更新に続いている。

　それぞれの条件が顕著であればあるほど、スパイク・ローは重要な当面の安値（ＲＬ）になるか、または、大底になる可能性がある。
　図5.4～図5.6は、スパイク・ハイとスパイク・ローの幾つかの実例である。**図5.4**は大体２カ月の周期で３回のスパイク・ハイが起こっている。最初の高値（ＲＨ）とその後の２つはほとんど同じ高さで接近して起こり、それぞれが合わさって主要な天井を形成している。**図5.5**と**図5.6**は、スパイクにより形成された当面の高値（ＲＨ）と安値（ＲＬ）の両方を含んでいる例である。
　スパイク・ハイとスパイク・ローは前の説明でその説明をより顕著なものとする３つの要素を列挙したが、これらはそのような日を表している。しかし、このような条件の定義は何か正確ではない。特に、その日の高値（安値）とその前後の高値（安値）の差がスパイク・ハイとされるためにはどれくらい大き

Part 1 基本的な分析ツール

図5.5　スパイク・ハイとスパイク・ロー（1991年7月限コーヒー）

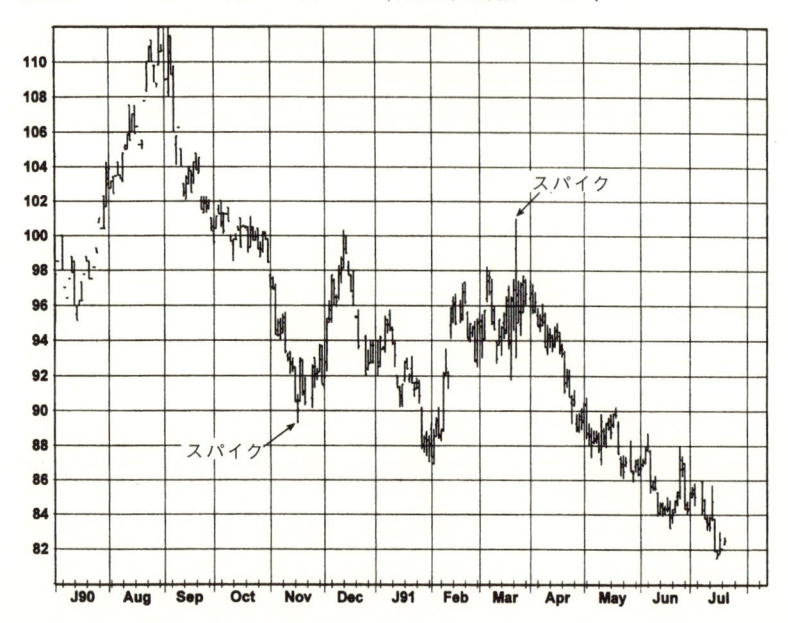

図5.6　スパイク・ハイとスパイク・ロー（エイボン）

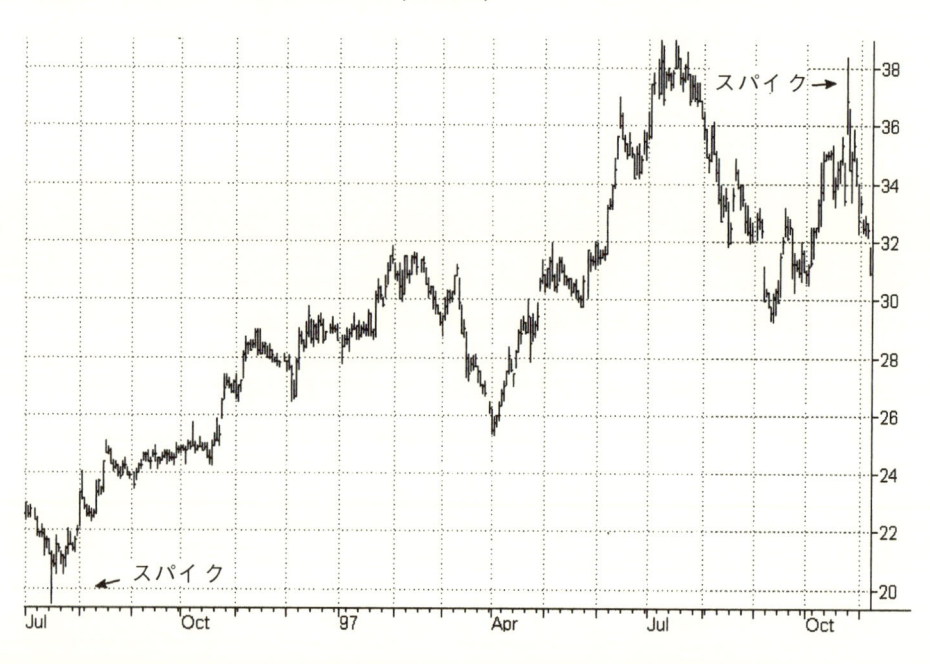

ければいいのか？　その日の終値が安値（高値）にどれくらい近ければスパイク・ハイと認められるのか？　スパイク・ハイの可能性があると見られるにはそれ以前の高値更新がどれくらい大きなものでなければならないのか？　これらの質問に答える仕様書はもちろんない。それぞれの場合に応じた適切な条件の選択は主観的なものとならざるを得ない。しかし、**図5.4～図5.6**はスパイクであると直感的に思えるような形のものである。付録はスパイクの日を数学的に正確に決めるための１つの方法を提示している。

リバーサル・デイ（反転日）

　リバーサル・ハイ・デイの一般的な定義は、上昇して新高値を付け、その後、反転し前日の終値より安い終値になる日のことである。同様に、リバーサル・ロー・デイは下落して新安値を付け、その後、反転して前日の終値より高く終わる日のことである。これからの議論はリバーサル・ハイ・デイを取り上げるが、ここでの議論の逆はリバーサル・ロー・デイにも当てはまり、それらのコメントはリバーサル・ロー・デイにもそのまま適用できる。

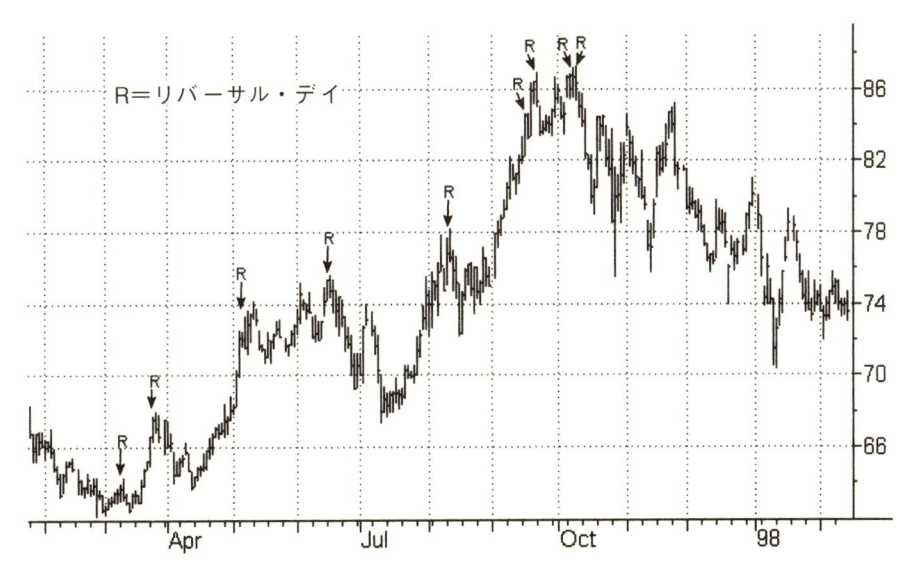

図5.7　リバーサル・デイ──弱気を示すシグナル（アトランティック・リッチフィールド）

図5.8　リバーサル・デイ──弱気を示すシグナル（1992年7月限小麦）

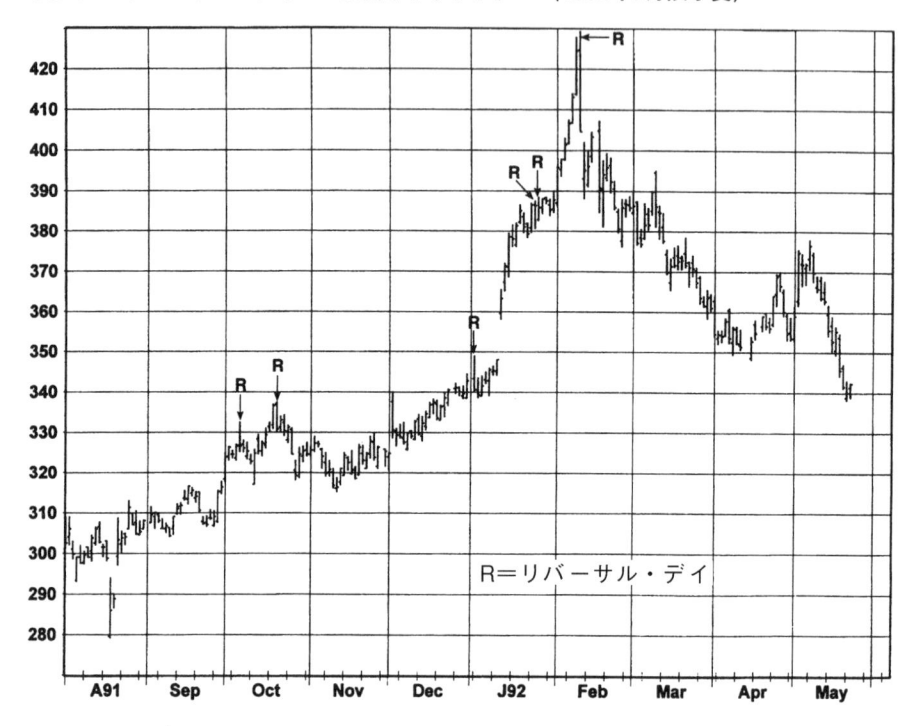

R＝リバーサル・デイ

　スパイク・ハイと同じように、リバーサル・ハイ・デイは買いが頂点に達したことを示唆し当面の高値であると一般的には解釈されている。しかし、一般的な定義によるリバーサル・ハイ・デイに求められる条件は比較的弱いものであり、それはリバーサル・ハイ・デイが非常に一般的であることを意味している。しかし、多くの相場の高値はリバーサル・デイである一方、問題は多くのリバーサル・ハイ・デイは高値ではないことである。図5.7は、この点を指摘している典型的なものである。１９９７年１０月に起きた２つの連続したリバーサル・ハイ・デイは３月から１０月の高値更新の絶頂期であり、素晴らしい売りシグナルを出したことに注目して欲しい。しかし、このようなリバーサル・デイはその前に７つリバーサル・デイがあり、それらは何度となくいろいろな形で早計な売りシグナルを出したことにも注意して欲しい。下落している間にリバーサル・ハイ・デイを出すのを避けるために、それらは相場がそれ以

前のリバーサル・ハイ・デイを超えた後に認定されていることに注意して欲しい。**図5.8**は普通の未成熟リバーサル・デイ・シグナルがどのようなものであるかを示す別の例である。この場合、リバーサル・デイは大きな強気相場のまさしく天井で起こっている。これは大変な売りシグナルであるが、非常に早過ぎた５つのリバーサル・デイが先行している。この相場をリバーサル・デイ・シグナルで取引していた人たちは、多分、本物のシグナルが最終的に出る随分前に、タオルを投げてしまったのではないだろうか。

今の例の中で、少なくともリバーサル・デイ・シグナルは実際の高値かその近辺で起きている。しかし、上昇相場で、しばしば多くのリバーサル・ハイがだましのシグナルとなり、実際の天井の近辺で正式なリバーサル・ハイになれていない。リバーサル・ハイ・デイは、１００の高値に対して１０あればいいと言える。言い換えると、リバーサル・デイはときには優秀なシグナルを出すが、多くの場合はだましシグナルである。

私は、リバーサル・デイの標準的な定義はだましシグナルを出す傾向があり、トレーディングの指標としては価値のないものであると考えている。標準的な定義の問題点は、単なる前日の終値を下回る終値を要求するだけではあまりにも弱い条件である。そうではなくて、私は上昇相場において新高値を付けた後に反転して前日の安値を下回る日をリバーサル・ハイ・デイの定義とすることを勧めている（この条件は、必要であれば２日前の終値を下回る終値を要求することでさらに強められる）。この厳しい定義は、だましのリバーサル・シグナルの数を減らすが、一部の正当なシグナルまで除いてしまう。例えば、この定義では**図5.7**で２つのだましシグナルを残し、すべてを取り除いてしまっている。残念だが、相場の天井での最高のシグナルまで除いてしまっている。しかし、**図5.8**では、リバーサル・デイのより厳しい定義は５つのすべての早計なリバーサル・デイ・シグナルを取り除き、かつ、１つの正当なシグナルをそのまま残している。

リバーサル・デイはスパイク・デイと似たようなものに聞こえるが、この２つのパターンは同じではない。スパイク・デイはリバーサル・デイである必要はないし、リバーサル・デイはスパイク・デイである必要もない。例えば、スパイク・ハイ・デイは終値がその日の安値であっても前日の安値を下回る終値である必要はないし、または、標準的定義によると前日の終値を下回る終値が

図5.9　スパイク・リバーサル・デイ（コカコーラ）

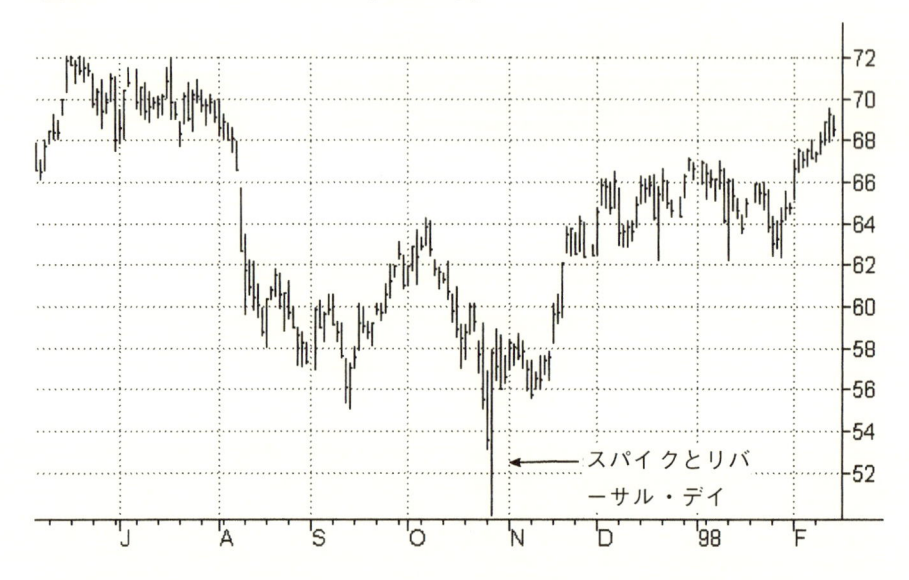

（図中）スパイクとリバーサル・デイ

　その日の安値である必要もない。例えば反転の場合、リバーサル・ハイ・デイはスパイク・ハイで求められているような、その前の日の高値を非常に上回る必要もない。また、それに続く日の値動きはリバーサル・デイの定義には関係ないため、それに続く日の高値を上回る必要もない。さらに、リバーサル・デイの終値はそれが前日の終値を下回っていたとしても、スパイク・デイの一般的な特徴である安値の近くにはない可能性がある。

　リバーサル・デイであり、かつ、スパイク・デイである日が時には現れる。そのような日は単なるリバーサル・デイよりもかなり重要な意味を持っている。リバーサル・デイのより厳格に定義するもう１つの方法は標準的な定義を用い、かつ、スパイク・デイであることも要求することである。強いリバーサル・デイの条件とスパイク・デイの条件の両方を満たす日は、非常に珍しいために、最も重要なものになる。**図5.9**はスパイクとリバーサル・ロー・デイの条件を満たす日の例である。急落の後にその日の高値に近いところで引けた株は、長期的な相場上昇で重要な修正を終え、相場は急激に上昇している。

図5.10 強気市場におけるアップ・スラスト・デイとダウン・スラスト・デイ（ロックウェル・インターナショナル）

↑＝アップ・スラスト・デイ
↓＝ダウン・スラスト・デイ

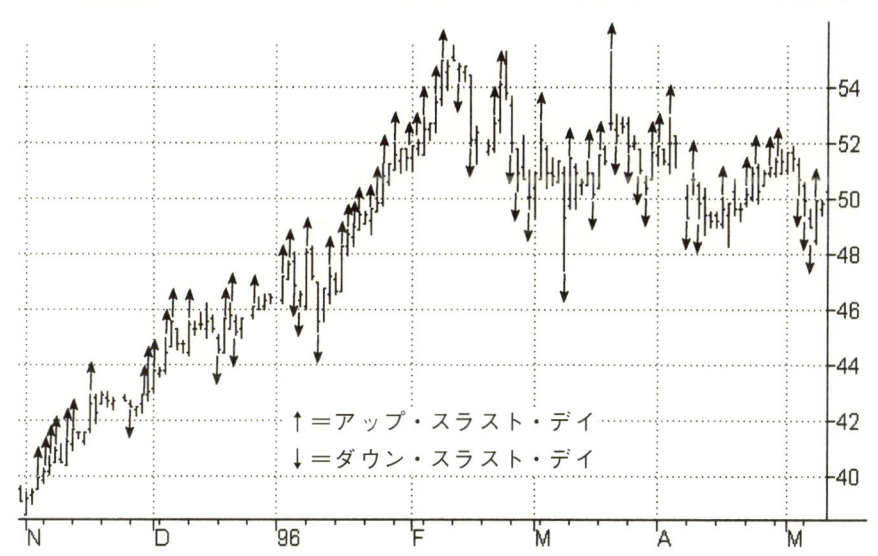

図5.11 弱気市場におけるアップ・スラスト・デイとダウン・スラスト・デイ（モトローラ）

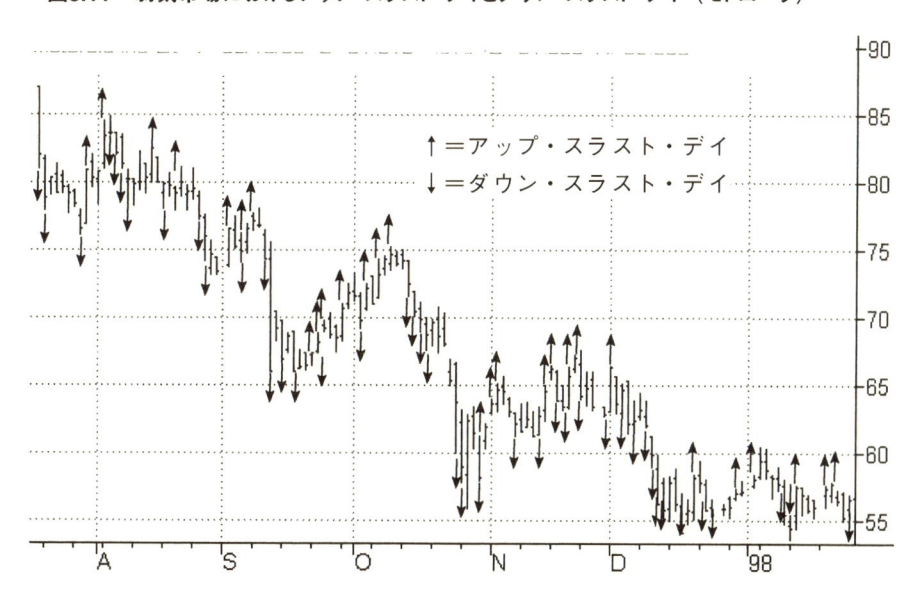

↑＝アップ・スラスト・デイ
↓＝ダウン・スラスト・デイ

スラスト・デイ

　アップ・スラスト・デイは、終値がその前日の高値を上回る日のことである。ダウン・スラスト・デイは、終値がその前日の安値を下回る日のことである。スラスト・デイの重要性はその日の終値が何にも代え難く重要なものであるとする概念にある。スラスト・デイは非常に一般的なので、単独のスラスト・デイは特に重要ではない。しかし、連続する必要はないが、一連のアップ・スラスト・デイは決定的な相場の強さを反映している。同様に、一連のダウン・スラスト・デイは決定的な相場の弱さを反映している。

　強気相場では、アップ・スラスト・デイはダウン・スラスト・デイを数で圧倒的に上回っている。**図5.10**の１月から２月の間の例を見て欲しい。反対に、弱気の相場ではダウン・スラスト・デイがアップ・スラスト・デイを数で圧倒的に上回っている。**図5.11**の例を見て欲しい。しかし、時にはトレンドに逆行した戻りの期間でアップ・スラスト・デイの出現頻度が高くなると下降が停止する。そして、驚くほどではないが、保ち合い相場ではアップ・スラストとダウン・スラスト・デイの数は大まかに均衡する傾向がある。**図5.10**の２月から５月までの例を見て欲しい。スラスト・デイの強力なものはラン・デイと呼ばれ、付録に定義されている。

長大線の日（ワイド・レンジング・デイ）

　長大線の日は全く聞いてその通りである。１日の足がそれ以前のものに比べて圧倒的に長く大きい日である。これは、価格変動が最近の価格変動の平均値を大幅に上回っている日を表している。長大線の日をチャートで理解するのも見るのも簡単であり、数学的に定義することも可能である。例えば、長大線の日は、それ以前のＮ個の足の平均値幅の２倍を上回る値幅を持った日と定義することができる。付録に長大線の日を定義するための特別な算出式が載せてある。

　長大線の日は特別に重要である可能性がある。例えば、下落を続けた後の前日よりもかなり高い終値を基にした長大陽線の日は上昇相場に乗る逆転のシグナルとなることがある。**図5.12**、**図5.13**は、安値を更新し、そして大きな値上がりの予感の後に現れた長大陽線の日である。**図5.13**は、その前の弱気の相場の安値を上回るように続けて起きた２つの長大陽線の日である。

図5.12　長大陽線（1993年7月限綿花）

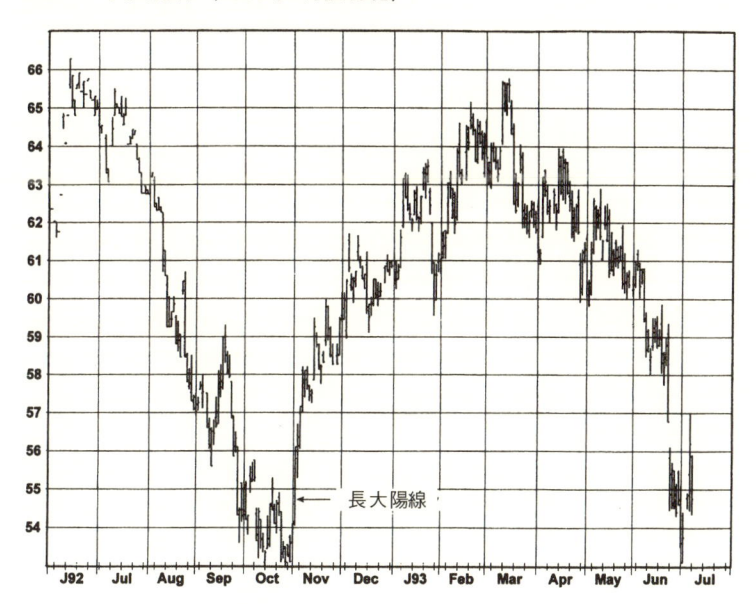

長大陽線

図5.13　長大陽線（1993年12月限ココア）

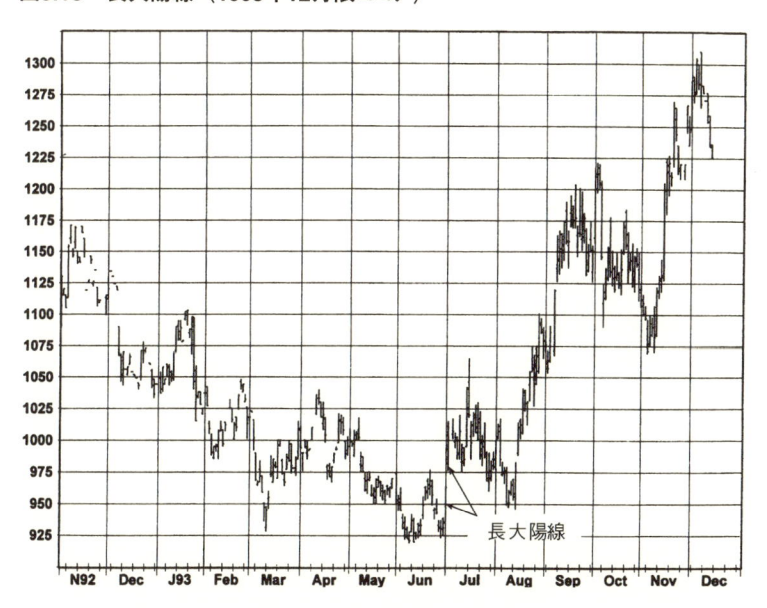

長大陽線

Part 1 基本的な分析ツール

図5.14　長大陰線（モトローラ）

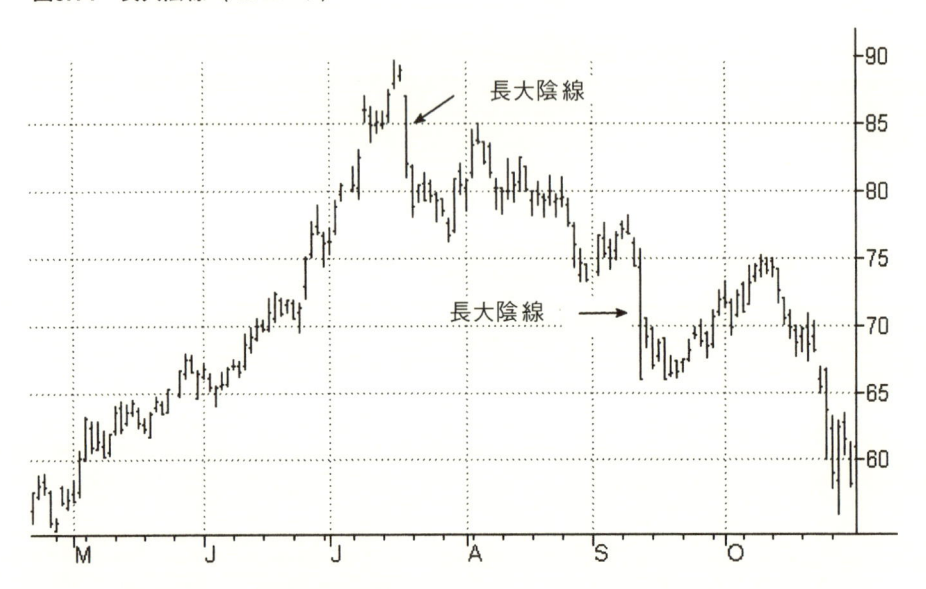

図5.15　長大陰線（1993年12月限金）

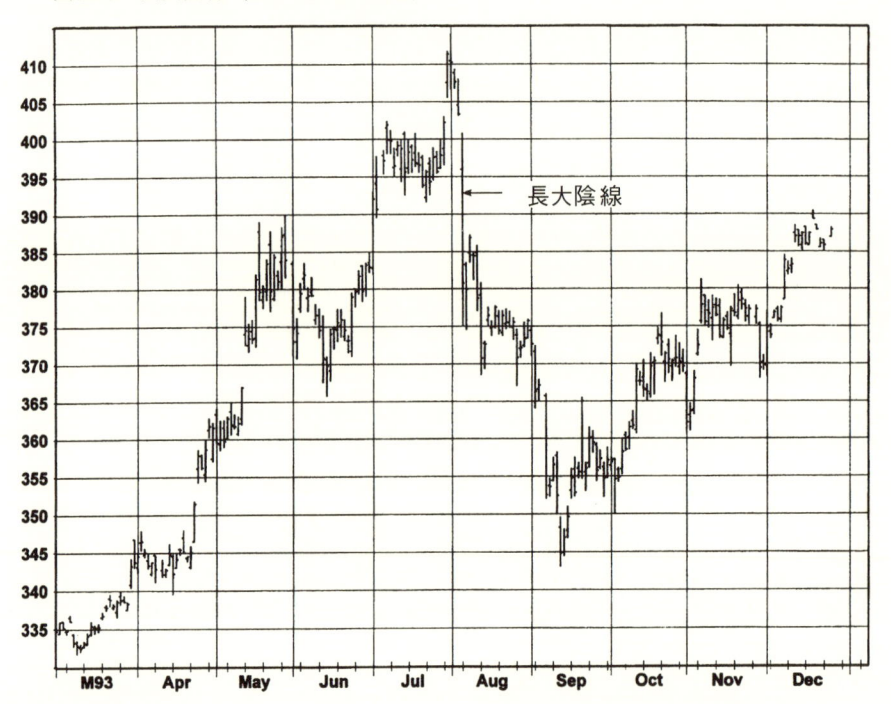

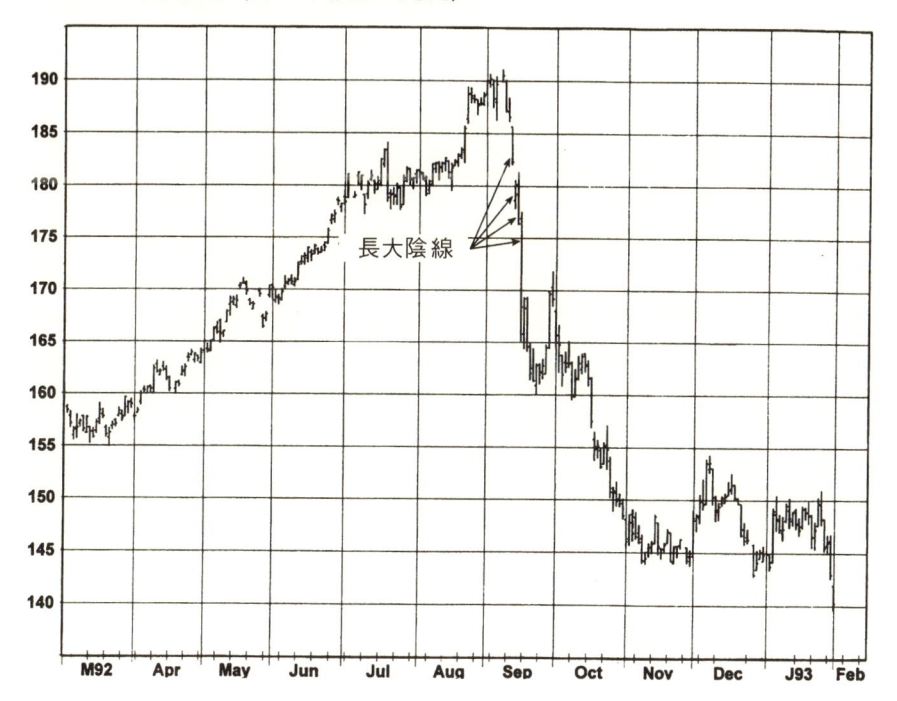

図5.16 長大陰線（英ポンド修正つなぎ足）

　同様に、主要な上昇の後に前日よりもかなり安い終値を持った長大陰線の日はときどき下落相場への反転のシグナルとなる。**図5.14**、**図5.15**はその前の主要な上昇相場の天井の近くで起きた長大陰線を載せている。**図5.14**で下落相場の後で前日よりもかなり安い終値を持った2番目の長大陰線の日が形成され、トレンドに反した短い反動が続いていることに注目して欲しい。

　そのような大きな長大線の日はそれ以前の主要な相場が反転する深刻な警告とみられている。**図5.16**はその前の4カ月間の相場上昇をそのまま引き返すという信じられないほどの4つの連続した長大線の日を示している。これらの最初の日は事実上7年間の強気相場の天井に近いものとなっている。

継続パターン

　継続パターンは、長期トレンドの間にでき上がった様々な形の価格揉み合い

のパターンのことである。その名の通り、継続パターンはその前に形成されている値動きと同じ方向に価格がスイングしていくことを期待されている。

三角形（トライアングル）

　３つの基本的な三角形の形がある。上下対称なもの（**図5.17**、**図5.18**参照）、上向きのもの（**図5.19**、**図5.20**参照）、下向きのもの（**図5.21**、**図5.22**参照）である。対称な三角形は通常、**図5.17**、**図5.18**にあるように、それ以前のトレンドが続く。従来のチャートの格言では非対称な三角形は、**図5.19**〜**図5.22**の場合のように、斜辺の傾きの方向に相場が展開するとされていた。しかし、三角形の形から抜ける方向の方がその形よりもずっと大事なのである。例えば、**図5.23**にある７月〜９月の揉み合いのパターンは下降三角形で、ブレイクアウトは上抜きである。これはこの三角形が始まったのと同じ方向である。

フラッグとペナント

　フラッグとペナントは、狭い範囲で短い期間（１週間〜３週間）のトレンドの中での揉み合いである。相場が平行した線で囲まれているときはフラッグと

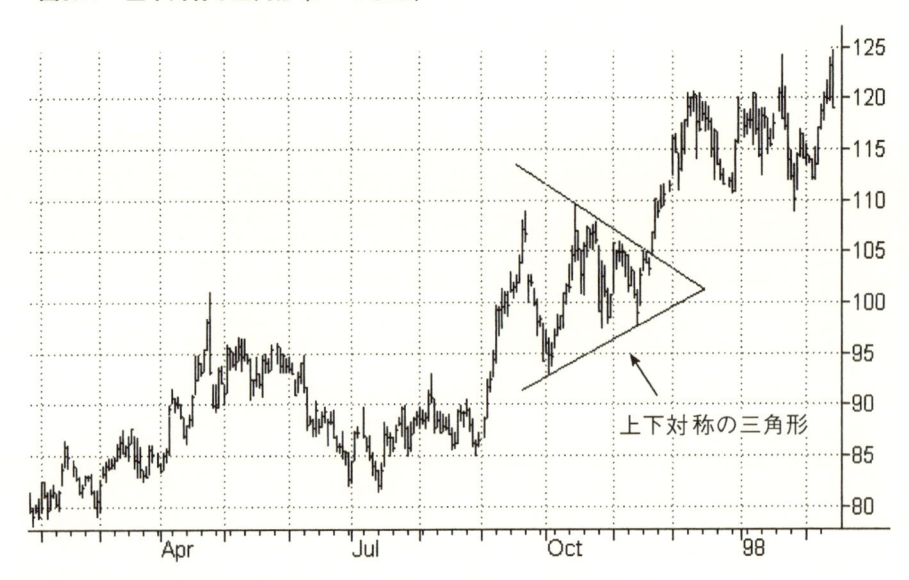

図5.17　上下対称な三角形（デルタ航空）

図5.18　上下対称な三角形（スイス・フラン修正つなぎ足）

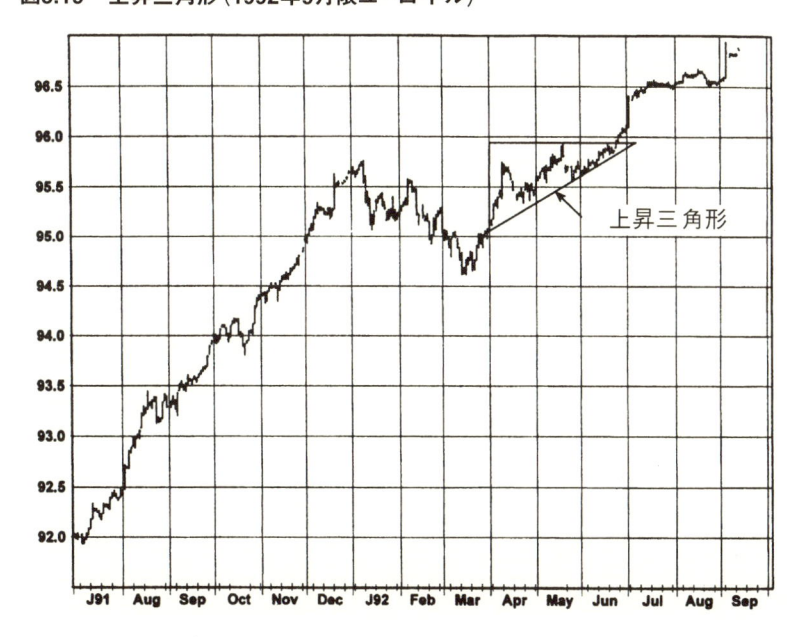

図5.19　上昇三角形（1992年9月限ユーロ・ドル）

Part 1 基本的な分析ツール

図5.20 上昇三角形(1992年10月限砂糖)

上昇三角形

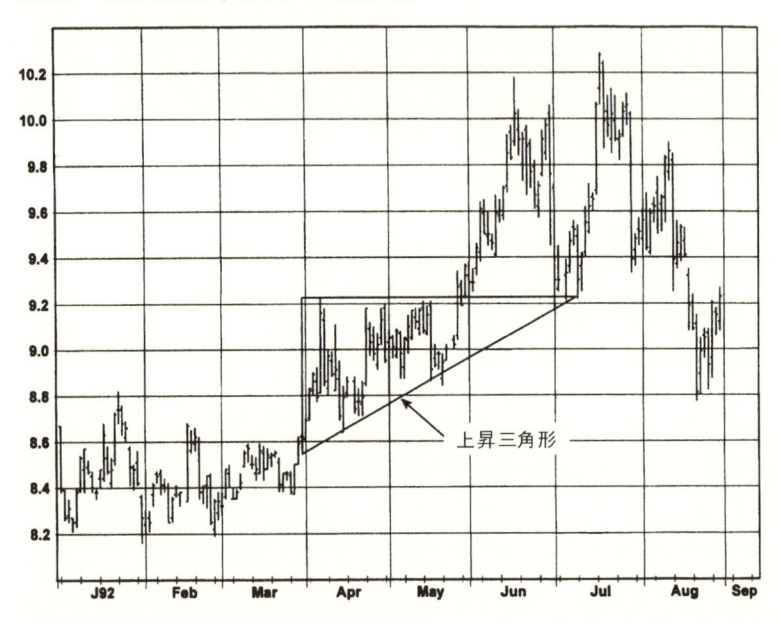

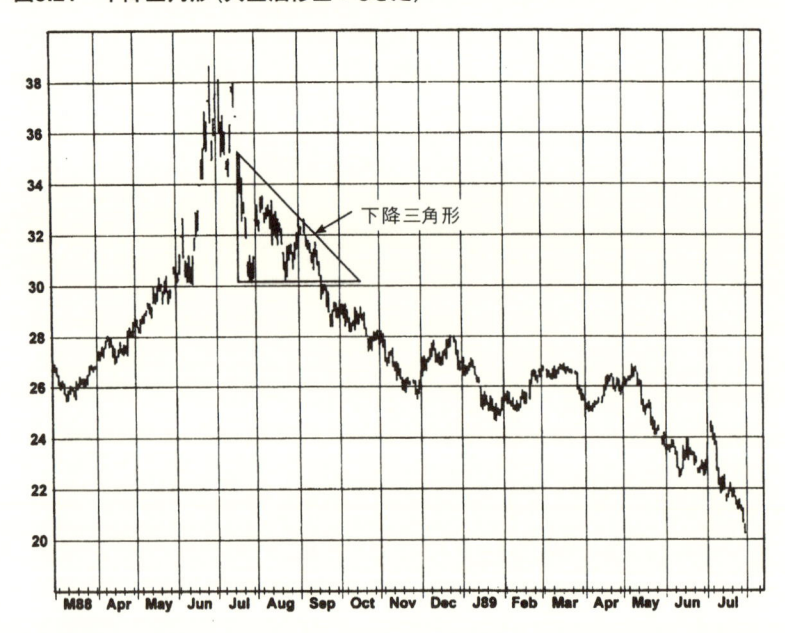

図5.21 下降三角形(大豆油修正つなぎ足)

下降三角形

図5.22 下降三角形（大豆ミール修正つなぎ足）

図5.23 上抜けのブレイクアウトを伴った下降三角形（ホスト・マリオット社）

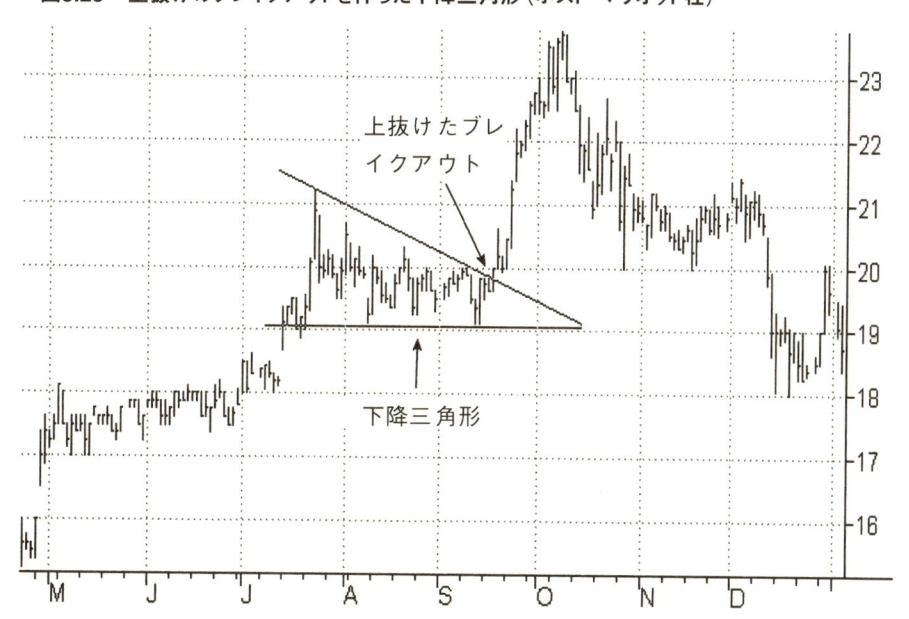

図5.24　フラッグとペナント（1995年3月限砂糖）

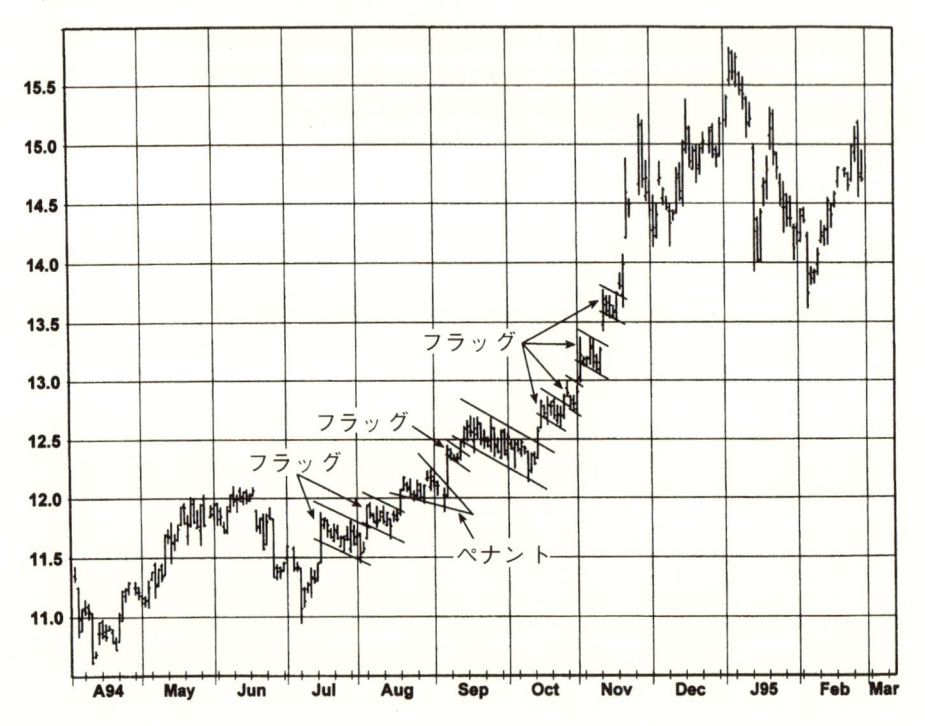

呼ばれ、その線が収束したときはペナントと呼ばれている。**図5.24**と**図5.25**はこの両方のパターンを載せている。ペナントは三角形と似ているが、期間に違いがある。三角形は長期である。

　フラッグとペナントは主要なトレンドの典型的な休止を示している。言い換えると、これらのパターンに続いて価格はそのパターンが形成される以前にあった価格の動きと同じ方向に価格が揺れ動いていく。

　フラッグ、またはペナントからのブレイクアウトはトレンドが継続していることの証でありトレンドの方向に仕掛けるシグナルとみなすことができる。ブレイクアウトは通常、主要なトレンドの方向に発生するが、しかし私は、フラッグまたはペナントが形成されている間に、ブレイクアウトが期待されている方向に仕掛けるのが好きである。フラッグ、ペナントからのブレイクアウトに反転が続くことは、期待の反対側に抜けるブレイクアウトが発生するのと同じ

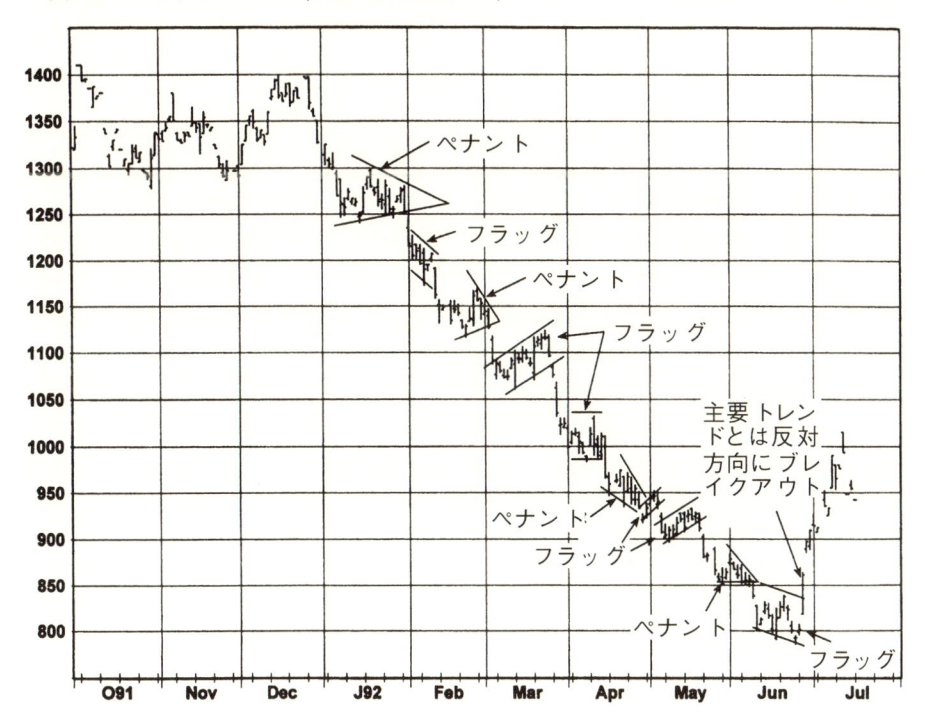

図5.25　フラッグとペナント（1992年7月限ココア）

　くらいの頻度で発生するので、この手法により、勝率をほとんど落とすことなく有利に建玉することができる。フラッグ、ペナントからのブレイクアウトの後に、その形の反対側の端は大まかな損切りポイントして使うことができる。
　主要なトレンドと相反し、期待と反対の方向へフラッグ、またはペナントが強く突き破られることは、相場反転の可能性を示すシグナルと考えることができる。例えば、**図5.25**にあるように、主要なトレンドの方向にブレイクアウトすることによって崩れたフラッグとペナントが長く連なっているが、6月に形成されたフラッグを反対方向へ突き抜けたことは急激な相場上昇を引き起こしていることに注目して欲しい。フラッグとペナントは、特に主要なトレンドの方向とは逆の方向を向いているが、**図5.24**の多くのフラッグとペナントはその例である。しかし、私の経験では、主要なトレンドと同じ方向を向くフラッグとペナントと、逆の方向を向くものとの間の信頼性になんら違いを見いだすこ

Part 1 基本的な分析ツール

図5.26 強気のシグナルとしてのトレーディング・レンジの上部より上にできたペナント（1993年7月限大豆）

延長されたトレーディング・レンジ

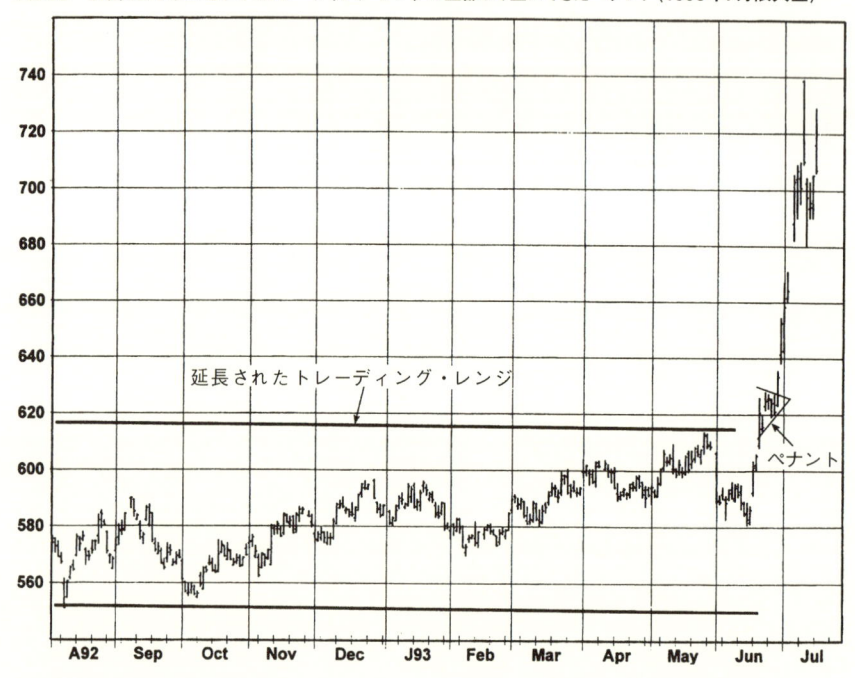

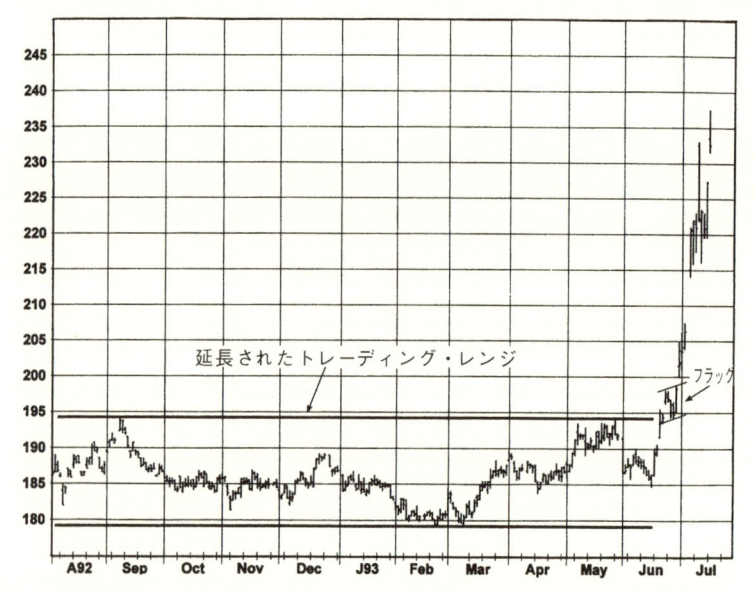

ペナント

図5.27 強気のシグナルとしてのトレーディング・レンジの上部より上にできたフラッグ（1993年7月限大豆ミール）

延長されたトレーディング・レンジ

フラッグ

図5.28 弱気のシグナルとしてのトレーディング・レンジの下部より下にできたフラッグ（1994年6月限ユーロ・ドル）

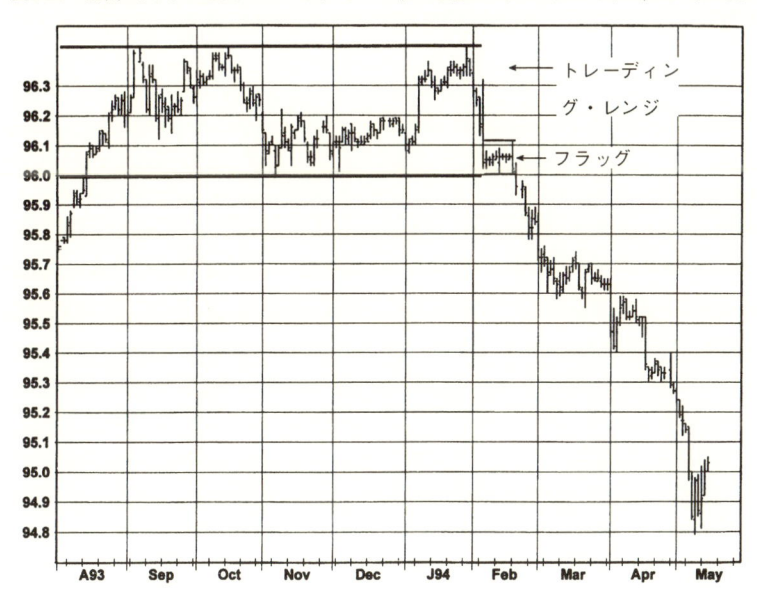

図5.29 弱気のシグナルとしてのトレーディング・レンジの下部より下にできたフラッグ（1994年11月限天然ガス）

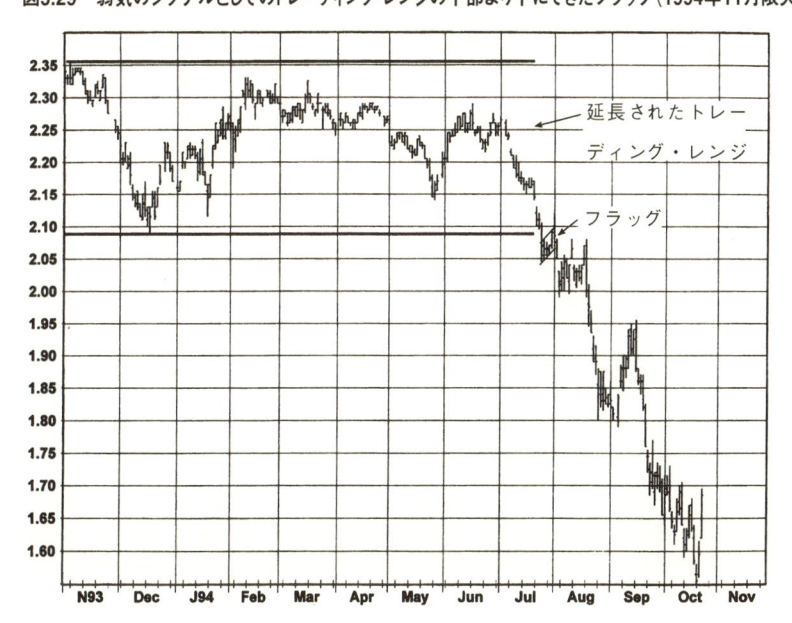

とはできない。

　天井の近辺かトレーディング・レンジの少し上にできたフラッグやペナントは特に強気のシグナルとなる傾向が高い。フラッグかペナントがトレーディング・レンジの上限近くにできた場合、それは相場が主要な抵抗線領域（値幅の上限）に届いたにもかかわらず、下がらずにいることを示している。そのような価格の動きは強気の暗示であり、マーケットが上昇に対する最後のブレイクアウトの力を養っていることを示唆している。フラッグかペナントがトレーディング・レンジの上に形成された場合には、価格がブレイクアウト・ポイントの上で保持されていることを示し、ブレイクアウトが起こったことに対する強い確認をもたらしている。一般的に言って、トレーディング・レンジが延長されればされるほど、天井の近くかその上により重要なフラッグかペナントが形成される。**図5.26**、**図5.27**は天井の近辺かトレーディング・レンジの上にフラッグかペナントが現われ、そして爆発的な上昇の前兆にあることを示している例である。

　同じような理由で、底の近辺かトレーディング・レンジのちょうど下に形成されたフラッグやペナントは特に弱気のパターンである。**図5.28**と**図5.29**は、底の近くかトレーディング・レンジの下にフラッグかペナントが形成され、急激な価格下落の前兆を示している例である。

天井と大底の形成

Ｖ天井とＶ底

　Ｖ型とは、急激に形成された天井（**図5.30**参照）と底（**図5.31**参照）である。Ｖ天井／Ｖ底の１つの問題点は、他のテクニカル指標が伴わない限り鋭い修正と区別することが困難なことである。例えば、目立ったスパイク、大きなリバーサル・デイ、大きな窓、長大線の日など。**図5.31**のＶ底は極端なスパイクが糸口となっているが、**図5.30**のＶ天井は相場の反転を促すような他の事実は伴っていない。

ダブル天井とダブル底

　ダブル天井とダブル底はその名前が意味する通りである。もちろん、パター

Chapter 5
チャート・パターン

図5.30　V天井（マイクロン・テクノロジー）

図5.31　V底（イタリア国債修正つなぎ足）

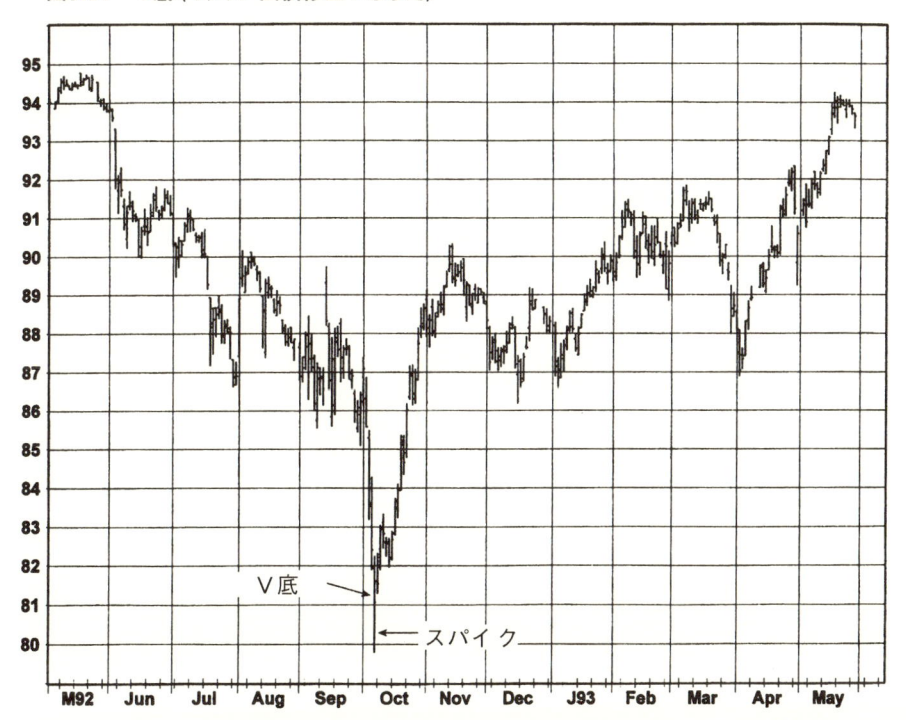

図5.32 ダブル天井（独マルク修正つなぎ足）

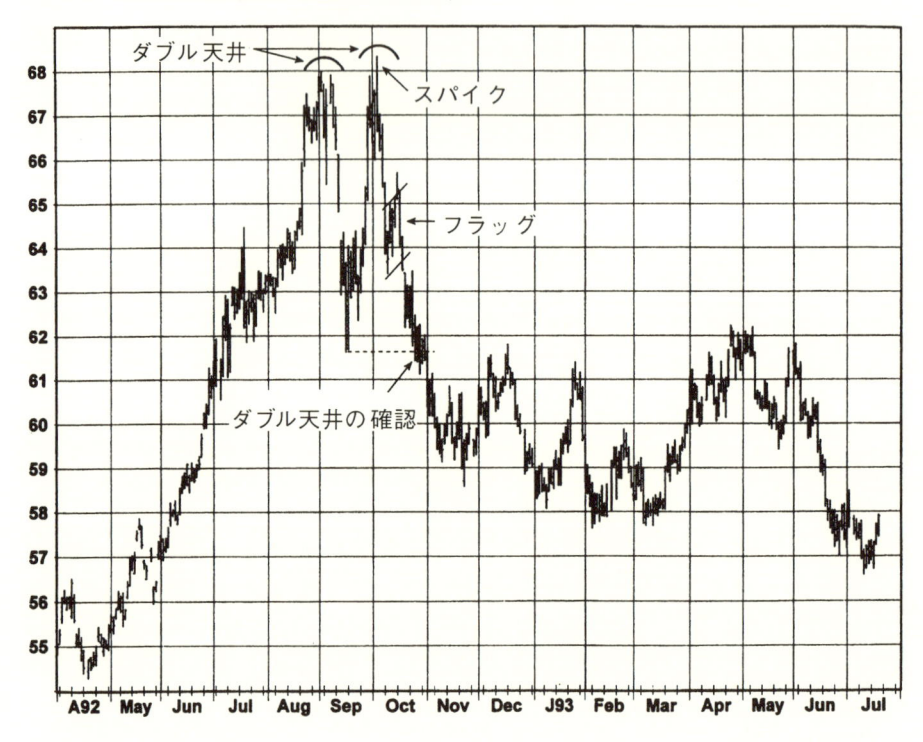

ンを作り上げる２つの天井や底は全く同じである必要はないし、同じような価格が近くにあればよいのである。ダブル天井とダブル底は大きな価格変動の後にできあがり、主要なトレンドの転換点とみなされている。**図5.32**は、独マルクのダブル天井を示している。修正つなぎ足はダブル天井とダブル底を説明しているすべてのチャートで使われている。というのは、それぞれの限月の流動性のある期間は、これらのパターンとその前後のトレンドを表すほど十分長くないからである。

　ダブル天井（底）は価格が２つの天井（底）に挟まれた安値（または高値）を下回（上回）ったときに成立する。**図5.32**のように、その間の下落した値動きがかなり深いときはこの"形式ばった"確認を待つ必要はなく、トレーダーは他の証拠によりパターンが形成されたことを予測しなければならないかもしれない。

図5.33　ダブル天井（オーストラリア10年債週足修正つなぎ足）

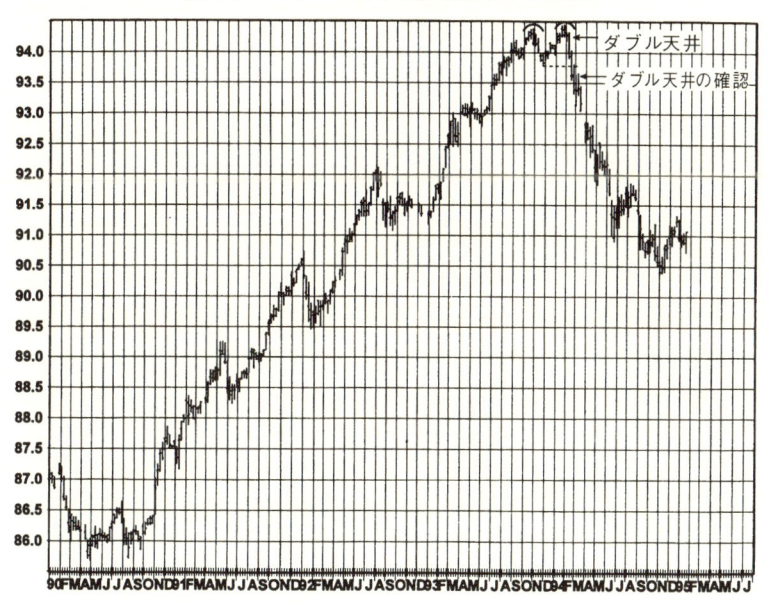

図5.34　ダブル底（マイクロン・テクノロジー）

Part 1
基本的な分析ツール

図5.35　ダブル天井とダブル底（日本円修正つなぎ足）

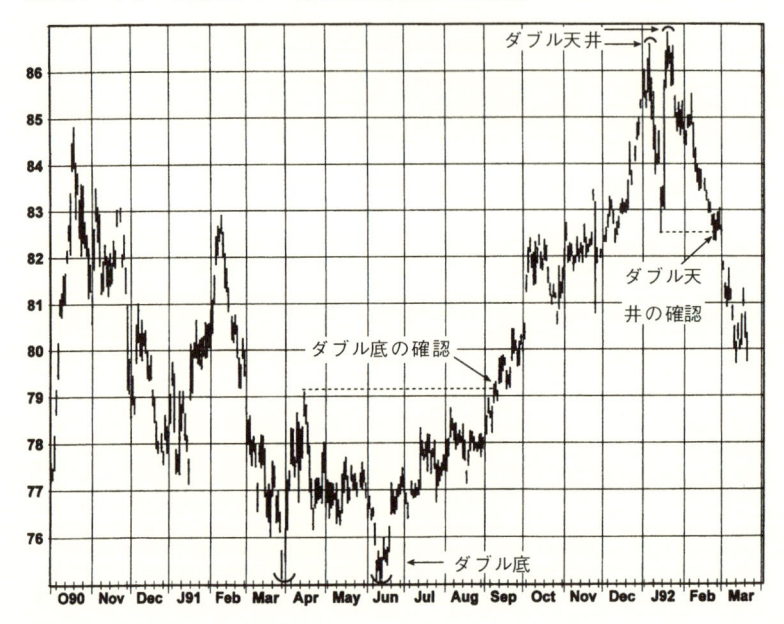

図5.36　トリプル底（ボシュロム）

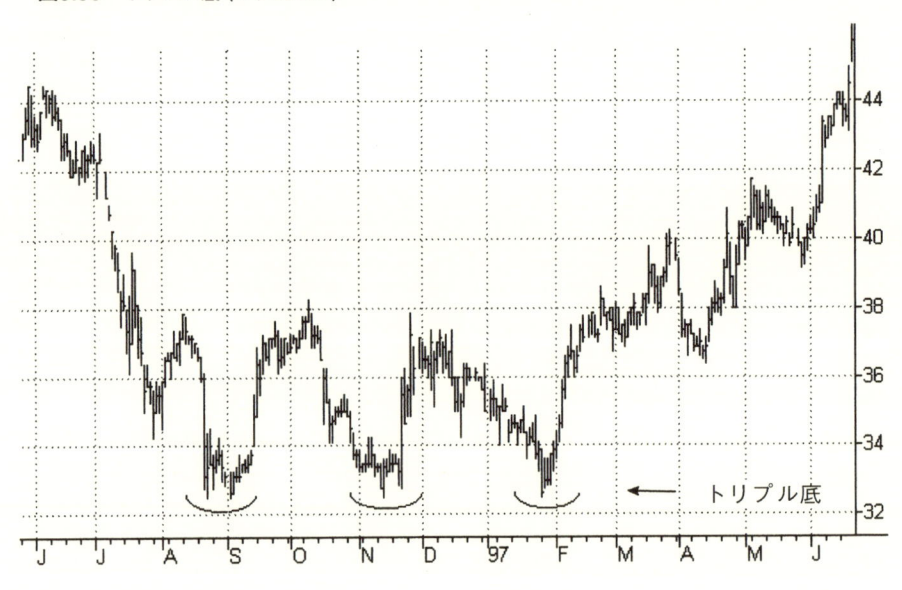

図5.37　トリプル天井（1993年12月限綿花）

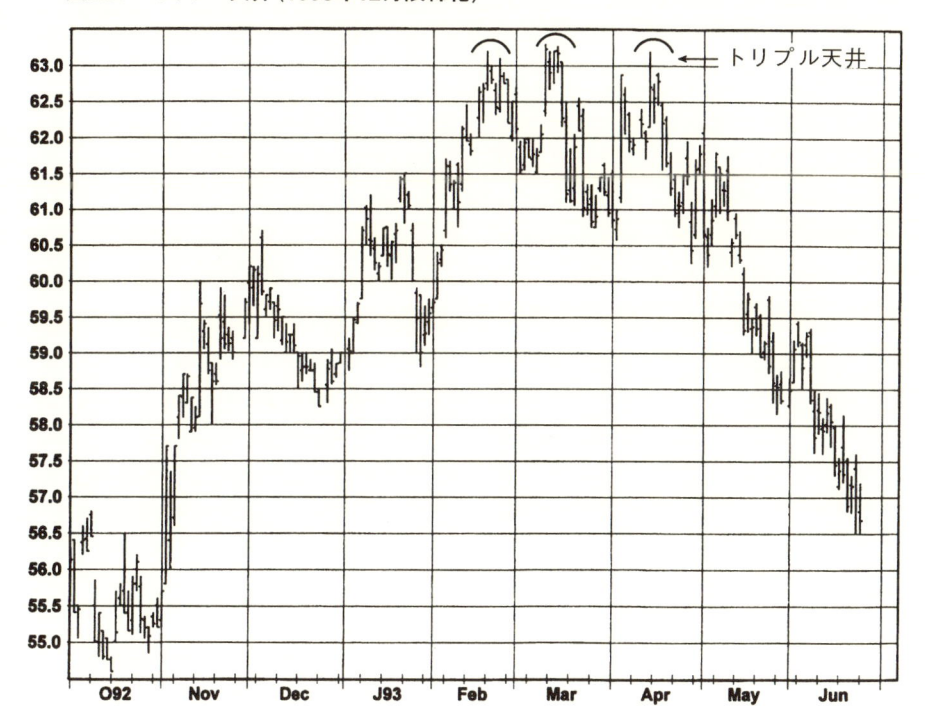

　例えば、**図5.32**でダブル天井の確認は、市場が４月から８月まで上げた値幅のおおよそ半分を失うまで起こっていなかった。しかし、２番目の天井でできたスパイク・ハイとその高値から最初の下落の後に形成されたフラッグのパターンは次の価格の動きも下落であろうことを示唆している。このような手掛かりからトレーダーが、標準的な定義でのダブル天井が達成されていなくても、そのパターンは達成されたと結論を下すことは妥当である。

　図5.33は、１９９０年初めのオーストラリアの１０年債の強気相場が形成したダブル天井である。この形に先立つ長く続いた高値更新のすべての内容を見せるために、週足のチャートが使われている。このチャートを、ダブル天井（または底）が主要なトレンドの転換点となるパターンの完全な例として挙げている。この例では、２つの天井の間で起こる反動はとても浅く、**図5.32**とは完全に対称的であり、ダブル天井のパターンは実際の天井に非常に接近したと

ころで確認されている。

　図5.34は、ダブル底のパターンを表している。図5.35は、ダブル天井とダブル底の両方を含んでいるチャートである。トリプル天井とかトリプル底のような多くの繰り返しを伴う天井と底の形はあまり頻繁に起きないが、同じように理解できる。

　図5.36はトリプル・ボトムであり、すべて3つの底がおおよそ区別可能である。図5.37はトリプル・トップの例を挙げている。

ヘッド・アンド・ショルダー（三尊／逆三尊）

　ヘッド・アンド・ショルダーは、チャートフォーメーション（パターン）の形の中で最も知られているものの1つである。ヘッド・アンド・ショルダー天井は真ん中の高値がどちらの側の高値よりも高い3つの部分からなるフォーメーションである（図5.38参照）。同様にヘッド・アンド・ショルダー底は真ん中の安値がどちらの側の安値よりも低い3つの部分からなるフォーメーションである（図5.39参照）。初心者のチャーチストによる一般的な間違いの1つは、ヘッド・アンド・ショルダーのフォーメーションを実際よりも早い時期に期待してしまうことである。ヘッド・アンド・ショルダーはネックラインが突き破られるまで完成したと考えてはならない（図5.38、図5.39参照）。その上に正当なヘッド・アンド・ショルダーは主要な価格の動きの後に形成される。ヘッド・アンド・ショルダーのフォーメーションを持つがこの要求条件を満たしていないパターンは、誤解を招く可能性がある。

ラウンド・トップ（円形天井）とラウンド・ボトム（鍋底）

　ラウンド・トップとラウンド・ボトム（ソサーとも呼ばれる）はそう頻繁に起こるものではないが、最も信頼できる天井と底のフォーメーションである。図5.40は、修正つなぎ足に現れたラウンド・トップであり、主要な上昇相場とそれ以降、下落相場に入る間の推移を特徴付けている。理想的なパターンは、このチャートのようにぎざぎざを全く持っていないものである。しかし、私は外側の周囲が湾曲を形成しているかどうかを主な基準として考えている。そして、この場合もそうである。図5.41は株式チャートでのラウンド・トップ・パターンである。図5.42と図5.43はラウンド・ボトムの例である。

図5.38　ヘッド・アンド・ショルダー天井（1991年6月限原油）

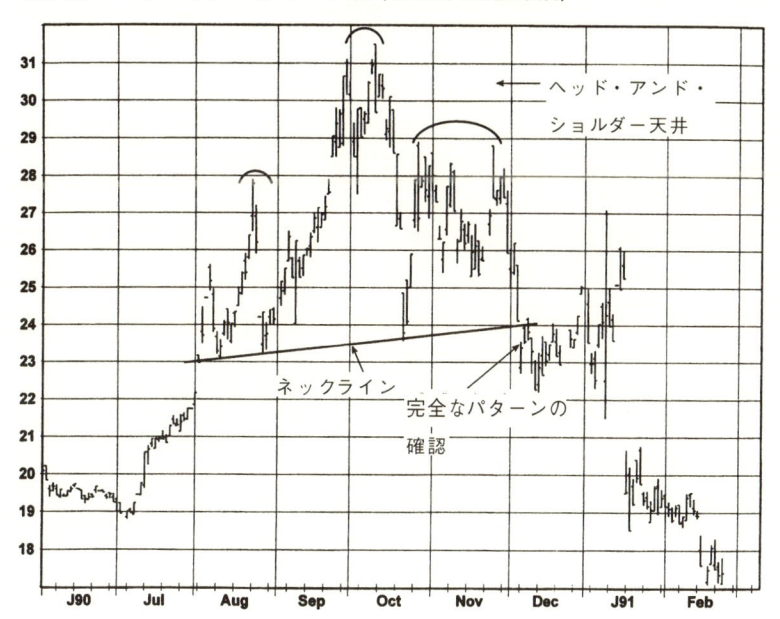

図5.39　ヘッド・アンド・ショルダー底（クライスラー）

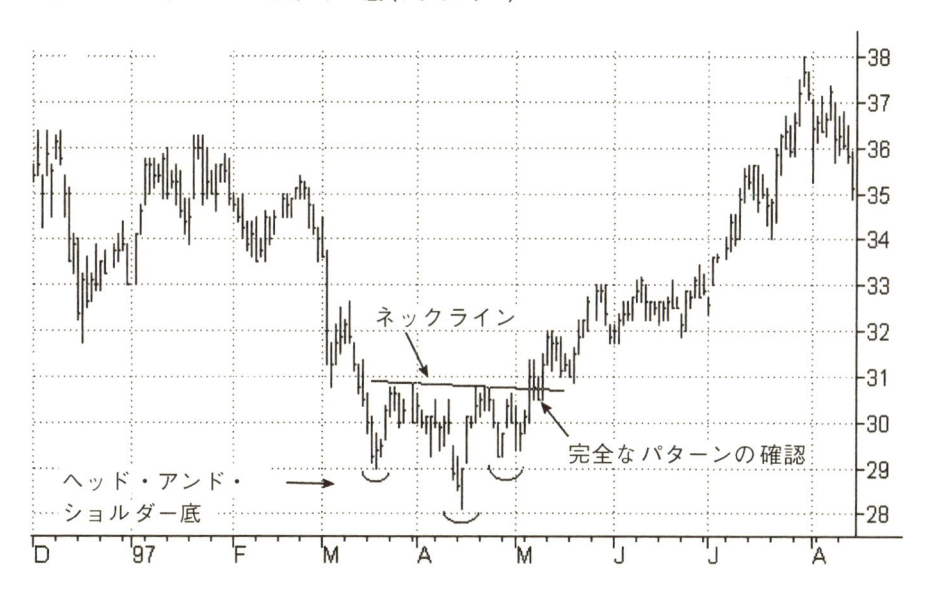

図5.40　ラウンド・トップ（マティフ国債修正つなぎ足）

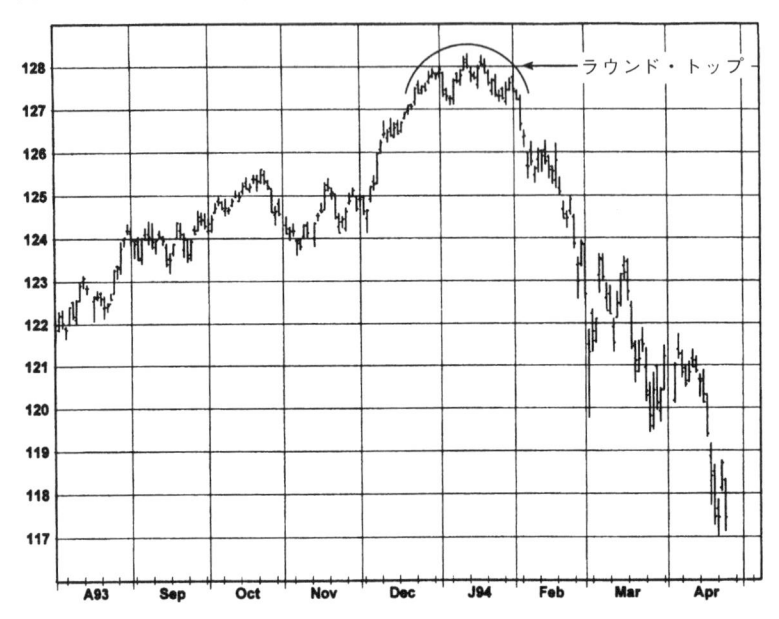

図5.41　ラウンド・トップ（アモコ）

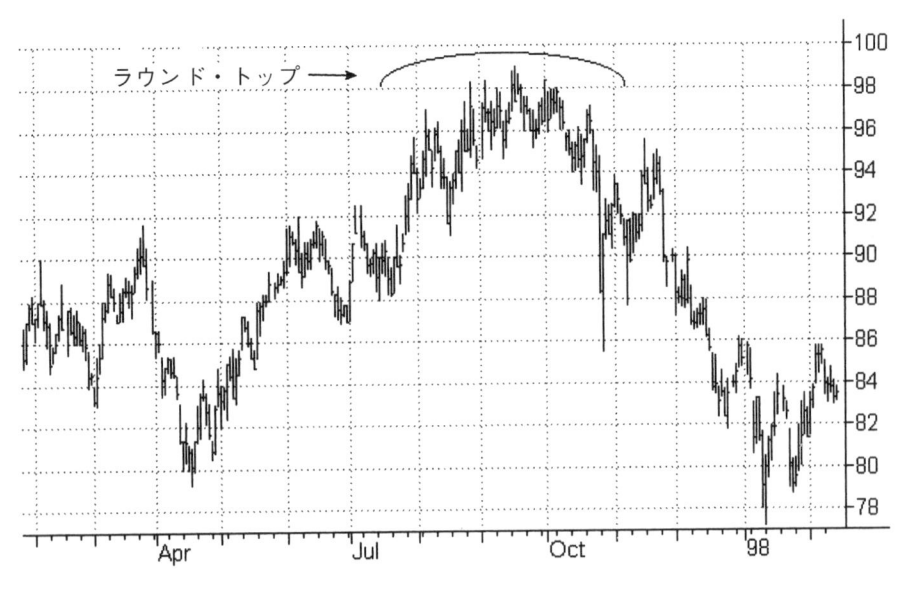

Chapter 5 チャート・パターン

図5.42 ラウンド・ボトム（1994年5月限銅）

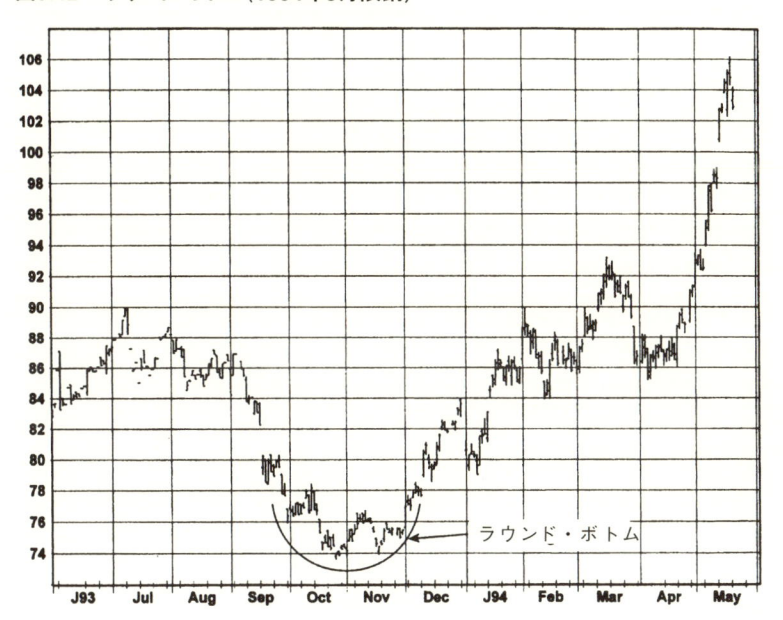

図5.43 ラウンド・ボトム（1992年8月限天然ガス）

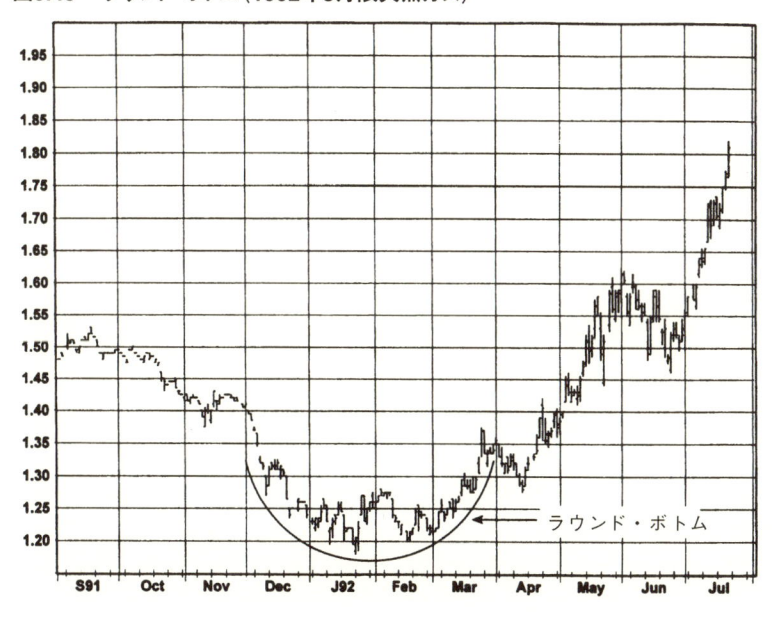

図5.44　三角天井（インテル）

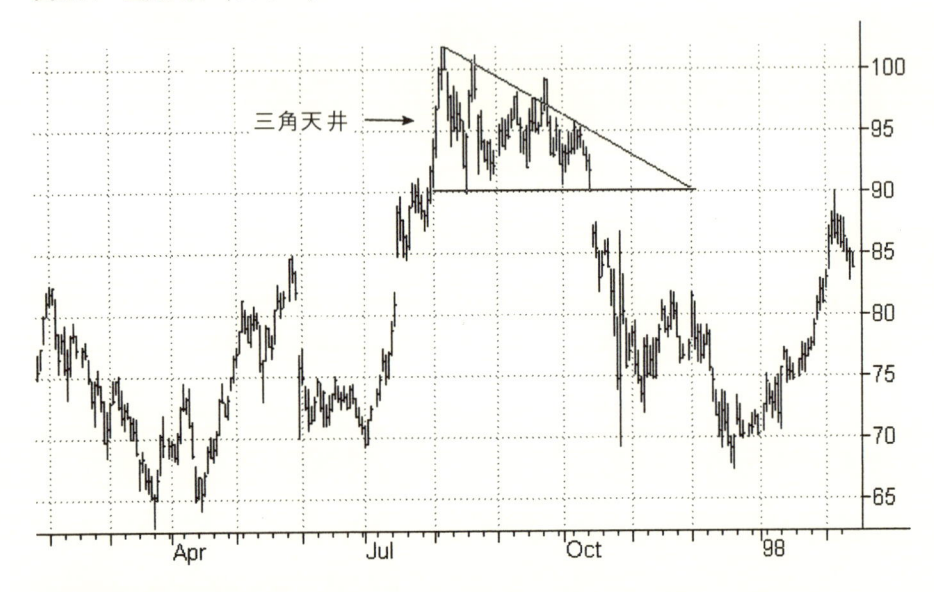

三角形

　三角形は、最も標準的な継続パターンであるが、天井と底のフォーメーションでもある。**図5.44**は天井を形成している三角形である。継続パターンの場合と同様に、重要なことは三角形からのブレイクアウトの方向である。

ウエッジ（くさび）

　上向きウエッジでは価格が収斂するパターンで、堅調に高くなりながら尖った形を形成する（**図5.45**参照）。新高値を試し続けているにもかかわらず、上昇速度が増加しない状況は、非常に大きい売り圧力があることを示唆している。売りのシグナルは、価格がウエッジ・ラインの下に割り込んだときに出る。**図5.46**は、下向きのウエッジの例である。ウエッジ・パターンは完成するのに何年もかかることがある。**図5.47**は金の修正つなぎ足で数年にわたる下向きのウエッジを描いている。

アイランド・リバーサル

　スパイク・デイやリバーサル・デイと比較すると、アイランド・トップは、

Chapter 5
チャート・パターン

図5.45　上昇ウエッジ（ペプシコ）

上昇ウエッジ　　売りシグナル

図5.46　下降ウエッジ（原油修正つなぎ足）

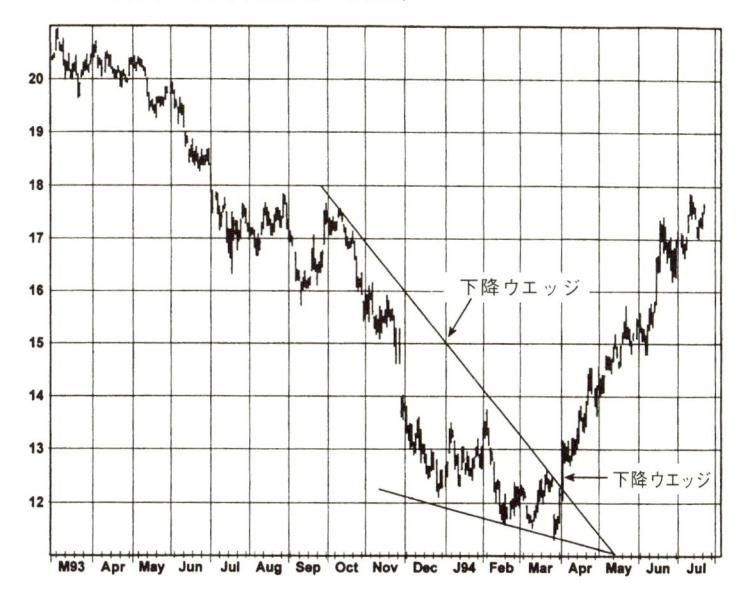

下降ウエッジ

下降ウエッジ

図5.47　数年に及ぶ下降ウエッジ（金修正つなぎ足）

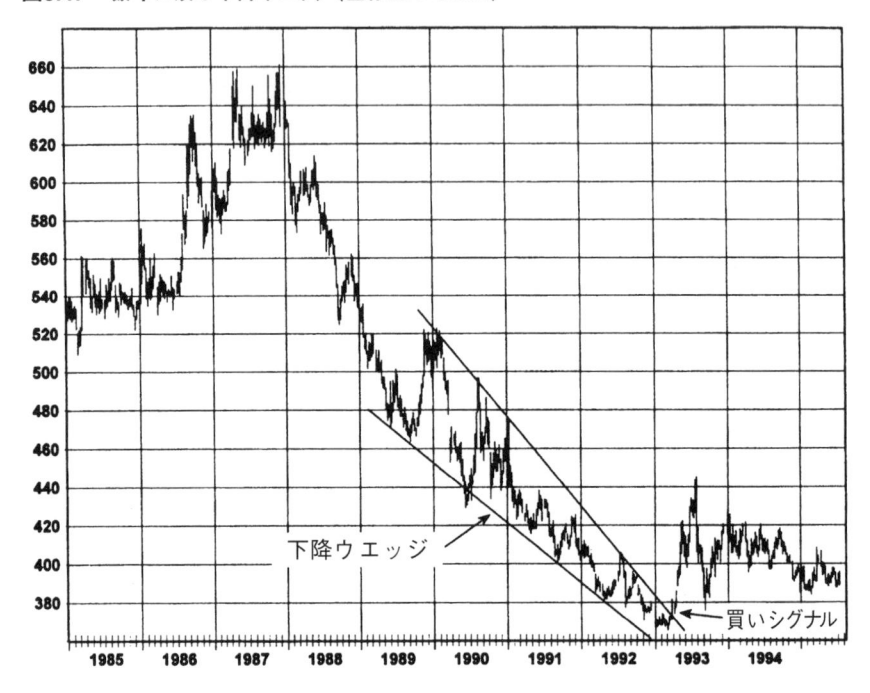

継続した上昇相場の後で上に向けた窓ができ、そのまま１日かそれ以上の間、窓を埋めることなく取引され、そして下向きの窓を作ったときにできあがる。**図5.48**は「島（アイランド）」の部分の形が１日で構成されたアイランド・トップで、**図5.49**は、下に窓を空ける前に、最初に上に空けた窓の上で数日間取引されたアイランド・トップである。**図5.50**はアイランド・ボトムを描いている。市場は２番目の窓が反対方向に形成される前に数週間取引されることがある（**図5.51**のアイランド・トップの例を参照）。

　最後の最後にできた絶頂期の上（下）に放れた窓と、逆の方向ではあるがそれに続く窓は力強い組み合わせである。アイランド・リバーサルは窓が埋められるのでなければ、しばしば主要なトレンドの転換点を表し、重視されるべきである。

　アイランド・リバーサルのシグナルは直近の窓が埋められない限り有効であり続ける。アイランド・リバーサル・シグナルのだましはよくあることである。

図5.48　アイランド・トップ（1994年11月限灯油）

← アイランド・トップ

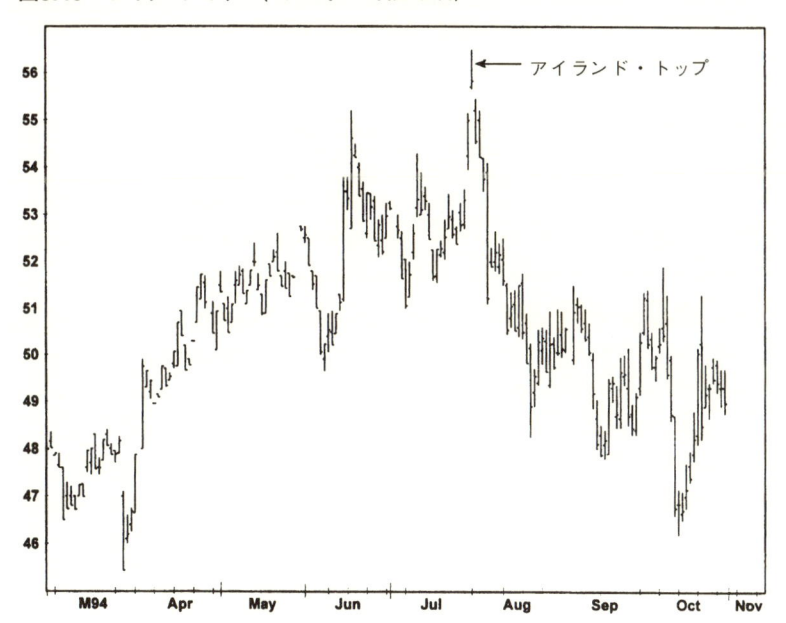

図5.49　アイランド・トップ（1994年1月限プラチナ）

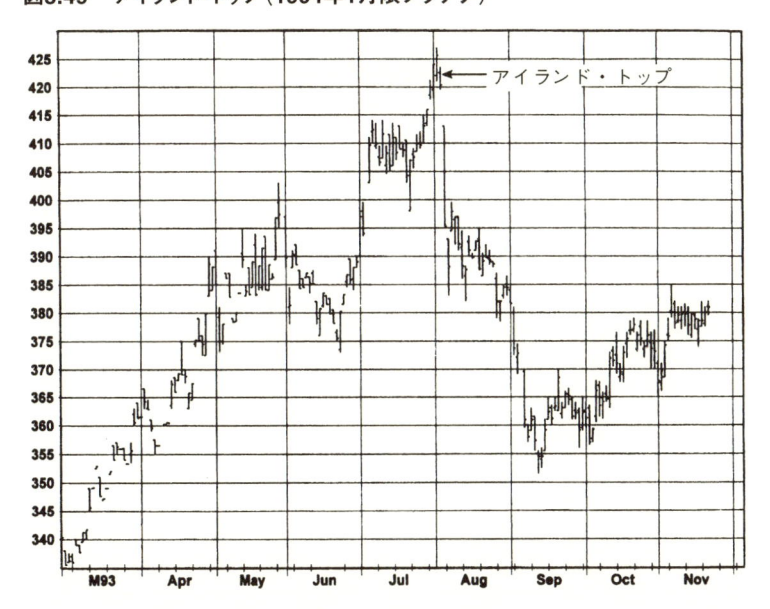

← アイランド・トップ

図5.50　アイランド・ボトム（1992年3月限砂糖）

アイランド・ボトム

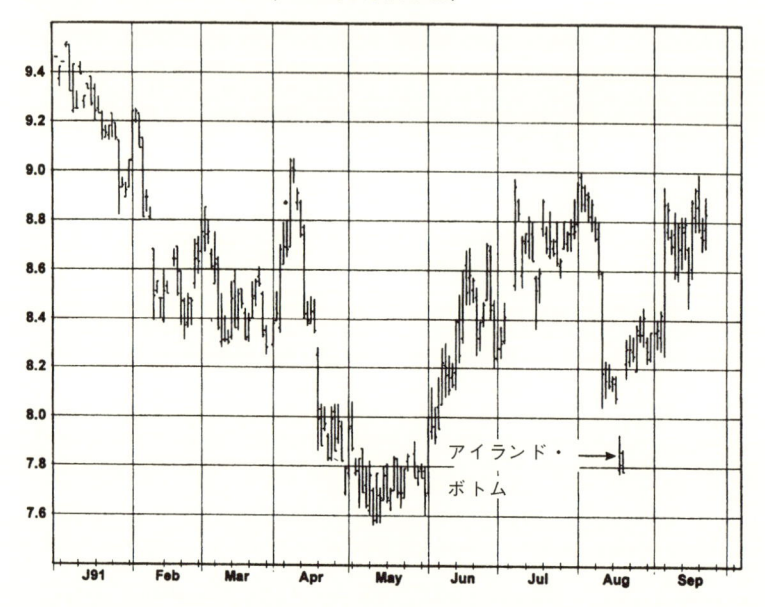

図5.51　アイランド・トップ（1992年12月限英ポンド）

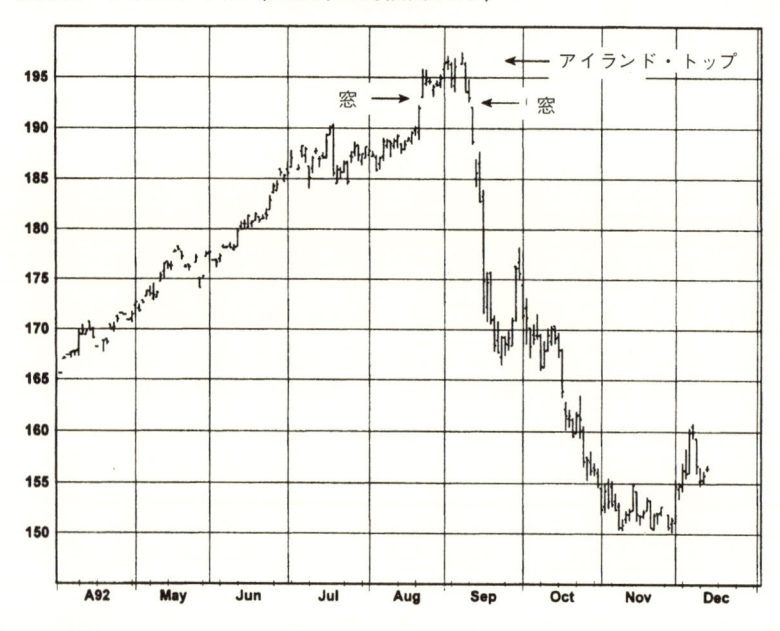

窓　　窓　アイランド・トップ

つまり、アイランド・リバーサルはしばしば形成されてから数日間で埋められてしまうからである。そのため、それが有効なシグナルであると判断する前に、まずアイランド・リバーサルが最初に形成されてから、少なくとも３日から５日待つことは悪いことではない。しかしこの確認を待つことの代償として、アイランド・リバーサル・シグナルが正しい場合に、しばしばより不利な値段で仕掛けることになる。

第6章

オシレーター
Oscillators

> 確かに私はたくさんのものを学んできて、数百万もの役に立たないものを知っている。
>
> トーマス・A・エジソン

　チャート・アナリストと協力して、トレーダーは価格を基に様々なテクニカル指標と呼ばれている数学的公式を価格動向の評価とトレーディングの判断のために使っている。その中で最も人気の高い指標はオシレーターと呼ばれているもので、そのグループには相対力指数（RSI）、ストキャスティックス、移動平均収束拡散法（移動平均コンバージェンス・ダイバージェンス＝MACD）、モメンタム、変化率（ROC）などがある。オシレーターは多くの場合、トレンドに逆行する指数として使われていることから（長期のトレンドよりも短期の反転する点を探すために）、多くのコントラリアンに傾倒したトレーダーたちに人気がある。**図6.1**は日足のチャートの下にRSIとストキャスティックスを載せたものである。

オシレーターとモメンタム

　分かりにくい名前と多くのオシレーターの公式は混乱を起こすようにみえる。また、驚くことはないが、これらすべての指標は、価格が変化する比率（速さ）にだけ着目しているモメンタムの概念を基にしている。

※RSIについてはJ・ウエルズ・ワイルダー・ジュニア著『ワイルダーのテクニカル分析入門』（パンローリング刊）を参照

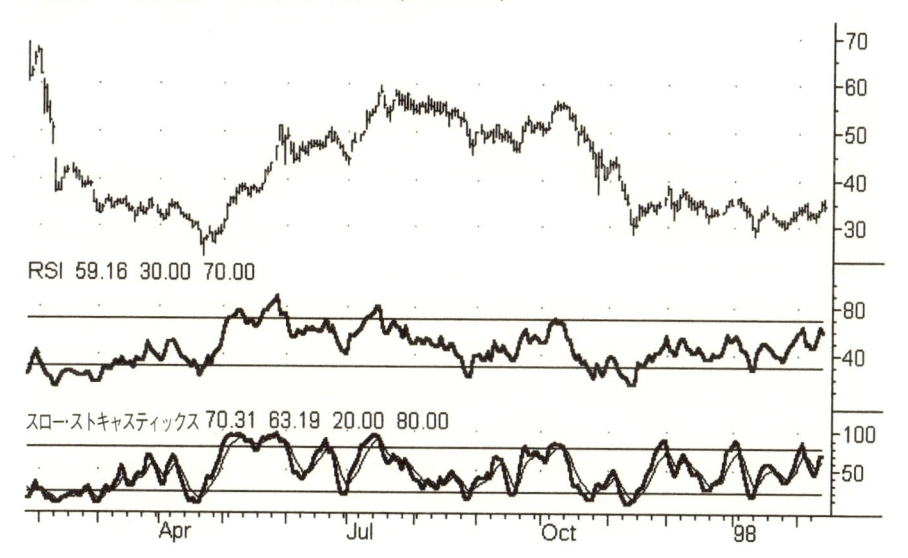

図6.1　RSIと遅いストキャスティックス（スリーコム）

モメンタムの意味には2つの重要な要素がある。最初は、そのまま続きそうな健全な価格トレンドは強いモメンタムを示す傾向にあり、一方、弱いトレンドには不安定なモメンタムか、モメンタムの減少がある。これはトレーダーにトレンドの反転か修正があるかもしれないと思わせる。ある株が1日に0．5ポイント上げ、次には1ポイント、その後には2ポイント、それに続いて3ポイント、そして4ポイントと上がったとする。そして、別の株は2ポイント上昇し、次の日に1ポイント下げ、次の2日間でそれぞれ0．5ポイント上昇、その後0．25ポイント上がったとする。両方の株は5日間にわたり上昇し、最初の株は明らかに2番目の株より力強く上がっている。これが、強いモメンタムである。

　2番目に、モメンタム指標は、買われ過ぎ、売られ過ぎとして参照される相場の行き過ぎた状態や出尽くした状態にも焦点を当てている。論理は、非常に明確で急激な値動きは絶対に維持し続けられないということである。前の段落の最初の株のように、比較的短期間に相場がかなり上昇したり、または、下落したりしたときに、一時的ではあっても価格はたびたび反転する。どのように強いトレンドでも程度の差こそあれ、押し、戻すことで何度も中断する。モメ

ンタム・オシレーターはそのような反転するところをとらえるために考え出されたのである。

基本的なオシレーター

　モメンタムはいろいろな方法で価格から算出される。最も単純な算出法でモメンタムという名前の由来となっているのは、単純に今日の価格（終値が一般に使われる）とN日前の価格との差額を取ったものである。例えば、１０日間のモメンタムとは今日の終値から１０日前の終値を差し引いたものである。同様に重要な算出法として、変化率（ＲＯＣ）と呼ばれる、今日の価格をN日前の価格で割ったものがある。

　図6.2は、１０日間のモメンタムとROCの指標を株式チャートの下に載せている。目盛りが違うだけで指標は事実上見分けが付かない。両方の指標は、平衡線と呼ばれる水平な中央値（メジアン）線を持っている。指標値が平衡線よりも上であれば、現在の価格は１０日前の価格より高く、指標値がこの線よりも低ければ、現在の価格は１０日前の価格よりも安いことになる。指標値が

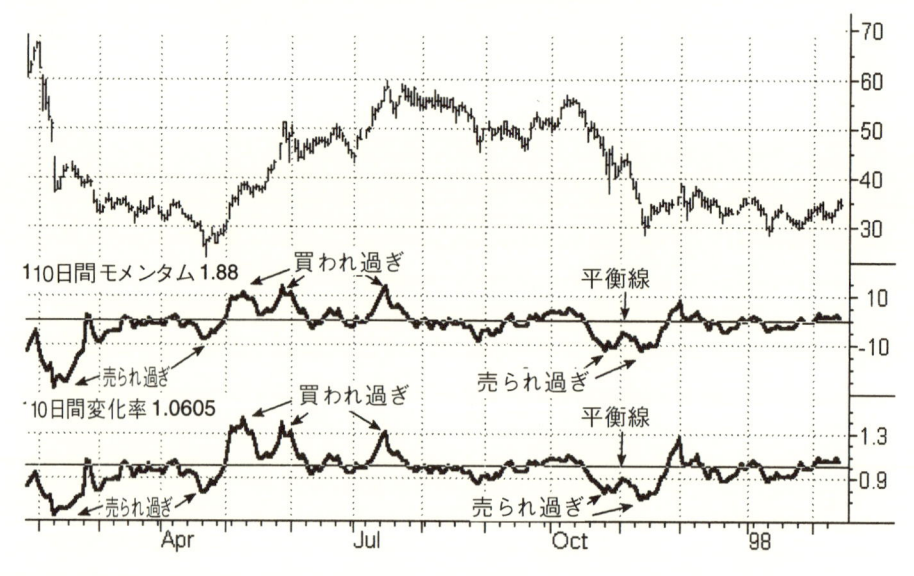

図6.2　モメンタムと変化率の買われ過ぎと売られ過ぎの指数（スリーコム）

平衡線よりも上にあり、上昇していれば、価格はモメンタムを増加しながら上昇している。指標値がその線より下にあり、下降していれば、価格はモメンタムを増加する方向に下落している。平衡線より極端に上にあると読み取れる指標値は買われ過ぎを示し、平衡線より極端に下にある指標値は売られ過ぎを示している。これらの指標の天井と底の全部ではないにしても、一部は少なくとも短期の価格反転と関係していることに注目して欲しい。後で、売られ過ぎと買われ過ぎを定義する方法について分析する。トレンドがどのようにオシレーターに影響するかについても注目して欲しい。1997年1月から4月の下落局面では売られ過ぎと解釈され、買われ過ぎと解釈されていないし、それに続く上昇局面では全くその逆になっている。

　移動平均のように、オシレーターの算出に使われる日数は、その指標がどれくらいの感応度であるかを決定する。例えば、5日間モメンタムの分析は20日間モメンタムの分析より短期の相場の変動をより敏感にとらえている。同様に、5日間オシレーターにより予告された反転は、20日間オシレーターによる予告より比較的小さなものとなるであろう。**図6.3**で5日間モメンタム指標はより小さな相場の上下動を反映しているが、多くの場合、20日間の指標は

図6.3　5日と20日のモメンタム指数の比較（スリーコム）

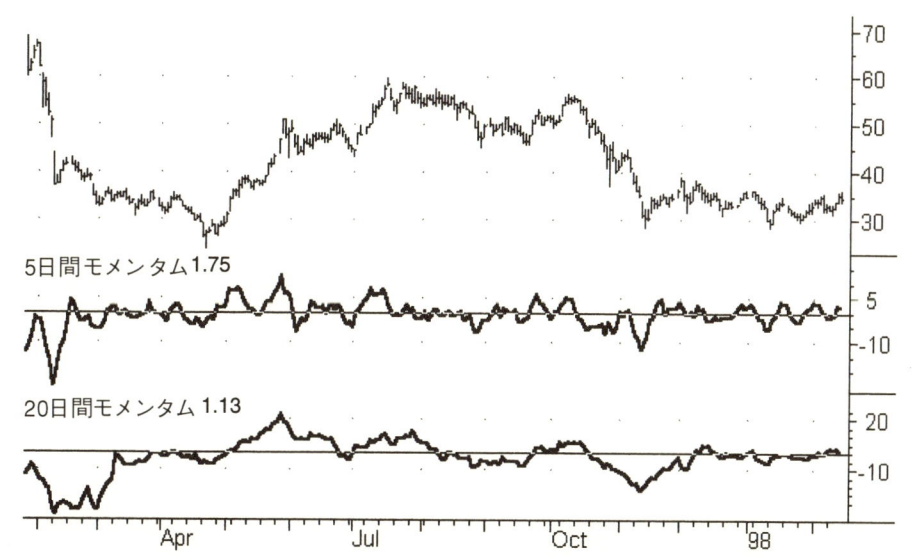

図6.4　価格から移動平均を差し引いたオシレーター（スリーコム）

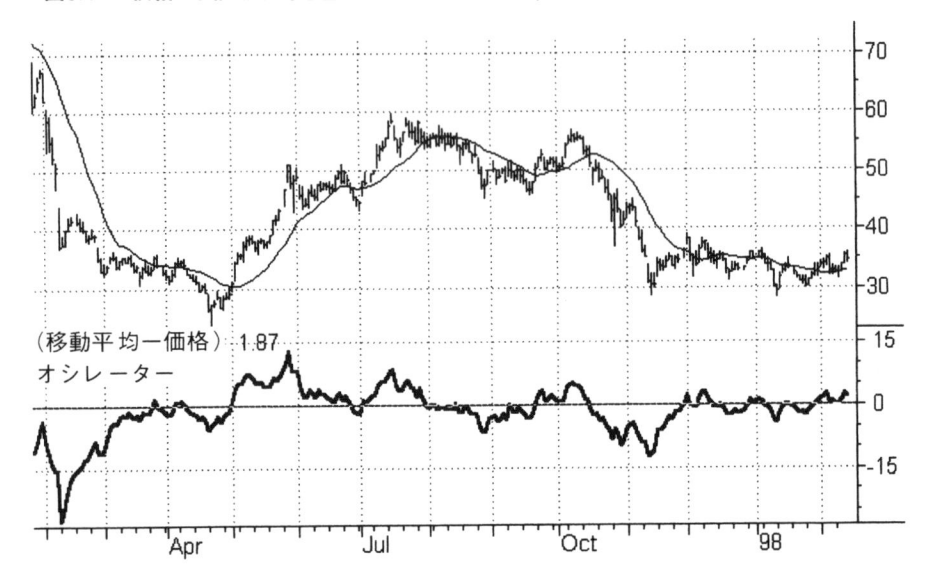

　　　主要な転換点を反映している。
　　　移動平均もモメンタム・オシレーターを構築するのに使われている。**図6.4**は２０日移動平均の上に価格を重ねたものと、その価格データの下に価格から移動平均を差し引いて得たオシレーターを載せている。価格が上げ下げすると、それは平均の上と下に動く。平均を上下する値動きが速ければ速いほど、大きなモメンタムが現れる。平均からより離れた価格は相場の継続（売られ過ぎ、買われ過ぎ）を示している。移動平均が長いほど、大きな重要なトレンドを反映する。長い平均を基にしているオシレーターは長期的な価格変動を反映するであろう。平衡線（「０」）は価格と移動平均が同じであることを示している。オシレーターがこの線を上下に横断するときは、価格が移動平均を上下に横切ることと同じことである。
　　　今説明したオシレーターと似ているものは価格オシレーターで、それは価格から移動平均を差し引くのではなくて、短期の移動平均から長期の移動平均を差し引いたものである。**図6.5**は価格データとその１０日、２０日移動平均、１０日移動平均から２０日移動平均を差し引いた結果のオシレーターを示している。価格オシレーターは第１４章で説明するクロスオーバー移動平均システ

※参考文献：ジェラルド・アペル著『アペル流テクニカル売買のコツ』（パンローリング刊）

図6.5　クロスオーバー移動平均と価格オシレーターの比較（スリーコム）

価格オシレーター 0.93

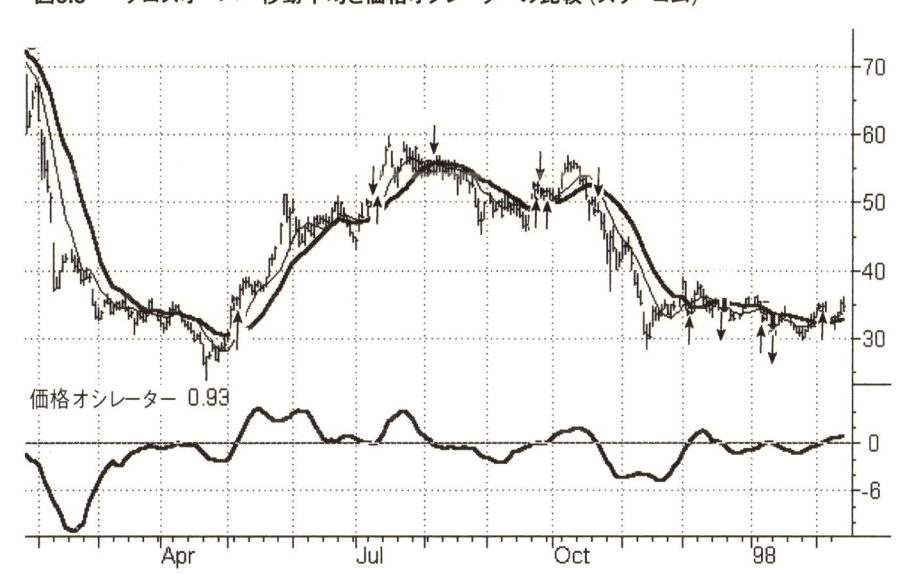

図6.6　MACD指数（スリーコム）

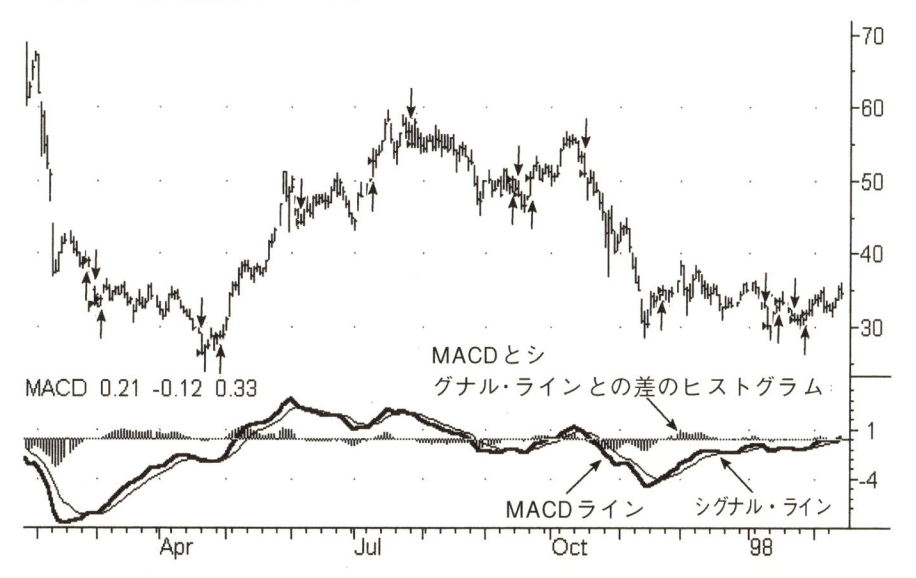

MACD 0.21 -0.12 0.33

MACDとシグナル・ラインとの差のヒストグラム

MACDライン　シグナル・ライン

ムに取って代わることのできるものである。チャート上の矢印は短期平均が長期平均を上下に横切るところを指している。これらの交差する点は価格のオシレーターがその平衡線を上下に交差するところと一致している。モメンタムと変化率の関係と同様に、減算の代わりに除算を用いて移動平均オシレーターを計算することができる（つまり、価格を移動平均で割る、もしくは短期平均を長期平均で割る）。結果として得られる指標は同等のものである。

　よく知られた移動平均収束拡散（MACD）指数は今まで説明してきた価格オシレーターの特別な形態である。特定された期間（12日と26日など）の2つの指数移動平均（付録にある定義参照）の差を取り、そしてシグナル・ラインと呼ばれるこの差（**図6.6**参照）の9日移動平均を計算する。基本的なMACDのトレーディング・シグナルは9日シグナル・ラインが本来のMACD線の上に動いたときに買い、本来のMACD線の下に交錯したときに売ることになり、移動平均の交錯の場合と同様である。

　図6.6の矢印はこの技術を使って生み出された売買のシグナルである。ヒストグラムは単純に本来のMACD線とシグナル・ラインの差であり、2つの交錯点を強調するために載せてある。低い確率のトレードを取り除くために買われ過ぎ、売られ過ぎのレベルも設定され、これらのゾーンでの交差のみがトレード・シグナルとして使われる。12日と26日移動平均を使う価格オシレーターは、9日シグナル・ラインの存在を除いてはここでのMACDとほとんど同じものとみることができる。

　図6.1～図6.5で、それぞれのオシレーターの形成を様々な算出方法で行っているのに、結果が似たようなものになることは注目に値する。これらの例で同じ価格データを使っているのは、この点についての注意を喚起するためである。ほとんどすべてのオシレーターは、このような単純なテーマの変種なのである。

買われ過ぎ、売られ過ぎ、そしてダイバージェンス

　モメンタム、変化率、価格オシレーター、そしてMACDのような指数は「上限、下限のない」指標である。つまり、それには絶対的な高値、安値の境界がないのである。それでも買われ過ぎ、売られ過ぎの領域はオシレーターの極端な値を分離するレベルを決めることで設定することができる。しっかりとした法則があるわけではないが、一般的なガイドラインはオシレーターの最高

※ MACDについてはジェラルド・アペル著『アペル流テクニカル売買のコツ』（パンローリング刊）を参照

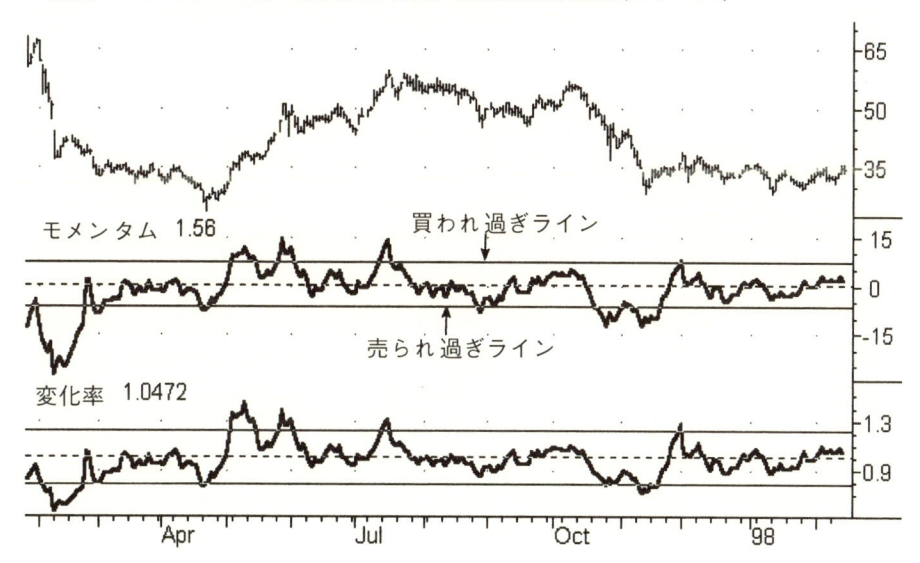

図6.7　モメンタムの買い過ぎ、買われ過ぎの線と変化率指数（スリーコム）

値と最低値の１０％である。過去の天井と底を見直すと大体のレベルが得られる。**図6.7**は、**図6.2**の１０日間のモメンタムとＲＯＣの指標であり、最も重要なオシレーターの天井と大底を区別する買われ過ぎ／売られ過ぎを示すラインと共に載せてある。残念ながら、今日設定した売られ過ぎ、買われ過ぎのレベルが今から１カ月後にも適切であるという保証はない。

　買われ過ぎ、売られ過ぎのシグナルは、売りと買いの機会の可能性をそれぞれ表している。よって、これらは新しいトレンドを予期してポジションを作成したり、手仕舞ったり、現在のポジションを減らしたり、保護したりするのに使われている。例えば、オシレーターの買われ過ぎレベルの上への上昇は、トレーダーに①価格の下落を見越して売りポジションを取らせたり、②現在のポジションを手仕舞わせたり、③現在あるポジションの一部を手仕舞わせたり、④利益を守るために市場に近いところに仕切り注文を引き上げさせたりする。取引の正確な時機については別の問題である。可能性としては、①オシレーターが極端なレベルに最初に突入したとき、②その極端なレベルに突入し定められた金額分が反転した後、③極端な領域をちょうど出たとき、または、④価格パターンにより反転を確信したとき、などである。最後の方法が、仕掛ける時

機がすぐに明らかになるという理由で最も慎重なものである。

　ＲＳＩとストキャスティックスのような指標は「正規化された」オシレーターである（付録の公式を参照）。つまりそれらは固定した上限と下限を持っているからである。例えば、ＲＳＩとストキャスティックスは、０から１００の値を取る。そのような指標の買われ過ぎと売られ過ぎのレベルは、上部と下部の限界点から等距離の点に設定されている。例えば、７０と３０とか、８０と２０という具合である（ところで、これは極端にトレンドが強い相場では求められもしないし、適切でもない。下を見よ）。**図6.1**は１０日間のＲＳＩとストキャスティックスを比べている。ストキャスティックスに付加された線は基本的なストキャスティックスの３日移動平均で、ＭＡＣＤのシグナル・ラインと似ている。ＲＳＩは７０、３０で、ストッキャスティックでは８０、２０で、それぞれ買われ過ぎ、売られ過ぎを表している。これらの指標の開発者はこれらのオシレーターの様々な応用を示唆しているが、これらがもたらすファンダメンタルな情報はこの章で論じられた他の指標と同一なものである。買われ過ぎのレベルは売りの機会を提供し、売られ過ぎのレベルは買いの機会を提供していると考えられている。

　この他の注目すべきトレンドに対する逆張りオシレーター・シグナルはダイバージェンスと呼ばれ、価格と反対方向に向かうモメンタム現象を表している。以前述べた通り、モメンタムの衰えはトレンドが消滅し反転か修正に入る可能性を表している。典型的なダイバージェンスは、価格の高値更新がオシレーターの極大値の切り下がりと共に出現し、価格の安値更新がオシレーターの極小値の切り上がりと共に出現することである。この意味するところは、市場は新高値（新安値）を取りに行っているが、価格の上昇（下降）の裏付けが取れず、モメンタムはトレンドの弱さを如実に表していることである。例えば、**図6.1〜図6.7**ですべての指標は**図6.1**のストキャスティックスを除いて、１９９７年２月の安値と１９９７年４月の安値の間の典型的なダイバージェンスを示している。４月の指標の極小値は２月の指標の極小値より高くなっている。

　上昇相場においてダイバージェンスがあるときの従来の反応は、新しい下落相場を予想し売りポジションを作るか、守りに徹して既にある買いポジションの全部か一部を手仕舞うことである。例えば、**図6.8**は週足株式チャートの上昇相場の継続を示している。価格チャートの下にあるのは１０日ＲＳＩである。

図6.8 トレンドのある市場で繰り返されるだましダイバージェンス・シグナル（シティコープ）

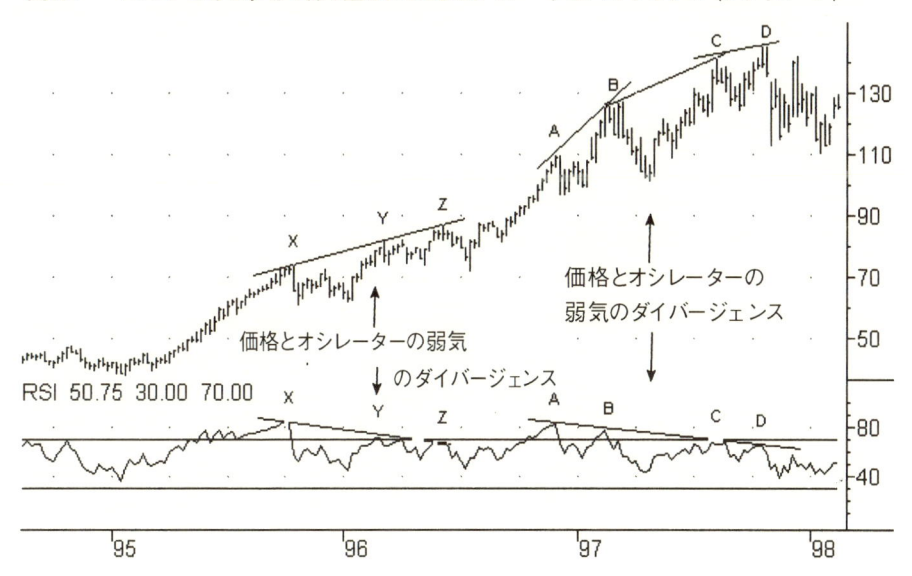

 まず最初に幾つかの天井とそれに対応したＲＳＩのピークを指している、Ａ、Ｂ、Ｃ、Ｄの点について考えてみよう。１９９６年１１月～１９９７年１０月までの幾つかの高値が連続して更新されていくが、それに対応したオシレーターの極大値は実際には小さくなっている。モメンタムは価格から乖離していて、上昇相場はその流れを失いつつあることを示している（この期間のオシレーターと１９９５年３月～１０月の相場上昇とを比較して欲しい）。この例のように、上昇相場における典型的なダイバージェンスは弱気のダイバージェンスと呼ばれる。なぜなら、価格の下落を予告しているからである。下落相場での典型的なダイバージェンスは強気のダイバージェンスと呼ばれる。なぜなら、価格の上昇を予告しているからである。

 残念なことにダイバージェンスは、上昇相場で最後から２番目と最後のピークの間だけか、下落相場の最後の２つの安値間だけで起こることはまれである。頻繁に複数のダイバージェンスが発生する。この例で言うとＡとＢ、ＢとＣ、そしてＣとＤの間に発生している。この一連のダイバージェンスで最初（ＡとＢの間）のものを見て売りポジションを取ったトレーダーは玉を早く建て過ぎて、短い修正の後に、上がり続ける相場に直面することになるであろう。それ

に付け加えて、市場はX、Y、Zの上昇相場でかなり早く複数のダイバージェンスを公示している。これらの典型的なダイバージェンスで売ったトレーダーは、仕掛けるのが相当に早過ぎたのである。

図6.8で強調されている別の弱点は、オシレーターが支配的なトレンドの方向に傾いてしまうことである。このチャートでは、この期間を通してオシレーターは売られ過ぎの単独のシグナルを出すことなく買われ過ぎのシグナルを繰り返し継続して出している。その結果、オシレーターは買いシグナルを出すことなく多くのだましとなる売りシグナルを出しているが、買いシグナルは今あるトレンドに入るところを求めているトレーダーにとっては非常に有益である。この傾向によって、強い方向性を持ったトレンドからの影響をなくすために、買われ過ぎ、売られ過ぎのレベルを調整する必要がある。この場合には、売られ過ぎのシグナルをもっととらえ、多くの買われ過ぎシグナルを取り除くためにレベルを上げるのである。

結論

オシレーターが買われ過ぎたときに売り、オシレーターが売られ過ぎたときに買う従来のトレンドに反した方法は、トレーディング・レンジ内での売買には優れた点を提供してくれるが、方向性のある相場では前の例にあったように、惨憺たる目に遭うこともある。残念ながらトレンドがいつ終わり、トレーディング・レンジがいつ始まるのかを知ることはできない。リスクを限定するために損切りが使われたとしても、トレンドに反したオシレーターのシグナルは大きく、かつ繰り返して損失を招く可能性がある。

これらの限界によって、オシレーターのシグナルは可能性のある値動きを警告する「トレードの警鐘」としてしばしば使われる。価格が反転することが確認されたときにだけポジションは確立される。例えば、オシレーターが買われ過ぎのしきい値を超えることは、トレーダーに市場は行き過ぎていて反転するかもしれないことを警告していることになる。そのためトレーダーは、ポジションを取る前に絶対的な価格シグナルを探すのである。

第7章

チャート分析は今でも有効か？
Is Chart Analysis Still Valid?

> 「私は金持ちのテクニカル派にお目にかかったことがない」と言う人を見るとおかしくて仕方がないね。でも、私はそんなことを言う人が好きなんだ。無礼で、無意味なことを言う人を。私はファンダメンタルズを9年間もやって、そしてテクニカル派として金持ちになったのだから。
> マーティン・シュワルツ（『ピット・ブル』［パンローリング刊］の著書）

　チャート分析を使ったことのない多くのトレーダー（一部を使ったことのある人でさえも）はこの方法について懐疑的である。一般的な反論としては、「どうやるとそのような単純な分析手法が機能するのか？」「主要なチャート・ポイントは極意などというものではなく、フロア・トレーダーはチャート上のストップ注文に火をつけるために、ときどき相場を人工的に引き上げるのではないのか？」「チャート分析は多くの本で紹介される前は有効であったにもかかわらず、その方法があまりにも知れわたっていてもはや有効ではないのではないか？」。

　このような指摘は当然であるが、チャート分析がなぜ有効なトレーディング方法であり続けるのかを説明する要素もたくさんある。

1．リスク・コントロール

　トレーディングの成功は、おおよそ正しい判断によるのではなく、実にその半分以上は損失を厳しく管理し、利益を上げているトレードをそのまま維持することによってもたらされるのである。

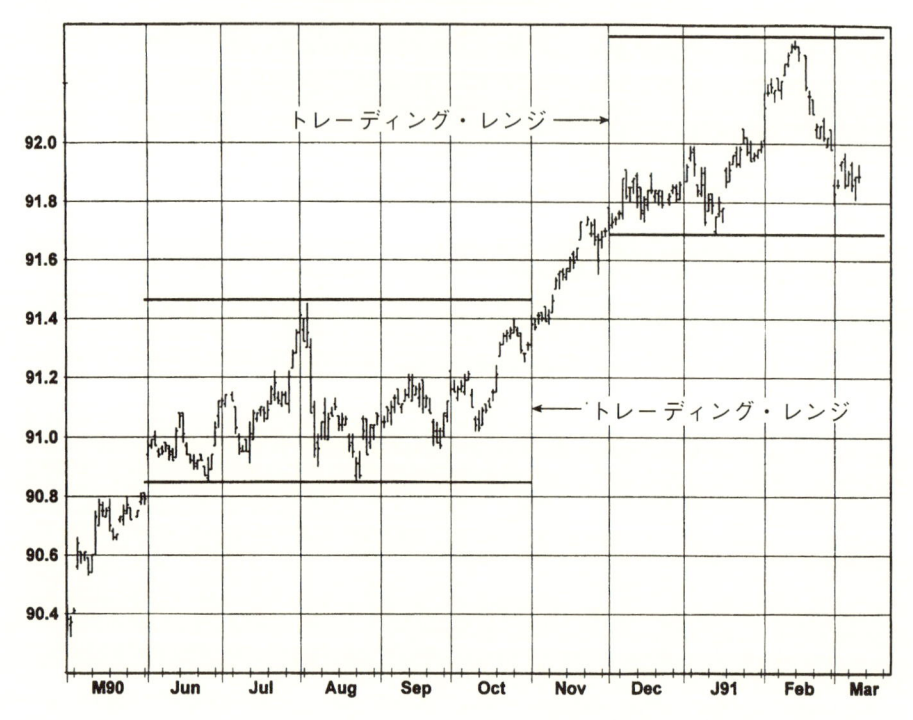

図7.1　トレーディング・レンジのある市場（1992年9月限ユーロ・ドル）

　例えばトレーダーが1991年3月に1992年9月限のユーロ・ドルは新しいトレーディング・レンジに入ったと仮定し（**図7.1**参照）、それに続くであろうブレイクアウトの方向に仕掛けることを決めたとしよう。**図7.2**はこのトレードの結果、実現した最初のトレード・シグナルと手仕舞いのポイントを示している。損切りはトレーディング・レンジの中間に設定されている。損切り／仕切りポイント選定に関する考察は第9章で詳しく説明する。

　図7.2にあるように、最初の2つのトレードは即座に損失となる。しかし、**図7.3**は3番目のシグナルは本物であり、結局、このときに建てた買いポジションは大きな上昇相場に乗り、その前の2つの損切りとなったトレードを合わせた損失よりもかなり高い利益を上げたことになる。これらに関連したトレーディング・レンジはそれぞれのだましのブレイクアウトの後に確認し直されていて、その幅は広くなっている。

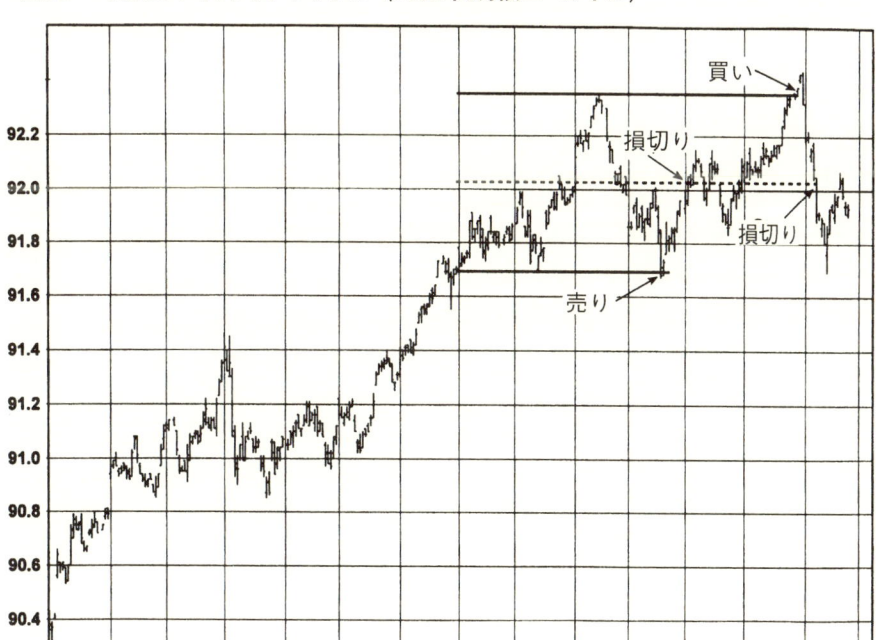

図7.2　だましブレイクアウト・シグナル（1992年9月限ユーロ・ドル）

　3つのうち2つのトレードは損失となるが、結局、大きな正味の利益をもたらしている。チャート分析をトレーディングにうまく活用するためには、リスクを管理する原理に執着する忍耐が重要な要素なのである。

2．確認条件

　チャート分析はとりあえずすべてのテクニカル・シグナルに従うということで効果を発揮するのではなく、仕掛けるための確認の条件を設定することでより効果的となる。確認条件を選定するということは、あるものの犠牲の下に別のものを得ることである。条件が緩ければだましとなるシグナルの数が多くなってしまうし、より厳しければ、相場に乗り遅れることで利益を失う可能性も増える。確認条件を設定するためには、出動を遅らせること、最低限突き抜けなければならない値動きの比率、そして特定されたチャート・パターンなど

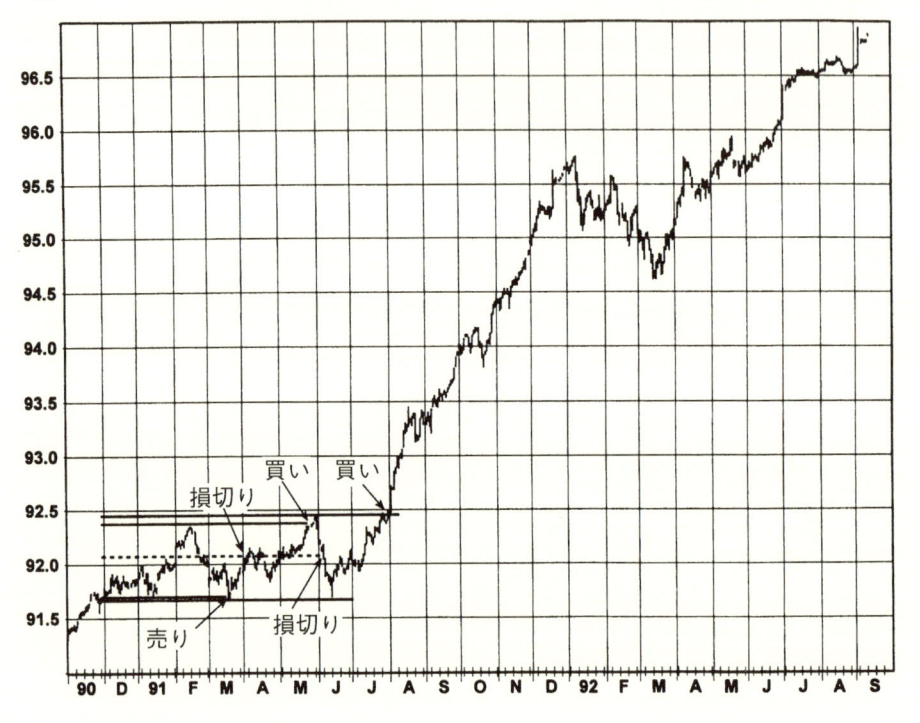

図7.3 2つのだましシグナルの後の正しいブレイクアウト・シグナル（1992年9月限ユーロ・ドル）

が使われる可能性がある。例えば、仕掛けるにはシグナルの方向へ価格がそれから2日間にわたるスラスト・デイが形成されることを確認しなければならない、など。

　確認条件の最高の組み合わせというのはあり得ない。吟味された方法をリストから選ぼうとしても、最高の戦略と思われるものは市場の状況と時間によってまちまちだからである。そのため、確認条件の最終的な決定はトレーダーの分析と経験に頼らざるを得ないのである。事実、確認条件の選択はチャート・アナリストの個性そのものである。

　確認条件がどのように使われるかについて、以下の条件について考えてみよう。

　　ａ．シグナルが出てから3日待つ。
　　ｂ．買いシグナルの場合に、シグナルが出てから、終値が以前の高値より高

いか、または、次の日にこの条件が満たされたときに仕掛ける。売りシグナルに関しても同じことを適用する。

　これらの条件は、**図7.2**の損失となった３月と５月のシグナルを取り除く一方、非常に高い収益をもたらす買いシグナルの仕掛けには若干乗り遅れる原因になる。もちろん、確認条件の使用が損失を生んでしまうこともある。しかし、確認条件の使用は伝統的なチャートの概念からより力強いトレーディング手法へと発展するための重要な方法の１つである。

３．チャート・パターンを加える

　チャート分析は単に個別のパターンを認識し解釈しているだけではない。成功しているチャート・トレーダーの特徴の１つは、状況を左右する様々な要素を統合する能力を持っていることである。例えば、１９９２年９月限のユーロ・ドル（**図7.1**参照）のトレーディング・レンジを認識したトレーダーは、上下のブレイクアウトを均等に扱っている。しかし、より経験を積んだチャーチストはもっと広い視野で考えている。例えば、１９９１年初め（**図7.4**参照）の長期の修正つなぎ週足チャートを調べることによって、アナリストは、市場が５年間続いたトレーディング・レンジの天井近くにフラッグのパターンができていると指摘する。この極端に強気な長期のチャートは日足チャートがどんなに明らかな売りシグナルを出してもそれに応じてはならないと忠告している。そのようなより複雑なチャート分析はアナリストが３月（**図7.2**参照）に出ただましの売りシグナルを受け入れることを避け、長期的な立場からより積極的なトレーディングを展開する手助けとなる。このことは、状況が単なる別のトレーディング・レンジであると分かったのなら当然のものと言える。

　前の例はチャートを後から振り返ることでの恩恵を受けているが、それは経験を積んだチャート・トレーダーの広範囲にわたる分析過程を描くものである。この手法が意味する技術と主観性が、チャート分析を教科書のルールに従うだけでは決して真似のできない職人芸の領域に押し上げていることは明らかである。このことはチャート手法が広く知れわたっているにもかかわらず、有効であり続けることを理解するために重要な点である。

図7.4　長期間のチャートで複雑な分析の一部（ユーロ・ドルの修正つなぎ足)

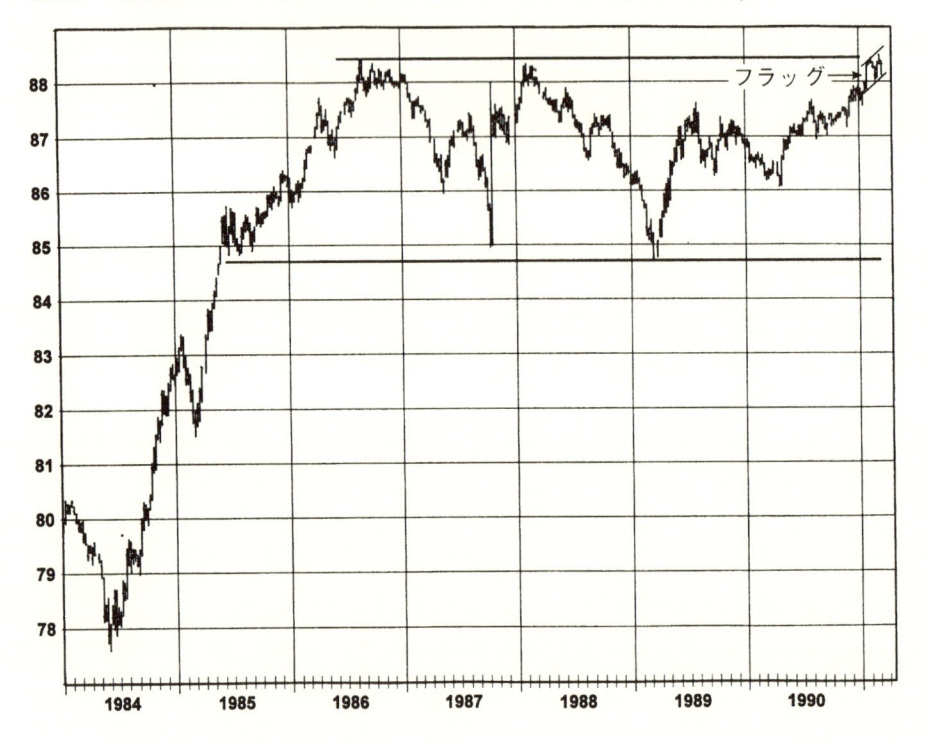

4．ファンダメンタルズについての知識

　的中率が５０％を超えるファンダメンタルズ予測とチャート分析を組み合わせることは、効果的な方法である。

　長期のファンダメンタルズ分析が価格上昇（下降）を指示したときだけに強気（弱気）のチャート・シグナルを受け入れることもできる。ファンダメンタルな予測が中立であれば、売買シグナルは受け入れられる。そのため、チャートだけに頼っているトレーダーに比べて、優れたファンダメンタルズ手法を身に付けたチャート・アナリストは決定的な優位性をトレーディングの決定で持つことになる。

5．だましシグナルの利用

　チャート・シグナルの方向に市場が動かないのは、初心者のチャーチストが

ときどき見逃してしまう重要な情報である。このような状況を認め、従うことでチャーチストの方法を効果的に強化することができる。この項目は、第１１章で詳しく解説する。

結論として、チャート・シグナルにパブロフの犬のように従うだけでは、トレードの成功は導けないとする懐疑的な考え方は、おそらく正しいのである。

しかしこのことは、引用した要因が示すように、より洗練されたチャートの利用が効果的なトレード計画の核心を提供するという主張と、なんら矛盾しない。どのような場合でも、チャート・アナリストは非常に個人的な方法を維持し、その成功も失敗もトレーダーの技術と経験に委ねられているのである。練習もせず、天賦の才能もなく、バイオリンをすばらしく弾けると期待することが、間違っているように。

Part 2
トレーディングの問題

第8章

トレンド半ばでの仕掛けと増し玉
Midtrend Entry and Pyramiding

すべての変動をとらえることなどできるものではない。

エドウィン・ルフェーブル

トレーダーは、市場が大きな値動きを見せた後に新しいポジションを取るべきかどうかを考えなければならなくなることがある。例えば、①市場に付いていけなかった、②より良い価格を得ようと起こりもしない価格調整をただ待ってしまった、③トレンドの継続性に懐疑的であったが、今は意見を変えた、など。そのような状況に直面したら、多くのトレーダーはトレードすることに抵抗を感じてしまう。

チャートを信奉しているトレーダーはある相場の急激な価格上昇を取り損ねてしまった。そのトレーダーが１９９４年４月半ば（**図8.1**参照）のコーヒー相場を分析していることを考えてみよう。彼女は相場が数年続いたトレーディング・レンジを上方に突破し、２週間も新高値を維持していることに注目している。非常に強気のチャート構成である。それに付け加えて、彼女は価格上昇の後にフラッグ・パターンを形成していることにも注目している。相場の動きは再び急上昇する気配である。しかし、価格は４月に安値を付けてから１カ月も経っていないのに３５％以上も上昇してしまっていた。彼女は既に行き過ぎてしまった相場に時期遅れの買いポジションを取る気にはなれないのである。

図8.2は、この結論がばかげていることを示している。信じられないかもしれないが、１９９４年５月半ばのコーヒーの価格はその上昇全体の５分の１に

図8.1　価格の動きを逃した？（1994年7月限コーヒー）

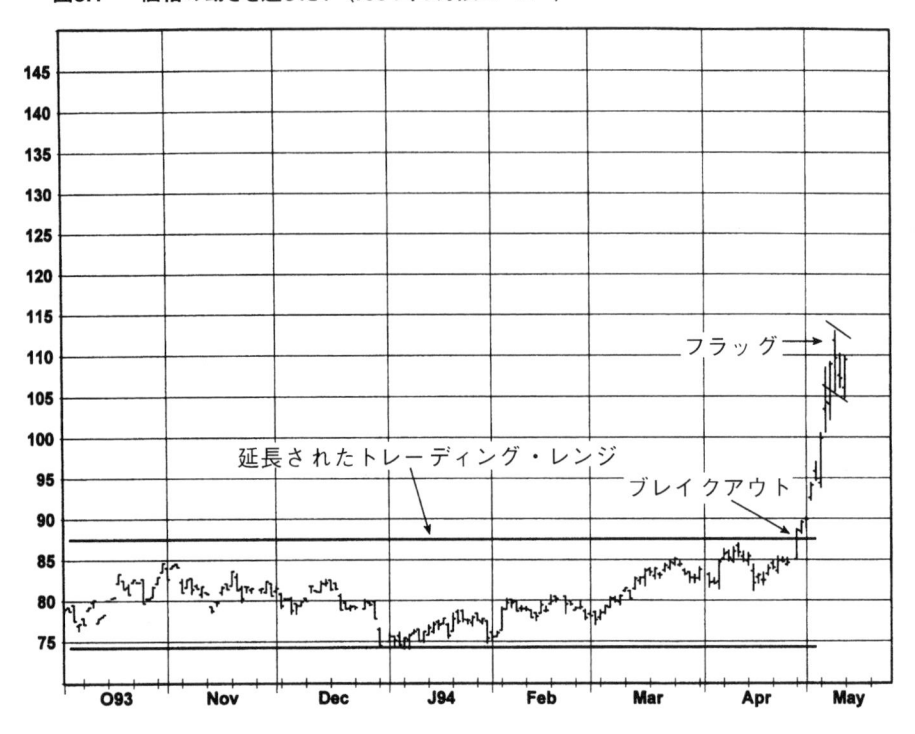

（チャート内ラベル：フラッグ、ブレイクアウト、延長されたトレーディング・レンジ）

しか過ぎなかったのである。それにもまして、たったの2カ月でその残りの5分の4を達成してしまったのである。この話の教訓は、エドウィン・ルフェーブルの『欲望と幻想の市場──伝説の投機王リバモア』（東洋経済新報社）の中に書かれている。「価格はあまりにも高過ぎて買う気になれない、または、あまりにも安過ぎて売る気になれない」。

　主要なトレンドの真っただ中で、どのように相場に参加するかは重要な問題である。トレンドの休止や調整は、今までのトレンドの取り返しを可能にする相場参入の絶好の機会である。トレンド半ばでの参加の目的は、通常のポジションを取るときと同じである。有利な仕掛けのタイミングとリスク管理である。以下のものはこのような目的を達成するための主要な戦術である。

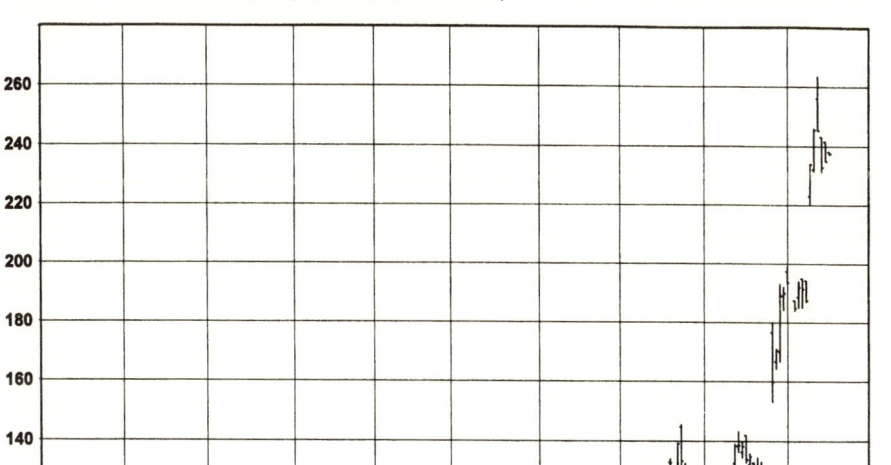

図8.2　どのようになるか？（1994年7月限コーヒー）

図8.1の
フラッグ

１．押し／戻し率

　この方法は、前の価格の振れに対して部分的に市場が戻る自然な傾向を利用しようとするものである。一般的に言って、前の安値（ＲＬ）や高値（ＲＨ）から決められた比率だけ価格が戻したところでポジションを建て始める。妥当な比率は３５～６５％の間である。安値（ＲＬ）や高値（ＲＨ）に接近した価格は、ポジションの仕切り／損切りポイントとして使われる。**図8.3**は、この方法を使った２つの仕掛け場所を示していて、最初の押し／戻しは６５％で２番目のものは５０％である。この実例のように、この方法の主な利点は、優れた仕掛け場所を提供できることである。しかし、もちろん欠点もある。しばしば、トレンドがかなり先へ継続するまで必要な押し／戻しの条件は満たされないか、または反転すらしないということもある。

図8.3　65%と50%の押しが買いシグナルとなる（スリーコム）

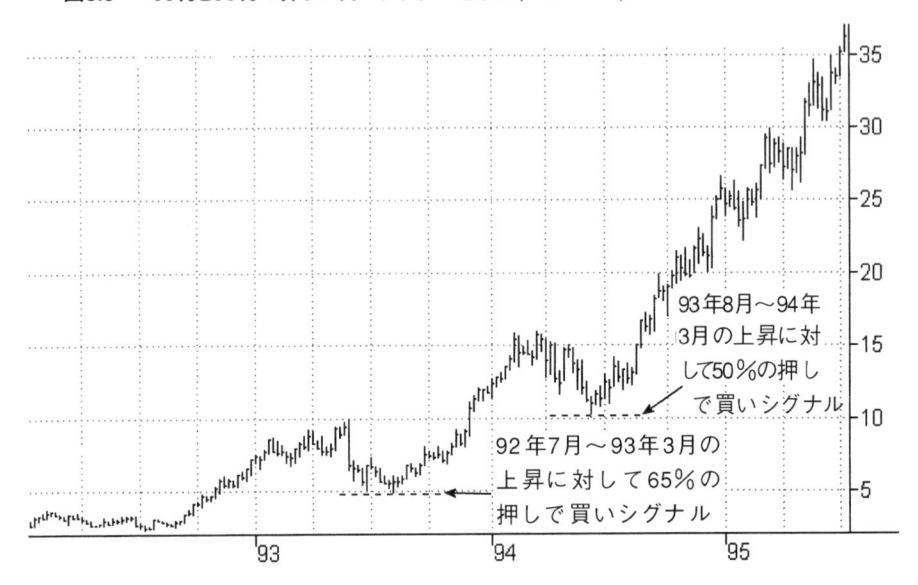

93年8月～94年3月の上昇に対して50%の押しで買いシグナル

92年7月～93年3月の上昇に対して65%の押しで買いシグナル

2．小さな反動による反転

　この方法は小さな反動を待って、主要なトレンドの続行を示す最初のサインで仕掛けようとするものである。もちろん、厳密には反転とトレンドの続行をどのように定義するかが重要である。選択の範囲は事実上制限がないが、1つの可能な定義を紹介しよう。上昇トレンドでの小さな反動はN日間の安値で定義できる（過去N日間の最安値よりさらに安い新安値）。トレンドの続行は、直近X日の最高値よりも高い終値である。下降トレンドでは、その逆になる。例えば、下降トレンドの小さな反発は8日間の新高値（RH）と定義される。売りシグナルは、価格が最近の4日間の安値（RL）を下回ったときに出現することになる。その前の高値（RH）は損切りレベルとして使われる。NとXの大小はこの方法の感応度を変える。例えば、トレンドの続行の条件を7日間の安値を下回る終値に変えると、トレンドへの再出動が遅れる代償に一部のだましシグナルを取り除くことになる。**図8.4**では、下降トレンドの中で反動を定義するために10日間の高値を用い、トレンドの続行を定義するためには3日間の安値を下回る終値を用いて売りシグナルを出している。これに関係するより複雑な技術を付録に載せてある。

図8.4　小さな反動による反転（モトローラ）

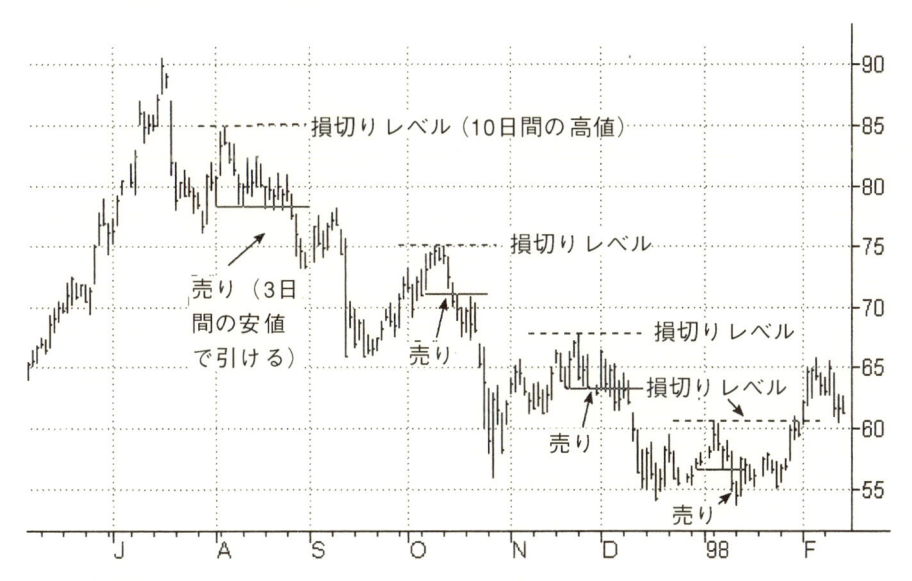

3．継続パターンとトレーディング・レンジのブレイクアウト

　シグナルを基に仕掛けるために、継続パターンとトレーディング・レンジを使うことは第5章で説明した。チャート・パターンは見る人の目によるので、この方法はある程度、主観的にならざるを得ない。**図8.5**は継続パターンの解釈と、それら各々の揉み合いを上回った終値を買い場としていることを示している。ここで、継続パターンを形成するには少なくとも取引日で5日を前提としている。しかし、一度トレンドが形成されれば、トレード・シグナルの確認として継続パターンの突き抜けを待つ必要は必ずしもないことに注意して欲しい。定義によると、これらのパターンは、その型の前に価格が動いた方向と同じ方向に価格が動き始めることが期待されるからである。例えば、上昇トレンドでは、揉み合いは上方へブレイクアウトするという期待の下にその揉み合いの最中に買いポジションを取ることができる。**図8.5**に描かれているパターンの各安値は、損失を限定するための損切りを置く場所として使用可能である。

4．長期移動平均に対する反動

　価格がその移動平均に戻ることは、主要なトレンドに対する反動が終わりに

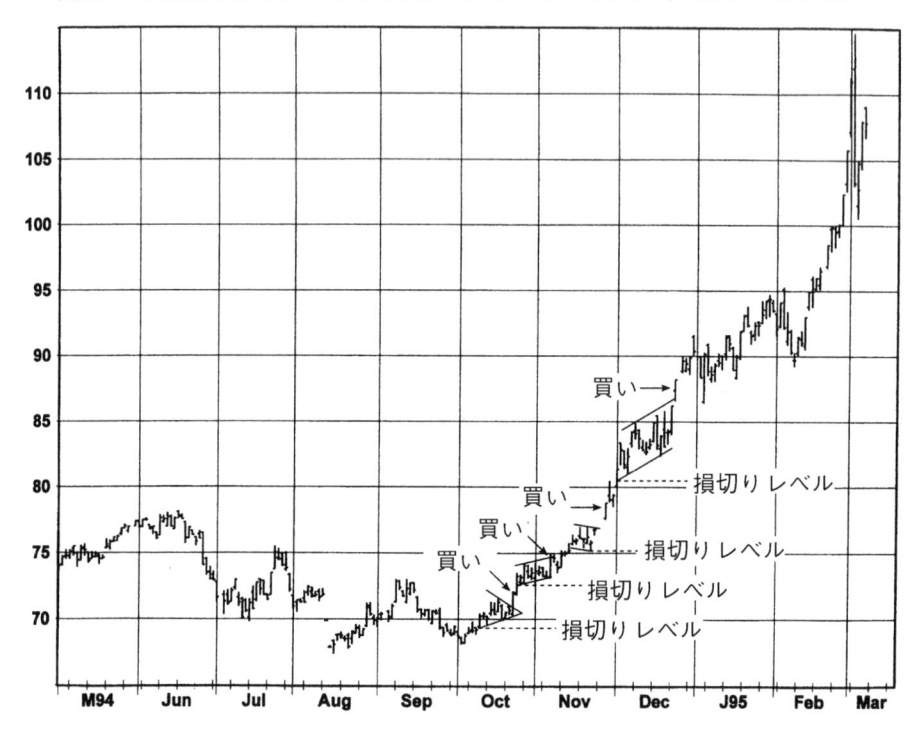

図8.5　玉と建てるシグナルとしての継続パターンのブレイクアウト（1995年3月限綿花）

近付いていることのシグナルであるとみなされている。具体的には、トレーダーが上昇トレンドを信じるなら、価格が指定された移動平均へ、もしくはその下へ下落する局面ではいつでも、買いポジションを持つことができる。下降トレンドが事実であると信じられていれば、移動平均を上回る株価の上昇のところで売りポジションを取るべきである。

図8.6の株価チャートに重ね描きされた４０日移動平均は、この方法を説明している。トレーダーが、株式は上昇トレンドに入ったと決断したと仮定する。価格が４０日移動平均を下回るところまで押されると買いポジションの仕掛けのシグナルとして用いられる。**図8.6**の矢印は、この方法による買い場となるところを示している。

第１４章で、移動平均の交差がトレンドの反転のシグナルとしてどのように使うことができるかを説明している。今説明したことの応用として私たちは、

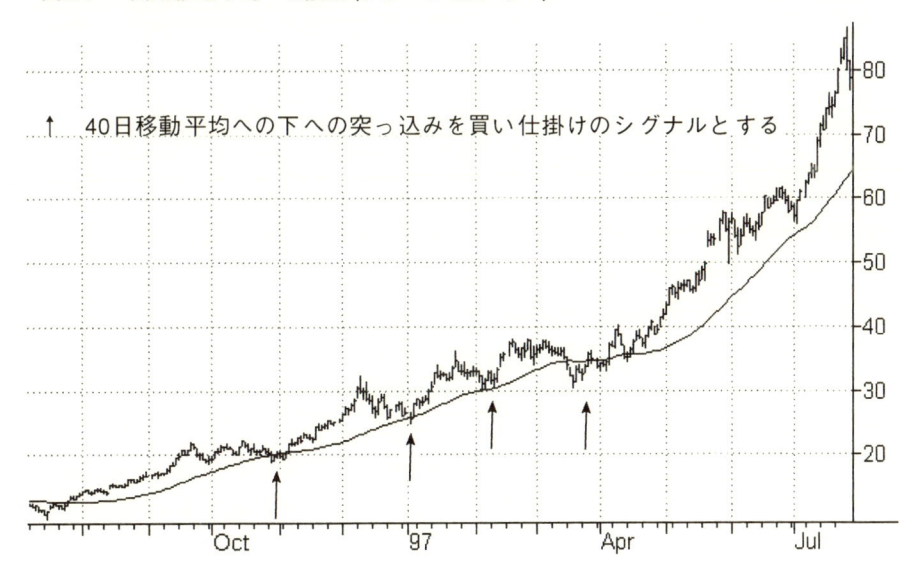

図8.6　長期移動平均への接近（デル・コンピューター）

↑ 40日移動平均への下への突っ込みを買い仕掛けのシグナルとする

移動平均が交差する点をトレンドに相反するトレードの仕掛けのシグナルとして使っている。何の矛盾もない。トレンド反転のシグナルを得るために移動平均の交差を用いる場合は、通常２つの移動平均が使われ、両方のデータが平滑化されることにより、だましのトレンド反転シグナルの数を減らすことができる。今詳しく説明した方法では、意図的に１つの移動平均と価格データそれ自身との交差点を定義した。これは平滑化していないデータを含んでいるので、移動平均と比較して敏感である。言い換えれば、トレンドの識別に用いた移動平均の定義よりも敏感な定義を、トレンドの逆張りに適用したのである。同様に、上の２で説明した小さな反動からの反転は第１７章で説明するブレイクアウト・システムに似ている。この場合もまた、トレンドの続行を定義するために、この例の中で使われている日数（３日）はトレンドフォロー・システムで使われる典型的なものより少なく、そのためにより敏感になる。

　トレンドの半ばで仕掛けることの問題点は、既にあるポジションに新しいポジションを加えていく増し玉（ピラミッディング）の問題と同じである。例えば、最初に１株を３０ドルで買い、そして相場が上がれば３５ドル、４５ドル、

というように買い足していくのである。トレンド半ばで仕掛けることと増し玉という２つの戦略は、相場が与えられた方向に大きな動きを示した後にポジションを取ることを必要とするのである。結果として、この章で説明したトレンド半ばで仕掛ける戦略は、増し玉のタイミングにも適用できる。

　ここで、増し玉に関するいくつかの指針を示しておく。まず、最後に取引したものが利益を生むまで、増し玉すべきでない。２番目に、ポジション全体で設定された損切りポイントが正味の損失となるときには増し玉してはいけない。３番目に、増し玉の単位は最初のポジション・サイズよりも大きくしてはならない。

第9章

損切りポイントの選択
Choosing Stop-Loss Points

> 何事も同じである。最初は小さな損を確定できなくて、回復するとの希望から「とんとんになるまでそのままにしよう」とポジションを持ち続ける。しかし価格はどんどん下落し、損失があまりにも大きくなり過ぎると、むしろそれを持ち続けることが正しいことのように思えてくる。1年かかるかもしれないが、早かれ遅かれ価格は持ち直すであろう。しかし、破壊が彼らを震撼させ、自分の意志とは裏腹に大勢の人が売り、価格はさらに奈落の底に落ちていく。
>
> エドウィン・ルフェーブル

　チャートでトレーディングに成功するにはいかに損失を厳格に管理できるかが重要である。第7章で既に述べたように、半分が正しい必要はないのである。必要なことは悪いトレードの損失を十分に限定することである。そうすればうまく行ったトレードで十分な収益が取れていれば、全体で利益が得られる。そのため、正確な損切りポイント（ストップ・ポイント）はトレードを始める前に決めておくべきである。最も厳格な方法は、取り消すまで有効な損切り注文（グッド・ティル・キャンセル＝ＧＴＣ）をトレードが実行されると同時に設定しておくことである。自信があれば、トレーダーは損切りポイントを事前に決めておき、この価格が1日の値幅制限に引っかからないのであれば、いつでも日中有効な注文を出すことができる。

　損切りポイントは、どのように決めるべきであろうか？　基本的な原則としてポジションは、価格の動きがテクニカルな全体像から離脱してしまうところ

図9.1　トレーディング・レンジのブレイクアウト後の損切りポイントの位置（ウエルズ・ファーゴ）

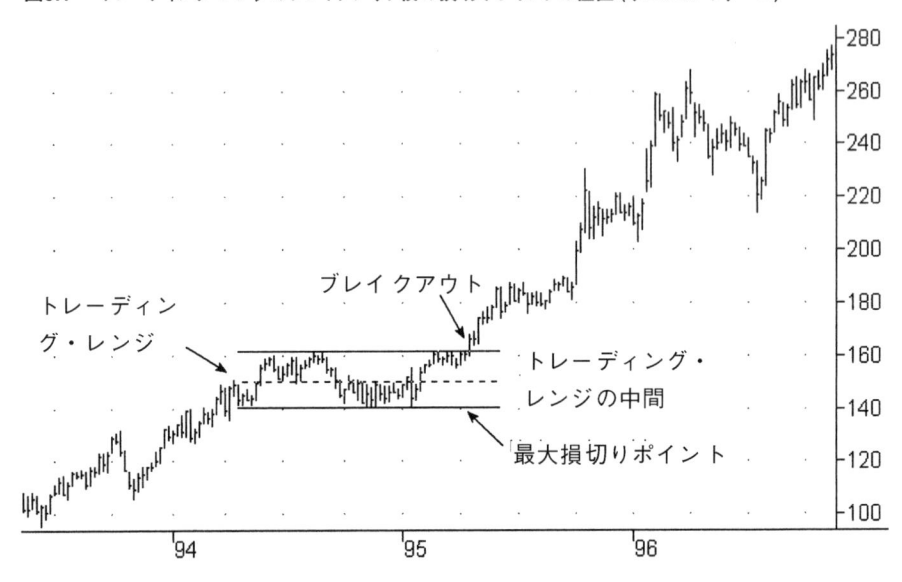

チャート内ラベル：トレーディング・レンジ／ブレイクアウト／トレーディング・レンジの中間／最大損切りポイント

か、またはその前に損切りするべきである。例えば**図9.1**の株式のチャートで、１９９５年４月に上方へのブレイクアウトが起こり、５週間その状態が維持されたので、トレーダーはこの株を買うことにしたとしよう。この場合、損を限定するための売りは１９９４年４月と１９９５年４月のトレーディング・レンジの境界線の下を下回らないようにしなければならない。そのような価格での取引の実現は、チャートの形を完全に変形してしまうからである。損に歯止めを掛けるところは、テクニカルに関連のある部分が使われる。

１．トレンド・ライン

　売りによる損切りは、上昇トレンド・ラインを下回るところに設定することができる。買いによる損切りは、下降トレンド・ラインを上回るところに設定することができる。この方法の１つの利点は、トレンド・ラインの突破はトレンドが反転する最初のテクニカル・シグナルの１つとなるからである。そのため、このような形の損切りポイントは損失の大きさや含み益を失うことを強力に限定するであろう。しかし、この特質は大きな犠牲の下に成り立っている。トレンド・ラインの突破はだましシグナルとなる傾向がある。第３章で説明し

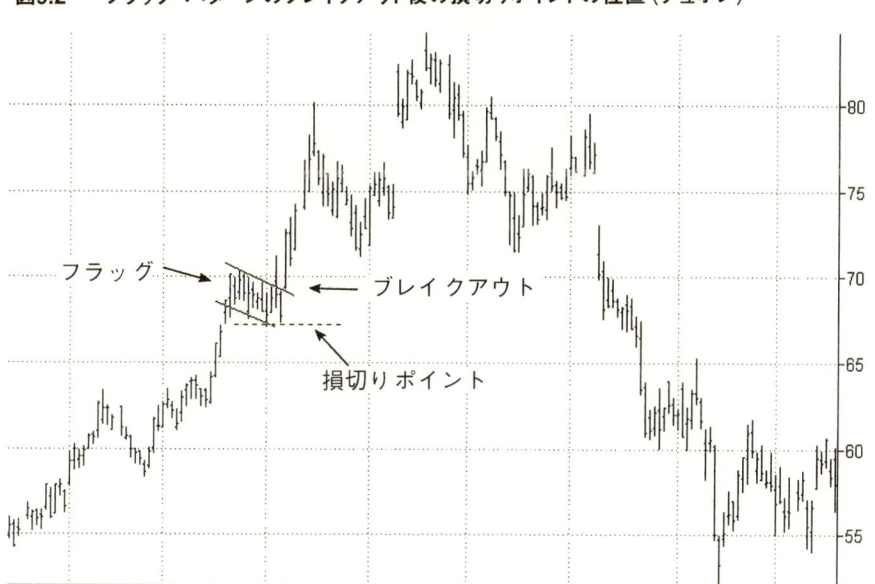

図9.2　フラッグ・パターンのブレイクアウト後の損切りポイントの位置（デュポン）

たように、強気、弱気の相場の行方によってトレンド・ラインが見直されることは普通のことなのである。

2．トレーディング・レンジ

　前ページの株の例で説明したように、トレーディング・レンジの反対側を損切りポイントとして使うことができる。特に広いトレーディング・レンジの場合には、しばしば、損切りを近くに設定することができる。ブレイクアウトが有効なシグナルであると、価格はそのレンジのそれほど深くまでは戻さないからである。そのため、損切りはレンジの中間点とそれよりも遠い方の境界線の間のどこかに設定されるべきである。**図9.1**の点線で示されたトレーディング・レンジの中間点を見て欲しい。しかし、トレーディング・レンジの近い方の端は意味のある損切りポイントにはならない。事実、この領域までの押しはとても一般的であるので、多くのトレーダーはポジションを取り始める前にそのような反動を待つことを好むのである。ブレイクアウトに続く仕掛けを遅らせる戦略の適否は個人の選択の問題である。多くの場合、有利な価格でポジションを取ることができるが、大きな動きを見逃す結果ともなる。

3．フラッグとペナント

　価格がフラッグかペナントの型をブレイクアウトした後にその反対側の端に戻るか、または、何ポイントか超えてしまうことは価格反転のシグナルとして使うことができるし、損切りとしても使うことができる。例えば、**図9.2**で点線はフラッグの下方の境界線で示された損切りレベルを表している。フラッグを上方へブレイクアウトした後に、このレベルを下回ることは現在の上昇トレンドが反転したことを示し、買いポジションの手仕舞いを意味する。

4．長大線

　フラッグとペナントと同様に、一方にブレイクアウトした後に反対の端に戻ってくることは価格反転のシグナルとして使うことができ、そのため損切りを

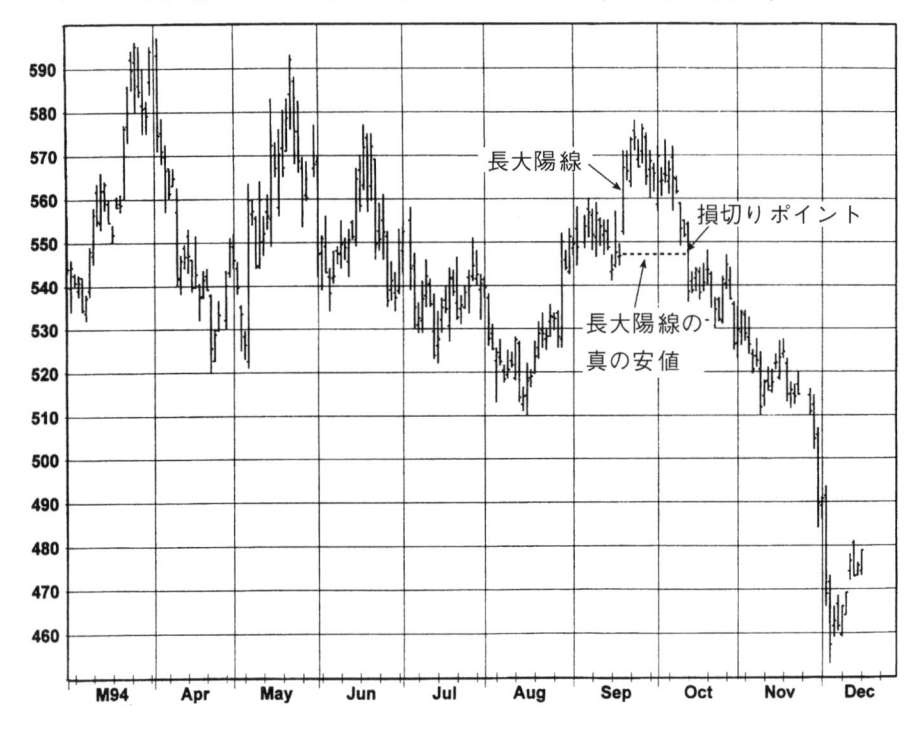

図9.3　長大線のブレイクアウト後の損切りポイントの位置（1994年12月限銀）

図9.4　似通った安値に置く損切りポイント（マイクロン・テクノロジー）

設定する場所としても使うことができる。例えば**図9.3**で、価格は９月半ばに形成された長大陽線の上でまず取引され、その後、この価格が長大陽線の真の安値（付録参照）を下回るまで下落していったが、これらがこの大きな価格破壊を引き起こしていることに注目して欲しい。

５．高値（ＲＨ）と安値（ＲＬ）

　潜在的なリスクが大き過ぎなければ、直近の高値と安値を損切りポイントとして使うことができる［**注**　安値・相対安値・谷・Relative Lowとか、高値・相対高値・山・Relative Highの具体的定義は、意見の分かれるところである。これからの記述は安値（ＲＬ）に関するものであるが、高値（ＲＨ）についても同様に用いられている。安値（ＲＬ）の一般的な定義はその日の安値がその前後Ｎ日間の安値よりも安いことである。安値（ＲＬ）の具体的な定義はＮの選択にかかっている。Ｎの合理的な範囲は５と１５の間である］。

　例えば、**図9.4**にある１９９８年１月の初めに確認されたダブル底に反応して、トレーダーが買いポジションを取ったと仮定しよう。この場合には、１９９７年１１月と１２月の安値は本質的には同じ損切りレベルを示している。このレベルを超える下落は、買いポジションの有効性を否定する。

図9.5　金額で定めた損切りが適切である市場の例（1993年7月限木材）

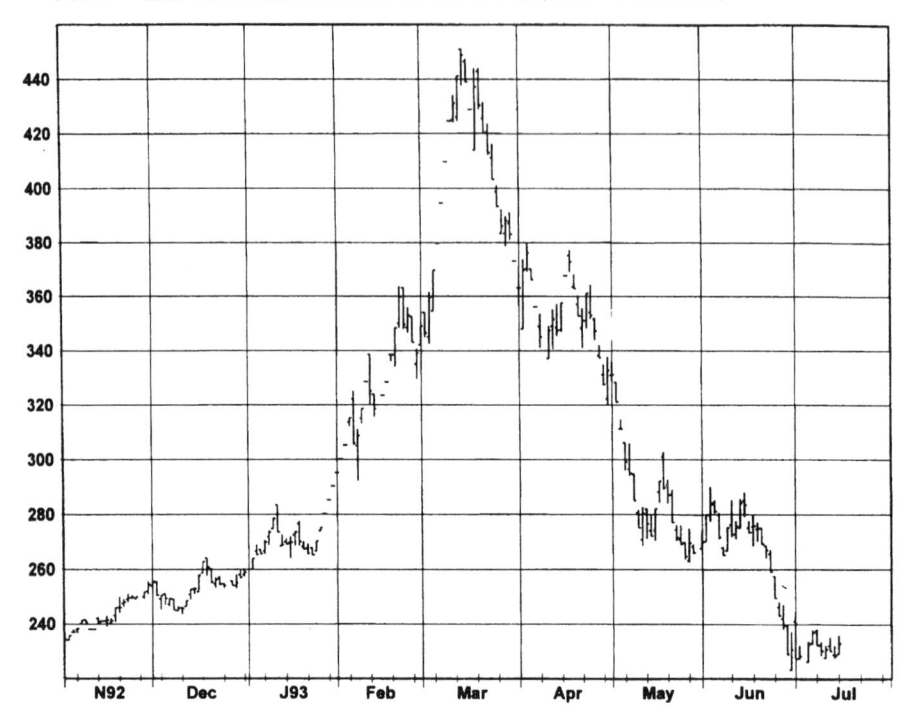

　テクニカル的に重要なポイントに設定された損切りでは、潜在的なリスクが大き過ぎるかもしれない。その場合には、トレーダーは金額でリスク（マネー・ストップ）を決めるべきである。損失保護を目的とした損切りの場所をテクニカル的に重要な場所ではなくて、失ってもよい金額で定めるのである。例えば木材相場が１９９３年３月の急激なブレイクの後に天井（**図9.5**参照）を付けたことを１９９３年４月の初めに確認し、思い悩んでいるトレーダーのことを考えてみて欲しい。損切りポイントとして、直近の高値（ＲＨ）であるその一代の高値を使うと、１枚に付き１万５０００ドルあまりの損失の可能性がある。この場合、４月のトレーディング・レンジの中間点で仕掛けたと仮定している。しかし、もしそのトレーダーが仕掛ける前に戻りを待つとしたら、リスクを少なくできるかもしれないが、そのような戻りは、相場が極端に安くな

図9.6　トレイリング・ストップ（ウォルト・ディズニー）

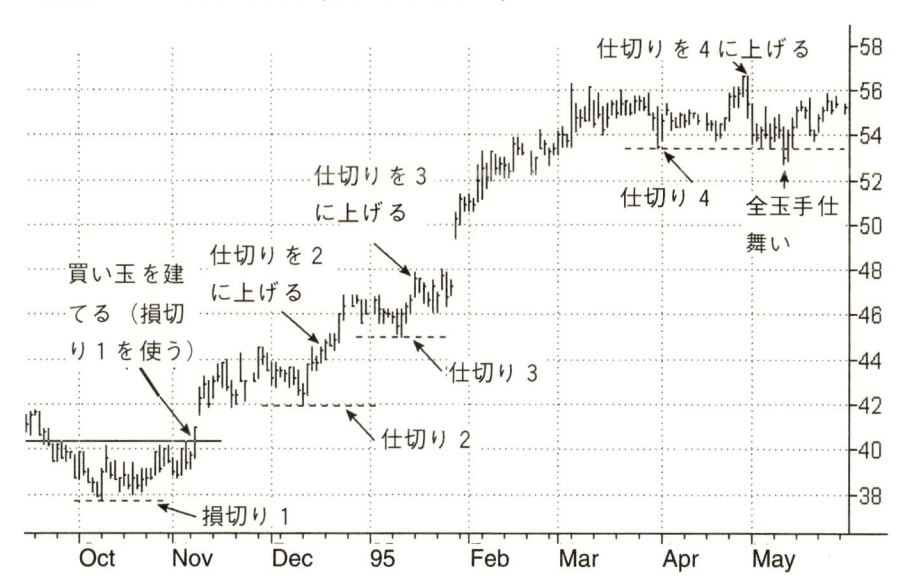

（図中の注記）
- 買い玉を建てる（損切り1を使う）
- 仕切りを2に上げる
- 仕切りを3に上げる
- 仕切りを4に上げる
- 損切り1
- 仕切り2
- 仕切り3
- 仕切り4
- 全玉手仕舞い

るまで起こらないかもしれない。したがって、テクニカル的に重要な点に設定された損切りが、非常に大きなリスクを意味する場合は、損切りを金額で定めておき、成行注文で実行することが賢明なトレーディング手法となるのである。

損切りは損失を限定するだけではなく、利益を守るためにも使われる。買い持ちの場合には、相場が上がれば断続的に仕切り注文も切り上げるべきである。同様に下落相場では、相場が下がるに従って仕切り注文も切り下げるべきである。このような形の仕切り注文をトレイリング・ストップ（trailing stop）と呼ぶ。

図9.6は、トレイリング・ストップの使い方を示している。9月～11月のトレーディング・レンジの上にある11月の上昇ギャップで、安値（RL）を基盤とした損切りの計画を持ちながらトレーダーが買い持ちになったと仮定する。特に、トレーダーは相場が新高値を更新するたびに関連するポイントを見直し、終値が直近の安値（RL）よりも下回ったときに買いポジションを手仕舞うつもりでいる。もちろん、ストップの条件はときにはより厳格になる。例えば、トレーダーは、損切り／仕切りを実行するために前の安値を下回る終値の数か、その安値に対する突き抜け幅の最少値を必要とする。そのため、最初

の損切りの位置は、１０月の安値を下回る終値となる（損切り１）。この例では、安値（ＲＬ）は過去１０日間の最安値と定義されている。１２月の価格上昇に続く新高値は、仕切りに関する位置を１２月の安値に上げている（仕切り２）。同様な方法で、仕切りに関する位置は仕切り３と仕切り４で示されたところに連続的に上がっていく。ポジションは５月に仕切り４を下回った下落により利益を確定している。一方では、トレイリング・ストップを、金額、比率、ポイント数で決められた場所とすることもできる。この技術は最初に説明した単純な金額ベースのストップと同じ意味を持っている。つまり、リスクを既知レベルに保ち、チャート・パターンに基づく過度に大きなリスクを伴うストップ・ポイントからトレーダーを解放してくれるが、テクニカル的な理由がないのにポジションを手仕舞ってしまう結果にもつながるのである。

　一般的な法則として、損切りはリスクを減らすためだけに変更されるべきである。買った場合、動きの底値（売りの場合は高値）で損切り注文が執行され、その後、上がってしまったらという考えに耐えられないトレーダーがいる。彼はポジションを取ると同時にその日だけ有効な損切り注文でなく、取り消すまで有効な損切り注文を常に努力して入れるのだが、相場（現在値）が損切りの位置に近くなると、取り消してしまう。このような注文のことは嘲笑的にＣＩＣ注文（cancel if close：近付いたら取り消す）と呼ばれる。リスクが更に大きくなってしまうように損切りポイントを見直すことは、損切りの本質的な目的を無意味なものにしてしまう。

第10章

目標値の設定とその他のポジションを閉じる条件
Setting Objectives and Other Position Exit Criteria

> 私が考えて大儲けをしたわけではない。ただ、座っていただけだよ。分かるかな。座っていただけだって。大儲けをするためにからくりはない。
>
> エドウィン・ルフェーブル

トレードとは軍隊のようなものであり、入隊する方が脱退することよりもずっとやさしいのである。トレーダーがしっかりとリスク管理を行っていれば、トレードの損失は曖昧なものではなくなる。それは、手仕舞いが事前に決められたストップ（損切り／仕切り）・ポイントで行われるからである。しかし、利益の出ているトレードはもちろん望ましいものではあるが、そこには問題もある。トレーダーはいつ利益を確定したらいいのかをどのように決めるべきであろうか？　このジレンマのために無数の回答が提出されている。この章では最も重要な方法の幾つかを紹介する。

チャート・パターンから得られる目標値

多くのチャート・パターンは、将来の値動きについての手掛かりを持っていると信じられている。例えば、伝統的なチャートの金言は、価格が一度でもヘッド・アンド・ショルダーのネックラインを突破すると、天井（底）からネックラインまでの距離と少なくとも同じ分だけ、その後に値は動く、と言っている。他の例では、多くのポイント・アンド・フィギュアのチャーチストは、ト

図10.1 値幅測定（ペプシコ）

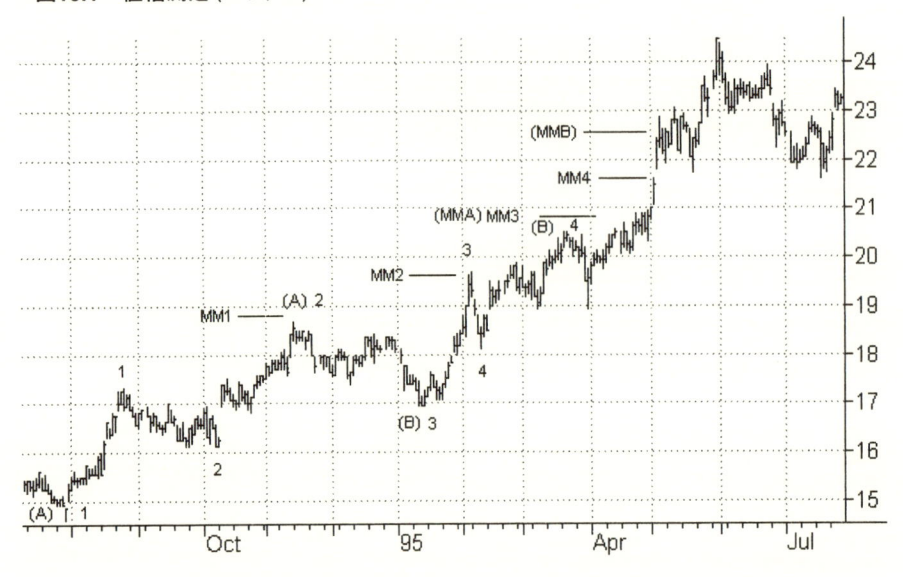

レーディング・レンジを構成する列の数はそれに続くトレンドの枠の数の目安になると主張している。第２章のポイント・アンド・フィギュアの解説を参照して欲しい。一般的に、恐らくチャート・パターンによって目標価格の目安を設定することは、それらによってトレード・シグナルを出すことよりも明らかに信頼性に欠けるものである。

値幅測定

　この方法は、単純であることがすべてである。市場では大体同じような価格の振幅が繰り返されるということが基本的な前提となっている。そのために、市場が３０セント上昇しそれに対する反動があったとすると、その結果、その反動の低いところからの価格上昇は大体３０セントになるであろうということである。値幅測定の概念はその簡単さゆえに説得力があり、かつ期待されるよりも良好な結果を出す。これら２つかそれ以上の目標値が同じところで重なると、重要な目標ゾーンとして価格領域の信頼性を増す傾向がある。

　図10.1は、小さな振幅と大きな振幅を基にしたたくさんの値幅測定を表して

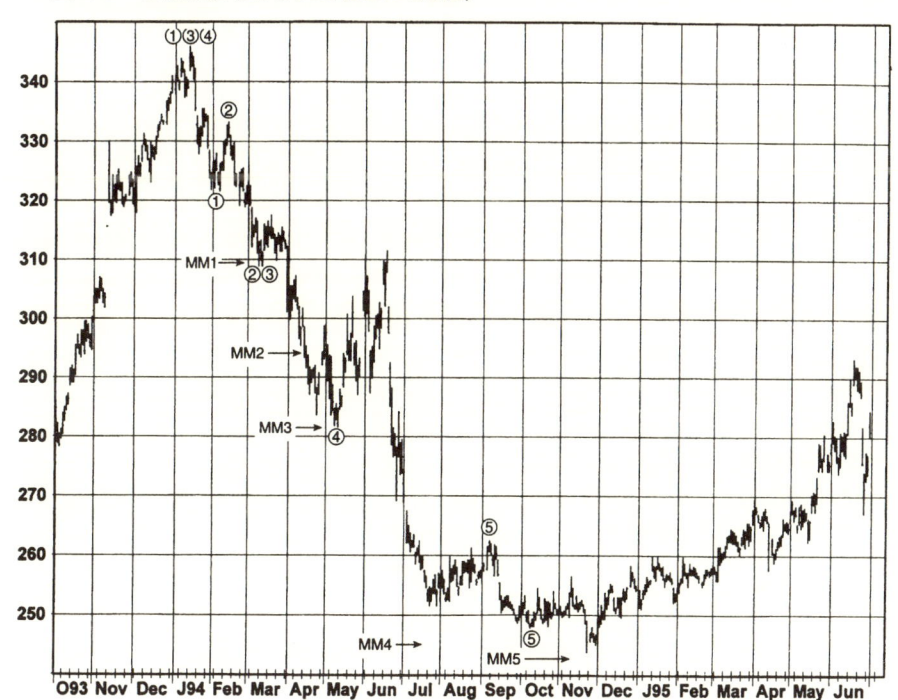

Chapter 10
目標値の設定とその他のポジションを閉じる条件 163

図10.2　値幅測定（とうもろこし修正つなぎ足）

いて、小さなものは末尾に番号（ＭＭ１）を付け、大きなものは末尾に文字（ＭＭＡ）を付けている。これらの多くの目標値は、驚くほど正確なのである。例えば、１９９４年７月～８月の２ 11/16（価格振幅１番）の最初の価格上昇の目標値はＭＭ１である。５週間の価格調整を終えた後に市場は１０月～１１月にかけて２ 9/16に上昇し、これは目標値から2/16だけずれている。同様に、価格振幅２番は値幅測定の目標値を２月初めの高値と同じになるように設定した。時には、１つ以上の値幅測定の目標値がほぼ同じ価格領域に集中することがある。値幅測定の目標値ＭＭ３とＭＭＡの両方が３月の高値（ＲＨ）の近辺にあることに注目して欲しい。ＭＭ４は５月初めの窓に一致して、かなり目標から外れてしまっている。

　価格の振幅は多くの限月にまたがることがあるので、幾つかの限月をつなぎ合わせた長期の先物チャートに値幅測定を適用するのは良い考えである。一般に、修正つなぎ足が当限つなぎ足よりも値幅測定の分析には適している。第２

章で見たように、修正つなぎ足は価格の振幅を正確に反映するが、当限つなぎ足はそうではないからである。

図10.2は、値幅測定をトウモロコシの修正つなぎ足に適用したものである。このチャートは驚くほど、値幅測定の目標を正確に反映している。1994年1月の市場の天井からの最初の下落幅を意味する値幅測定の目標値（MM1）は1994年3月の安値（RL）とまさしく一致している。しかし、2月～3月の初めにわたる下落幅の値幅測定の目標値（MM2）は、実際の5月の安値より幾分か大きくなっていて、1994年1月の天井から3月の安値（RL）までの全体の下落を示す値幅測定の目標値（MM3）は、実際には5月の安値の予測とほぼ同じである。特に際立っているのは、1994年1月の天井から1994年5月の安値の下落に相当する最も重要な値幅測定の目標値（MM4）は1994年11月の底値であると予想されている事実である。それに加えて、

図10.3 値幅測定での目標値の集中（1994年10月限原油）

9月〜10月初めまでの下落の振幅は同じような値幅測定の目標値（MM5）を提供している。これら2つの値幅測定の目標値は、市場が1994年11月の終わりに底に近付いたという強い事実を提供している。

このトウモロコシ・チャートの例に見られるように、時として同じ安値、高値に対して1つ以上の値幅測定の目標値があることがある。これは、値幅測定の目標値を推定することのできる1つ以上のそれに関連した価格の振幅があるときに起こるのであろう。これらの目標値の2つかそれ以上がほぼ重なり合っているときに重要な目標値ゾーンとして、その予想価格の信頼性を強める傾向がある。

図10.3は、複数のほぼ一致した値幅測定の価格目標値がある典型的な例である。お分かりの通り、3月の終わりから、5月の終わりまでの上昇（MM1）、6月の上昇振幅（MM2）、そして6月の終わりと7月の半ばにかけての上昇

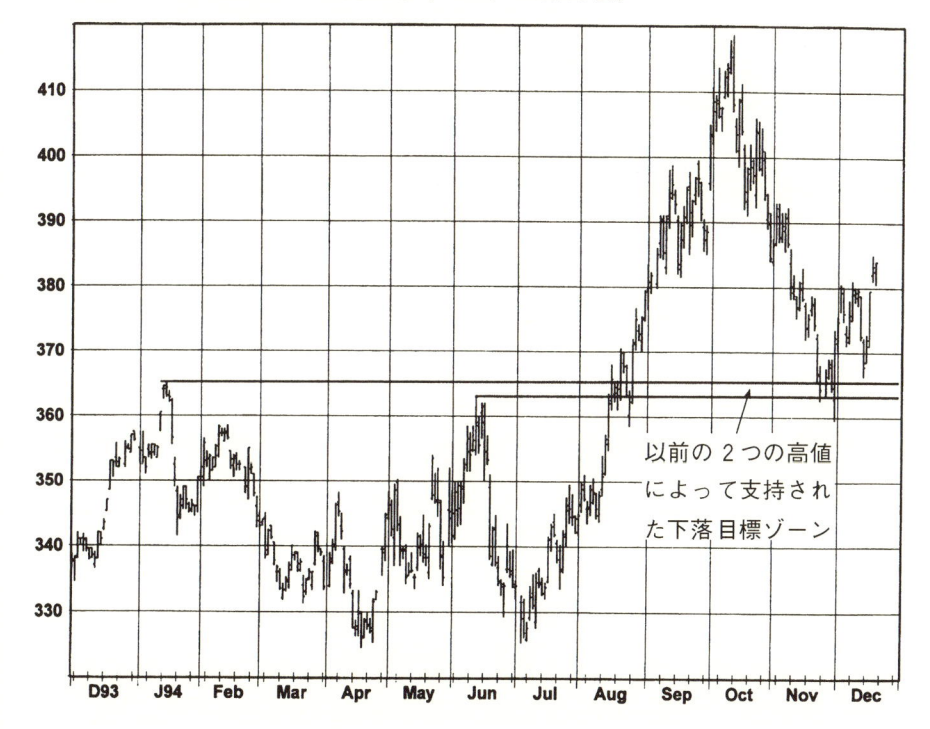

図10.4　支持線領域での下降値目標（1994年12月限小麦）

以前の2つの高値によって支持された下落目標ゾーン

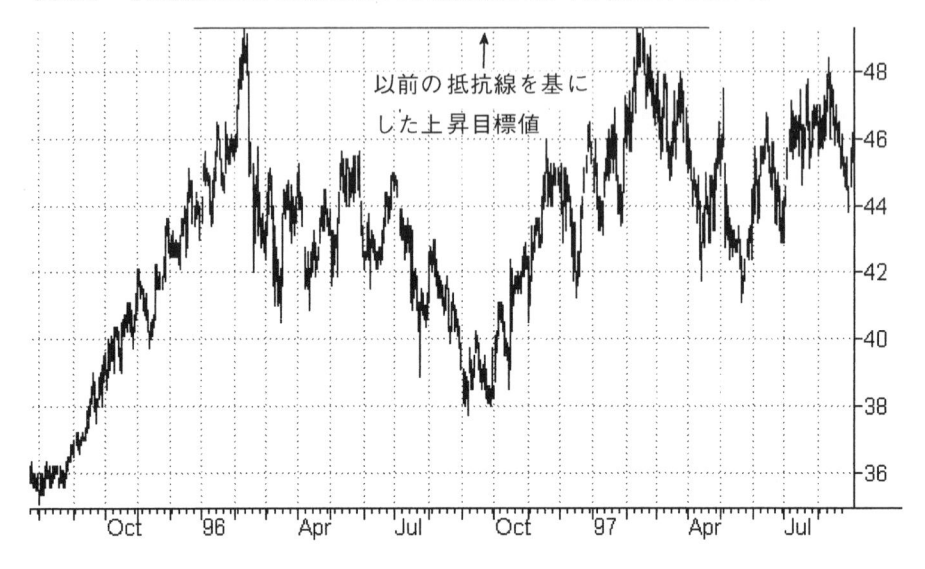

図10.5　それ以前の主要な高値を基にした抵抗線を上昇の目標値とする（GT E）

以前の抵抗線を基にした上昇目標値

（MM3）に相当する振幅の目標値は8月に形成された実際の相場の天井を僅かに下回るところで一致している。

支持線と抵抗線のレベル

　支持線に近いところは、売りポジションの最初の目標値として設定するには妥当な選択と言える。例えば、**図10.4**で示されている目標値ゾーンは、その前の2つの高値（RH）に相当するところにある支持線を基にしている。同様に、抵抗線に近い価格は買いポジションの最初の目標値を設定するのに使われている。例えば、**図10.5**に示されている目標値のレベルは、その前の重要な高値に相当するところにある抵抗線を基にしている。

　一般的に、支持線と抵抗線のレベルは、主要な目標値というよりは一時的なものである。したがって、この方法を用いる場合、反動が発生したら、有利な価格で再びポジションを取ることが望ましい。

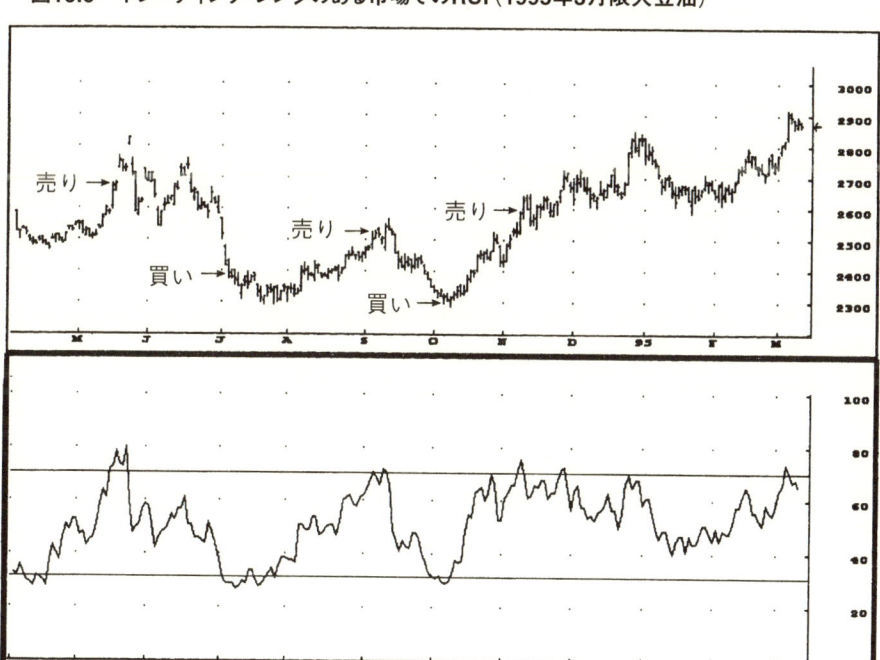

図10.6　トレーディング・レンジのある市場でのRSI（1995年3月限大豆油）

買われ過ぎ／売られ過ぎの指数

　買われ過ぎ／売られ過ぎの指数は、テクニカル的な指数で、時にはオシレーターと呼ばれ、価格の急激な上げ、または下げに反応し、価格が主要トレンドに反する動きをしたときに警告を発する。これらの指標は第6章で詳しく説明した。

　図10.6にあるのは、相対力指数（RSI）であるが、それは0～100の間の指数である。標準的な解釈としては、70以上のレベルは買われ過ぎの状態を示していて、30以下は売られ過ぎのレベルを示している。

　買われ過ぎ／売られ過ぎの境界を設定するのは、主観的なものである。例えば、70／30に対して、75／25でも、80／20でも可能である。この

しきい値が高くなるほど、買われ過ぎ／売られ過ぎのシグナルは相場の転換点に近付くが、タイミングを逃してしまう数も多くなる。

　図10.6の買いの矢印は、ＲＳＩが３０以下に下がった点を示している。その点は、売られ過ぎの状態になっていて売りポジションの手仕舞いを示すシグナルと考えられる。**図10.6**の売りの矢印は、ＲＳＩが７０を超えた点で買われ過ぎの状態になっており、買い持ちを解消するシグナルであると考えられる。

　すべてを考慮すると、**図10.6**の買われ過ぎ／売られ過ぎのシグナルは妥当な良い手仕舞いのシグナルとなっている。この例は、買われ過ぎ／売られ過ぎの指標を手仕舞いのシグナルとして使うことの利点と欠点を示唆している。この方法は、市場がトレーディング・レンジの中にいるときには有効であるが、強いトレンドを持っているときには悲惨なことになるであろう。

　図10.6では、そこに描かれている市場がきっちりとトレーディング・レンジの中に納まっているために、買われ過ぎ／売られ過ぎのシグナルは結局うまく機能している。

　図10.7は、トレンドのある市場にＲＳＩの買われ過ぎ／売られ過ぎのシグナ

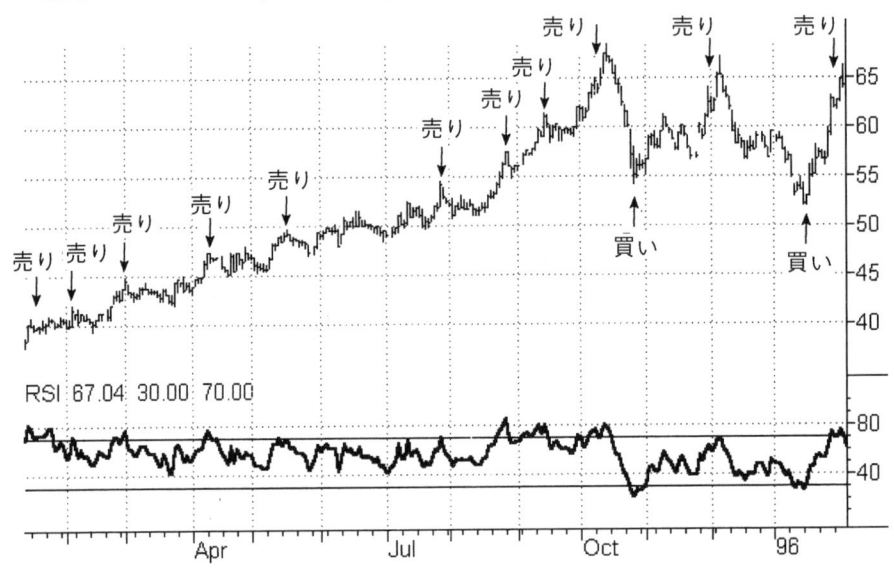

図10.7　トレンドのある市場でのRIS（ハウスホルド・インタナショナル）

ルを適用したものである。この場合も1995年10月～1996年1月までの幅の広いトレーディング・レンジではシグナルは有効である。しかし、その前の9カ月に及ぶ価格上昇での売りシグナルは、トレンドのある相場におけるこの方法の限界を示している。

反対意見（コントラリー・オピニオン）

　反対意見の理論は、非常に多くの投機家が強気であるときに、買い持ちでありたいと願っている人は既に買っているという考えに基づいている。その結果、新しい買い手が不足しており、市場は抵抗することなく下落する。同じような解釈は、多くのトレーダーが弱気になっているときにも当てはまる。反対意見の度合いは相場レポートにある推奨か、または、トレーダーの聞き取り調査が基になっていて、このような意見が市場全体の雰囲気を妥当に代表していると想定している。反対意見指標で買われ過ぎ／売られ過ぎの基準となるものは、その出所によってまちまちであろう。

　反対意見は疑いなく正統な理論的概念であるが、この方法のアキレス腱は、市場のセンチメントを正確に測ることが難しいことである。現存するサービスにより提供されている反対意見の度合いは時として主要な相場の転換点を指摘してきた。一方では、市場が上昇を続けている間に反対意見オピニオン・インデックスが高止まりしたり、下降し続けるときに安止まりすることもまれではない。結論として、それだけをトレードの指標として使うのでないならば、有効な情報となる。

トレイリング・ストップ

　トレイリング・ストップを使うことは魅力的にみえないが、手仕舞うポイントを決める方法としては最も賢いやり方である。

　この方法を使えば、買いのポジションを最高値で売ったり、売りのポジションを最安値で買い戻すことはできないが、利を伸ばすためには、理想に近いものである。トレイリング・ストップについては第9章で説明した。

市場の意見の変化

　この方法はあまり脚光を浴びていないが、大変常識的である。この場合、トレーダーは前もって目標値を全く設定しないで、市場の意見が少なくとも中立に変わるまで、そのポジションを維持するのである。

第11章

チャート分析における最も重要なルール
The Most Important Rule in Chart Analysis

> *市場は風邪のウイルスみたいなものである。それが何であるか分かった瞬間、すぐにまた別なものに変異している。*
>
> ウェイン・H・ワグナー

だましシグナル

　だましシグナルは、すべてのチャート・シグナルの中で最も信頼のおけるものである。チャート・シグナルの方向に相場が付いていかなかったときには、その反対の方向に大きく市場が動く可能性があることを示唆している。例えば、**図11.1**で6月と7月の揉み合いを上に突き抜けた後に市場がいかに急激な反転をしたかに注目して欲しい。もし上への突き抜けのシグナルが有効であれば、市場はその揉み合いの底値まで戻らないし、その底値の境界線を下回ることもない。そのような反動がブレイクアウトのすぐ後に起こるということは、強気の落とし穴（ブル・トラップ）を意味している。そのような価格の動きは上昇相場と呼応しているが、レンジの境界線を超えたところに置かれている損切り（ストップ・ロス）が執行されてしまうのに十分である。しかし、実際のブレイクアウト後はその玉を操作する必要がないので買い持ちのポジションが追加されず、テクニカルな相場観は非常に弱いものになる。実際、明確な買いシグナルが即座にだましとなったときには、相場が売られてしまうということを強く示唆していると考えることができる。

図11.1　強気の落とし穴（ウォルマート・ストア）

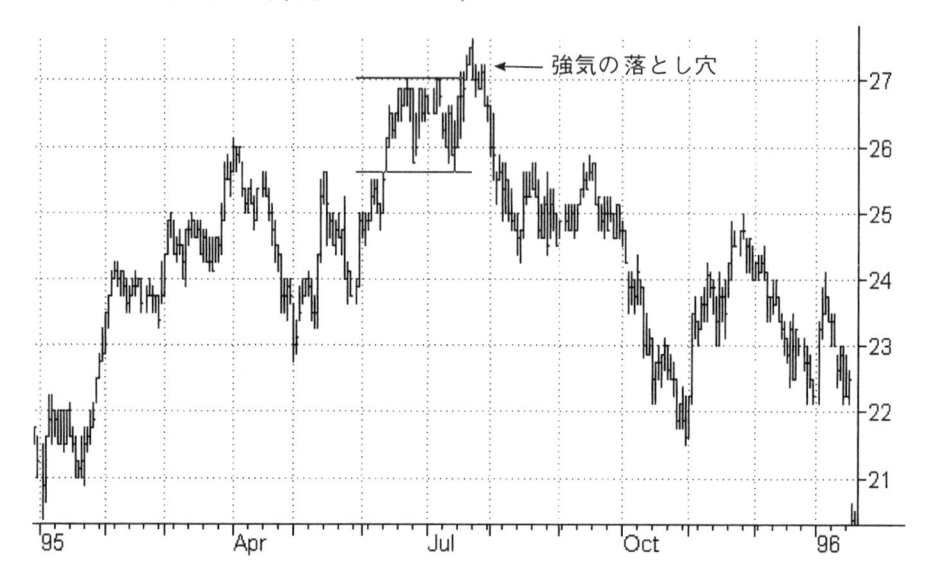

　ここで、私たちはだましシグナルが重要であることを認識したので、これからの項目ではだましシグナルのいろいろな種類について、その解釈とトレードの指針を交えながら詳しく説明していこう。

強気と弱気の落とし穴

　強気と弱気の落とし穴とは、主要なブレイクアウトのすぐ後に引き続いて急激な相場の反転が起こり、ブレイクアウトに続くはずの価格の継続パターンとは全く正反対になることである。私の経験では、この種の期待に反した価格の動きは最も信頼のおける主要な天井と底の目安になる。強気の落とし穴の例を**図11.1**に示す。１９９３年１０月のＴボンドの６年間に及ぶ強気相場の天井は、もう１つの典型的な強気の落とし穴である（**図11.2**参照）。１０月中旬にその前の７週間に及ぶトレーディング・レンジを超えて新高値を付け、上方にブレイクアウトした直後に、急激に下落していることに注目して欲しい。

　強気の落とし穴と同様に、弱気の落とし穴では相場はトレーディング・レンジの下限を下回るところに設定されているストップをちょうど執行してしまう

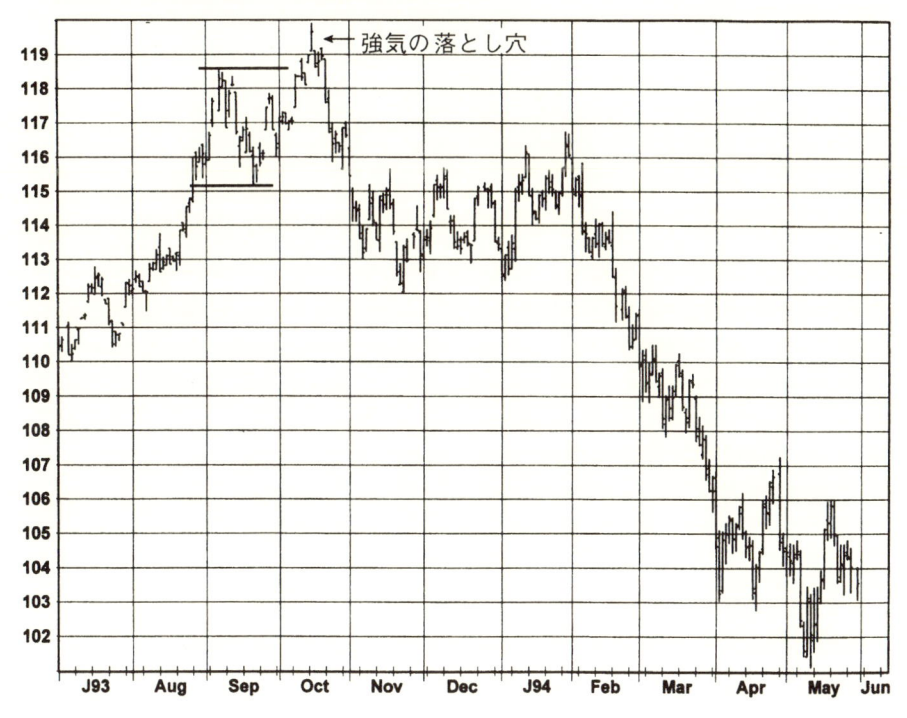

図11.2　強気の落とし穴（1994年6月限Tボンド）

だけ下がるが、基調の強さを示しているブレイクアウトの後にさらなる売り圧力は出現せず、実際に、売りシグナルが即座にだましになる場合は相場が買われることのシグナルであると考えることができる。

　図11.3は、6年間続いた銀の下落相場の絶頂の場面であるが、典型的な弱気の落とし穴が出現している例である。1993年2月の時点で、その前にかなり幅の狭い3カ月にわたるトレーディング・レンジとそれより幅の広い6カ月にわたるトレーディング・レンジがある。そして、これらを突き抜けて2日間相場は急落した。価格は下がり続けるのではなくて、価格は宙に浮き、まずは保ち合いの動きを示し、トレーディング・レンジの中に戻ってくるのである。この値動きは劇的な上昇の前兆となった。

　強気、弱気の落とし穴が起こったと判断するには、どれくらい価格が戻ればいいのだろうか？　幾つか考えられる確認条件を並べてみよう。

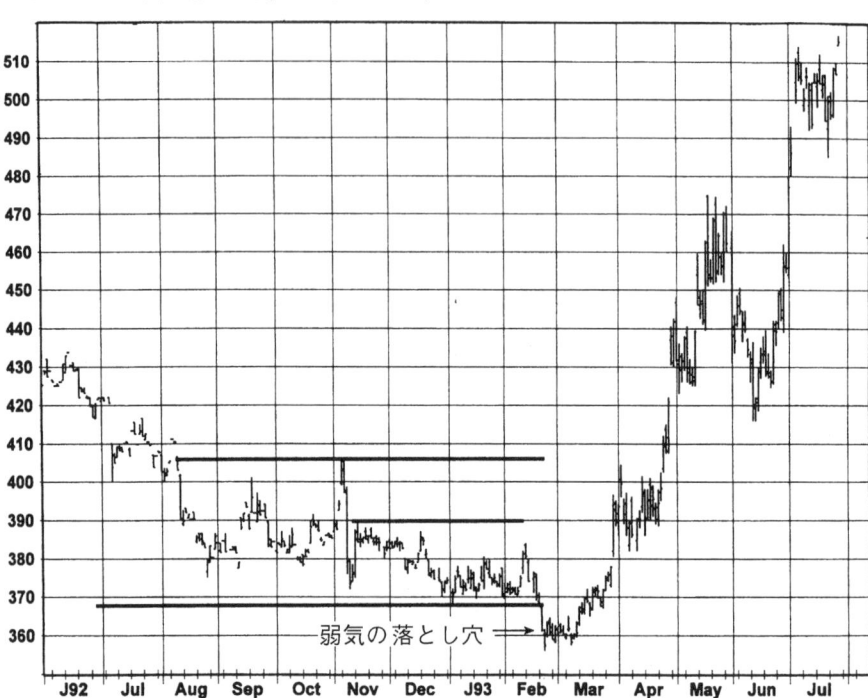

図11.3　弱気の落とし穴（1993年7月限銀）

価格による初期確認……ブレイクアウトに先行する揉み合いの中央まで価格が戻る。
価格による強い確認……ブレイクアウトに先行する揉み合いの遠い側の境界線（強気の落とし穴では安い方、弱気の落とし穴では高い方）まで価格が戻る。
時間による確認……４週間などの特定された時間内にブレイクアウトに続いて実現した高値（安値）に価格が戻りきれない。

　トレードで、強気、弱気の落とし穴の初期確認はより有利な価格で仕掛けることを可能にするが、強い確認はより信頼性の高いシグナルを出してくれるというトレード・オフがある。時間による確認はそれ単独で用いることもできるが、２つの価格による確認条件と関連させて用いることもできる。**図11.4**と**図11.5**は、**図11.2**と**図11.3**にこの３つの確認条件を付け加えたものである。

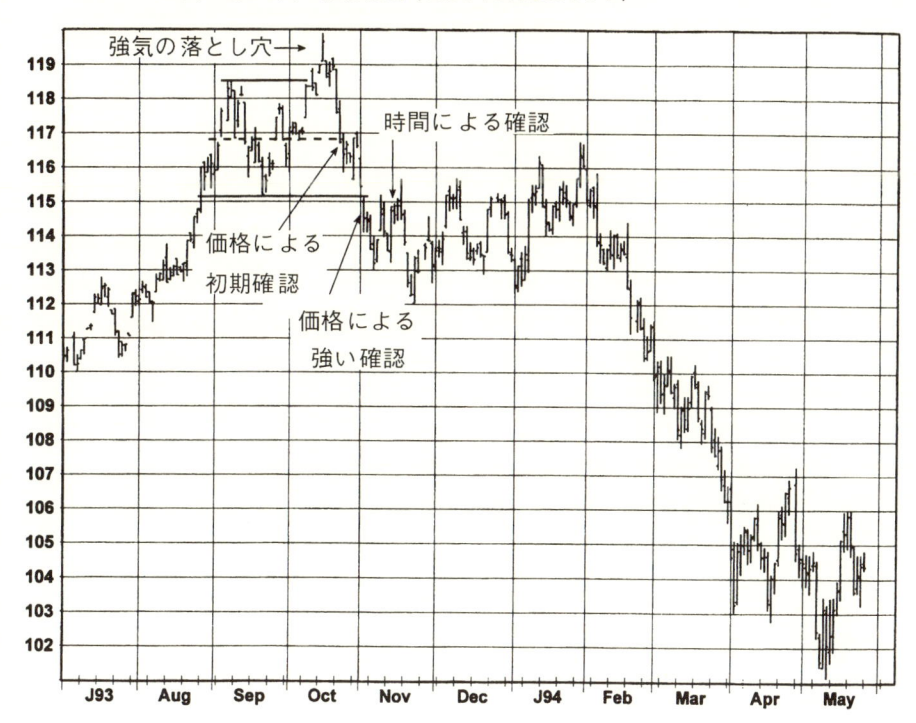

図11.4 強気の落とし穴の確認条件（1994年6月限Tボンド）

時間による確認は４週間を想定している。時間による確認は両方の価格確認条件の後か（**図11.4**）、前か（**図11.5**）、その間で行われる。

　強気の落とし穴のシグナルは、相場がブレイクアウトの高値に戻ると無効になる。同様に、相場がブレイクアウトの安値に戻ると弱気の落とし穴のシグナルは無効になる。シグナルが示した方向に相場が十分に動くか、あらかじめ設定された時間が経過したら、強気、弱気の落とし穴のシグナルを無効にするためにより敏感な条件を使うことができる。そのような条件の一例は、価格による強い確認シグナルが得られた後に揉み合いの反対側の境界に戻ってくることである。例えば、強気の落とし穴の場合は、揉み合いの安値より下に下落した後に揉み合いの天井まで戻ることである。

　無効の条件が満たされなければ、強気、弱気の落とし穴のシグナルで仕掛けたトレードは目標値か別の手仕舞い条件が満たされるまで、または、トレンド

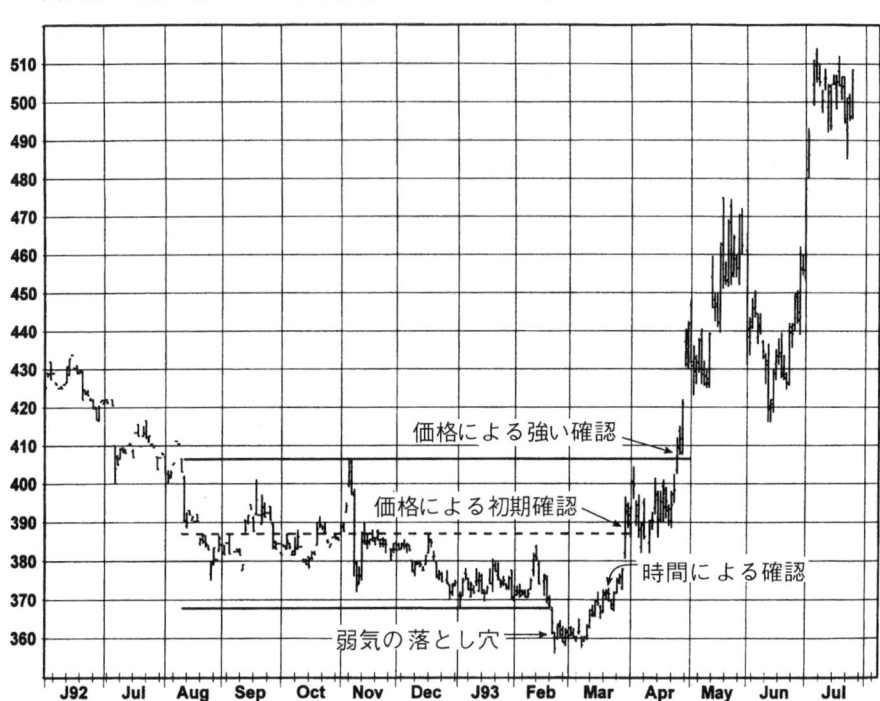

図11.5 弱気の落とし穴の確認条件（1993年7月限銀）

（チャート中のラベル：価格による強い確認／価格による初期確認／時間による確認／弱気の落とし穴）

反転が確認されるまで保持されるべきである。

トレンド・ラインのだましブレイクアウト

　第3章で説明したように、トレンド・ラインはだましのブレイクアウトを引き起こす傾向にある。そのようなだましのブレイクアウトは、ブレイクアウトとは反対の方向にトレードするシグナルとして使われる。事実、私の意見では、トレンドのだましブレイクアウトのシグナルは通常のトレンド・ブレイクアウトのシグナルよりもかなり信頼のおけるものである。下降トレンドにおいて、トレンドのだましブレイクアウトはトレンド・ラインを下回った終値の数が指示された回数（2～3）に至り、引き続いて上方にブレイクアウトした場合に確認される。同様に、上昇トレンドの場合、トレンドのだましブレイクアウト

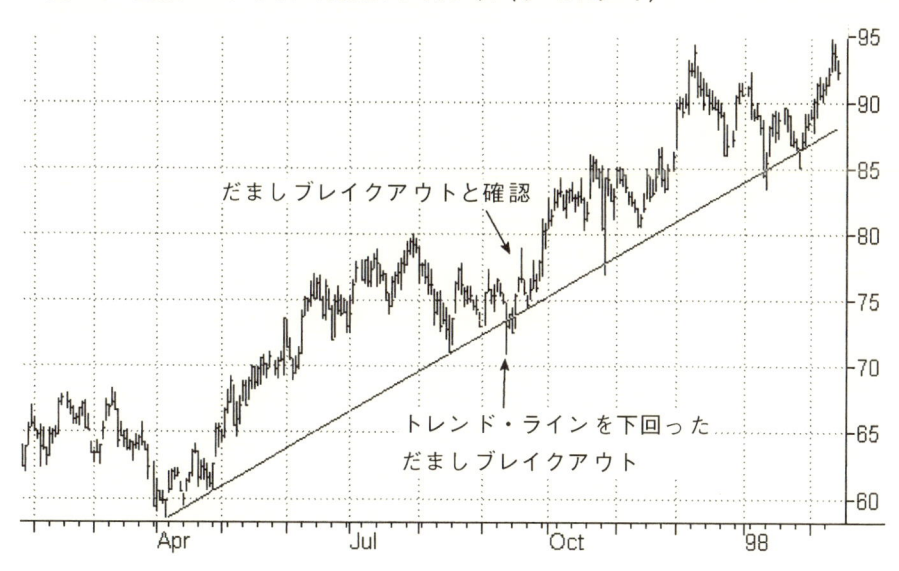

図11.6　上昇トレンド・ラインのだましブレイクアウト（オールステート）

はトレンド・ラインを上回った終値の数が指定された回数に至り、引き続いて下方向にブレイクアウトした場合に確認される。

図11.6は、上昇トレンド・ラインのだましブレイクアウトの例である。4つの安値（RL）によって定義された上昇トレンド・ラインを9月に下方へブレイクアウトした直後に、その線を上方に突き破ってしまっている。ここで示されただましシグナルはこの線を2度上回る終値で確認されている。1997年10月と1998年1月に新たなトレンド・ラインの突破が起きている。しかし、10月の小さな突き抜けはトレンド・ラインの下で引けたわけではないので、トレンド・ラインのだましブレイクアウトとしてはその重要性に欠ける。

トレンド・ライン（Ⅰ）が何度となく見直される中でトレンド・ラインのだましブレイクアウトが何度も見られるが、これはチャートではよくあることである。**図11.7**で主要な下降トレンド・ラインの最初の上方への突破は、12月半ばに起きている。価格はすぐさまこの線の下まで戻り、2番目の終値がこの線の下にあることからだましシグナルが出ていると想定されている。12月の高値（RH）を使って再確定されたトレンド・ライン（Ⅱ）を基に、もう1つのだましブレイクアウトが数週間後に起こっている。再び、価格は下降トレン

図11.7　下降トレンド・ラインの複数のだましブレイクアウト（1992年7月限FCOJ）

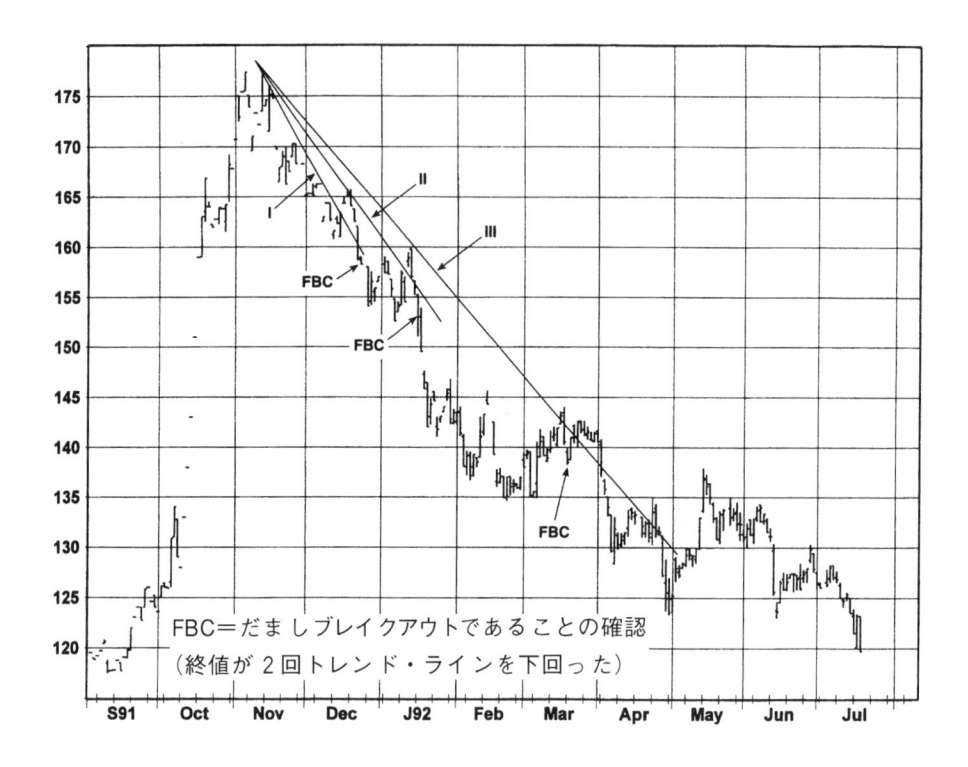

（チャート図：FBC＝だましブレイクアウトであることの確認（終値が2回トレンド・ラインを下回った））

ド・ラインを下回るところまで反落、トレンドのだましブレイクアウト・シグナルをもう1つ発生している。1月の高値（RH）に準じて引かれたトレンド・ライン（トレンド・ラインⅢ）は3月に上方に一瞬突き抜け、3番目のトレンドのだましブレイクアウトを発生している。

窓（ギャップ）を埋める

　第5章で説明した通り、窓は窓の方向にトレンドが続いていく兆候を示すパターンであると考えられている。窓が埋められたとき、そのような展開はその基になっている窓がだましシグナルであったことを示している。窓を埋めることの重要性は、これから示す性質により強調されることになる。

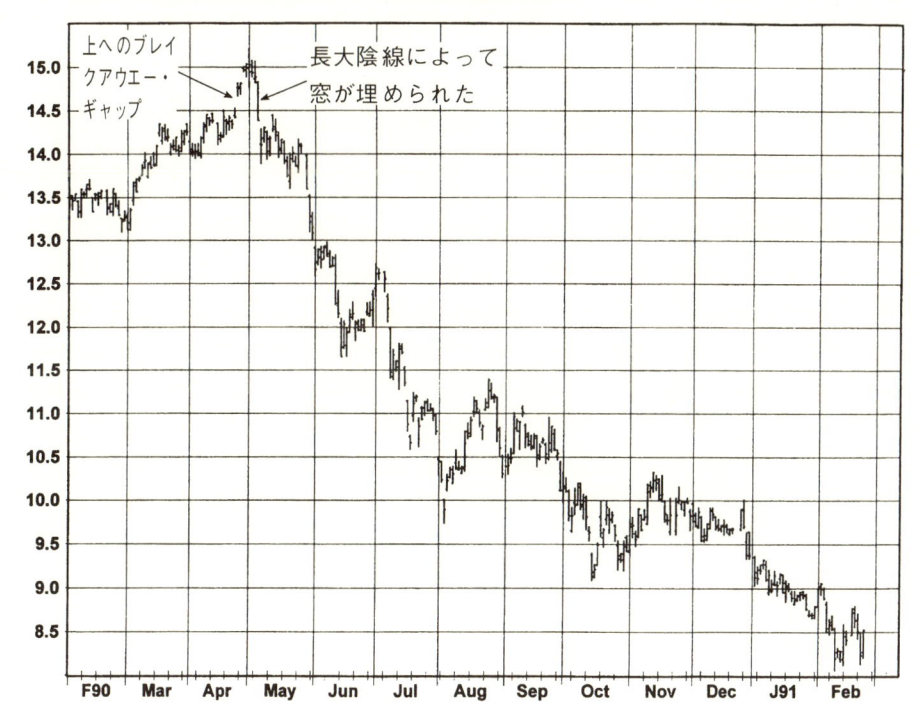

図11.8 埋められた上昇ギャップ（1991年3月限砂糖）

（図中の注記：上へのブレイクアウエー・ギャップ／長大陰線によって窓が埋められた）

埋められた窓が特に大きいこと。
埋められた窓がブレイクアウエー・ギャップであること。
２つかそれ以上の連続した窓が埋められること。

　窓は通常、日中の価格がその窓以前の高値（下落している窓の場合には安値）に届いたとき、埋められたと考えられているが、私はより厳格な定義を好むので、終値が窓の日以前の終値を下回ること（下落している窓では上回ること）を付け加えている。この厳格な定義は、その警告が正しいにもかかわらず若干遅れて発せられるという面があるものの、前の窓が本当にだましであるかどうか確かでないときに、だましシグナルとみなされる回数を減らしている。

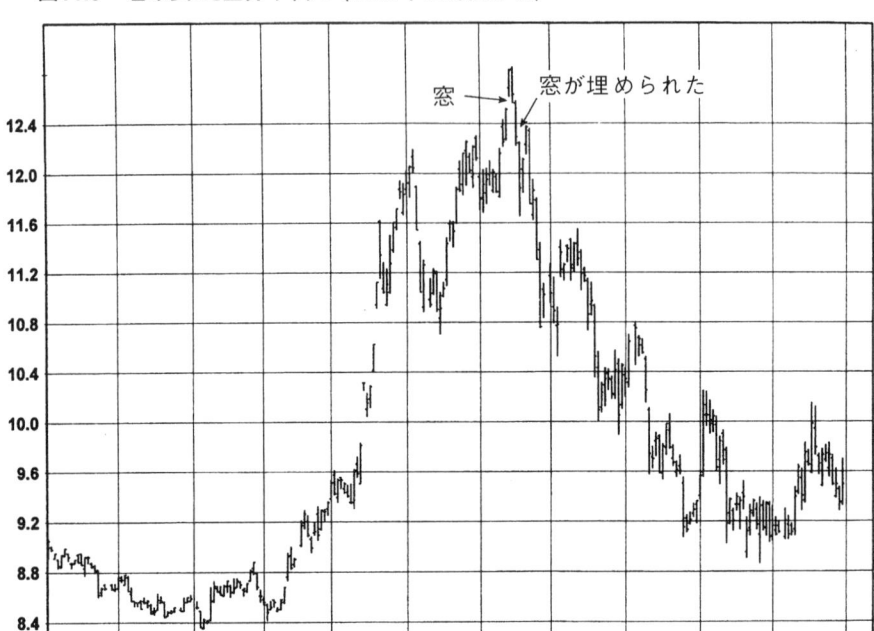

図11.9　埋められた上昇ギャップ（1993年10月限砂糖）

　図11.8では、上方へのブレイクアウエー・ギャップが１週間後に埋められている。面白いことに、窓は長大陰線が埋めていて、それ単独でも下落への反転が起こることを警告している。このパターンは、砂糖の先物で価格の下落が続くことを予測している。**図11.9**では、上方への窓は強気の市場で最高値が付けられる１日前に形成されており、２日後に埋められているが、これは大きなトレンドの反転が起こることをかなり初期の段階で警告している。**図11.10**は、１９９７年８月の巨大な上方への窓を示しているが、それは突然の下方への振幅によって６日後にほぼ埋められている。そして市場は上下に２カ月間保ち合いながら、引き続き１９９７年１０月にその窓は完全に埋められ、そこから価格は下げ続けるのである。

　図11.11と**図11.12**は、だましシグナルとしての下方への窓を埋めた例である。**図11.11**では、新安値に向かって行く下方への大きな窓は２日後に埋められて

図11.10 埋められた上昇ギャップ（アップル・コンピュータ）

上昇ギャップ→

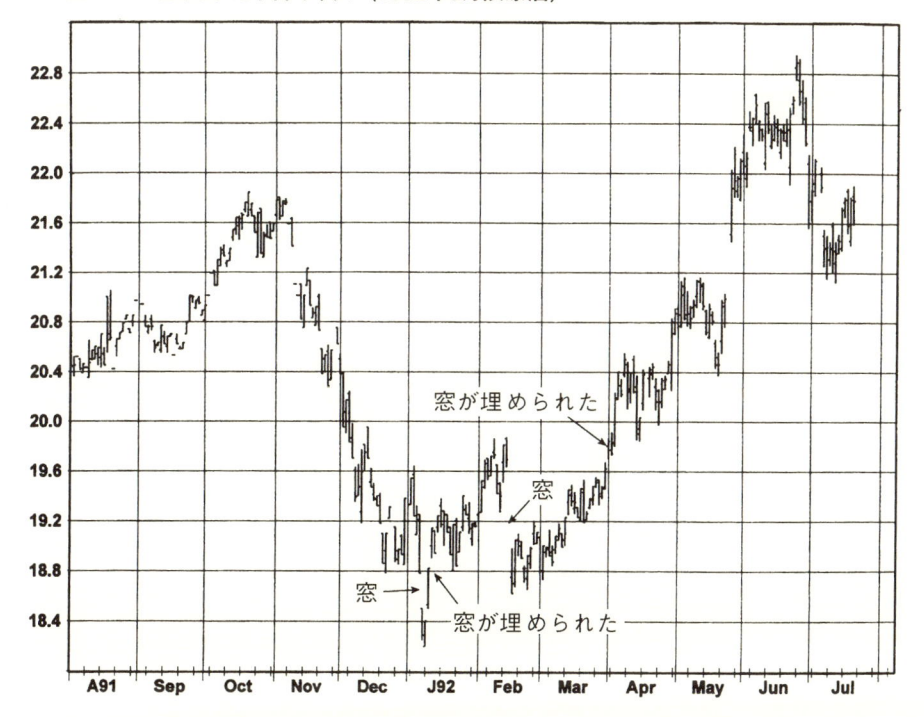

窓が埋められた

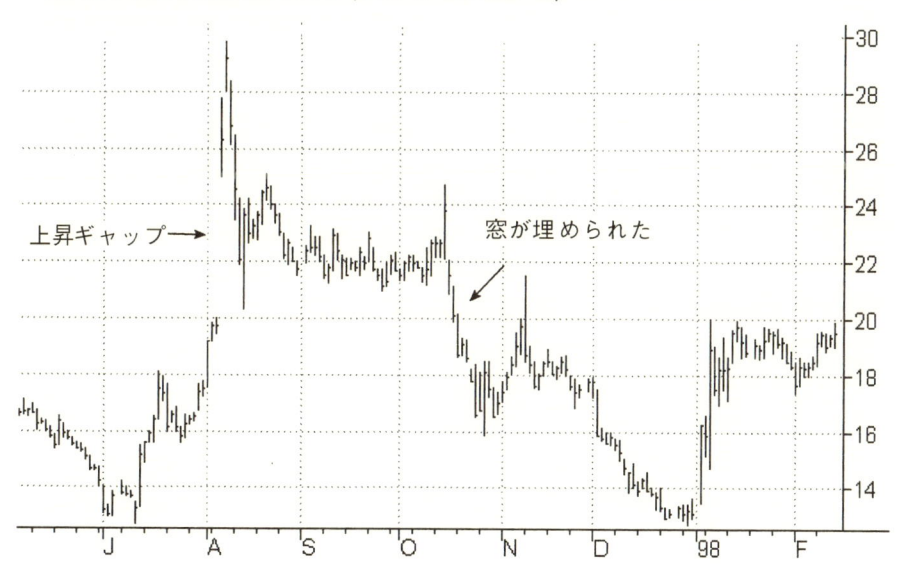

図11.11 埋められた下降ギャップ（1992年8月限原油）

窓が埋められた

窓

窓

窓が埋められた

図11.12 埋められた下降ギャップ（1995年3月限綿花）

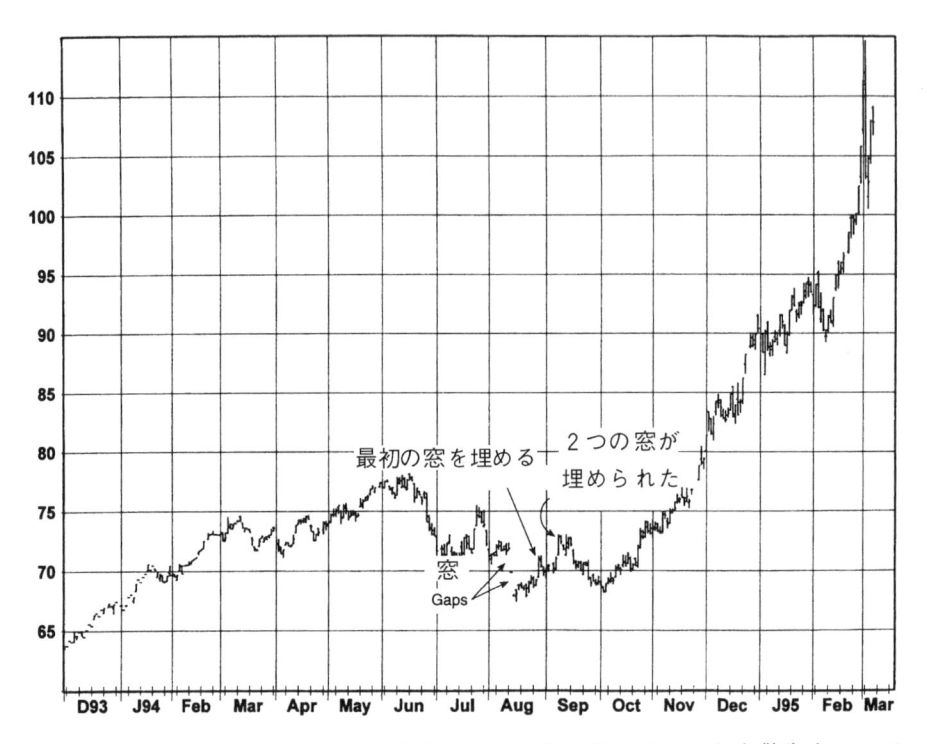

いて（安値を付けた1日後）、大きなトレンド転換となることを警告するシグナルとなっている。下方への窓が埋められるもう1つの例が3カ月後に起こっている。

　図11.12は2つの連続した下方への窓が埋められた例である。この値動きは、底が形成されたことを正確に知らせているが、それに続く上昇が始まる前に価格がまず戻ってしまっていることに注目して欲しい。この教訓は、だましシグナルがたとえ有効であっても、予期されている値動きが実現する前に、価格の修正があることを示している。下方への窓の場合には、だましシグナルは価格が窓を下回るか、または複数の窓がある場合には最も安いものを下回らない限り有効であり続ける。同様に、上方への窓の場合には、だましシグナルは価格が窓を上回るか、または、複数ある場合には最も高いものを上回って終わらない限り有効である。

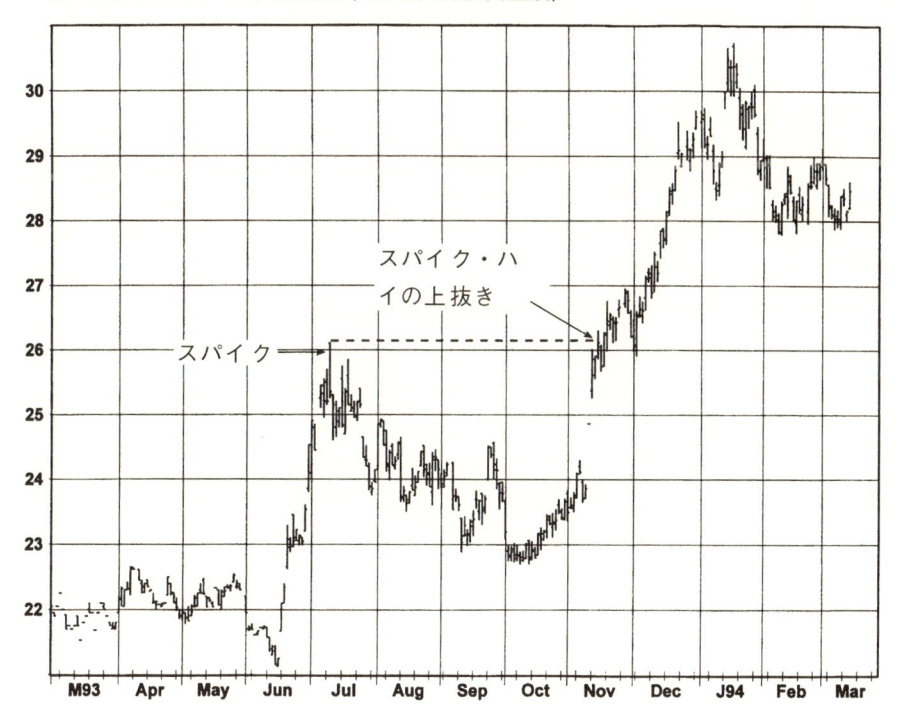

図11.13 スパイク・ハイの上抜き（1994年3月限大豆油）

スパイクの先端への戻り

　第5章で説明したように、価格のスパイクは重要な価格反転のときに現れることがよくある。その結果、以前のスパイクの先端へ価格が戻ることは、そのスパイクがだましシグナルであると考えることができる。スパイクが極端であるほど、その突破も顕著なものとなる。例えば、スパイク・ハイがその前とそれに続く高値を超える度合いが大きいか、スパイク・ローがその前とそれに続く安値を下回る度合いが大きい場合のようにである。このようなだましシグナルが、その基になるスパイクから少なくとも数週間か、好ましくは数カ月経過した後、発生した場合には、その重要性は強くなる。

　図11.13で、7月のスパイク・ハイから4カ月後に価格はそのスパイクのレベルまで戻り、その後、継続的に価格は上昇した。**図11.14**はスパイクの下方

図11.14 スパイク・ローの下抜き（1992年3月限綿花）

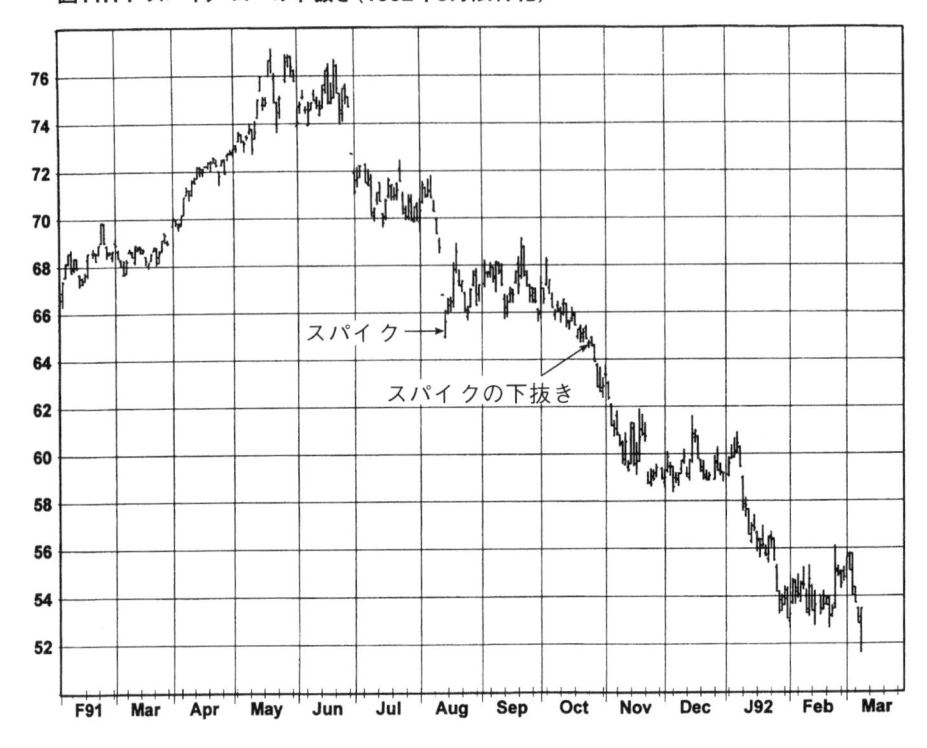

（チャート内ラベル: スパイク→、スパイクの下抜き）

への突き抜けであり、それに続いて急激な価格の下落が起きている。

　図11.15で、７月のスパイク・ハイは１カ月強後に上抜かれ、期待されたさらなる上昇につながった。しかし、数カ月後に発生した１０月のスパイク・ローの下抜けは失敗につながっていて、いわば、だましのだましであることに注目して欲しい。一般に、スパイクの先端と反対側の端を超えての引けはだましシグナルの否定とみなせる。この場合、スパイクを突き抜けてから４日後には、そのスパイク・ローの日の高値より高く市場は引けた。

長大線の先端への戻り

　第５章で説明したように、とりわけ強く、もしくは弱く引ける長大線は、それと同じ方向へ価格が伸びていく傾向が強い。したがって、長大陰線の高値を

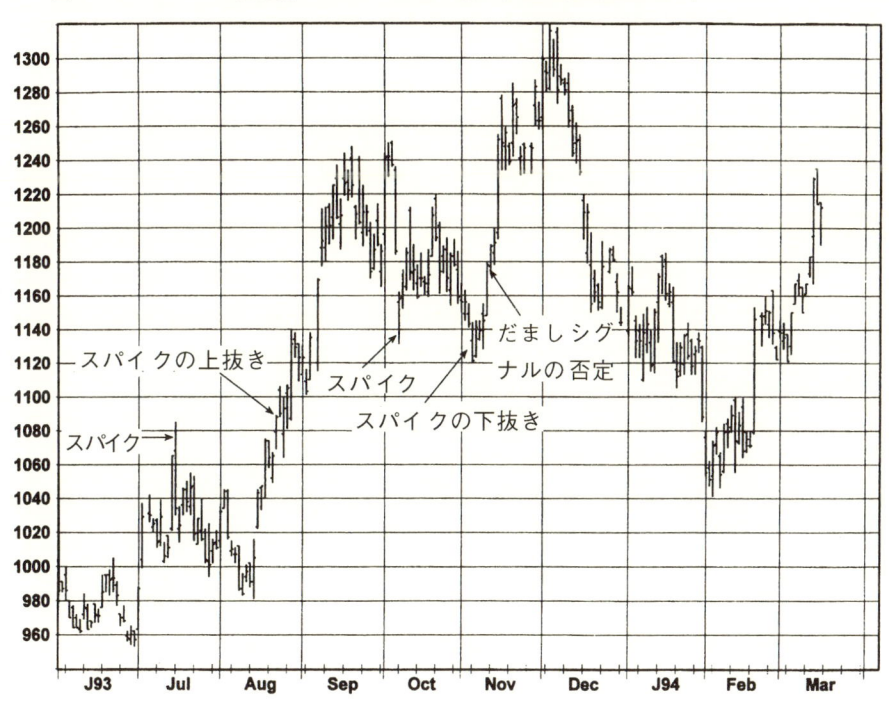

図11.15 スパイクの突き抜けシグナルの取り消し（1994年3月限ココア）

上回って引けた日や長大陽線の安値を下回って引けた日はだましシグナルの発生した日とみなせる。

図11.16で１０月の終わりにできあがった明確な長大陰線の後、短期間の揉み合いが続いた。そして、市場は長大陽線を伴って反転し、約１週間後には最初の１０月の長大陰線の高値を強く超えて引ける別の長大陽線が続くことになる。この最初の長大陰線の反転から、継続して価格が上昇している。**図11.17**では非常に接近した２つの長大陽線が形成されていて、どちらもその直後の期間に上抜かれている。さらに、長大陽線がこれら２つの上抜けの間に出現していることに注文して欲しい。この強気のシグナルの流れはかなり大きな価格上昇の前兆となっている。

図11.18は、以前の長大陽線の安値を下抜けした例である。１月初めの長大陽線を下抜いたのは長大陰線で、この下抜けは差し迫っている急激な価格下落

図11.16 長大陰線の上抜き（デュポン）

長大陰線を超えて引ける

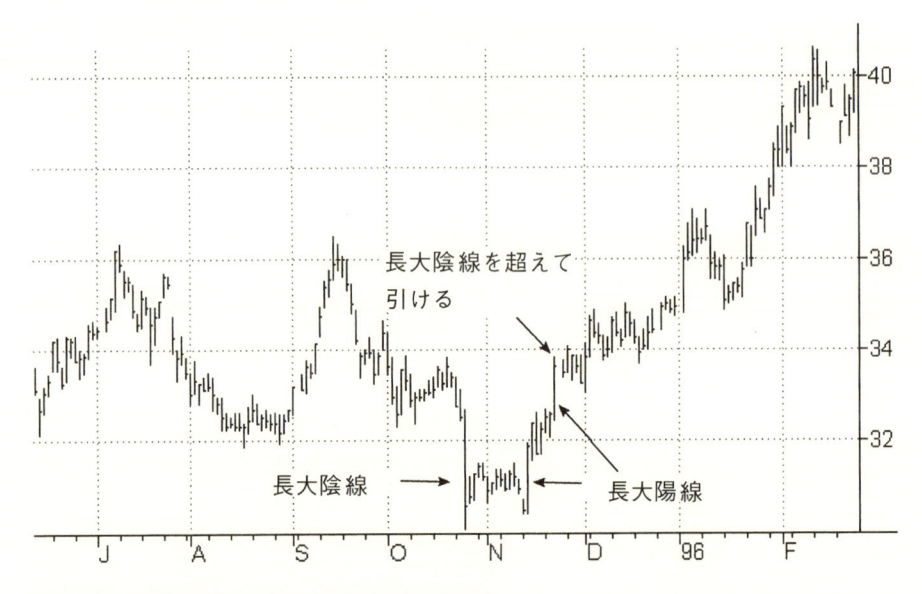

長大陰線　長大陽線

図11.17 長大陰線の上抜き（1995年3月限砂糖）

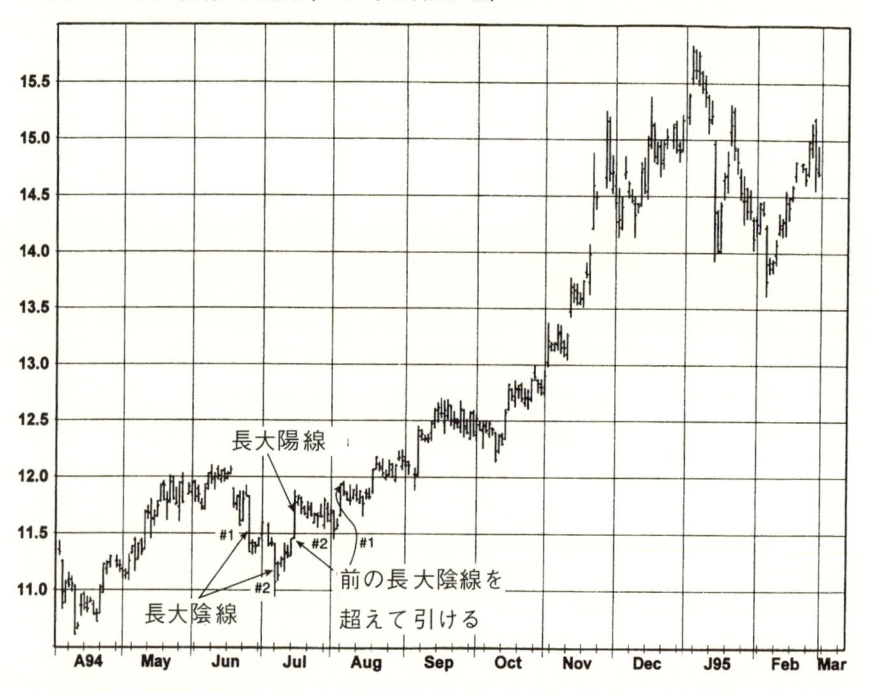

長大陽線

長大陰線

前の長大陰線を超えて引ける

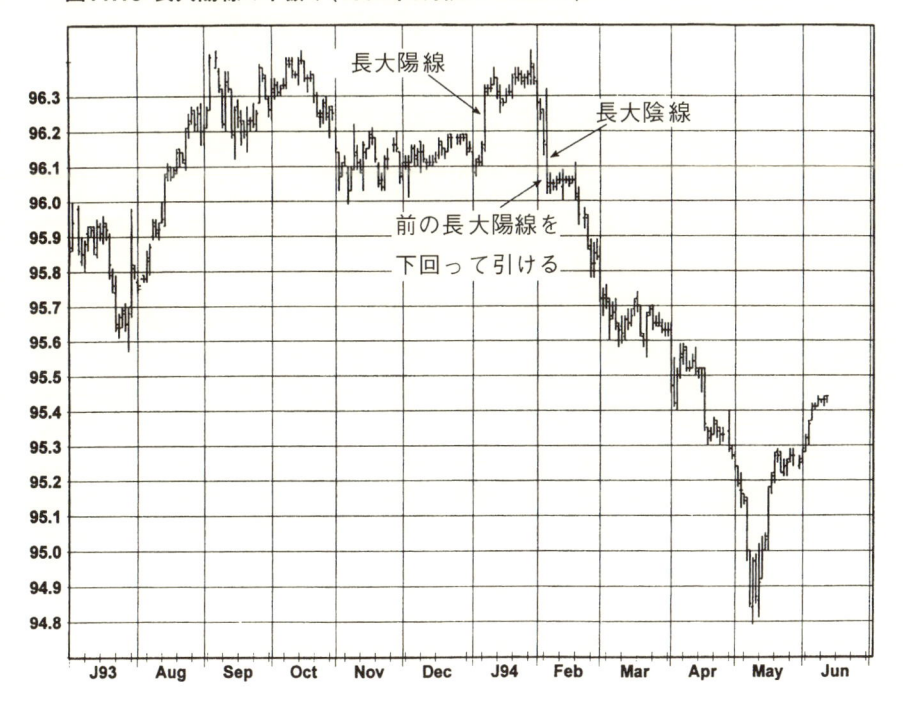

図11.18 長大陽線の下抜け（1994年6月限ユーロ・ドル）

長大陽線
長大陰線
前の長大陽線を
下回って引ける

への初期段階での警告となっている。

期待とは反対側に抜けるブレイクアウトを伴うフラッグ／ペナント

　第５章で説明したように、フラッグ／ペナントの揉み合いの後には、それらが形成される前のトレンドと同じ方向に価格は動くのである。したがって、フラッグ／ペナントの形成に続いて以前のトレンドとは反対方向にブレイクアウトが起これば、そのパターンはだましシグナルであると認定できる。
　図11.19では、第５章でチャート分析のガイドラインとして示したように、図中の下降トレンドの中途で形成されたフラッグやペナントの後に、下げトレンドが続いている。１つの例外は３月の新安値を下放れたブレイクアウトに続いて形成されたフラッグである。この例では、このフラッグの後には上方への

図11.19 フラッグ・パターンの予想とは反対のブレイクアウト（1992年7月限綿花）

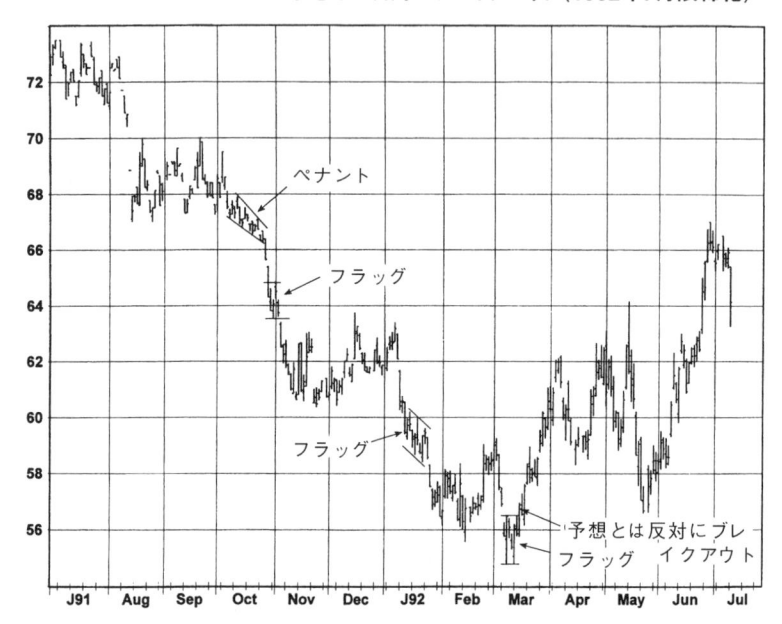

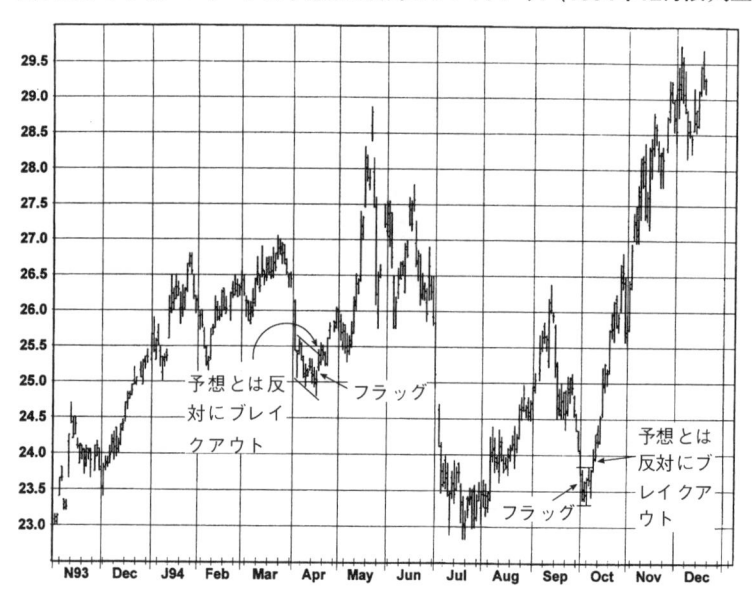

図11.20 フラッグ・パターンの予想とは反対のブレイクアウト（1994年12月限大豆油）

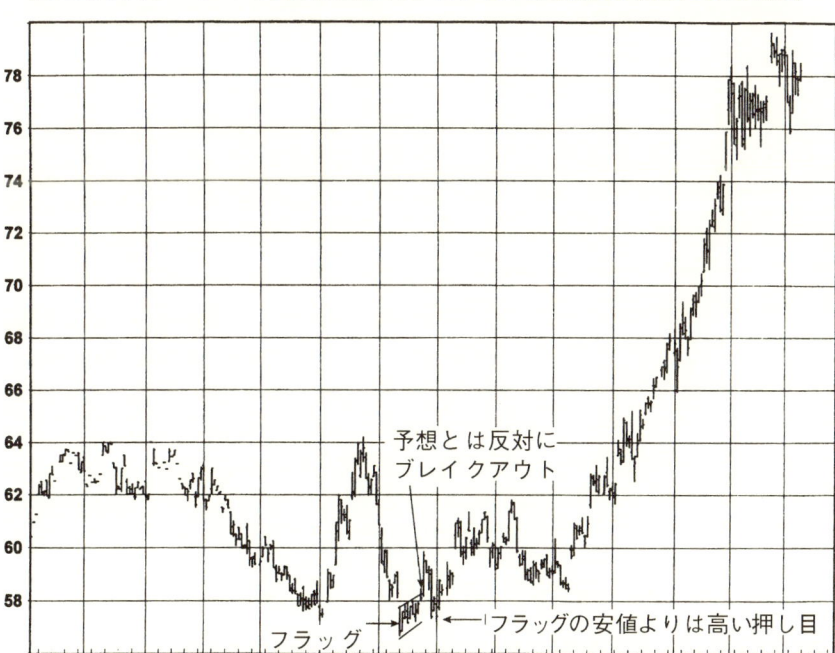

図11.21 フラッグ・パターンの予想とは反対のブレイクアウトに続く引き戻し（1994年3月限綿花）

（チャート内ラベル：予想とは反対にブレイクアウト／フラッグ／フラッグの安値よりは高い押し目）

ブレイクアウトが続いている。この期待とは反対のブレイクアウトは大きな立ち直りを引き起こしている。**図11.20**では、期待とは逆の値動きによって上抜かれたフラッグによって、４月と１０月の両方に安値が形成されていることに注目してほしい。

図11.21は、期待とは反対方向にフラッグをブレイクアウトしたことにより、大底が形成されたものである。しかし、この例では急上昇が続く前に押し目も入っている。ここでの教訓は、期待とは逆方向のブレイクアウトがだましシグナルの確認となる場合には、必ずしもその直後に続騰（続落）するとは限らないということである。どのくらいの逆行までだましシグナルが有効であると考えるのか？

１つの合理的な考え方はだましシグナルは、それと関連したフラッグ／ペナントの反対側を超えて引けない限り有効であるとするものである。ここで取り

図11.22 フラッグ・パターンの予想とは反対のブレイクアウト（1992年3月限ココア）

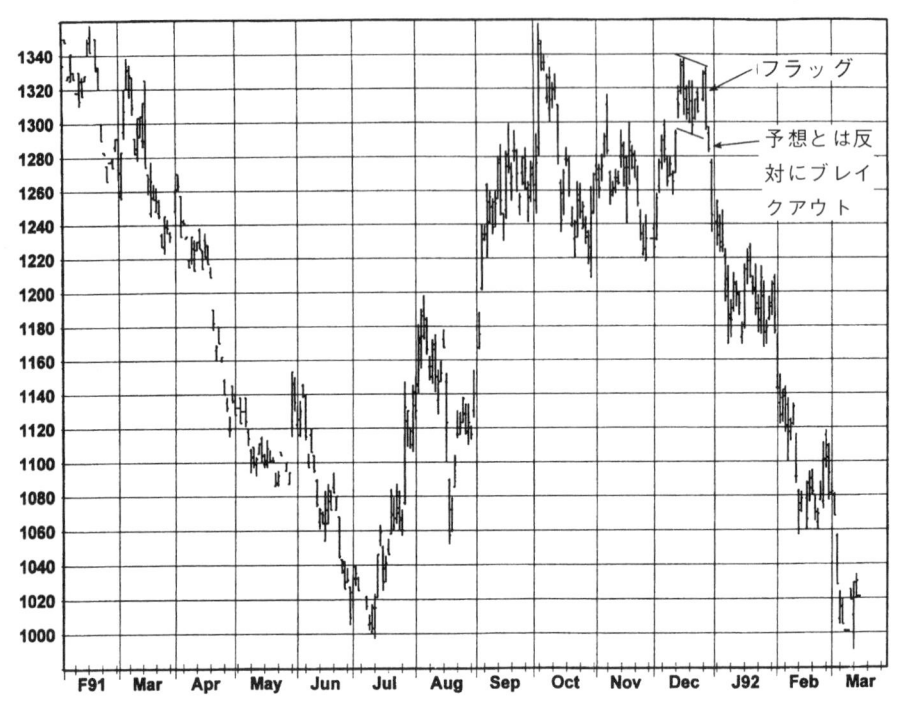

上げた押しはそのポイントの手前で止まっている。

　図11.22と**図11.23**は、価格上昇の後に形成されたフラッグ／ペナントを下放れた例である。これら各場合において、一代の高値の近辺にフラッグ／ペナントが形成され、通常かなりの強気相場を示している。新高値を付けず、それらのフラッグ／ペナントはそれぞれ急激な下放れたブレイクアウトを形成する。この両方の例で、期待とは反対方向に放れたブレイクアウトで示されただましシグナルは、大きなトレンドの反転をタイミングよく表している。しかし、**図11.22**では、価格は急激で継続的な下降トレンドとなっているが、**図11.23**では、価格は沈む前に一度戻っていることに注目して欲しい。この引き戻しはペナントを超えてはいない。そのため、上で示したルールによれば、だましシグナルはまだ有効であると考えられる。

図11.23 ペナントの予想とは反対のブレイクアウト（1993年3月限綿花）

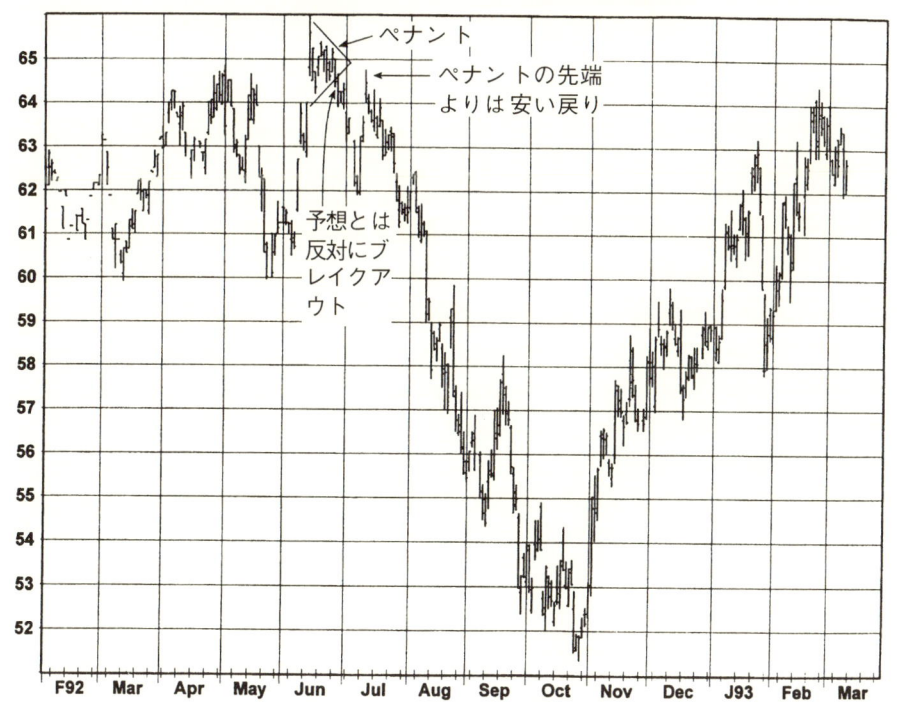

チャート内ラベル：
- ペナント
- ペナントの先端よりは安い戻り
- 予想とは反対にブレイクアウト

フラッグ／ペナントの通常のブレイクアウトの後に起こる期待とは反対方向に放れるブレイクアウト

　フラッグとペナントは予期された方向にブレイクアウトし、その後、価格は反転し、フラッグ／ペナントの反対側を抜けて引けることもある。この値動きの集合体は、だましシグナルの例である。予期されたフラッグ／ペナントのブレイクアウトがその後、価格が実際に行くべき方向とは逆の方向に反転してしまうからである。だましシグナルを確認するためにはフラッグ／ペナントをその日のうちに突き抜けるというのではなくて、価格がフラッグ／ペナントの反対の端を超えて引けることが必要とされる。このより厳密になった条件により、このような結論が正しかったときには若干遅れてだましシグナルを確認することになるかもしれないが、だましシグナルを間違って判断する回数は減らすこ

図11.24 フラッグの通常のブレイクアウトに続く反対方向へのブレイクアウト（デュポン）

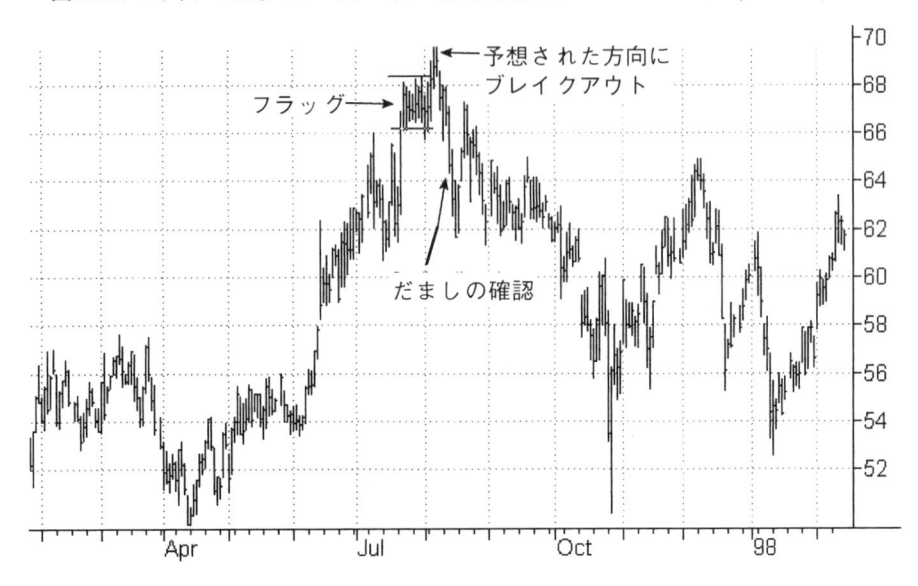

とができるであろう。

　図11.24で、4カ月間の上昇相場の後、ほぼ天井にできたフラッグの揉み合いは予期通りに上に放れたブレイクアウトを伴った。ところがさらなる上昇は起こらずに、価格は3日間だけ高くなり、そのうちの2日間だけがフラッグの上限を超え、その次の4日間で価格はフラッグの揉み合いの低い方の端を下回ったのである。この値動きは、最初のフラッグのパターンを上抜いたブレイクアウトがだましシグナルであることを示している。

　図11.25は連続した価格下落の後に起こったフラッグのだましとなる下抜きを示している。この下に放れたブレイクアウトに続いてその後もわずかに下落するが、価格はすぐにペナントの天井を超えるまでに反発し、だましシグナルであることを確認、さらなる価格上昇を予告するのである。**図11.26**は、別の例で、最初の下へ放れたブレイクアウトが安値（RL）を確認した後、価格はフラッグの天井まで反発し、その後、大きな価格上昇につながっている。このチャートは、ちょうど相場の天井で発生したフラッグを予期された方向とは反対に放れるブレイクアウトによるだましシグナルの例も含んでいることに注目

図11.25 ペナントの通常のブレイクアウトに続く反対方向へのブレイクアウト(1992年12月限コーヒー)

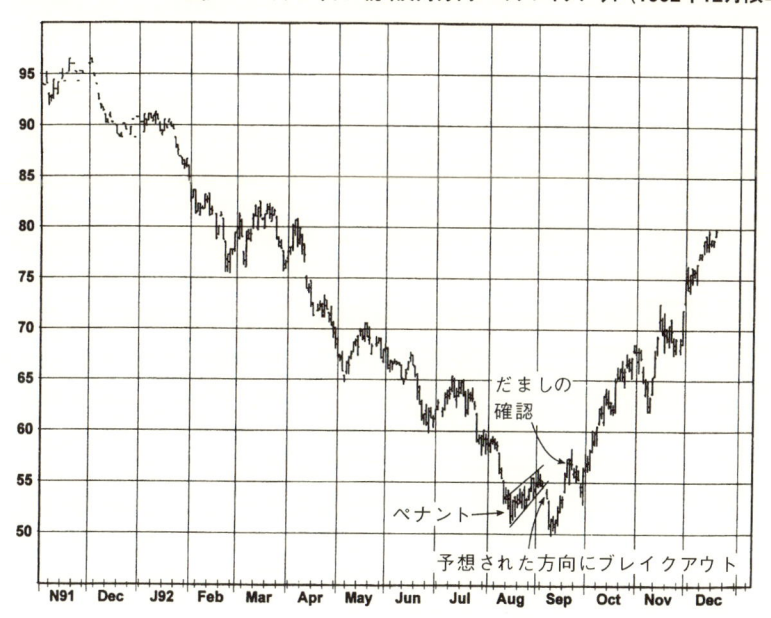

図11.26 フラッグの通常のブレイクアウトに続く反対方向へのブレイクアウト(1992年4月限灯油)

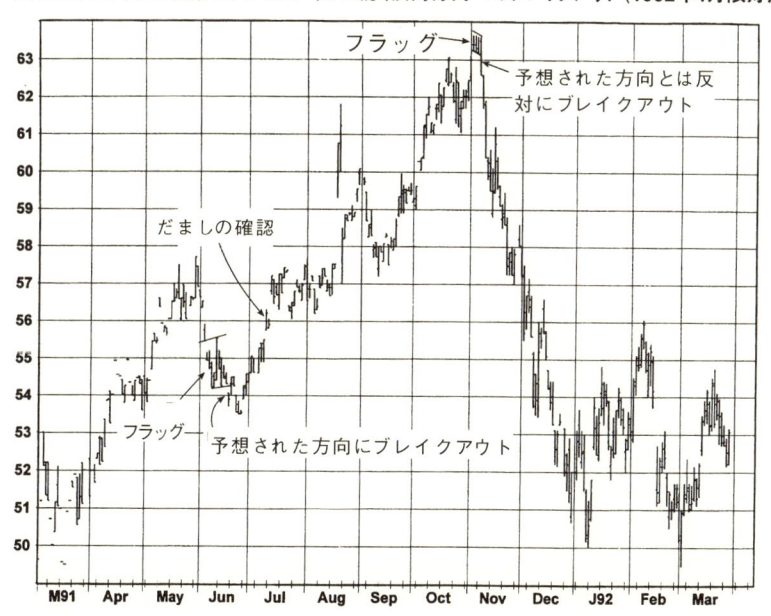

図11.27 ダブル天井の上抜き（1994年5月限コーヒー）

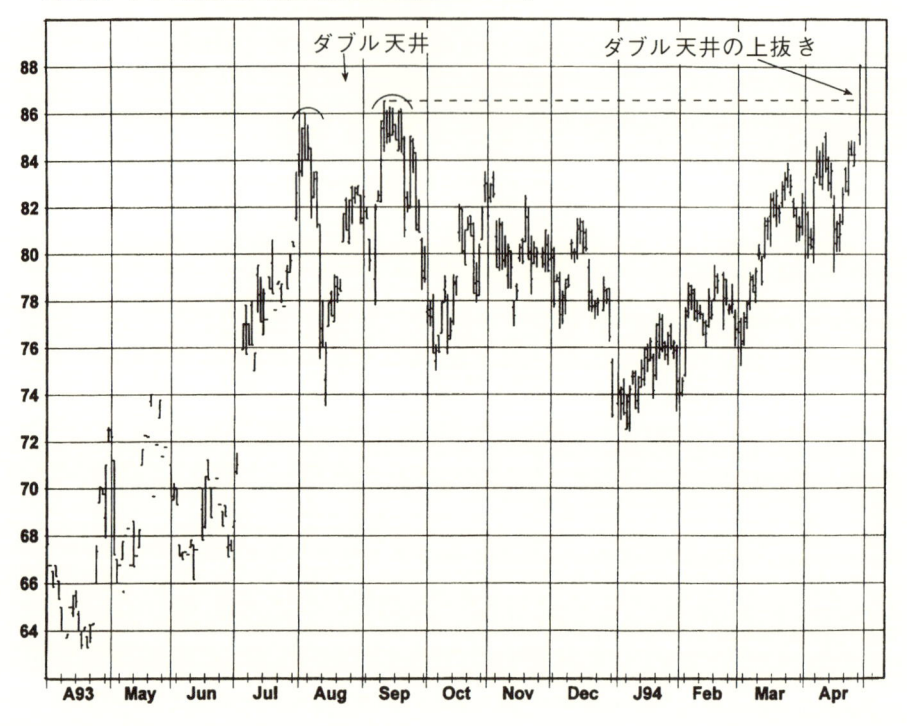

して欲しい。

天井と底の形からの突き抜け

　主要な天井と底に関するパターンを突き抜けることは、だましシグナルのもう1つの重要なタイプである。そのような場合、価格は形が意味する支持線と抵抗線を無視して動く。**図11.27**は、１９９４年５月限のコーヒーが１９９３年にダブル天井を形成し、その７カ月後にこの天井を上抜いたことを示している。**図11.28**は、１９９４年７月限がこの上に放れたブレイクアウトの後に大きな価格上昇を続けたことを示している。このチャートにおいて、１９９３年７月～９月のダブル天井は狭いレンジで起きた価格のふらつき以外の何ものでもないように見えるが、**図11.27**では、その形成が明らかにダブル天井

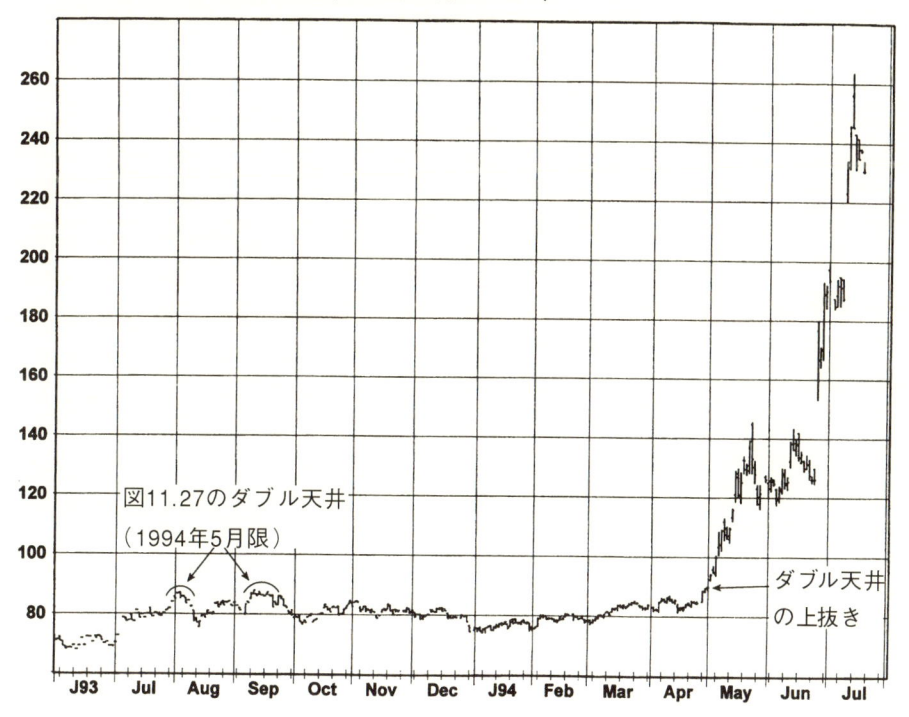

図11.28 ダブル天井の上抜き(1994年7月限コーヒー)

であると分かる。それに続いた１９９４年５月と７月の塔のような価格上昇は、このチャートの初期の値動きを比較的狭いトレーディング・レンジでの一部であるかのようにしてしまっている。

　ダブル天井とダブル底のパターンを突き抜けることは良いシグナルとなるが、比較的数が少ない。ヘッド・アンド・ショルダーに関するだましシグナルはより一般的であり、時としてかなり信頼できるトレーディングの指標となる。ヘッド・アンド・ショルダーのだましを確認するための条件の選択には意見の違いが見られるが、私は最も近くにあるショルダーを超える価格の戻しを基準にしている。例えば**図11.29**で、１９９５年１１月のショルダーを超えた価格の立ち直りはヘッド・アンド・ショルダー天井のパターンがだましであることを示している。

　図11.30は、だましのヘッド・アンド・ショルダー底のパターンの例である。

図11.29 ヘッド・アンド・ショルダー天井パターンの間違い（IBM）

ヘッド・アンド・ショルダー天井の場合と同様な方法で、最も近くにあるショルダーの下抜きがだましシグナルの確認条件として使われている。最終的に急激な下落に至る前に、価格がまずシグナルを確認した後に持ち直していることに注目して欲しい。この例が示唆しているように、ヘッド・アンド・ショルダーのパターンがだましであることを確認して、ポジションを取る前に、トレーダーは価格が戻るのを待つことで有利に建玉できることがしばしばあるかもしれない。このような戦略で失うものは、価格の戻りがないときや非常に少ないときに大きな利益を上げる機会を逃してしまうことである。

湾曲型（ラウンド・パターン）の破壊

　第５章で説明したように、湾曲型は時として信頼のおける売買のシグナルを提供してくれる。この意味において、湾曲した価格のパターンが破壊されることはこのパターンがだましシグナルになっていると考えられている。例えば、**図11.31**で明らかな円形天井（ラウンド・トップ）のパターンの湾曲が崩されることは強気のシグナルとなっている。

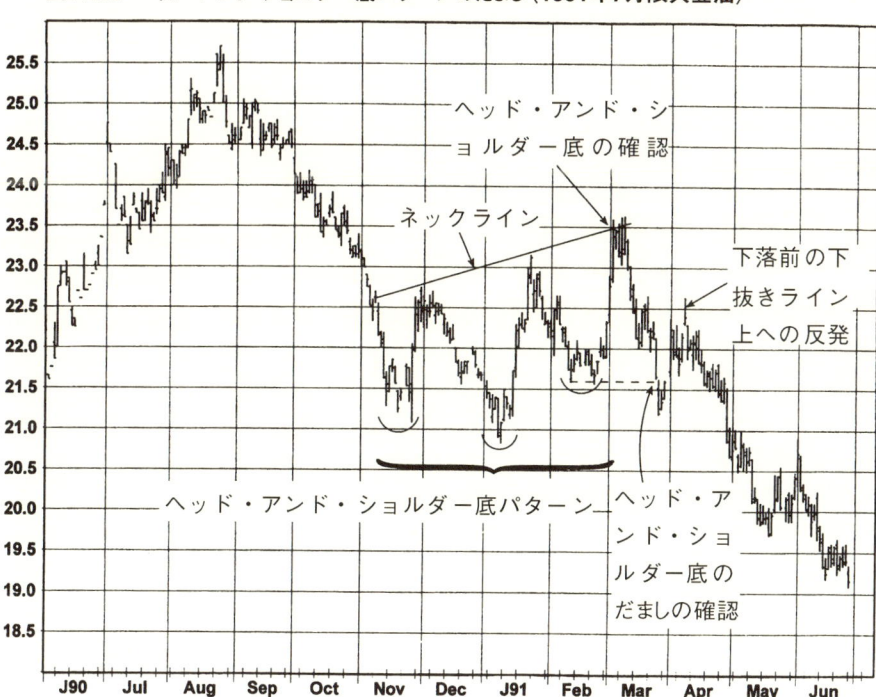

図11.30 ヘッド・アンド・ショルダー底パターンのだまし（1991年7月限大豆油）

だましシグナルの将来における信頼性

　指標（インディケーター）の効果はその人気に反比例する。例えば、テクニカル分析が今よりも少数の熟練者に使われていた１９８０年代以前では、チャートのブレイクアウト（以前のトレーディング・レンジの上抜き、下抜き）は売買指標として比較的良好に機能する傾向があり、だましシグナルを多く発生することなく、素晴らしいシグナルを数多く提供していた。私見であるが、テクニカル分析が評判になり、ブレイクアウトが一般的な道具になるにつれ、このパターンの効用は低下してきたようである。事実、ブレイクアウトに続く価格の反転は例外というよりはより頻繁な規則となっている。
　既に述べたように、従来のチャート・パターンよりもだましシグナルの方が信頼できるものになっていると私は思っている。しかし、だましシグナルの概

図11.31 湾曲型の破壊（カナダ・ドル連続先物）

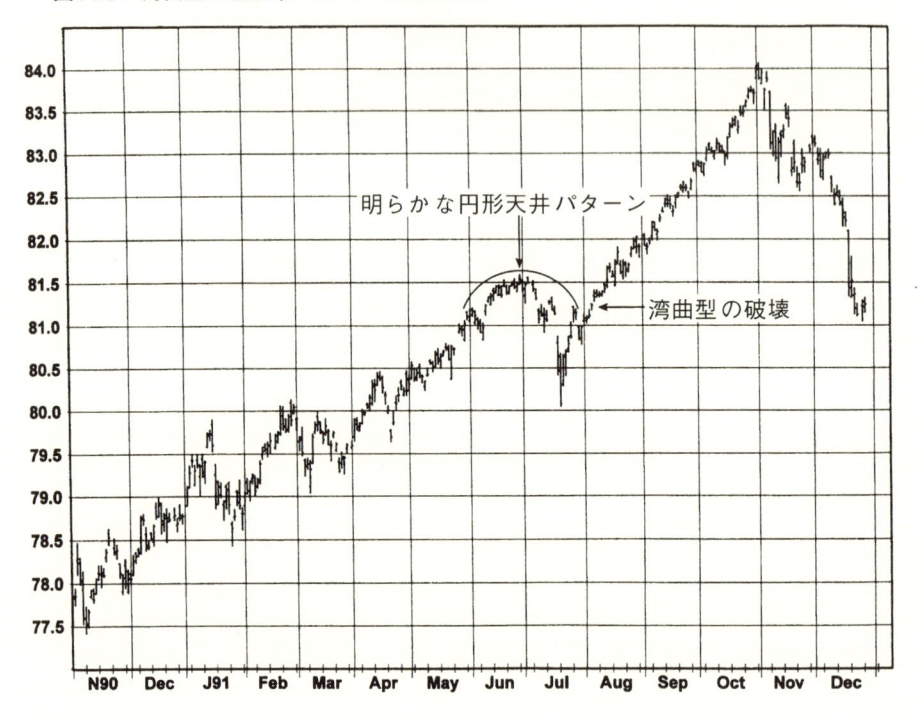

(チャート中の注記: 明らかな円形天井パターン / 湾曲型の破壊)

念は決して新しいものではなく、事実、１９８４年に書いた『コンプリート・ガイド・トゥ・ザ・フューチャー・マーケット』でもこの話題について触れた。この使用法がどこか他で強調されているのを私は知らない。もしこのだましシグナルの使用法が広く知れわたれば、それらの長期的な信頼性は再びなくなるであろう。

　最後に、この章でのだましシグナルの概念は、従来のチャート分析の概念に対応して提示されていることを強調しておきたい。遠い将来に流行するチャート解釈が変化する可能性は十分にある。しかし、だましシグナルの概念は従来の知恵と照らし合わせば、動的に作り上げることができる。言い換えると、将来、テクニカル・シグナルとして新しいチャート・パターンが流行するのであれば（例えば、今日、ブレイクアウトが広く使われるように）、そのだましのパターンは、パターンそれ自身よりも重要であると考えられるようになる。こ

のより一般化した考え方をすれば、だましシグナルの概念は永久に有効である。

結論

初心者のトレーダーは大きな損失になるポジションを維持し、大きな希望を抱きながらだましシグナルを無視するであろう。マネー・マネジメントの重要性を学び経験を積んだトレーダーは、良くないトレードをしたと思った瞬間に、そのポジションを手仕舞うであろう。

しかし、本当に熟練したトレーダーはもし市場がそのような状況となった場合、損失を覚悟でポジションを途転し、１８０度の転換をさせることができるのである。言い換えると、だましシグナルで利益を上げるには偉大な規律が要求されるが、チャート分析とトレーディングを効果的に融合させるために不可欠な要素はそのような柔軟性なのである。

第12章

実践チャート分析
Real-World Chart Analysis

> 投機家の天敵は投機家自身の中に存在する。希望と恐怖は切り離すことのできない人間の本性である。多くの人々は、相場が逆に動くと、かつて大成功への道先案内人が帝国の創設者にやって来た日のことを思い、自分にもその日がやって来ることを待ち続けてしまう。そして、その希望に耳を傾けなければ、膨大な損失を抱え込まずにすんだのである。
>
> 　今度は相場が思った方向に行ったとき、明日にはその利益がなくなってしまわないかと心配になる。そして、すぐさまそのポジションを閉じてしまうのである。恐怖が本来受け取るべきすべての利益から投機家を引き離してしまうのである。成功するトレーダーはこの2つの本能と戦わなくてはならない。投機家は自然な衝動とは逆のことができなければならない。希望する代わりに恐れ、恐れる代わりに希望を抱かなければならないのである。投機家は、この損失がもっと大きくなることを恐れ、そしてその利益が大きく拡大することも望まなければならない。
>
> 　　　　　　　　　　　　　　　エドウィン・ルフェーブル

　過去を振り返る形でチャートを分析することは簡単である。それは実時間でチャートを分析し、その結果を基に実際のトレーディングの判断をすることは完全に別物である。この章にあるチャートの例は、私がプルデンシャル証券の先物リサーチのディレクターをしていたときに出した推奨トレードの一部である。それぞれのトレードで私は仕掛けることと手仕舞うことの理由を明記して

おり、そして、状況が明らかになった後でトレードから得た教訓も記していた。釣り合いの取れた見方を提供するために、勝ったトレードと負けたトレードの両方を混ぜてある。トレードで何が悪かったかを知ることは、何が正しかったかを知ることよりも時には大事だからである。

この章の使い方

　1．この章は順番通りに読んで欲しい。この章を読む前に第一部を読んでいることが望ましい。

　2．この章を最大限に活用するために実践と同じように読んで欲しい。読者はこの章の次のページからの奇数ページにあるチャートをコピーすることを勧める。

　3．それぞれのトレードでそのポジションを取る理由が記されている。同じ方法でチャートを分析するように心掛けて欲しい。同じパターンに対するテクニカル分析でもそれらのパターンの解釈は違うものになる可能性がある。あるアナリストのダブル天井は別のアナリストのトレーディング・レンジでの揉み合いになるという具合である。つまり、私の結論について、疑いを持つことを勧める。これらの多くのトレードは、損失に終わったということを覚えておいて欲しい。

　4．これから出てくるチャートの解説は、私が最も信頼している分析の道具とチャート・パターンに関するものである。このことは、これらのものが最も重要で正確であることを意味しているわけではなく、私が最も満足できるものの1つに過ぎない。チャート分析とは大変主観的なものである。

　この本ではたくさんの技術を説明したが、それらがここで取り扱われているわけではない。多くの読者はここで取り扱わない分析の道具が補助的なものとして、または、ここで取り上げたもの以上に役に立つと思うかもしれない。私が最も満足できると感じる方法の組み合わせは、それぞれの読者にとって最も満足できる方法とは全く違うものとなるであろう。本当は、チャート分析の各々の実践者が個人的な分析道具の組み合わせを選び、それを独自の分析手法としなければならないのである。

　5．あなたの好きな方法を使って、読者自身の戦略を記述しながら、奇数ペ

ージを分析してみよう。コピーを取れば、自由に好きなだけ印を付けることができる。そして、次のページをめくって、あなたの分析（私の分析）と実際の市場がどのように動いたかを見てみよう。このページはトレードの手仕舞いの理由とトレードに関する意見を載せている。

　この章を受け身に読むのではなく、この章を読むに従って、最大の利益の引き出し方を学んで欲しい。

実際のチャート分析

　奇数ページのチャートについてあなたの分析をしてみよう。ページをめくる前にあなたの戦略を詳しく作り上げて欲しい。

図12.1a 1993年12月限Tボンド

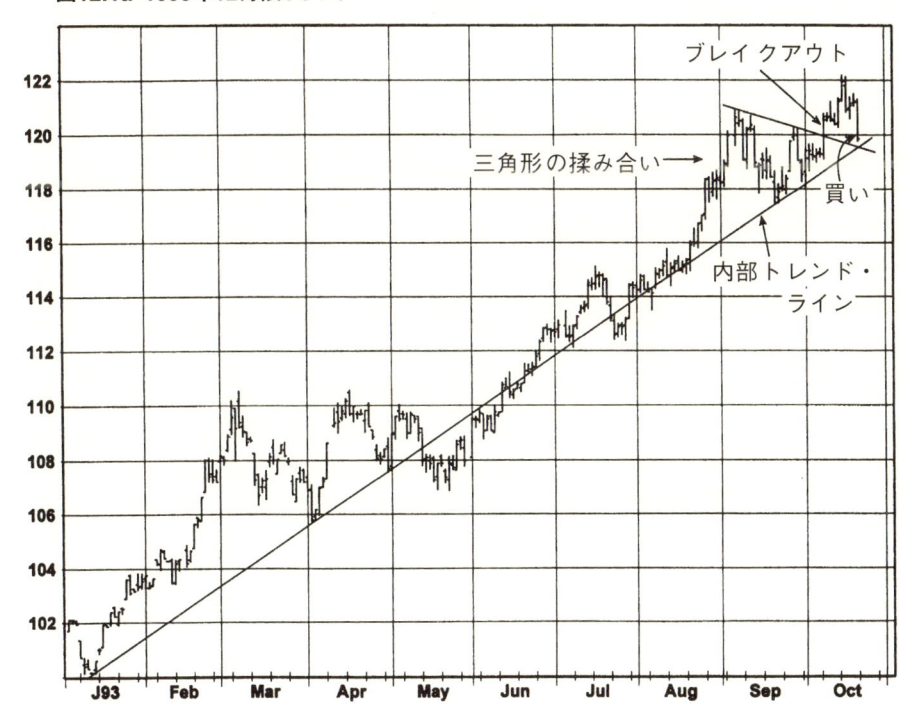

(チャート中の注釈: ブレイクアウト、三角形の揉み合い、買い、内部トレンド・ライン)

トレードを仕掛ける理由

1．三角形の揉み合いを上に抜けるブレイクアウトは強気の相場が継続することを示唆している。

2．価格は延長された内部トレンド・ラインと三角形の先端で示された主要な支持レベルまで押されている。

**この分析に同意しますか、しませんか？
次のページに行く前にこの状況を分析してみよう。**

図12.1b 1993年12月限Tボンド

トレードの手仕舞い

　三角形の下側ラインの大きな下抜けは、最初のトレードのシグナルを無効にしている。

コメント

　トレードの前提になっている仮定が無効になったときは、いつでもそのトレードは手仕舞われるべきである。この例では、価格は三角形の上端の上かその近辺を維持していた。価格が三角形の下端をかなり下回ったので、その前のブレイクアウトの有効性が崩れたようである。マーケットがその基になるトレードの前提を無効にした最初のサインでトレードを中止すれば、損失は比較的少額に抑えられる。**図12.1b**に見られるように、わずかな遅れも大きな損失につながった。

図12.2a 1993年3月限Tボンド

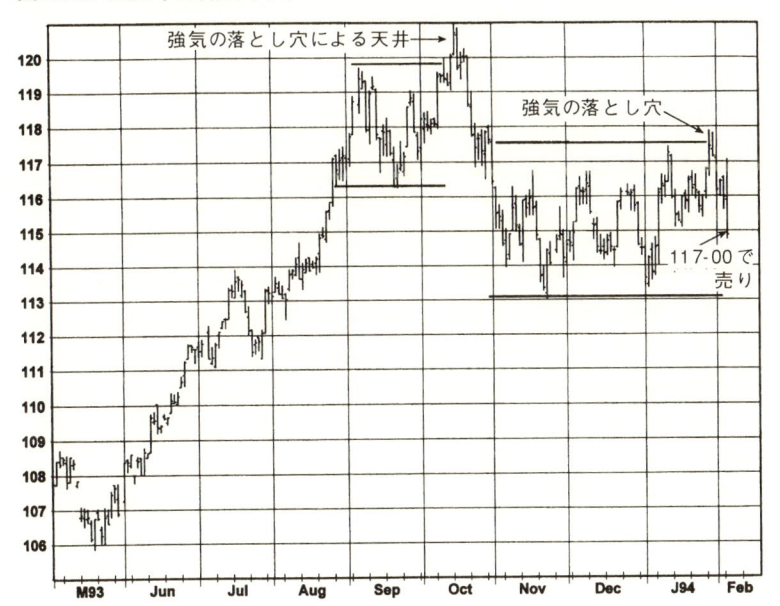

トレードを仕掛ける理由

　１．とても長く継続した上昇の後、新高値の領域で１０月に強気の落とし穴による天井が形成され、大天井を示唆している。チャートの時点では、相場はこのチャートが始まる前から上昇が続いていたが、そこからわずかに戻し、かなり大きな下落の可能性を示唆している。

　２．１月の終わりに起きた１１月〜１月のトレーディング・レンジを上放れたブレイクアウトは、そのトレーディング・レンジに深く沈み込み、もう１つの強気の落とし穴となっている。

　成り行きでなく、１１７−００まで戻ったところを売り推奨していることに注意して欲しい。

この分析に同意しますか、しませんか？
次のページに行く前にこの状況を分析してみよう。

図12.2b 1993年3月限Tボンド

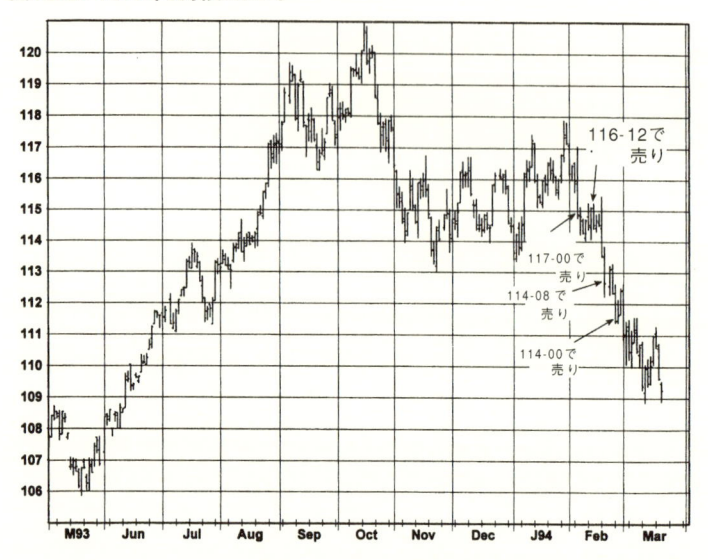

コメント

　このチャートに見られるように、相場は推奨売り値の117－00まで戻ることはなかった。見ての通り、売り値は3回にわたり引き下げられた。それぞれにおいて、市場はその推奨されている売りのレベルに戻ることはなかった。その結果、もともとのトレードの考えは素晴らしかったが、相場が思っている方向に大きく急落したので、トレードの機会を完全に逃してしまった。

　すべてのトレードにおいて、より有利な価格で取引を仕掛けることと、確実にそのポジションを持つことができるかはトレードオフの関係にある。このトレードは成り行きでポジションを作る代わりに、より有利な価格を持とうとすることの落とし穴を強調している。この例のように、大変慎重な態度が大きな収益機会を逃してしまう結果となりかねないのである。このことは常に成行きで注文を出すべきであると示唆しているわけではないが、成行注文の特徴をよく表している。成行注文はトレードの機会を逃さないことを保証してくれる。特に成行注文は、この例で示されているような、長期的に見て大きな利益の可能性があると期待されている場合には好ましい。たとえそうであるとしても、このトレードで犯してしまった過ちは、最初の指値注文ではない。この指値注文はトレーディング・レンジに価格が収まっていたので正当化できたものであった。それよりはむしろ、値動きに戻りがありそうにないことを示唆した（例えば、最初の推奨後にフラッグの保ち合いが形成された）ときに出動方法を変えなかったことである。

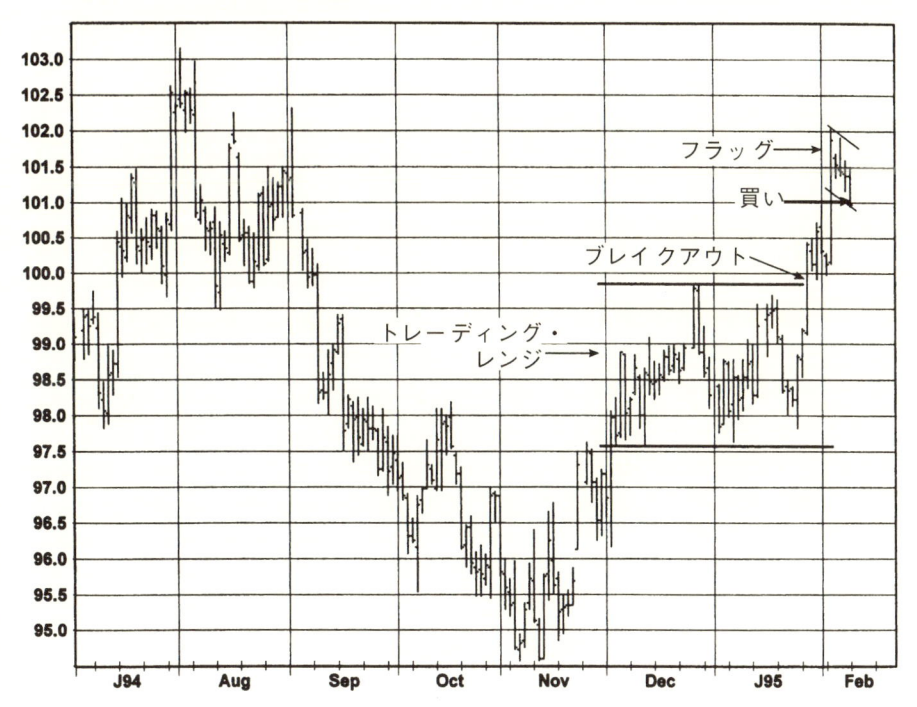

図12.3a　Tボンド修正つなぎ足

トレードを仕掛ける理由
　1．その前のトレーディング・レンジを上放れたブレイクアウトが維持されている。
　2．フラッグの揉み合いがその前のトレーディング・レンジの上にできている。

この分析に同意しますか、しませんか？
次のページに行く前にこの状況を分析してみよう。

図12.3b　Tボンド修正つなぎ足

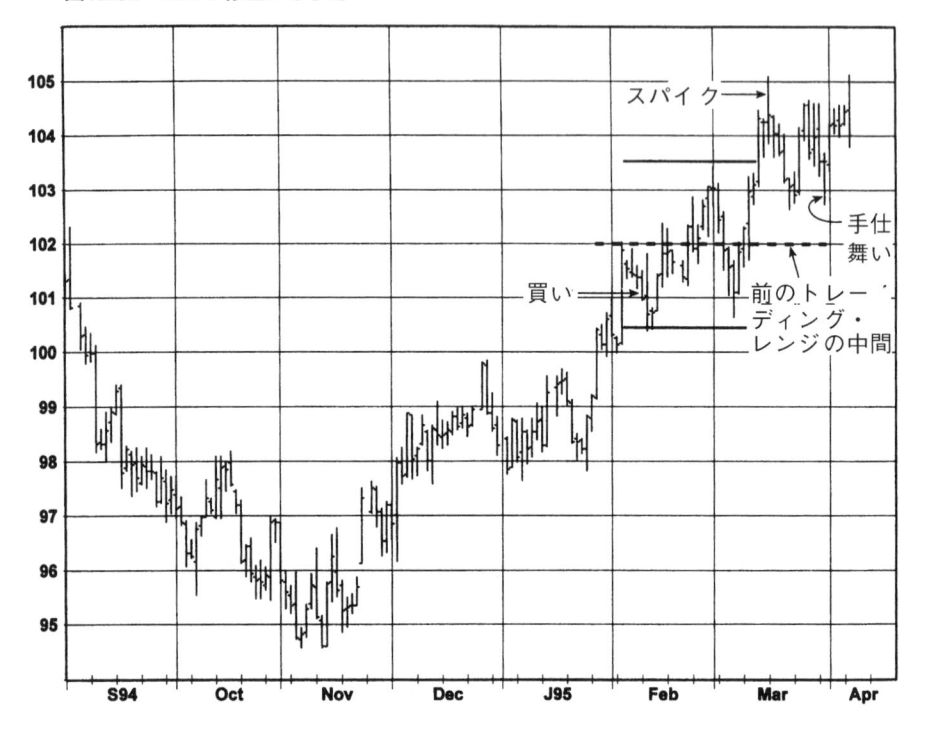

トレードの手仕舞い

　トレードは引き上げた逆指値の仕切り注文によって手仕舞いされた。スパイク・ハイがおおよそ２週間そのまま維持され、天井が形成されたことを示唆しているので、仕切り注文を近くに引き上げた。

コメント

　この手仕舞いは、相場がその後も上昇したのであまりにも早過ぎた。しかし、スパイク・ハイの存在によりきつめの仕切り注文を正当化できるが、仕切り注文が恐らく先行するトレーディング・レンジの中間点であった重要なポイントから引き上げたことは反省すべき点だろう。ここでの教訓は、仕切り注文を意味のある重要なレベルよりも近付けてしまうことは、良いトレードをあまりにも早く仕切ってしまう結果となることがよくあるということである。

図12.4a 1994年12月限英ポンド

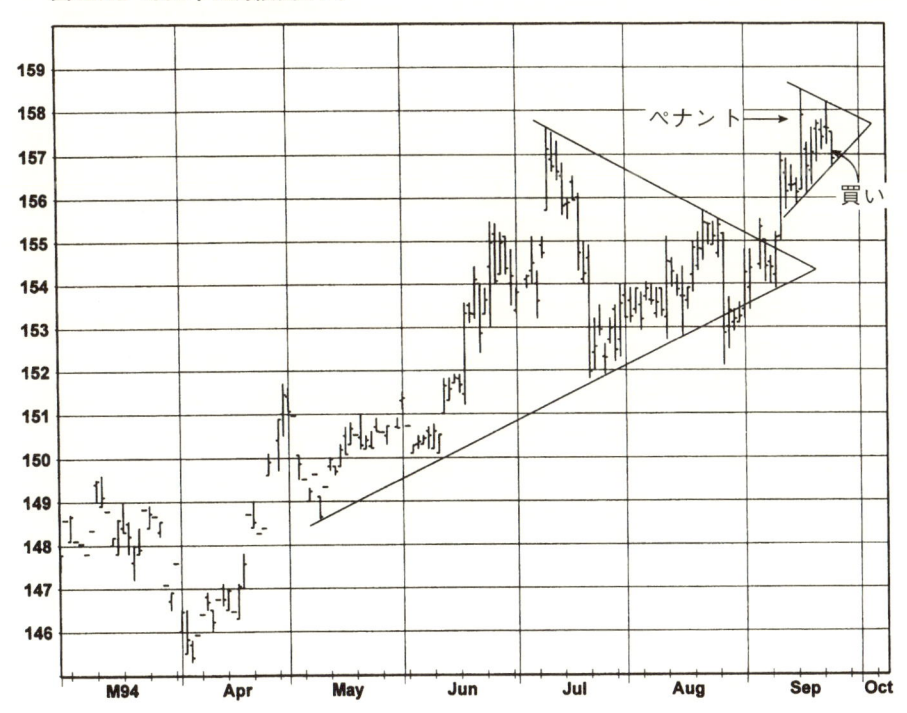

トレードを仕掛ける理由
 1．三角形の揉み合いを上に放れたブレイクアウト。
 2．上昇に続くペナントの揉み合い。

**この分析に同意しますか、しませんか？
次のページに行く前にこの状況を分析してみよう。**

図12.4b 1994年12月限英ポンド

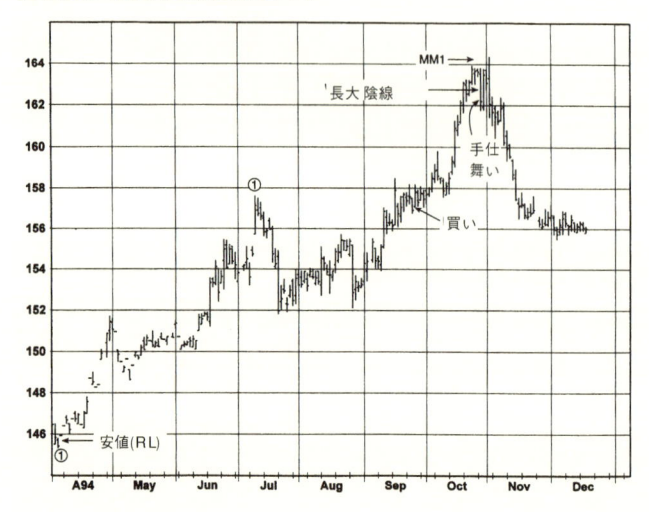

トレードの手仕舞い

　トレードは、主要な値幅測定の目標値（MM1）が大体達成され、長大陰線ができたところで手仕舞われている。

コメント

　このトレードはここに示されている買いのポイントから数週間前に、この形から上に放れるブレイクアウトへの期待から三角形の揉み合い（**図12.4a**参照）中に指値を使って仕掛けることを推奨していた。しかし、この買いのポイントに行き着くことがなく、最終的に成り行きで買い持ちが推奨された。この行動のおかげで、このトレードに残っていた大きな収益の可能性を取り戻すことができた。このトレードによって得られた教訓は、もし相場が指値のレベルに達することなく予期した方向に動き出したら、逃してしまった取引として諦めるのではなく、幾分、遅くて不利な価格であっても仕掛けることは理にかなっているということである。

　このトレードは、最初のだまし（反転）のサインでトレードを仕切るための指標として値幅測定の目標値による手法を使うことが、大きな含み益を吐き出してしまうのを劇的に防ぐ助けになっていることを示している。

図12.5a 1993年12月限独マルク

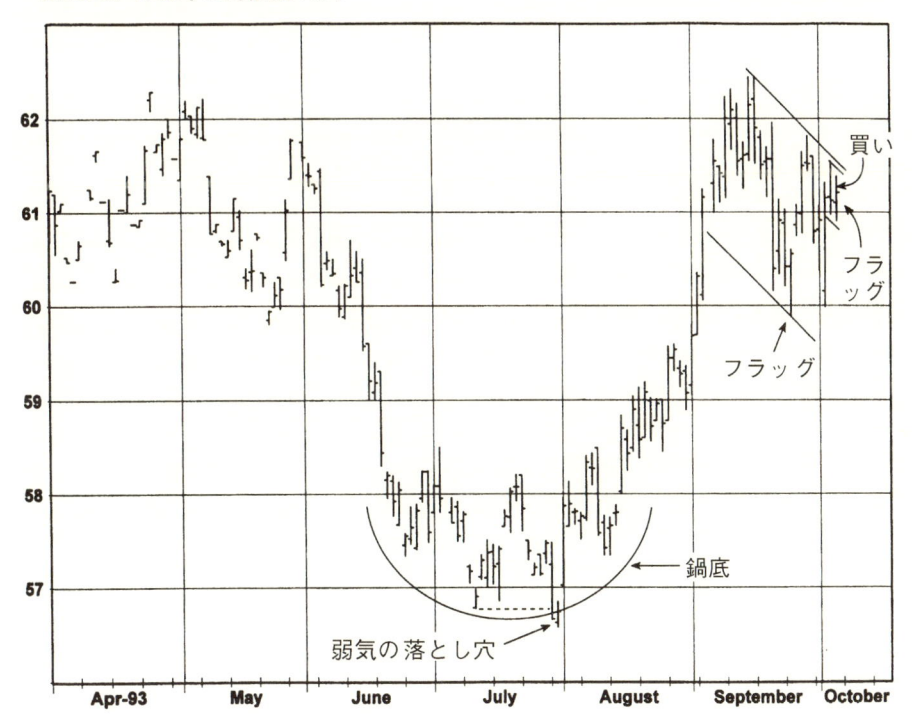

トレードを仕掛ける理由

1．丸みを帯びた価格の動きと弱気の落とし穴は大きな鍋底が形成されたことを示唆している。

2．狭いフラッグと広いフラッグは上方へのブレイクアウトが起こりやすいことを示唆している。

この分析に同意しますか、しませんか？
次のページに行く前にこの状況を分析してみよう。

図12.5b 1993年12月限独マルク

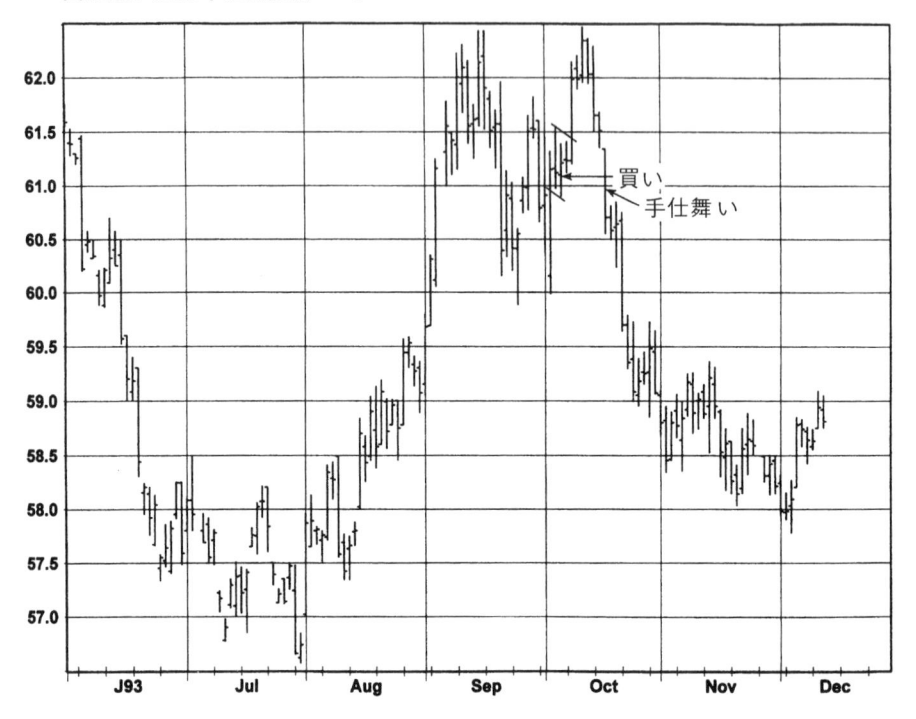

(チャート注記: 買い、手仕舞い)

トレードの手仕舞い

マーケットはまず上放れるが、上昇はほとんど続かず、その前のフラッグ・パターンの真ん中を下回るところまで続けて値を戻している。このことは価格の動きがだましであったことを示唆している。

コメント

テクニカル的なだましの最初のサインでポジションを仕切ることが、このトレードの損失を大変少なく抑えている。

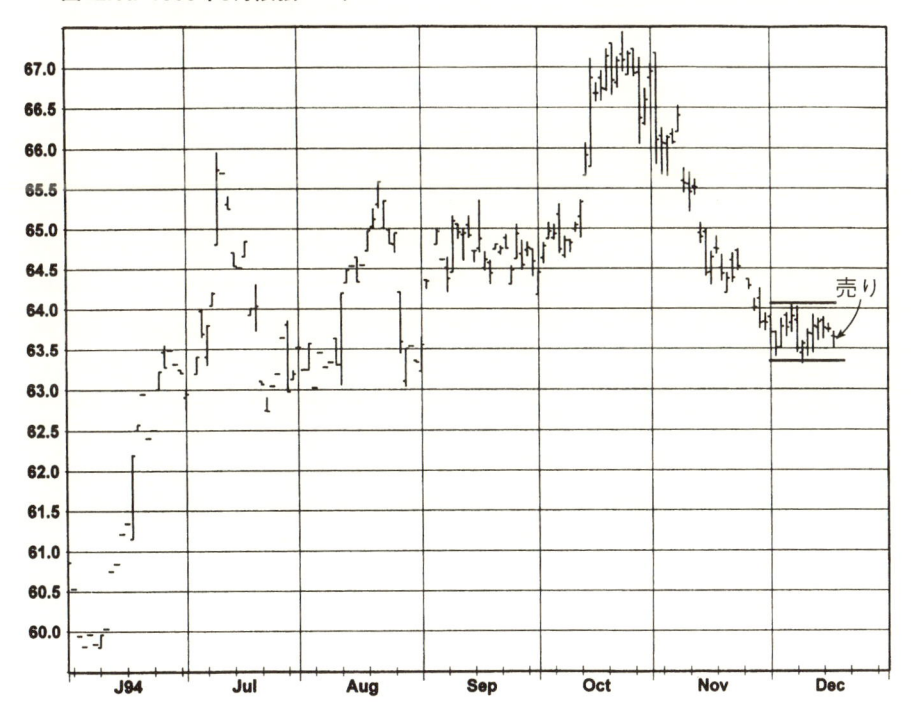

図12.6a 1995年3月限独マルク

トレードを仕掛ける理由

急激な価格の下落に続いての狭い揉み合いは、下落が今後も続くことを示唆している。

この分析に同意しますか、しませんか？
次のページに行く前にこの状況を分析してみよう。

図12.6b 1995年3月限独マルク

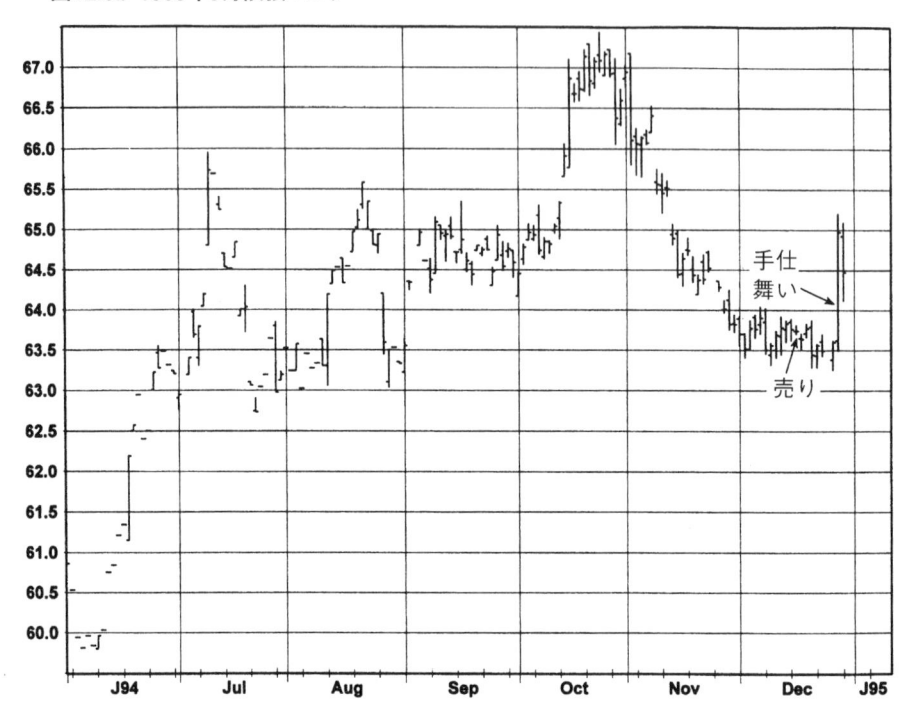

トレードの手仕舞い

揉み合いからの予想に反したブレイクアウトは、トレードの基本的な前提を覆した。

コメント

トレードの前提を覆した最初のサインでポジションを閉じることが、損失を小さく抑えている。

図12.7a 1995年3月限独マルク

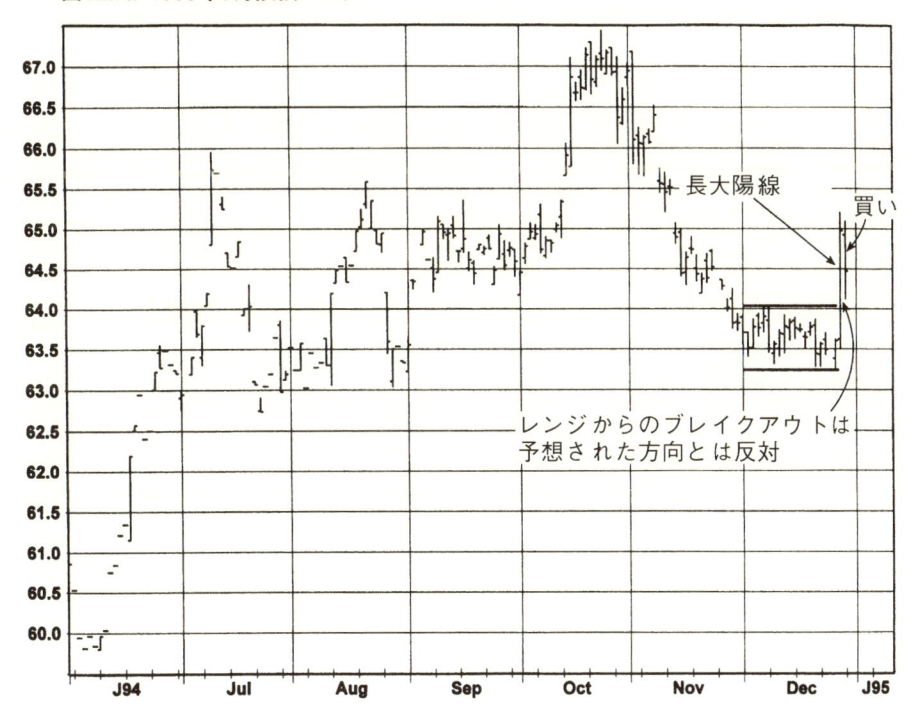

長大陽線
買い
レンジからのブレイクアウトは予想された方向とは反対

トレードを仕掛ける理由

1．期待とは反対側に抜けた狭い揉み合いは、相場が上昇に転じることを示唆している。これはこの前のトレードが手仕舞われたのと同じ理由である（**図12.6b**参照）。

2．安値（ＲＬ）の近くに形成された長大陽線はしばしばトレンド反転の早期のサインとなる。

**この分析に同意しますか、しませんか？
次のページに行く前にこの状況を分析してみよう。**

図12.7b 1995年3月限独マルク

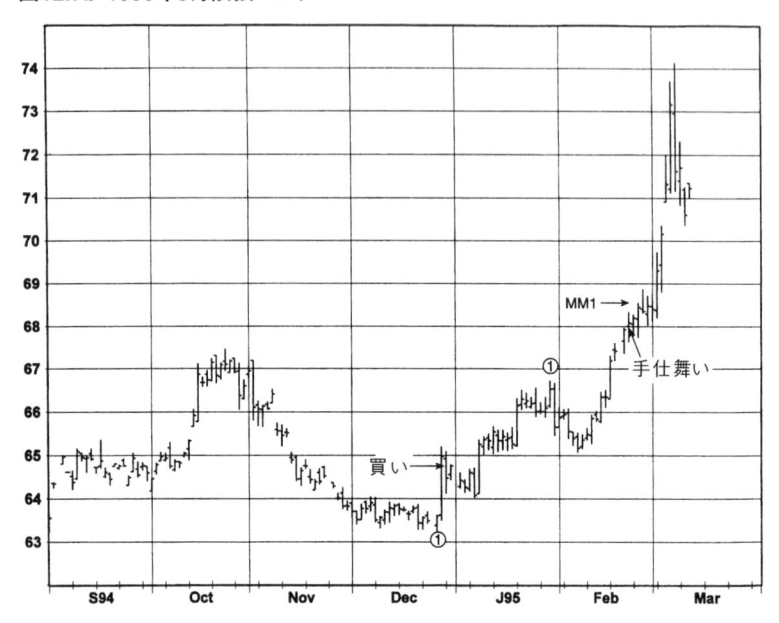

トレードの手仕舞い

　このトレードは、値幅測定の目標値のほぼ達成により、鋭く近くに引き上げられた仕切り注文により手仕舞われた。

コメント

　このトレードは、市場の状況が変化した場合、迅速にトレードを途転する態度が必要なことを物語る典型的な例である。このトレードで買い持ちを実行するほんの2日前まで私は弱気であり、売り持ちの状態であった（**図12.6b**参照）。しかし、売りポジションの買い戻しを示唆するのと同じ要因が新規買いをも支持したのである。残念ながら、過去を振り返る場合を除いて私はそんなに賢くはない。

　この例では、重要な目標値に接近したことにより利益の出ているポジションを閉じたことがそれ以後の大きな価格上昇を犠牲にしてしまった。目標値の近辺で仕切ることは正しい判断であることもある（例えば、**図12.4b**参照）。この場合のようにポジションをそのままにしておくことが、正しいこともある。

図12.8a 1993年10月限金

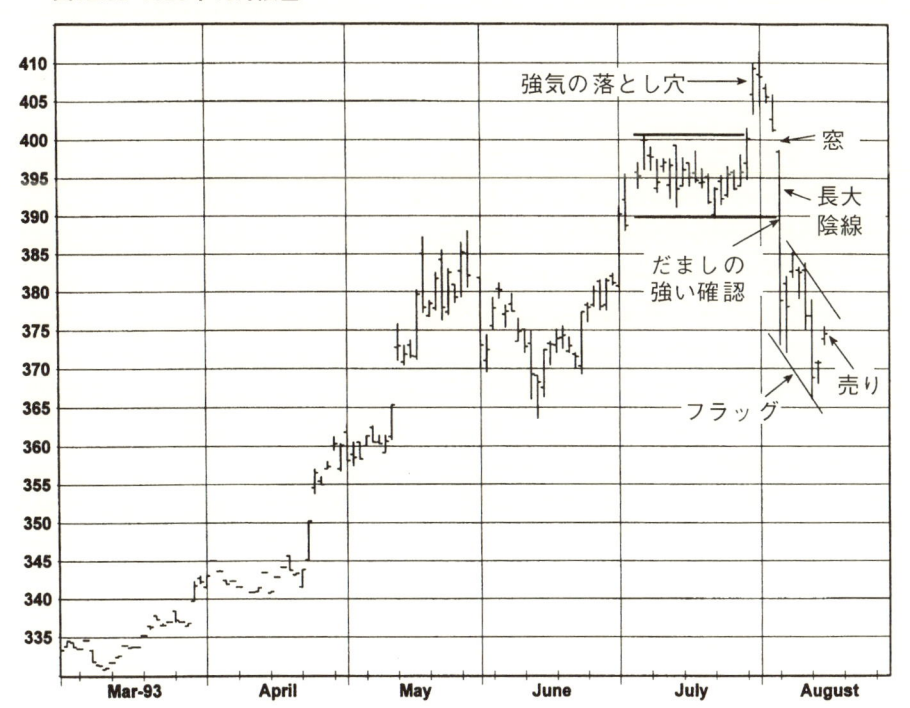

(チャート注記: 強気の落とし穴、窓、長大陰線、だましの強い確認、フラッグ、売り)

トレードを仕掛ける理由

1．強気の落とし穴で天井を確認。
2．下方への窓が埋められていない。
3．長大陰線。
4．価格の下落の後にフラッグの揉み合いがある。

この分析に同意しますか、しませんか？
次のページに行く前にこの状況を分析してみよう。

図12.8b 1993年10月限金

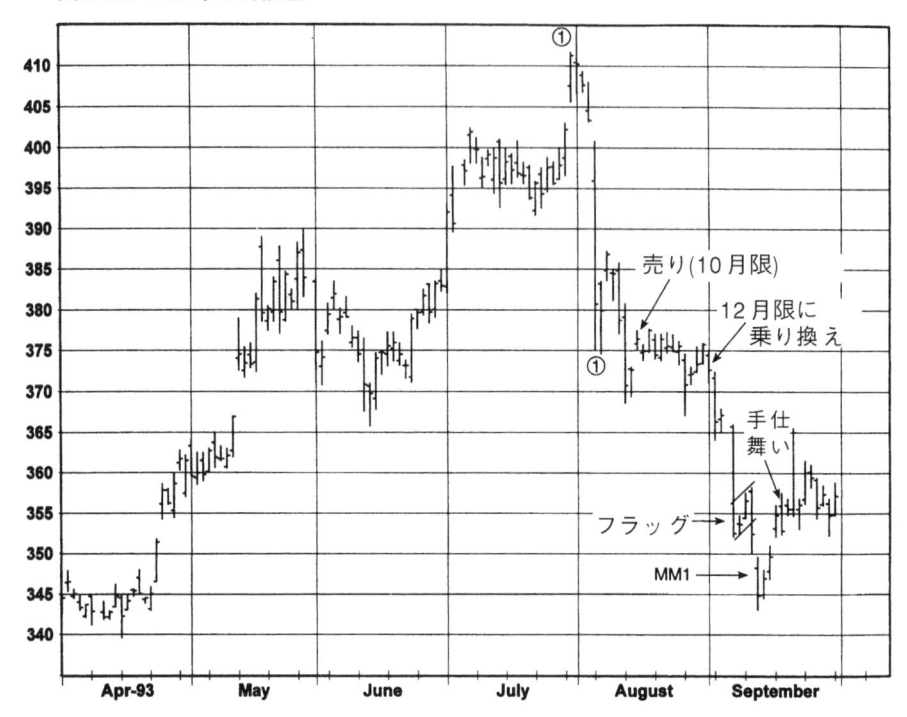

トレードの手仕舞い

1. 値幅測定の目標値（MM1）が達成された近くにストップ（仕切り注文）を置いた。

2. 前のフラッグの上の部分まで値が戻ったことはトレンドの反転を示した最初のサインである。

コメント

強気の落とし穴の確認は、大天井を示す最も信頼できるチャートのシグナルである。また、値幅測定の目標値達成は、ストップ（仕切り注文）をその近辺に設定することで利益の大きな部分を確定するためのシグナルとして使われている。もし価格が途切れることなく継続して同じ方向に動けば（もちろん、この例ではないが）それ以上の収益をものにすることもできる。

図12.9a 1994年9月限銀

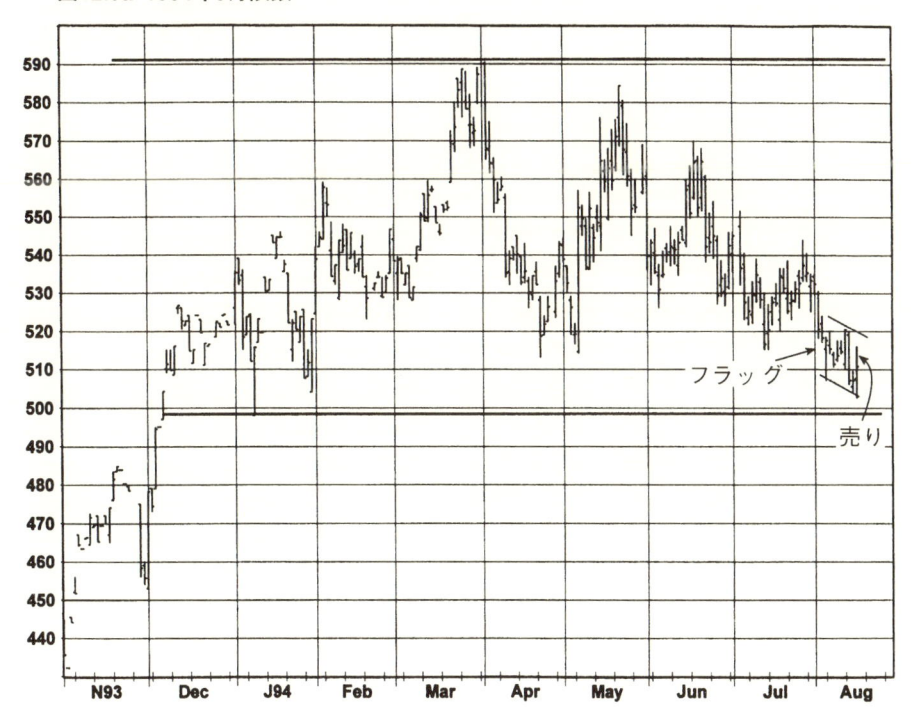

トレードを仕掛ける理由

継続した幅広いトレーディング・レンジの安値付近に出現したフラッグ・パターンはしばしば効果的な売りシグナルとなる。

**この分析に同意しますか、しませんか？
次のページに行く前にこの状況を分析してみよう。**

図12.9b 1994年9月限銀

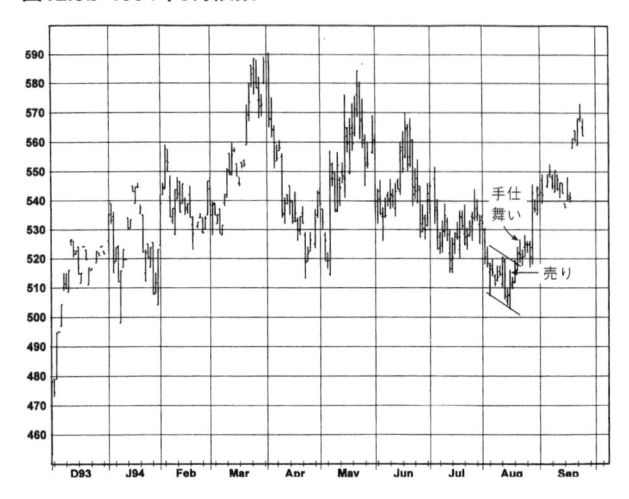

トレードの手仕舞い

　フラッグ・パターンの期待とは反対に上放れたブレイクアウトがこのトレードの前提を覆した。

コメント

　チャート・パターンが評価されるためには５０％以上正しい必要はないし、５０％に近い必要もない。例えば、トレーディング・レンジの下限の近くにできたフラッグ・パターンがトレードのきっかけとなり、このパターンが正しいと分かったとき、トレーダーは大きな下落をとらえることができる。また、一方、これがだましであるとき、フラッグ・パターンを上抜くことによるだましの証拠がすぐに現れる。言い換えれば、このパターンをトレードすることにより、自然に負けトレードの平均損失額よりも勝ちトレードの平均利益額の方が大きい結果となる。結論として、利益を出した数よりも損失の数の方が多くてもパターンは有益な道具なのである。

　一般的にシステムとか売買手法で勝率を重要視することは間違っている。大事な要素はトレード当たりの期待利益である。トレード当たりの期待利益とは、勝ちトレードの割合に勝ちトレードの平均収益を掛け、そこから負けトレードの割合に負けトレードの平均損失を掛け合わせたものを引いたものである。

図12.10a 1994年12月限銀

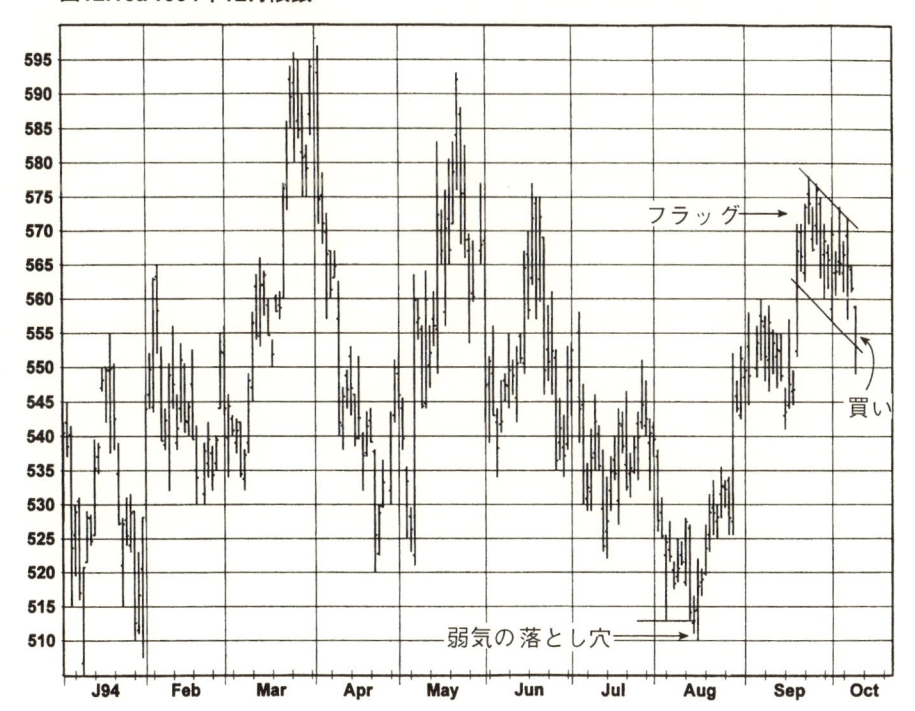

トレードを仕掛ける理由

1．弱気の落とし穴によって、大底が形成されたことを示している。

2．上昇の後に形成されたフラッグ・パターンは、次の相場の流れが上昇であることを示している。

3．値幅の広いフラッグの揉み合いの底に形成されたサポートの近くで買う。

この分析に同意しますか、しませんか？
次のページに行く前にこの状況を分析してみよう。

図12.10b 1994年12月限銀

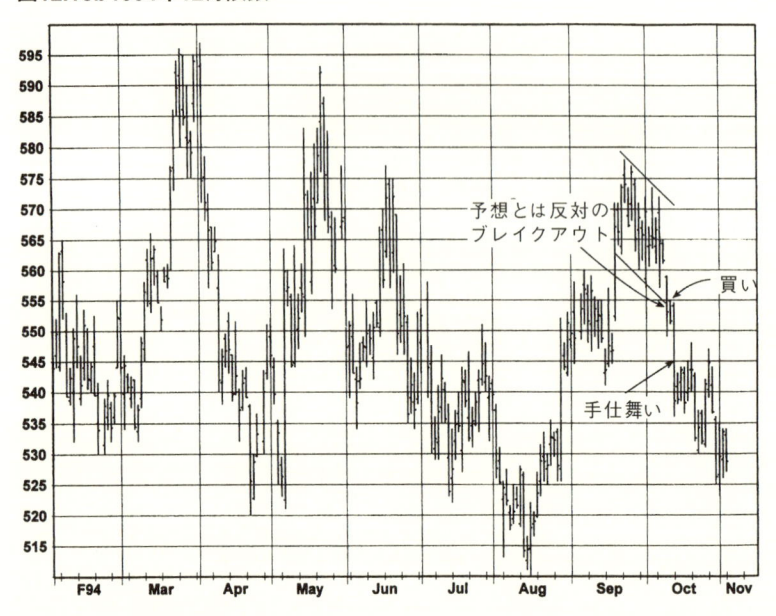

予想とは反対の
ブレイクアウト

買い

手仕舞い

トレードの手仕舞い

　フラッグ・パターンの期待とは反対側に起こった下抜きは、このトレードの考え方が適切でないことを示している。

コメント

　市場が期待通りに動かないときは、手仕舞うことである。この特定のトレードの損失は比較的少ないが（５００ドル）、期待とは反対方向にできたブレイクアウトの近くでトレードを仕切れば損失が小さくなったのではないかと、読者は考えているのではないであろうか。多分、それには限界がある。一般に、ストップ（損切り）を重要な地点に近付け過ぎることは良いことではない。例えば、フラッグ・パターンの場合では、フラッグの形はそれが進むに従って変わることもあるし、継続する値動きを伴わないたった１日のスパイクによって中断されてしまう可能性もある。どちらの場合でも、ブレイクアウト近辺に損切り注文を置くことは、そのフラッグが最終的に維持され、その基になるトレードが正しかったとしても、ポジションが手仕舞われてしまう結果となり得る。

図12.11a 1995年3月限銅

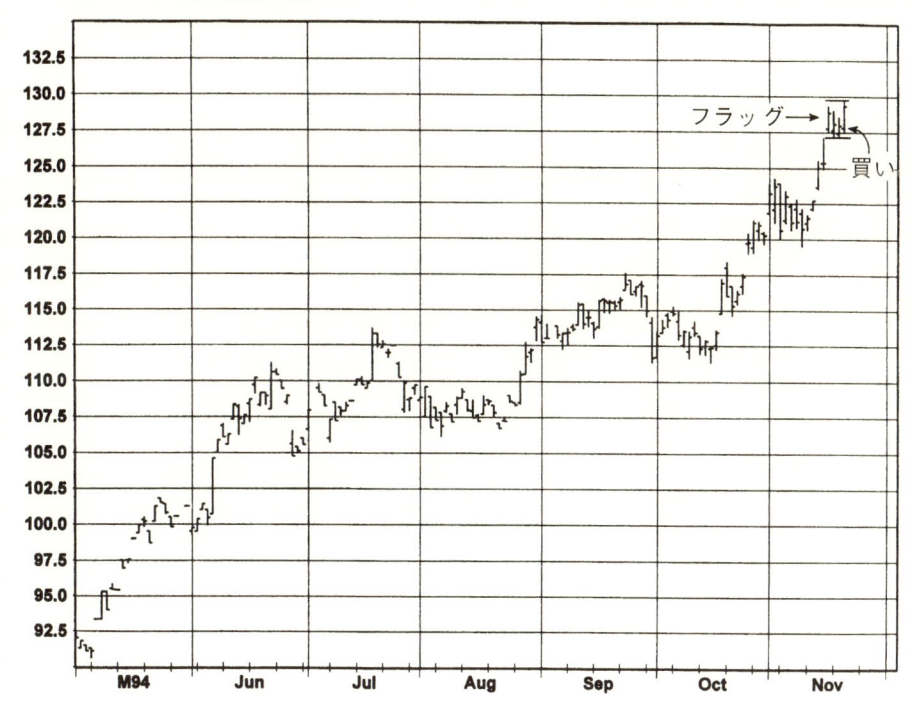

トレードを仕掛ける理由

　フラッグの揉み合いが新高値の付近にできた場合には、普通は少なくとも短期の価格上昇を引き起こす。

　　　　　この分析に同意しますか、しませんか？
　　　　次のページに行く前にこの状況を分析してみよう。

図12.11b 1995年3月限銅

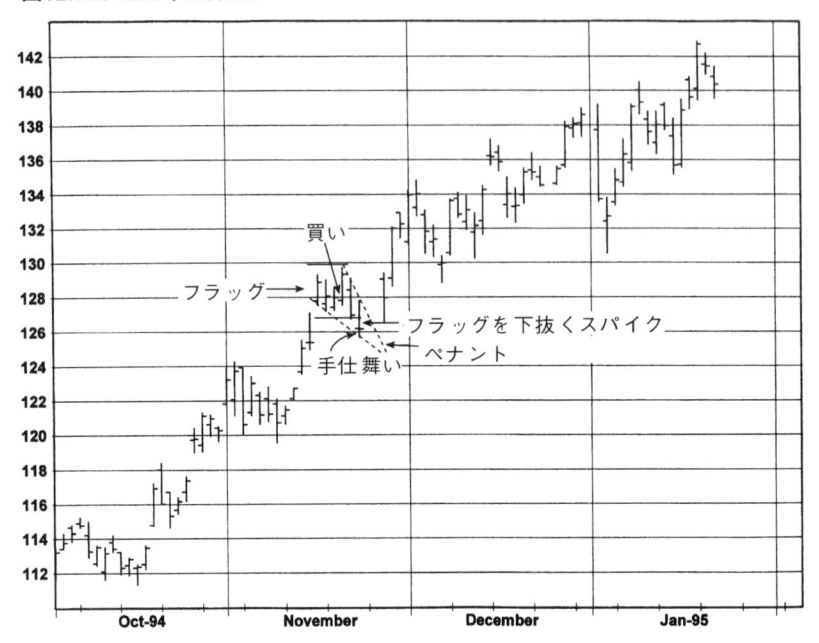

トレードの手仕舞い

トレードはフラッグ・パターンが下抜かれたところで手仕舞われた。

コメント

　このトレードの考えは最終的に正しく、大きな利益を上げることができたかもしれないが、このトレードは損失となった。この残念な結果は、トレーディング戦略を間違えた私に問題がある。特に、ストップ（損切り）を近くに設定し過ぎたのである。フラッグとペナントは、その揉み合いが発展するに従ってその形を変えるのである。また、このような揉み合いは１日のスパイクで中断されることがよくあるのである。そのために、そのようなトレードのストップはこのパターンの境界を超え、大きな余裕を持って設定することが肝心である。ここで説明したトレードは、今説明したもののどちらかであると考えられる。それは、もともとのフラッグ・パターンを下回る１日のスパイクか、または、フラッグがペナントにその揉み合い中で変化したものである。

図12.12a 原油修正つなぎ足

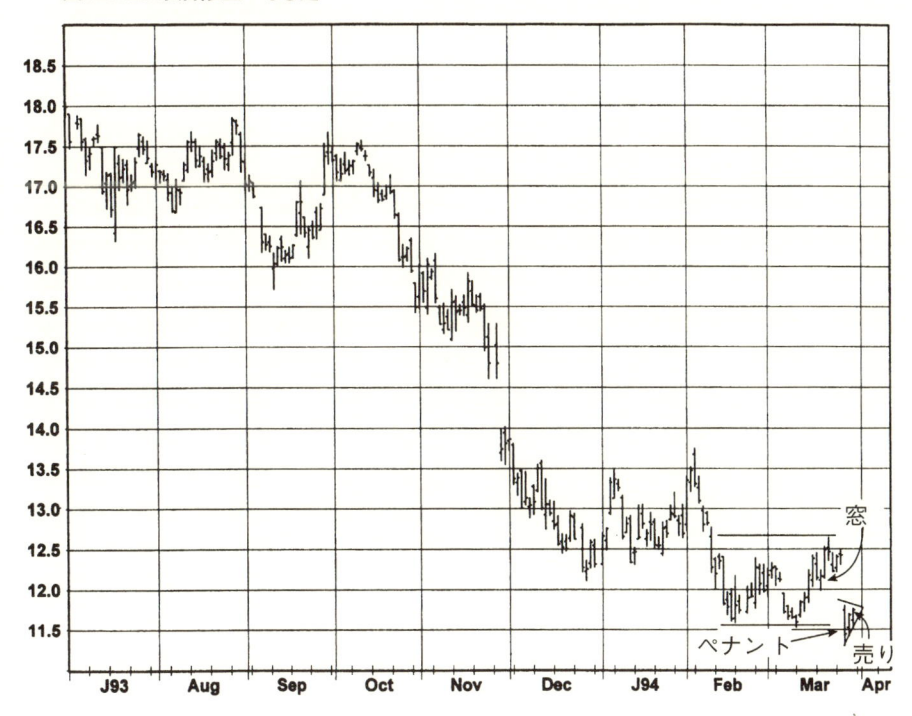

トレードを仕掛ける理由

　１．トレーディング・レンジの下端の近くにペナントの揉み合いが形成されてさらなる下落の可能性を示唆している。
　２．幅の広い下落方向に空いた窓がペナントの揉み合いのすぐ前にできている。

**この分析に同意しますか、しませんか？
次のページに行く前にこの状況を分析してみよう。**

図12.12b 原油修正つなぎ足

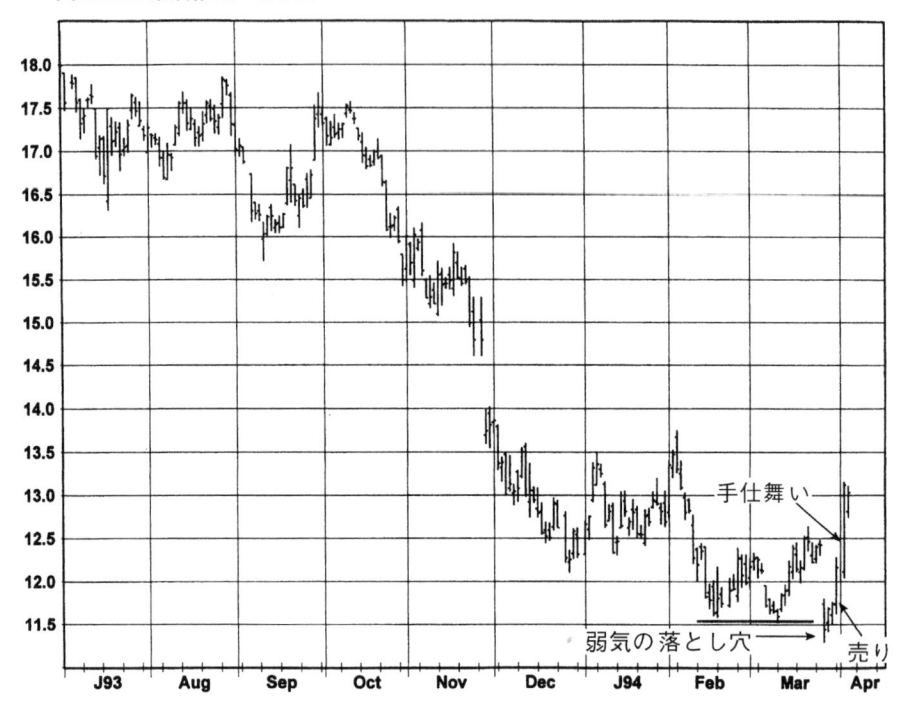

トレードの手仕舞い

次に続いた反転はトレーディング・レンジの天井近くまで戻り、ペナントの揉み合いの安値が弱気の落とし穴による反転に見えるようになった。

コメント

次のトレードを見よ。

図12.13a 原油修正つなぎ足

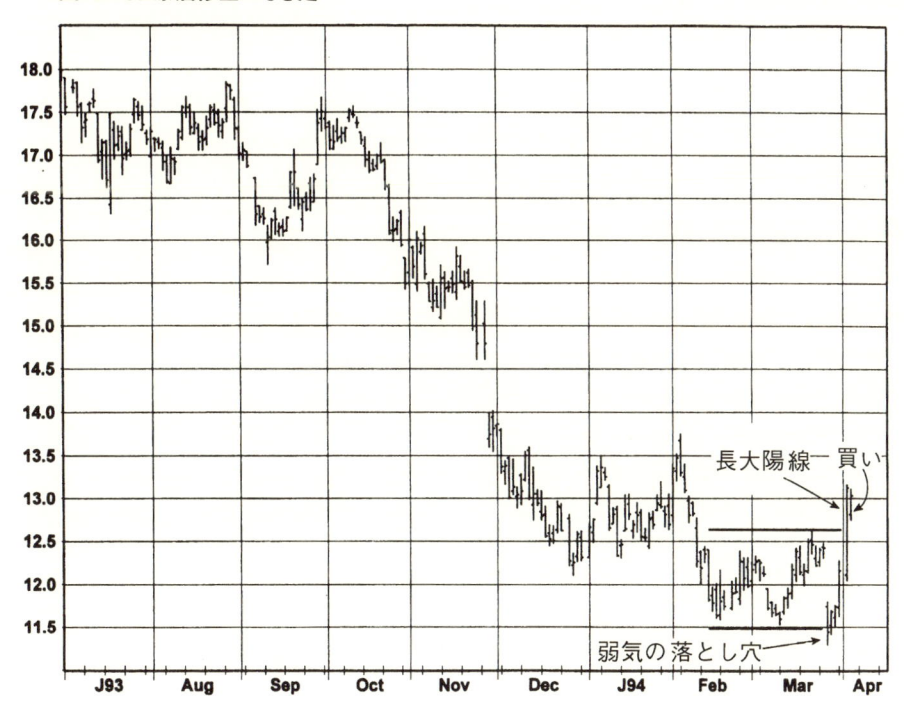

長大陽線―買い

弱気の落とし穴

トレードを仕掛ける理由
1．弱気の落とし穴による安値。
2．長大陽線が下落基調の安値付近に形成されている。

このチャートを見たことがあると思うのは、このトレードがこの前のトレードで建て玉を損切りした次の日に仕掛けられているからである。

**この分析に同意しますか、しませんか？
次のページに行く前にこの状況を分析してみよう。**

図12.13b 原油修正つなぎ足

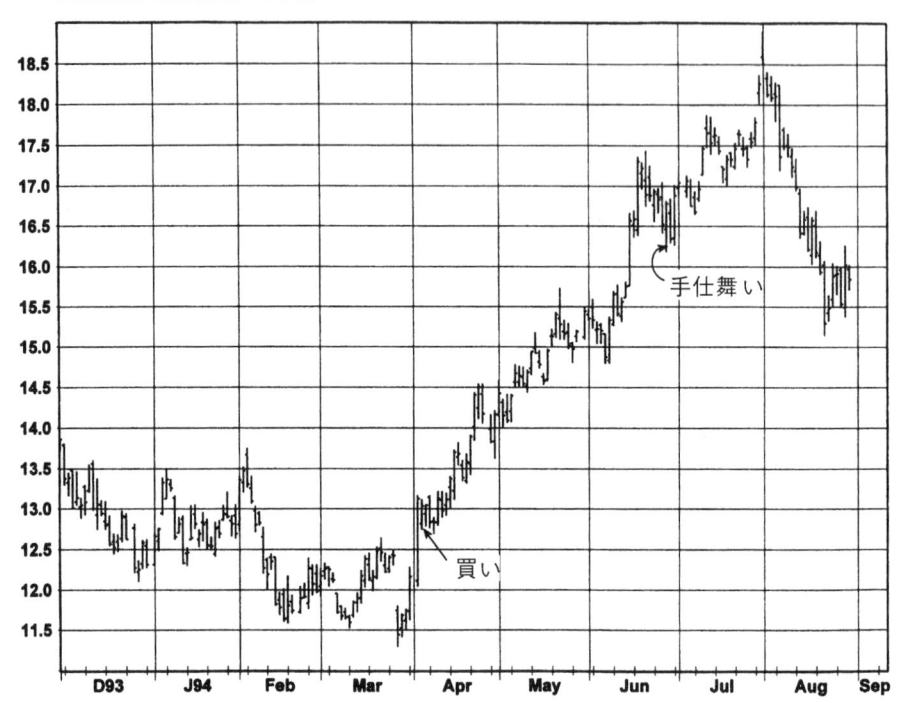

(チャート内注記: 手仕舞い、買い)

トレードの手仕舞い

　ポジションは、大きな含み益を保持するために近くに設定されていたトレイリング・ストップで手仕舞われた。

コメント

　このトレードは、この前のトレードに関するだましシグナルによって始まった。トレードが誤りであることを認識し、途転する（仕切るだけでなく）柔軟性のおかげで、事実上の底での売り持ちから始まった一連のトレードで大きな利益を得ることができたのである（**図12.12a**参照）。このトレードで実行したように常に変わり続ける相場の動きに断固として反応する能力は、マーケットを予測する技術よりも比べ物にならないくらい重要なものであることを表している。幾つかの限月にわたって乗り換えが行われているので、修正つなぎ足がこのトレードには使われていることに注意して欲しい。

図12.14a 1994年9月限無鉛ガソリン

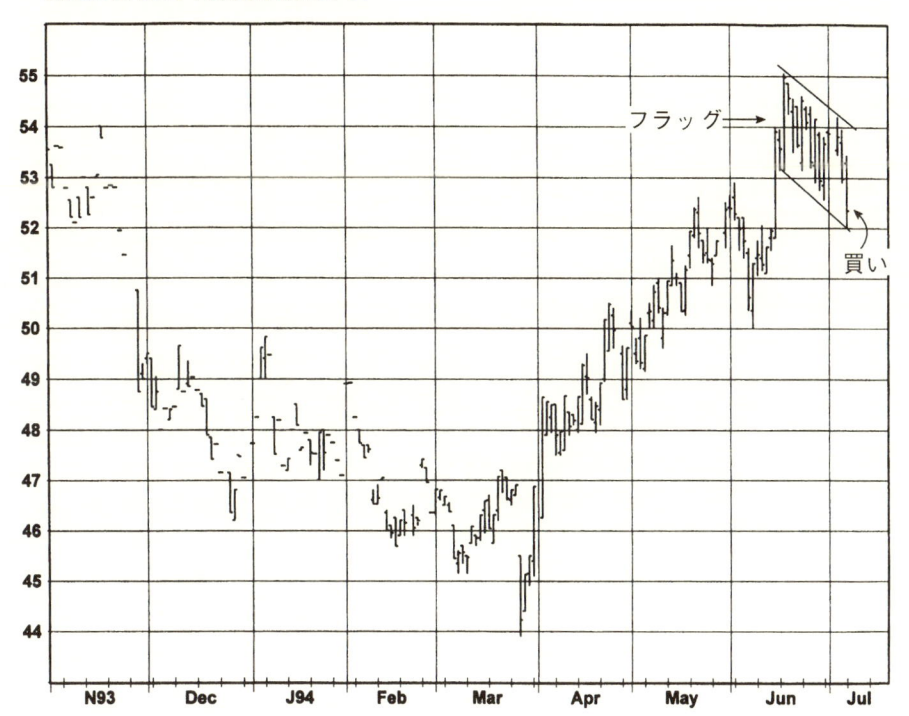

トレードを仕掛ける理由

　１．上昇している相場でのフラッグの揉み合いは上昇への可能性を示唆している。

　２．フラッグの下側の境界に定められたサポート・レベル近辺で買い持ちになる。

この分析に同意しますか、しませんか？
次のページに行く前にこの状況を分析してみよう。

図12.14b 1994年9月限無鉛ガソリン

トレードの手仕舞い

　主要な値幅測定の目標値が達成された後にフラッグ・パターンの期待とは反対方向に突き抜けが起きたので、このトレードは手仕舞われた。

コメント

　フラッグ・パターンの期待とは反対方向にできたブレイクアウトは、特にそのようなだましシグナルが主要な値幅測定の目標が達成された後に出されたときには、主要な反転の近くで手仕舞い（または、途転）のシグナルとなることがある。

図12.15a 1993年12月限トウモロコシ

(チャート内ラベル: ブレイクアウト、フラッグ、売り)

トレードを仕掛ける理由

1. 大きな下降三角形の下放れたブレイクアウト。
2. 三角形を下回るところにできたフラッグは下降トレンドが継続する可能性を示唆している。

この分析に同意しますか、しませんか？
次のページに行く前にこの状況を分析してみよう。

図12.15b 1993年12月限トウモロコシ

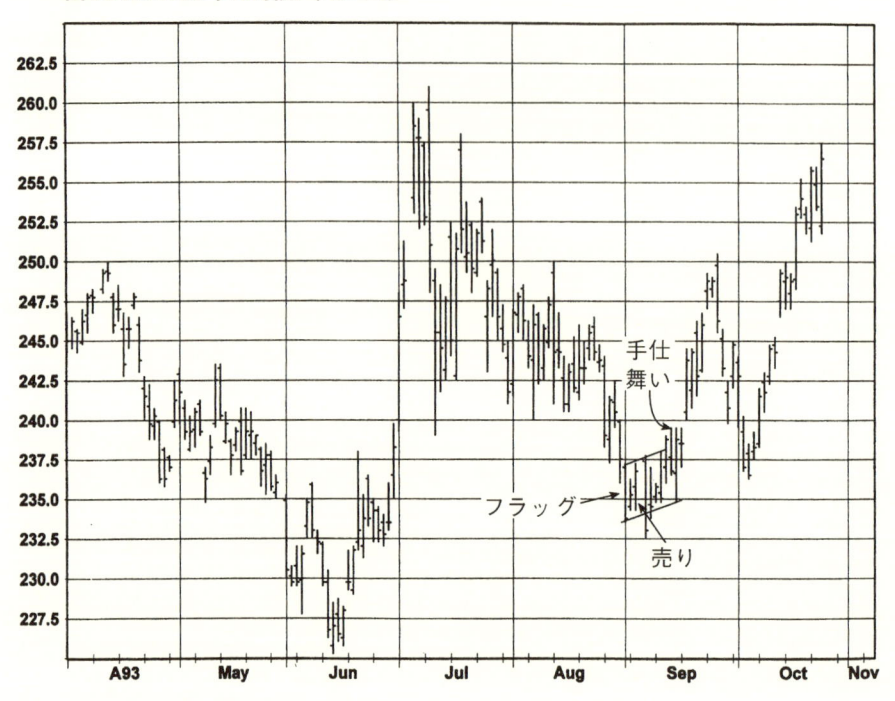

トレードの手仕舞い

期待とは反対方向にフラッグをブレイクアウトしたことは、上昇への反転が起こることを示唆している。

コメント

このトレードの前提が覆される最初のサインでこのトレードを仕切ることは、このトレードが非常にまずいものであったとしてもその損失を最小限に食い止める。

図12.16a 1993年12月限小麦

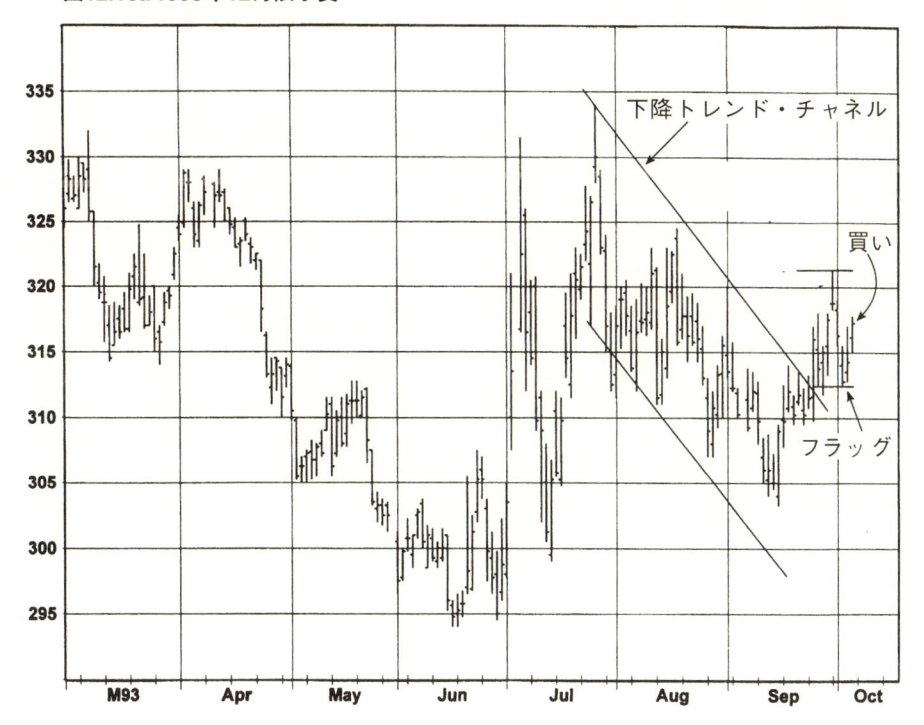

トレードを仕掛ける理由

　トレンド・チャネルを上放れるブレイクアウトの後に形成されたフラッグは、引き続いて価格が上昇する可能性を示唆している。

この分析に同意しますか、しませんか？
次のページに行く前にこの状況を分析してみよう。

図12.16b 1993年12月限小麦

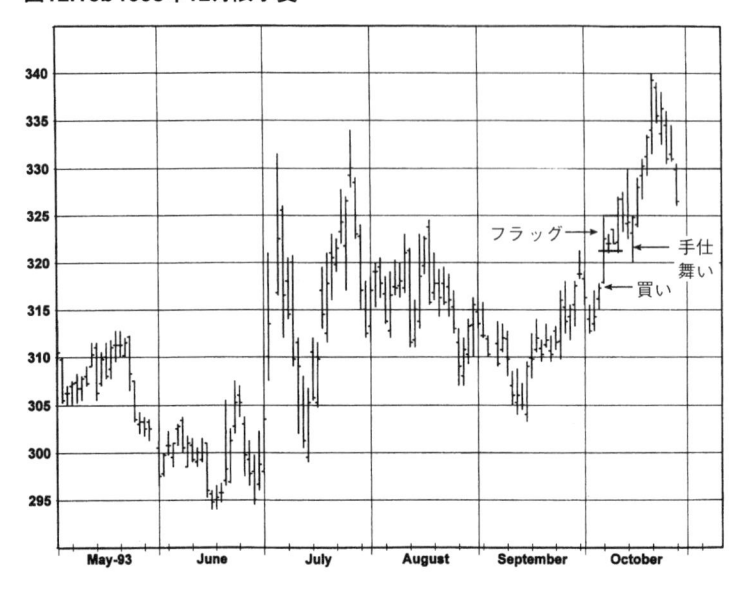

トレードの手仕舞い

　直近のフラッグ・パターンの下端にまで値が押したことは、短期のだましシグナルとなった。

コメント

　このトレードで正味の利益が上がったとしても、下落を示唆する最初の点にプロテクティブ・ストップ（損切り注文）を置くことは価格の大きな動きを逃す結果となってしまっている。最も近くにあるチャート分析的に意味のあるポイントにストップを置くことにはトレードオフがある。ある場合に、この方法は大変タイミングの良い手仕舞いを提示するであろうが、一方、この方法はこの例のように良いポジションを大変早い時期に手仕舞うことになってしまう。このようなストップ（損切り）の使用法に関して、絶対に正しい答えも間違った答えもなく、それはほとんど個人の選択の問題である。1つの妥協案としては、最初の2週間、ストップ（損切り）を損益分岐点よりも近くに設定しないことである。そのようなルールはこのトレードで起きたような早期の手仕舞いを回避するであろう。

図12.17a 1994年7月限大豆

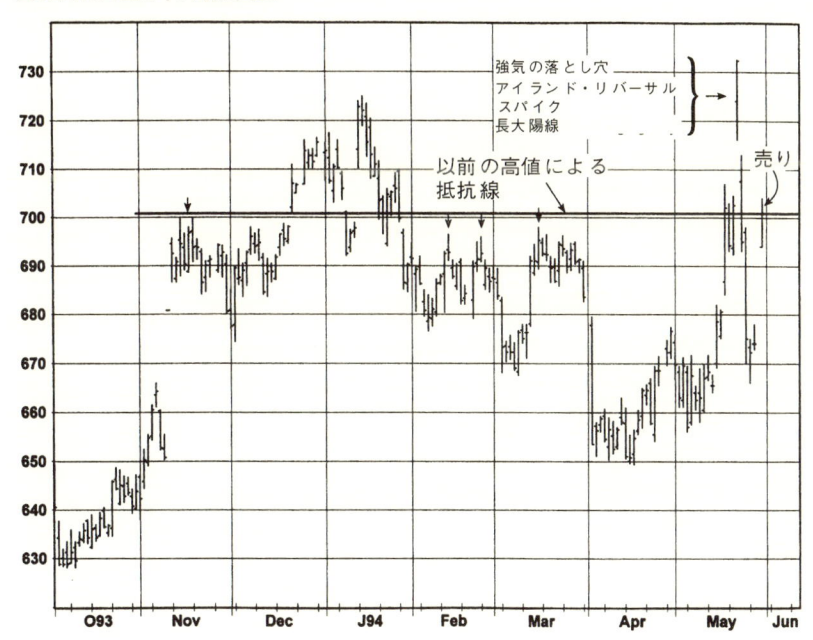

トレードを仕掛ける理由

1．下向きの矢印で示されているその前の高値（ＲＨ）が集中している価格帯からなる抵抗線に価格が戻っている。

2．以下の要素に基づく明らかなピークがある。

　　ａ．強気の落とし穴
　　ｂ．アイランド・リバーサル
　　ｃ．スパイク
　　ｄ．長大陽線

この４つの弱気パターンがすべて１日で起きていることは注目に値する（もちろん、アイランド・リバーサルの場合には定義によって、そのパターンは前後の日を含んでいなければならない）。

**この分析に同意しますか、しませんか？
次のページに行く前にこの状況を分析してみよう。**

図12.17b 1994年7月限大豆

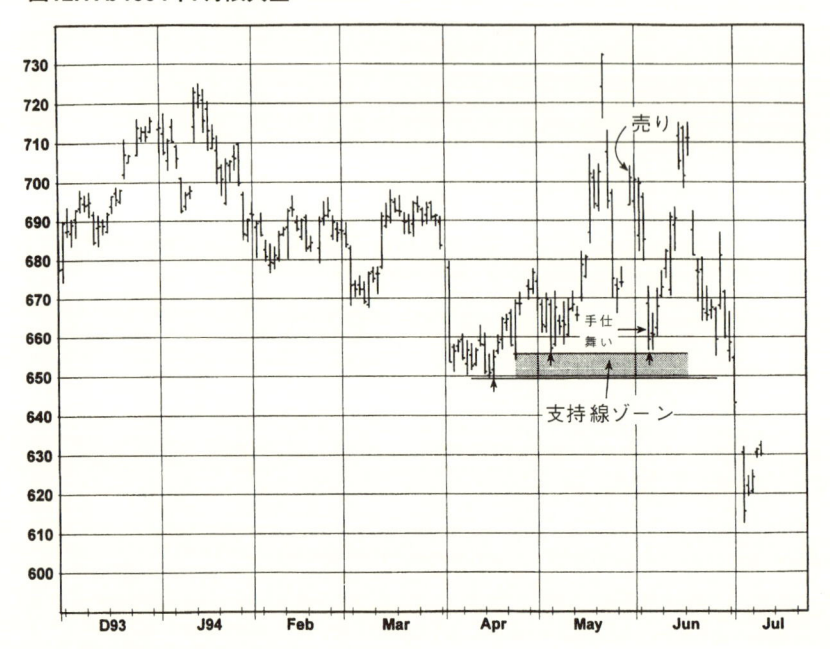

トレードの手仕舞い

　上向きの矢印で示されている前の安値（ＲＬ）が集中した価格帯にできた支持線ゾーンに値が戻ったところでこのトレードは手仕舞われた。

コメント

　一般的には少なくとも何らかの反転のサインが出るまではトレードを続けることが望ましいが、以下の２つの条件を両方とも満たしていれば例外である。
　１．予想している方向への急激で大きな動きがある。
　２．主要な支持線への接近、または買い持ちの場合には主要な抵抗線への接近。
　理由としては、これらのトレードは特に不意の戻しに遭う傾向にあり、そのような調整は、たとえトレードが継続したとしても、もっと悪い価格で手仕舞う結果（ストップ＝損切り＝の執行）となりやすい。

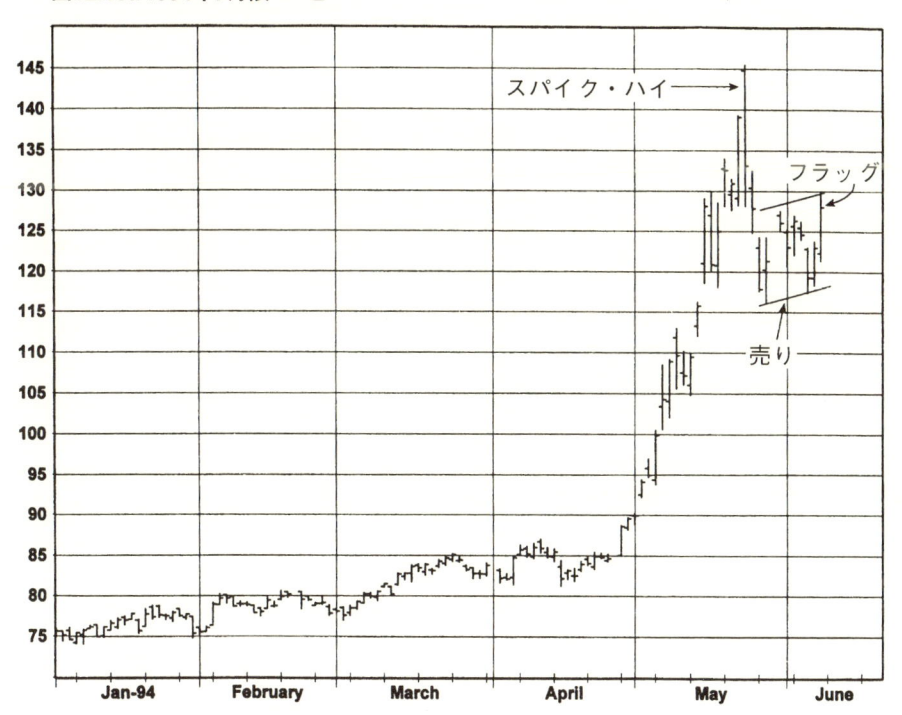

図12.18a 1994年7月限コーヒー

トレードを仕掛ける理由

　1．価格上昇の継続の後に現れた極端なスパイク・ハイは大天井となる可能性を示唆している。

　2．下落の後に形成されたフラッグのパターンは次の価格の動きも下落であることを意味している。

この分析に同意しますか、しませんか？
次のページに行く前にこの状況を分析してみよう。

図12.18b 1994年7月限コーヒー

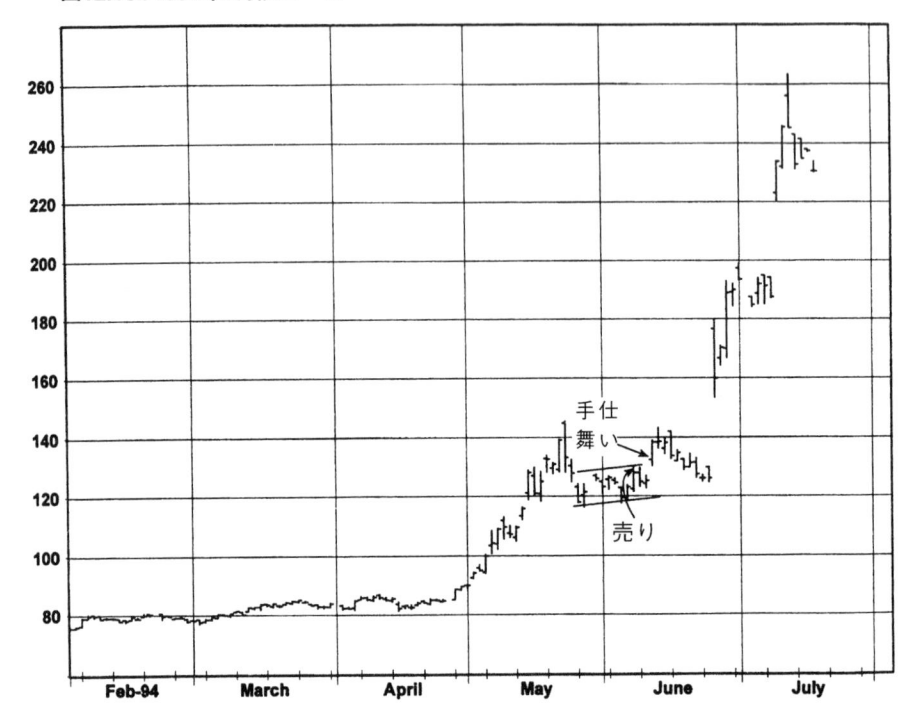

トレードの手仕舞い

　フラッグ・パターンの期待と反対の上方へのブレイクアウトは、このトレードの基になった前提の1つと矛盾する。

コメント

　大天井と見えるものが何でもない天井であることがよくある。このトレードは、損切り計画を手順通りに行わないトレーダーがなぜこのゲームを長く続けられないのかを示している良い例である。

図12.19a イタリア国債修正つなぎ足（日足）

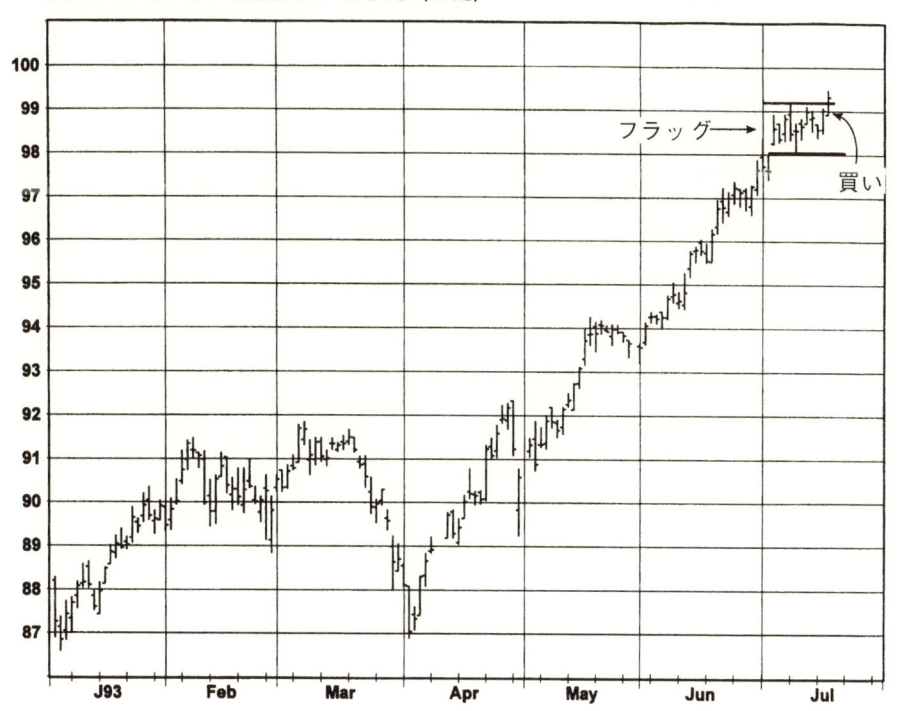

トレードを仕掛ける理由

　上昇トレンドの後にできたフラッグの揉み合いは、上昇トレンドが続くことを示唆している。

この分析に同意しますか、しませんか？
次のページに行く前にこの状況を分析してみよう。

図12.19b イタリア国債修正つなぎ足（日足）

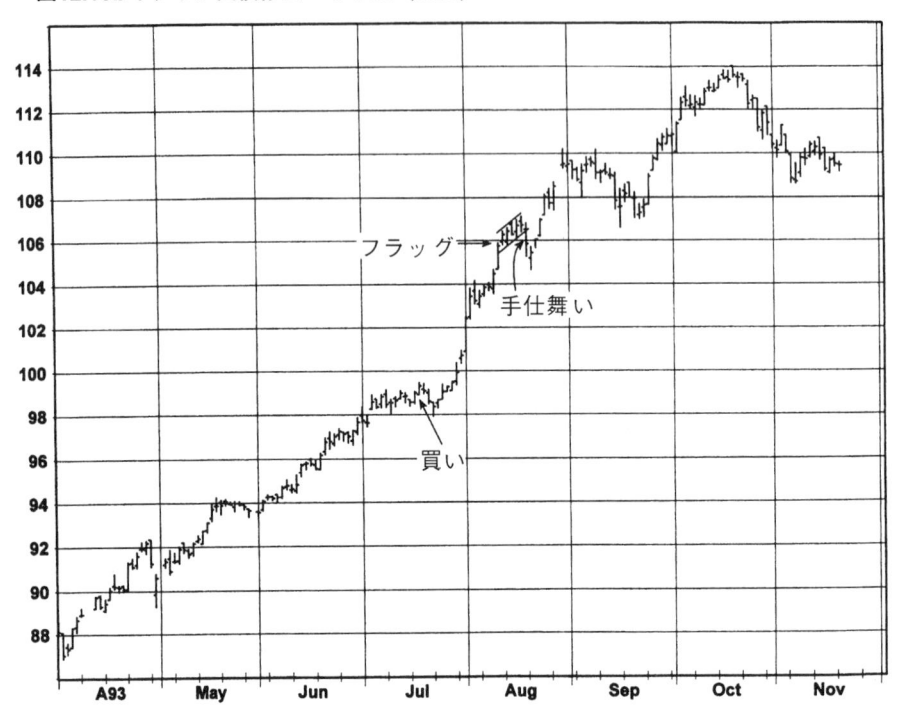

トレードの手仕舞い

　大きな価格上昇の後にできたフラッグ・パターンの下抜きは少なくとも一時的な反転の危険性を示している（事実上、イタリア国債の全トレードは納会付近まで当限に集中し、適切なチャート分析を行う上で、十分な長さの個別限月チャートを作成することができないので、修正つなぎ足を用いている）。

コメント

　このトレードは２つの概念をうまく説明している。
　１．大きな価格上昇を示している市場は、必ずしも買いに遅すぎるということはない。
　２．適切なチャート・パターンを待っていることにより、市場が大きな価格上昇を既に達成したとしても、比較的近くで、テクニカル的に意味のあるスト

ップ（仕切り注文）を設定することができる。このトレードでは、最初のストップはこのトレードを始める少し前にできた幅の狭い揉み合いの下に設定するのが無難である。

Part 3
トレーディング・システム

Trading Systems

第13章

チャート分析とソフトウエア分析
Charting and Analysis Software

　強力なコンピューターとソフトウエアの激増は、テクニカル分析にとって最も歓迎すべき発展の1つとなり、ごく最近まで鉛筆と紙で行われていたチャート分析からトレーダーを解放した。トレーダーが価格データを取り込み、様々な足、ポイント・アンド・フィギュア、終値折れ線、ローソク足、日足、週足、月足、時間足などのチャートを作成し、多くの分析の道具・指標を適用して、トレーディングのアイデアをテストできるようなたくさんのソフトウエアが出回っている。そのようなプログラムは、真剣なトレーダーとテクニカル・アナリストには欠かせないものである。この章では、そのようなソフトウエアの選択の方法を考えてみる。

　ある特定の技術や市場に特化したテクニカル分析のソフトウエアはたくさんある。例えば、あるソフトウエアはエリオット・ウエーブ分析に特化しているし、他のプログラムは投資信託のデータ分析だけをするように設計されている。私たちがここで取り上げる汎用型プログラムは、トレーダーが様々な分析手法を株式、先物、投資信託、現物のデータ、オプションなどを含んだ様々なデータに適用できるだけでなく、かつシステムやトレードのアイデアもテストできる能力も備えているトレーディング・システムである。

価格データについて一言

　もちろんテクニカル分析プログラムには、分析するための価格データが必要である。トレーダーが採用したいと思う種類の分析とトレーディング手法は、手に入れるべきデータを選び、またプログラムそのものも選ぶことになる。一

方、分析プログラムを既に決めてしまったトレーダーはデータ選びに制限ができてしまう。その逆もまたしかりである。様々なフォーマットの価格データを提供することに特化した多くの販売業者があるが、最も一般的なものは次の3つである。

1. ヒストリカル価格データ

　ヒストリカル・データは3年、10年、20年といった特定の期間にわたる価格データである。販売業者、そして時には証券・先物取引所は、アメリカ株式、先物、インデックス、投資信託のような様々な市場のデータを様々な期間に対してあらかじめ設定された時間間隔で日足のデータを提供している。日中のヒストリカル・データも入手可能であるが、割高となる。期間が長ければ、価格も高くなる。幸運にも、日足のヒストリカル・データの価格は最近下がり続けている。多くのソフトウエアは、その製品にヒストリカル価格データを添付している。例えば、ディスクとかCD－ROMに3年の修正つなぎ足と20年の株価日足を付けている。

2. 4本値（End-Of-Day）のデータ

　4本値のデータは、その日の高値、安値、終値、そして一般には始値と言われるものであり、市場が引けてから数時間の間に提供されるものである。多くの中級以上のシステムでは当たり前であるが、このようなデータを使うために、価格データを引き込む必要があり、データの販売業者と使用者はコンピューターを通して通信可能でなければならない。このような通信はモデムやインターネットを通して行われるが、その他の媒体でも可能である。トレーダーは使う手法に応じた価格データを構築し、かつ、これらのデータをヒストリカル価格データベースに加えなくてはならない。4本値のデータは、ヒストリカル・データよりも割高である。一部のデータ提供者は4本値のデータのサービスを受けた時点でヒストリカル価格データベースを使えるようにしている。事実、これはまさしく一石二鳥である。

3. リアルタイム（ティック）・価格データ

　トレードが起こるたびにわずかな遅れで、技術的な問題とか例外的な市場の混乱がなければ、2～3秒で提供されるのがリアルタイム価格データである。これは、最も費用のかかるデータであり、市場をいつでも、毎日見ていなけれ

ばならないプロのトレーダー以外は必要ない。しかし、１０、１５、３０分遅れの日中の価格データはかなり割安な価格で購入することができる。

　４本値の価格は、インターネットとか取引所から直接わずかな費用か、または、無償で手に入れることができるようになっているが、プロのデータ販売業者はデータが顧客に届く前に間違いを直し、フォーマットしていて、間違ったデータを提供するようなことはない。トレーダーは価格を直接自分で集めて来ることを好むが、データを浄化し、必要とあれば、分析プログラムを使って価格をフォーマットしている。これは時間がかかり、非常に単調で退屈な仕事であり、コンピューターのアマチュアにできるような仕事ではない。データ提供者であっても完璧ではないために、トレーダーはある日のデータが抜けているとか極端に飛び出た価格がないか常に目を光らせていなければならない。

　特別な分析プログラムとかデータ・ソースを使うことは別の選択を制限することになる。例えば、あるプログラムはある「ブランド」の価格データしか受け付けないのである。しかし、多くのプログラムは少なくとも幾つかの競合している価格データ・ソースから選ぶことができる。

〈**注意**〉先物トレーダーは、個別限月、当限つなぎ足、修正つなぎ足といった各自が必要とするタイプのデータを入手していることを確認するべきである。修正つなぎ足は、トレーディング・システムのテストに対して最も望ましいものである。この種のデータについては第２章で取り上げた。

ソフトウエアについて

　このようなソフトウエアを購入する前に、トレーダーはトレーディングに必要なものとコンピューターの技術について要約しておくべきである。チャートを作るものと分析に使うソフトウエアは１００ドルしないものから、数千ドルするものまである。経験の少ないトレーダーは特に、実際には役に立たない高いレベルの機能に対しプレミアムのついた価格を払ってしまう危険がある。また、多くの販売業者は初級者向けからより上級者向けのものまで扱っていて、顧客がより複雑な商品へと割安な価格でアップグレードできるようになっている。最も適した商品を選ぶために、有効なものを列挙しておく。

時間枠と売買スタイル

　非常に短期か日計り（１時間足、３０分足、１０分足などのチャート）のトレーディングをする以外は、トレーディング・ソフトウエアがリアルタイム・データを処理できる必要はない。ソフトウエアの最も大きな価格の違いは、リアルタイムのデータを扱うプログラムか、日足とヒストリカル・データだけを取り込んで操作するプログラムかによる。リアルタイム・データの費用は、終値やヒストリカル・データに比べて高くなっている。

分析の目的

　あなたがソフトウエアに実行させたいことは何か？　あなたは単純に市場の足跡をたどったり、トレンド・ラインやチャート・パターンを描いたり、単純なチャート分析をしたり、幾つかの指標を使うことにコンピューターを用いたいのか？　それとも独自の指標やトレーディングの戦略を練るためのプログラムが欲しいのか？　当たり前であるが、後者の方が前者のものよりも明らかに高価である。繰り返すが、必要のない機能を持つ必要はない。

コンピューターの技術

　多くの初級から中級の分析プログラムは直観的であり、使い勝手が良くコンピューターの専門家でなくとも単純なチャートを描いたり、分析の機能を実行したりすることができる。システムや戦略をテストする能力のあるものは別である。多くのものは、既にプログラムされたテクニカル指数とかそのようなライブラリーを導入し、単純化されたプログラミング言語を用い、コンピューターの知識がなくとも使えるように設計されているが、プログラムの能力と複雑な売買アイデアをテストできることがトレーダーから、以前にもまして求められている。

　トレーダーが基本的なプログラミングとテクニカル分析の手法を修得することにかなり専念していない限り、複雑なシステムをテストすることは現実的というよりはむしろ非現実的な願望となってしまう。単純なアイデアだけをテストしたいトレーダーには、相場を分析するのにより難しく、かつ高価なプログラムは必要ない。このような道具を使う目的は分析の過程を単純化するためであり、複雑にするためではない。

　ある種の専門用語の区別が分かっていることも重要である。「分析プログラ

ム」とは、自分の考えで独自の分析を実行できるものであり、入力されたデータに対して売買シグナルを出す機械的なトレーディング・システムのパッケージからなるトレーディング・プログラムと混同してはならない。この点に関しては複雑であり、あるトレーディング・プログラムはトレーディング・システムそのものに分析の要素が含まれている。多くの場合には、何にお金を払っているのかと言えば、それはシステムに対してであって、分析の機能に対してではない。

中級のテクニカル分析プログラムで行えるものを列挙しておく。

1. 株、先物、投資信託、オプションなどの過去データと日々の4本値データを取り込むことができる。
2. バー・チャート（棒足）、終値折れ線、ローソク足、ポイント・アンド・フィギュアーなどの幾つかのチャートを月足、週足、日足などの様々な時間枠で作ることができる。
3. チャート分析ができ、様々なテクニカル指標を適用し、変更することができる。例えば、単純、加重、指数平均を選ぶことができ、その平均を計算する日数を調整することができる。
4. プログラムがテストする機能を持っていれば、様々な指標からのシグナルの売買結果をテストしたり、比較的単純な独自の指標やトレーディングのアイデアを考えたりテストしたりすることができる。

このような機能は、この本で説明したすべての技術を適用することを可能とする。初級のプログラムでは、バー・チャートを描いたり、一部のテクニカル指標やチャート分析の機能を適用したりできるかもしれない。上級なプログラムは、テクニカル・データとファンダメンタル・データの両方を用い、ポートフォリオの全投資対象に対して、リアルタイム・データの利用、高度な統計分析、複雑なトレーディング・モデルの構築を可能にしてくれるかもしれない。

ソフトウエアの調査

分析ソフトウエアと価格データを購入することに興味のある人は、様々な業

者に相談することができる。インターネット（投資に関連したウエッブ・サイトとニュースグループ）、アメリカ個人投資家協会（***AAII***＝*the American Association of Individual Investors Journal*）、株・商品のテクニカル・アナリシス（*Technical Analysis of Stocks & Commodities*）、商品先物トレーダー消費者リポート（***CTCR***＝*Futures and Commodity Traders Consumer Report*）などの業界雑誌などがある。ソフトウエア商品の一般的な機能に加え、このような出版物の幾つかは分析ソフトウエアなどに関する増刊号などを発行している。例えば、ＡＡＩＩは毎年投資ソフトウエアのガイドブックを発行している。しかし、様々な種類のプログラムを勉強したり、サンプルを手に入れるためにはインターネットが主要な情報源である。多くのソフトウエア販売業者はウエッブから製品の試用版やデモ版のダウンロードを可能にしている。

第14章

テクニカル・トレーディング・システム──構造とデザイン
Technical Trading Systems:Structure and Design

> トレンドフォロー型システムには敏感なものと
> 鈍感なものの2種類しかない。
>
> ジム・オーカット

トレーディング・システムについてこの本で書くことと書かないこと

　前もって断っておくが、実践トレーディングで、最小のリスクで年率100％の収益を生み出す幻のシステム設計図を探しているのなら、他を探した方がよい。私はそのような金を儲ける機械を発見したわけではない。ある意味では、それはこの本の目的ではない。私は、自分がデザインした最高のトレーディング・システムを詳細に説明しようと考えているわけではない。ただ、ここに記述されているシステムは実際4000万ドルの資産運用に使われているものである。率直に言って、100％、200％、またはそれ以上の利益を上げるようなシステムの秘密を明かすことを約束するような本やコンピューター・ソフトウエアの宣伝に私はいつも疑問を持ってきた。なぜそのような価値のある情報を99ドルや2999ドルで売ることがあろうか？

　この章の最初のゴールは、読者の皆さんに自分のトレーディング・システムを構築するのに必要な基本的な知識を理解してもらうことである。ここでは以下の事柄について説明する。

1．基本的なトレンドフォロー型システムの概観
2．これらのシステムの弱点
3．「基本的」システムをよりパワフルなシステムにグレードアップするガイドライン
4．逆張り型システム
5．分散投資の有効性

　これらの情報はトレーディングの適切なあり方として分かりやすく言い換えられなければならない。例えば、株式トレーダーで、空売りする人はほとんどいないわけであるから、仕掛けるときのタイミングと手仕舞いのタイミングにより、買ったまま持続するよりも好ましいリスク対収益率を達成できるようなシステム設計に株式トレーダーは集中するべきである。

機械的トレーディング・システムの利点

　つもり売買は実際のトレーディングよりやさしいのか？
　多くの投機家はイエスと答えるが、両方の作業には全く同じ決断の過程が必要である。この違いはたった1つの要素によるのである。それは「感情」である。必要もないのに頻繁に取引をしたり、噂に怯えたために早まって利益を生み出すポジションを手仕舞ってしまったり、あるいは、トレーディングを始めたいがために取引タイミングを誤ってしまうとか、損失のポジションを長く持ち過ぎてしまうとかは、実際のトレーディングを行う上で感情に影響されて正しい判断が狂ってしまうことが少なからずあるために発生する。多分、機械的トレーディングの大きな価値はトレーディングから感情を取り除き、投機家がこのような間違いを犯さないようにすることである。そして、常に判断しなければならないことを軽減することにより、トレーディングに関するストレスと心配を減らすのである。
　機械的システムのもう1つの利点は、方法の一貫性を確かなものとすることである。それは、設定された条件によって出されるすべてのシグナルにトレーダーが従うことを意味している。これは大事なことであり、どんなに高い利益を上げる戦略でも、それに従って一貫して運用をするのでなければ損失を出す

ことになる。この点を説明するために、機械的システムに従って運用することで、手数料を差し引き、取引執行コストを考慮しても、長い目で見れば読者が儲けられるような運用戦略を提供している投資情報誌があると仮定してみよう。読者はその情報誌の推奨に従ってトレードをすることで利益を上げられるのであろうか？

　そうとは限らない。読者によっては、推奨されている戦略のいくつかを選別して実行するであろうから、実行しなかった戦略の中には大きな利益を上げたものもあるはずである。また、読者によっては、推奨投資戦略に従って取引を実行した結果、しばらく損失を出し続けたので推奨に従うのを止めてしまい、その後の取引によってもたらされるはずだった利益を逃してしまうこともあるはずである。すなわち、トレーディング戦略そのものが，優れているだけでは不十分なのである。成功できるかどうかは、一貫してその戦略に則って運用ができるかどうかにかかっているのである。

　機械的なトレーディング・システムの3番目の利点はトレーダーにリスク制御の方法を提供することである。資金管理はトレーディングで成功するための重要な要素である。損失を計画的に限定しなくては、たった1つの運の悪いトレードが最悪の事態を引き起こしかねない。適切に構築された機械的なシステムは、明確な損切りの規則を持っているか、十分な価格の反転を見てポジションを途転する条件を設定している。その結果、機械的なトレーディング・システムによって作られるシグナルに従うことは、単独のトレードで巨大な損失を出すことを食い止めることになるであろう。例外は、先物市場が値幅制限を超えてしまってポジションを手仕舞うことのできない場合である。そのため、機械的なシステムを使っている投機家は、意に反して損切りに終わったトレードが偶然に何度も重なってトレードを中止することはあっても、少なくとも1つや2つの運の悪いトレードですべてを失うことはない。

　もちろん、資金管理はトレーディング・システムを使うことを必要としてはいない。リスクを制御することは新しいポジションを取ったときには必ずストップ・ロス注文（損切り注文）を出すか、トレードをしたときに手仕舞うレベルをあらかじめ定めておき、その決定に必ず従うことである。しかし、多くのトレーダーはシグナルに従う十分な忍耐を持たないため、手仕舞うことができず、市場はさらに悪い方へ動き、時には大きな損失を出すことになる。

3つの基本システム

トレーディング・システムを分類するのに使われるカテゴリーの数については、意見の分かれるところである。これから説明する3つに分けた分類方法は、トレーディング方法のカギとなる概念の違いを強調したものである。

トレンドフォロー型
トレンドフォロー型システムは、価格の動きがトレンドを形成するのを待って、一度形成されたトレンドはそのまま継続するいう仮定の基に、そのトレンドに乗るためにポジションを取る。

逆張り型
逆張り型システムは、大きな価格変動を待ち、そして相場が調整することを前提に逆方向に仕掛ける。

パターン認識
ある意味では、すべてのシステムはパターン認識システムである。結局、トレンドフォロー型や逆張り型のシステムから出る取引シグナルも、一種のパターン分析によるものである。例えば、過去20日間の最高値／最安値を超えて市場が引けた場合にシグナルが出るといった具合に。しかし、シグナルが出る場合のパターンは必ずしもトレンドフォロー型とか逆張り型システムの場合のように、方向性のある動きにより形作られることを前提にしているものではない。例えば、パターン認識システムのあるものはスパイク・デイを基にシグナルを出している。この場合には、重要なのはパターンそのものであり、スパイクに先行する価格の動きではない。もちろん、この例は簡単過ぎる。実際には、トレードのシグナルを決めるために使われるパターンは非常に複雑であり、1つのシステムに幾つかのパターンが取り込まれることになる。

ここで説明した分類の間に明確な線引きがなされているわけではない。あるタイプのシステムは改良がなされれば、もっと別のシステムに分類されている行動パターンに近くなることもある。

トレンドフォロー型システム

定義に従えば、市場の値動きの方向性が変わったと判断するに値する明確な

価格の動きがトレードのシグナルを出すためには必要となるので、トレンドフォロー型システムは高値の近くで売ったり、安値の近くで買ったりはしない。そのためこの種のシステムを使うと、トレーダーは最初の部分の値動きを逃すことになり、システムが常に稼動していると仮定すれば、仕切りのシグナルを受ける前に大変多くの収益を逃してしまうことになる。トレンドフォロー型システムの感応度、または速度の選択には基本的なトレードオフがある。敏感なシステムは、トレンドの反転のシグナルに即座に反応し、有用なシグナルに対しては収益を最大化するが、多くのだましシグナルを出すことにもなる。敏感ではない、ゆっくりとしたシステムはこれとは反対のものを持っている。

しかし、一部の市場では敏感なシステムは鈍感なシステムよりも一貫して良い成績を残しているが、多くの市場ではその逆となる。鈍感なシステムでは、損失となるトレードを最小限に抑えて手数料を節約するが、それらは良いトレードからの収益を減らしてしまうことを考えてもあまりある成果を出している。このことは、多くの人が敏感なシステムを求める中で十分留意する必要があるということである。しかしいずれにせよ、敏感なシステムを使うかどうかの選択は実際の市場の分析とトレーダーの主観的な判断によるべきである。

トレンドフォロー型システムを構築するには様々な方法が可能であるが、この章では2つの最も一般的な方法について説明する。それは移動平均とブレイクアウト・システムである。

移動平均システム

N日移動平均とは、その日の終値とその前のN-1日間の終値の平均である。例えば、10日移動平均と言えば、その日までの10個の終値の平均値である。移動平均という名前は、時とともにこの平均値が連続して移動して1つのより滑らかな曲線を描くことから付けられている。

移動平均は、過去の価格を基にしているため、右肩上がりの市場において移動平均は基本的に実際の価格よりも下になり、右肩下がりの市場において移動平均は実際の価格よりも上になる。同様に、トレンドが下降から上昇へ反転したとき、価格は下から上へ移動平均を交差する。最も基本的な移動平均のシステムでは、これらの交差点はトレードのシグナルと考えられている。買いのシグナルは価格が移動平均を下から上へ交差したときに出て、売りのシグナルは

表14.1　移動平均の計算

日	終値	10日移動平均	クロスオーバーシグナル
1	80.50		
2	81.00		
3	81.90		
4	81.40		
5	83.10		
6	82.60		
7	82.20		
8	83.10		
9	84.40		
10	85.20	82.54	
11	84.60	82.95	
12	83.90	83.24	
13	84.40	83.49	
14	85.20	83.87	
15	86.10	84.17	
16	85.40	84.45	
17	84.10	84.64	売り
18	89.50	84.68	
19	83.90	84.60	
20	83.10	84.42	
21	82.50	84.21	
22	81.90	84.01	
23	81.80	83.69	
24	81.60	83.33	
25	82.20	82.94	
26	82.80	82.68	買い
27	89.40	82.61	
28	83.80	82.64	
29	83.90	82.64	
30	83.50	82.68	

価格が移動平均を上から下に交差したときに出る。この交差は終値を基に決められるべきであり、**表14.1**は移動平均の計算を説明しており、この簡単な方法で提示されたトレード・シグナルを示している。

図14.1は、１９９３年１２月限Ｔボンドとその３５日移動平均である。このチャートの菱形で囲まれていない売り／買いのシグナルは、今説明したような移動平均を基にしている。菱形で囲まれたシグナルは後で説明するが、今は無視する。システムは大きな上昇トレンドをつかんでいるが、多くのだましシグナルも出していることに注意してほしい。もちろんこの問題は移動平均の日数を長くすることで解決できるが、度を越していると思われるだましシグナルの数は単純移動平均システムの一般的な特徴である。これは一時的で急激な価格の動きによってシグナルが出てしまうことが、市場ではよくあるからである。

単純移動平均システムの問題点はすべての日に同じように比重を掛けていることであり、実際にはより近い日付が重要で、その近い日付にもっと高い比重が掛けられるべきであると主張している人々もいる。

様々な比重の掛け方が移動平均の計算のために提案されている。２つの代表的な比重の掛け方は、加重移動平均と指数移動平均である。これらの移動平均の計算式は付録に記載してある。

私の意見では、単純移動平均に比べて加重／指数移動平均では大きな一貫した改善が見込まれるということはない。加重移動平均が良い結果を出すこともあるし、また、単純移動平均が良い結果を出すこともある。移動平均の加重をいろいろ変えて実験したとしても、単純移動平均システムを改善する実りある結果は多分出ないであろう。

むしろクロスオーバー移動平均を用いることによって、重要な改善が得られる。このシステムでは、トレード・シグナルは２つの移動平均の交差点を基にしていて、１つの移動平均と価格の交点を基にしているわけではない。トレーディングの規則は単純移動平均のものと非常に似ている。買いシグナルは、短期移動平均（例えば１０日）が長期移動平均（例えば３０日）を上に交差するときに出る。売りシグナルは、短期移動平均が長期移動平均を下に交差するときに出る。この意味で、単純移動平均はクロスオーバー移動平均の特殊な場合であると考えられ、短期の移動平均が１日の場合に相当する。クロスオーバー・システムのトレード・シグナルが１つの平滑化されたデータと価格からな

図14.1 1993年12月限Tボンドと35日移動平均

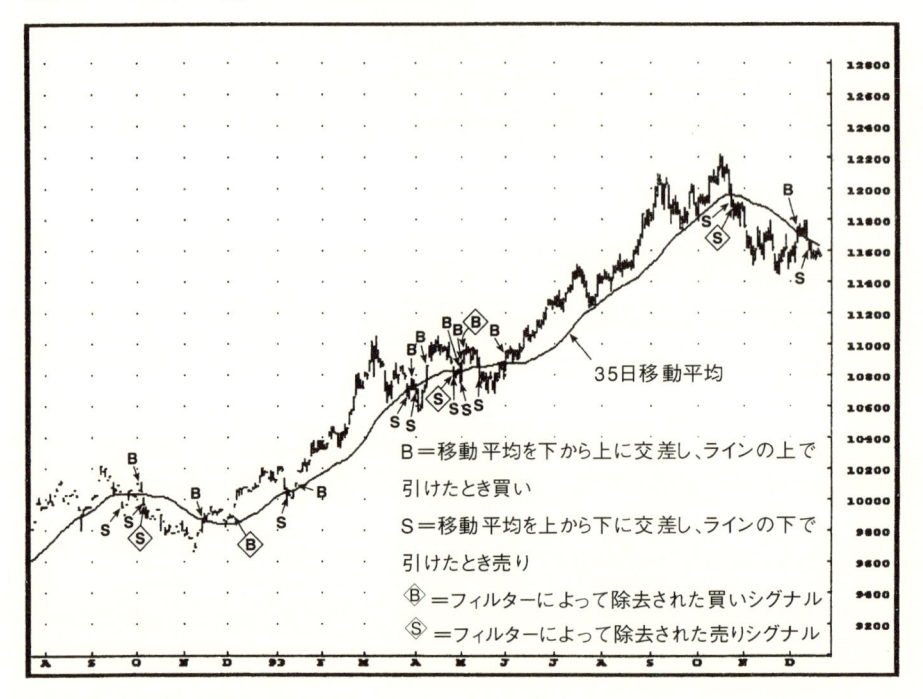

B＝移動平均を下から上に交差し、ラインの上で引けたとき買い
S＝移動平均を上から下に交差し、ラインの下で引けたとき売り
Ⓑ＝フィルターによって除去された買いシグナル
Ⓢ＝フィルターによって除去された売りシグナル

るのではなく、2つの平滑化されたデータからなっているために、だましシグナルの数は圧倒的に少なくなるのである。**図14.2**、**図14.3**、**図14.4**は、12日単純移動平均システムと48日単純移動平均システムの2つの移動平均からなるクロスオーバー・システムから出るトレーディング・シグナルを比較している。一般的に言って、クロスオーバー移動平均システムは単純移動平均よりも優れている。このすぐ後に説明するシステムに修正を加えれば、単純移動平均も売買可能な手法の中核になれることに注目して欲しい。クロスオーバー移動平均システムの弱点と可能な改良については後で議論する。

ブレイクアウト・システム

　ブレイクアウト・システムの源になっている概念は、非常に単純である。過去の一定期間の最高値／最安値を抜いてくるような市場の動きは、そのブレイクアウトの方向にトレンドが続く可能性を示唆しているというものだ。

図14.2 プロクター&ギャンブルと12日移動平均

↑＝移動平均を下から上に交差し、ラインの上で引けたとき買い
↓＝移動平均を上から下に交差し、ラインの下で引けたとき売り

12日移動平均

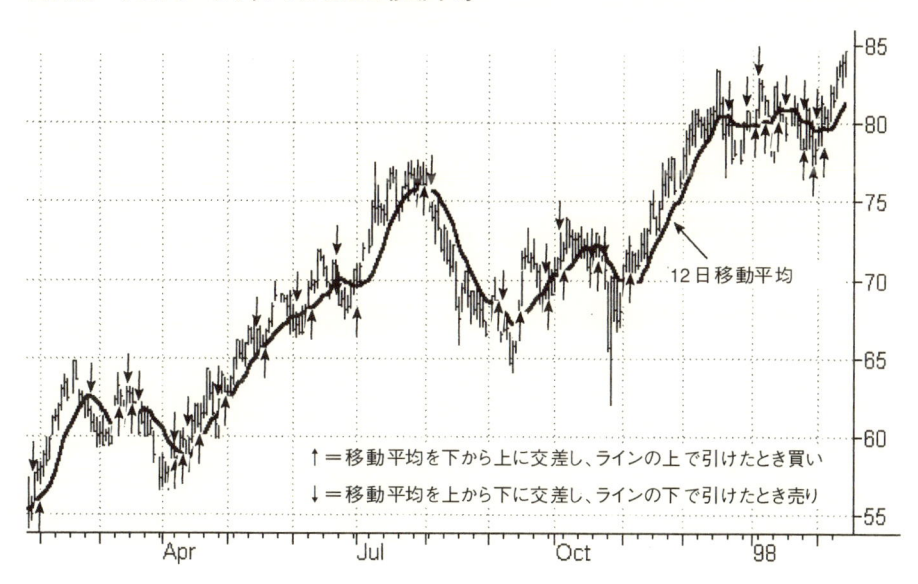

図14.3 プロクター&ギャンブルと48日移動平均

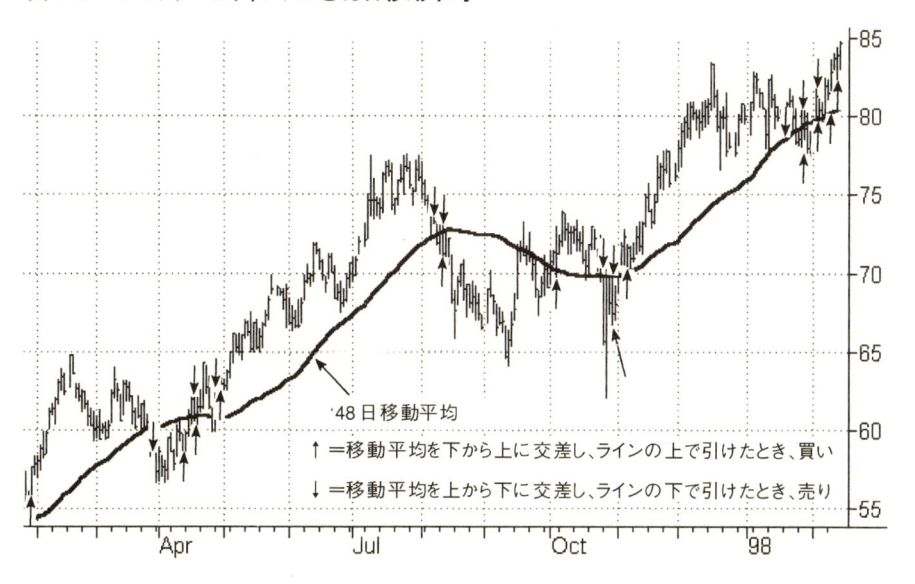

48日移動平均

↑＝移動平均を下から上に交差し、ラインの上で引けたとき、買い
↓＝移動平均を上から下に交差し、ラインの下で引けたとき、売り

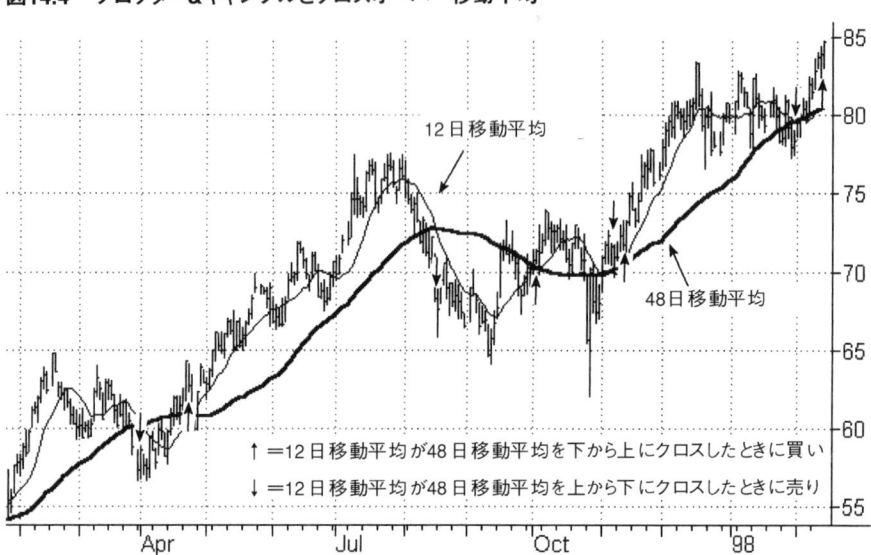

図14.4　プロクター＆ギャンブルとクロスオーバー移動平均

↑＝12日移動平均が48日移動平均を下から上にクロスしたときに買い
↓＝12日移動平均が48日移動平均を上から下にクロスしたときに売り

これから紹介する規則は、単純なブレイクアウト・システムの例である。

1．今日の終値が過去Ｎ日間の高値を上回ったなら売り持ちを解消し、買い持ちに転換する。
2．今日の終値が過去Ｎ日間の安値を下回ったなら買い持ちを解消し、売り持ちに転換する。

Ｎの値はこのシステムの感応度を決めることになる。現在の価格と比べるために短い期間（例えば、Ｎ＝７）が使われると、そのシステムはトレンドの反転をすぐに指摘することになるが、多くのだましシグナルを出すことにもなる。それとは逆に、例えば、Ｎ＝４０などの長い期間を取れば、だましシグナルは減るが、その代償に売買が遅れることになる。このことは、短期か長期の移動平均を単純移動平均システムとかクロスオーバー移動平均システムで使ったときとよく似ている。

Ｎ＝７とＮ＝４０を使った今説明した単純なブレイクアウト・システムによって出されるトレード・シグナルの比較を、**図14.5**と**図14.6**でそれぞれ紹介し

Chapter 14
テクニカル・トレーディング・システム——構造とデザイン

図14.5　敏感なブレイクアウト・システムのシグナル（IBM）

ている。これらの図から得られた結果は、敏感なシステムと鈍感なシステムにはそれぞれ次のような長所と短所があることを示している。

　１．敏感なシステムは、大きなトレンドの反転にも早期のシグナルを出す。例えば、**図14.5**で、１９９６年２月後半の最初の売りシグナルから７月までの下落過程で、３月初めのシグナルを**図14.6**の４月の売りシグナルと比べる。

　２．敏感なシステムは、例えば**図14.5**の１９９７年７月～１９９８年２月までのトレーディング・レンジでのシグナルのように１９９６年３月の売りシグナルのすぐ後のシグナル同様、多くのだましシグナルを出す。

　３．鈍感なシステムにおけるトレードごとの損失は、敏感なシステムにおける同様なトレードごとの損失よりも大きい。鈍感なシステムでは、大きな損失になる小さなトレンドで、敏感なシステムが小さいながら利益を上げる場合もある。例えば、**図14.6**の１９９６年１２月～１９９７年４月までの動きの中で、４０日間のブレイクアウト・システムは、売りと買いのシグナルを１回ずつ出し、４ポイントの損失を出している。これと比較して、同じ期間において７日間のブレイクアウト・システムは、買いと売りのシグナルを２回ずつ出してい

図14.6 鈍感なブレイクアウト・システムのシグナル（IBM）

て、最初の売りと買いではわずかな損失を出し、2回目の売りと買いでは7ポイントの利益を出している。

しかし敏感なシステムと鈍感なシステムは、それぞれに適した環境でうまく機能し、実証研究では多くの市場で鈍感なシステムの方が敏感なシステムよりもうまく働いている。しかし、敏感なシステムにするか鈍感なシステムにするかの選択は、直近に行われた検証結果を基に選択すべきである。

ここで述べたブレイクアウト・システムの例は、今日の終値とその前の一定期間の高値と安値を比較している。この方法以外のやり方を採用する意見があることに注意して欲しい。例えば、今日の高値／安値とその前の一定期間の高値／安値を比べるもの、今日の終値とその前の一定期間の終値の最高値と終値の最安値を比べるもの、今日の高値／安値とその前の一定期間の終値の最高値と終値の最安値を比べるものがある。しかし、その選択はブレイクアウトを定義しているので、その結果に影響するであろうが、同じNの値であってもいろいろな組み合わせにより結果はまちまちであり絶対的なものではない。

ブレイクアウト・システムの落とし穴は、移動平均システムのものと基本的

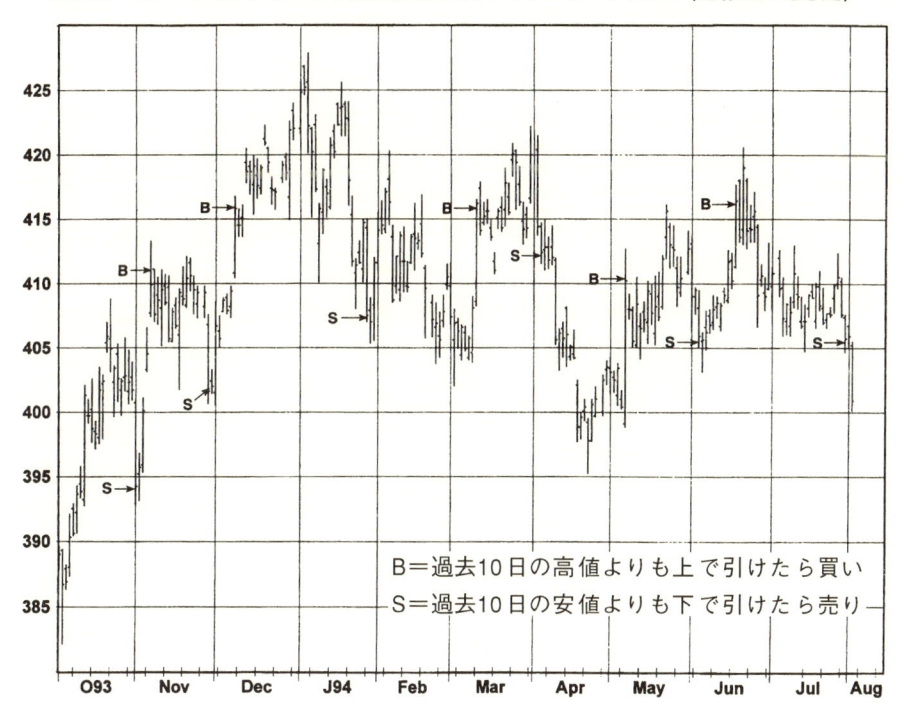

図14.7 トレーディング・レンジのある市場でのブレイクアウト・シグナル（金修正つなぎ足）

B＝過去10日の高値よりも上で引けたら買い
S＝過去10日の安値よりも下で引けたら売り

には同じであり、次にそのことについて説明する。

一般的なトレンドフォロー型システムの問題点

1．同じようなシステムの氾濫

　多くの異なるトレンドフォロー型システムでも同じようなシグナルを出している。すなわち、同じようなタイミングでシグナルの出るトレンドフォロー型システムがたくさんある。特に先物市場では、多くの投機家とファンドは基本的なトレンドフォロー型システムを基に判断を下しているので、非常に不利な価格で執行されてしまうほど同じような注文がたくさん出されることも珍しくはない。

2．ちゃぶつき（ウイップソウ）による損失

　トレンドフォロー型システムはすべての大きなトレンドにシグナルを出す。問題は、だましシグナルも多いことである。トレンドフォロー型システムを使うトレーダーにとっての苛立ちは、市場がシグナルを出すのに十分なだけ動いたところで、その方向を変えてしまうことである。この不愉快な出来事は何度となく起こる。これはちゃぶつきと呼ばれる。例えば、**図14.7**でＮ＝１０の設定でブレイクアウト・システムから出てくるトレード・シグナルはトレンドフォロー型システムのまずい一面を見せている。

3．トレンドの継続と建玉数量

　基本的なトレンドフォロー型システムは、取引のシグナルが出たときは常に同じ量の玉を建てると仮定している。例えば、金額とか株数、あるいは先物契約の枚数などを一定にして売買をするのである。この場合、トレンドが継続しても、あらかじめ決められた量のポジションしか取れないことを示している。

　例えば、**図14.8**でＮ＝４０の場合のブレイクアウト・システムは１９９４年１２月に買い持ちのシグナルを出していて、その後、このトレンドでこの建玉だけを持ち続けている。このことは決して好ましくないことではないが、もしトレンドフォロー型システムが基本建玉数量の増加を示すサインを発生して、そのような長く続くトレンドを利用することができれば、収益性は向上したはずである。

4．鈍感なシステムの含み益の取り損ね

　トレンドフォロー型システムで鈍感な部類に入るものがうまく機能したとしても、そのようなシステムのまずい性質の１つはときどき大きな含み益のほとんどをみすみす失ってしまうことである。例えば、**図14.8**でブレイクアウト・シグナルが大きな上昇トレンドに運良く乗ることを可能にしたとしても、建玉を閉じるシグナルを受ける前に半分近くの利益はみすみす失われてしまうのである。

5．トレーディング・レンジでのもたつき

　最高のトレンドフォロー型システムでも価格が上下に動くだけでは損はしなくとも利益は出せない。これは新しいトレードのシグナルを出さないからである。しかし多くの場合、トレーディング・レンジに入った市場ではちゃぶついてしまう。長い期間にわたって相場は保ち合うので、これは非常に重要なこと

図14.8 主要な値動きを十分に利用できず、利益を吐き出してしまったシステム（マイクロン・テクノロジー）

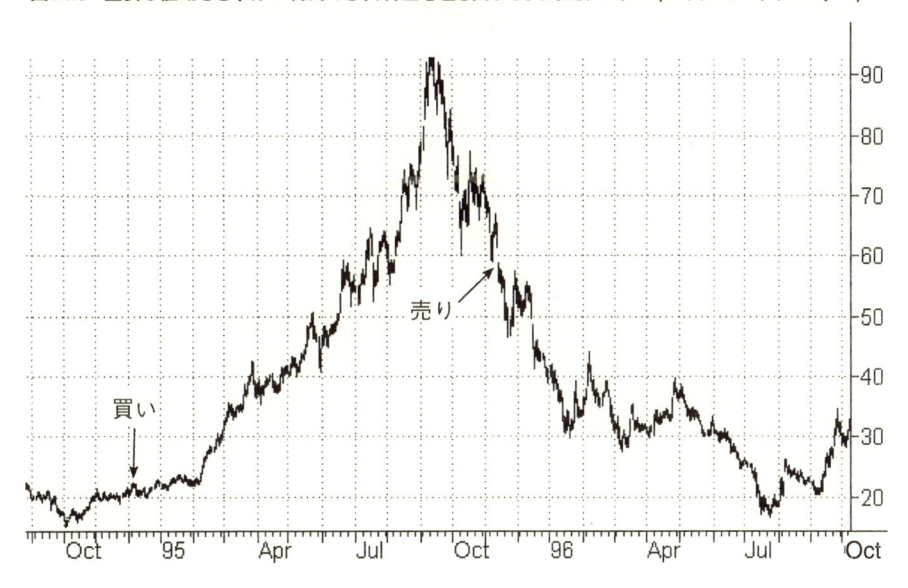

である。

6．一時的に生じる大きな損失の可能性

たとえどのように優秀なトレンドフォロー型システムであっても、急激な資金（エクイティー）の変動を経験する期間がある。こうなると利益を上げているトレーダーも、一転して落胆させられることが起こる。まだ利益の蓄積がなく、運用を始めたばかりのトレーダーの場合、事態は一層悲惨である。

7．儲かるシステムにありがちな極端な損益の変動

ある場合には、トレーダーはかなり収益性の高いトレンドフォロー型システムが許容範囲を超えたリスクを取ることによる急激な損益変動を前提に成り立っていることを発見する。

8．つもり売買で機能し、実践では役に立たないシステム

これは多分、機械的トレーディング・システムを使っているトレーダーの間でよくある悲惨な話である。

9．パラメータのシフト

ときどき、トレーダーは過去のデータを使って、例えばブレイクアウト・シ

ステムの最適化N値などのシステムに最も適した組み合わせのパラメータを探すために四苦八苦するが、それに続く期間では同じ組み合わせが大した成績にならないことを発見する。

１０．スリッページ

もう１つのよくある話で、システムはつもり売買では利益を上げられるが、実際のトレードでは簡単に損失を出してしまう。

スリッページについて第１５章で説明する。

基本的なトレンドフォロー型システムの変更可能点

過去２０年間の経験によると、例えば３年～５年、またはそれ以上の十分な期間が与えられ、多くの市場で一貫して取引を行えば、移動平均やブレイクアウト型のような単純なシステムが利益を上げられる可能性は高くなる。しかし、このようなシステムの単純性は欠点でもあり、利点でもある。本当は、このようなシステムの規則はあまりにも単純過ぎて、多様な市場の状況を適切につかむことはできないかもしれない。長期にわたって正味の利益を得たとしても、単純なトレンドフォロー型システムはトレーダーを短期間ではあるが、急激な損失にさらすこともある。事実、このようなシステムを使っている人のすべてではないとしても、かなり多くの人が損失を受けているときにこの方法を放棄してしまいがちであり、そのシステムが長期的には利益を上げることが証明されたとしても、結局は正味で損失を被ってしまうのである。

ここでは基本的なトレンドフォロー型システムを、実際に成績が改善するように変更する基本的な道筋の一部を紹介する。話を単純化するために、多くの説明は既に説明した単純なブレイクアウト・システムを土台にしている。しかし、同じような改善はクロスオーバー移動平均のような他の基本的なトレンドフォロー型システムにも当てはまる。

確認条件

基本的なトレンドフォロー型システムにできる重要な改善は、だましシグナルを減らすために、シグナルが受け入れられる前にそれに見合った追加的な条件を加えることである。今あるポジションとは反対方向へのシグナルが受け取

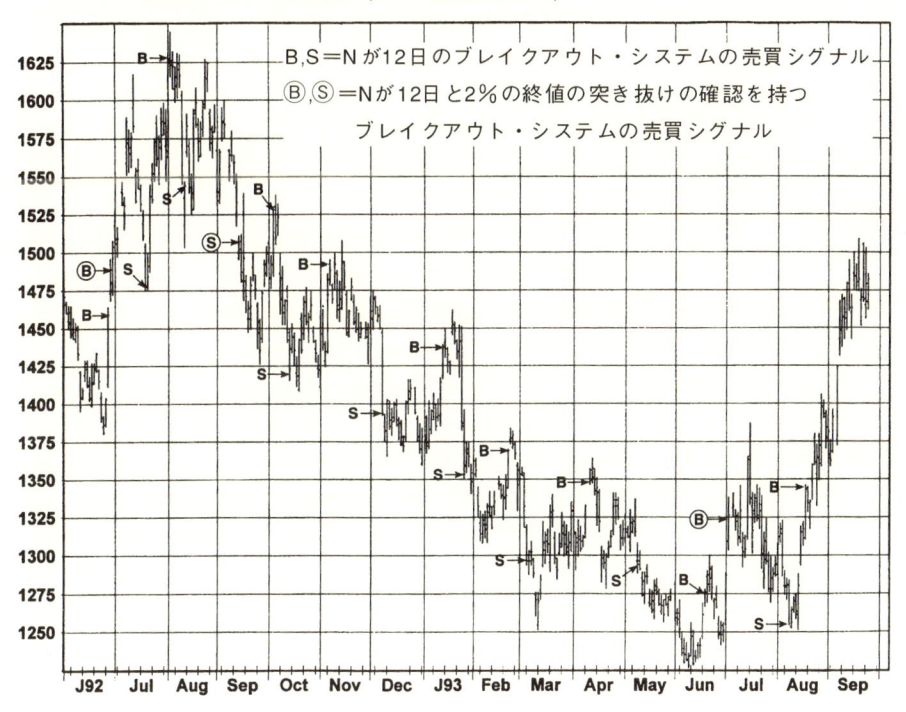

図14.9 突き抜けによる確認条件（ココア修正つなぎ足）

B,S＝Nが12日のブレイクアウト・システムの売買シグナル
Ⓑ,Ⓢ＝Nが12日と2％の終値の突き抜けの確認を持つブレイクアウト・システムの売買シグナル

られる前にこのような条件が満たされないのであれば、トレードは起こらない。確認条件の選択可能な範囲は、システム・デザイナーの創造性が限界となるようなものであり、ここでは3つの例を紹介しておく。

1．値動きによる確認

トレード・シグナルが出た後、そのシグナルが示す値動きの方向にあらかじめ決めてある一定の幅だけさらに市場が動いたときにのみ、そのシグナルの指示に従いトレードする方法がある。その幅は金額そのものか、比率で決められる。**図14.9**は、標準的なブレイクアウト・システムでN＝12とし、トレード・シグナルを出した場合とそれに対応するシステムで確認条件を終値がその前N日の高値（安値）を少なくとも2％以上突き抜けたものとを比べている。

図14.10 時間を遅らすことによる確認条件（ココア修正つなぎ足）

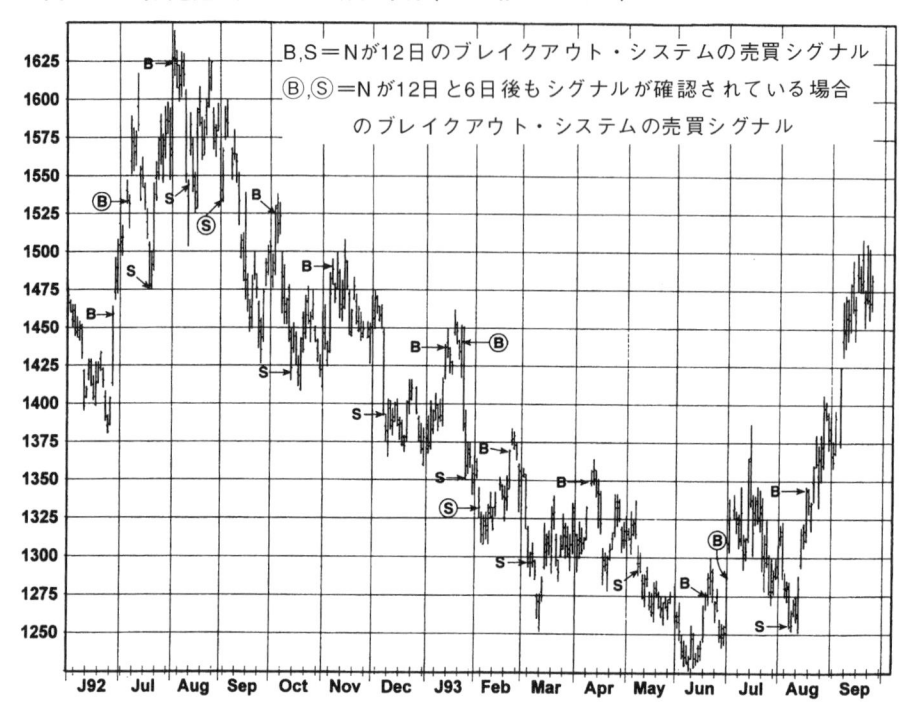

B,S＝Nが12日のブレイクアウト・システムの売買シグナル
Ⓑ,Ⓢ＝Nが12日と6日後もシグナルが確認されている場合のブレイクアウト・システムの売買シグナル

この例では、この確認条件は取引を始めるタイミングを若干悪くしているが、すべての間違った7つのだましシグナルを取り除いている。このシステムがその時点で既に買い持ちであれば、確認のない売りシグナルに続く買いシグナルも取り除かれる。同様に、このシステムが既に売り持ちであれば、確認されていない買いシグナルに続く売りシグナルも取り除かれる。

２．時間による確認

　この方法では、一定の時間を決めておいて、その時間が経過した後でシグナルが再確認されることが要求されている。例えば、もともとのシグナルの出た日から6日かそれ以上たった時点でそのシグナルの価格を、買いの場合は高く、売りの場合は安く市場が引けた場合に、トレードが執行されるという条件を付加するのである。**図14.10**は、Ｎ＝１２のブレイクアウト・システムによって

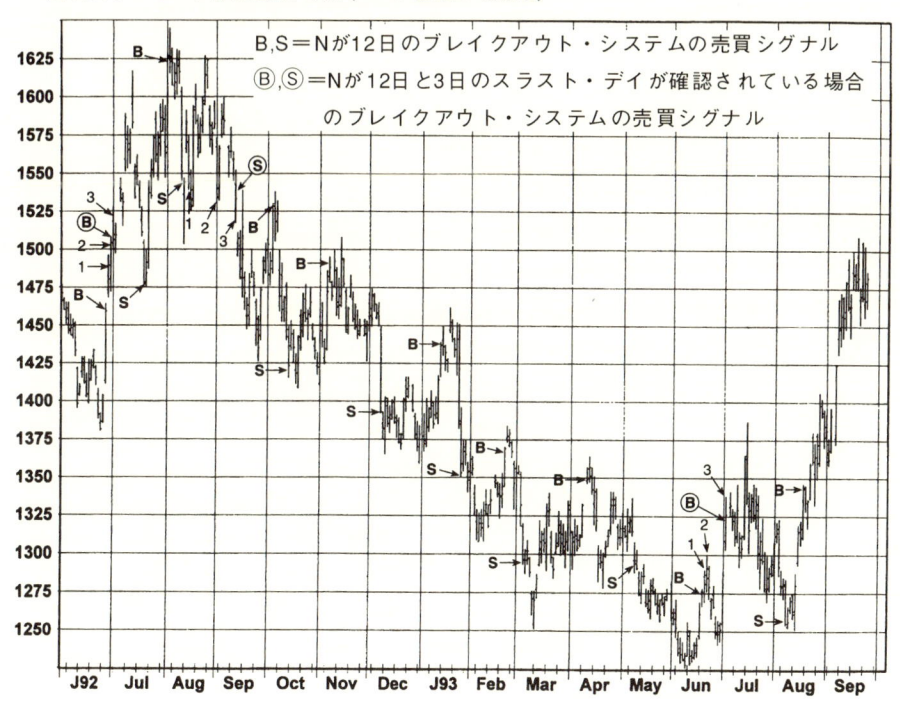

図14.11 パターン確認条件の例（ココア修正つなぎ足）

B,S＝Nが12日のブレイクアウト・システムの売買シグナル
Ⓑ,Ⓢ＝Nが12日と3日のスラスト・デイが確認されている場合のブレイクアウト・システムの売買シグナル

出されたシグナルと、それと同じシステムで6日間経過した時点でそのシグナルが再確認されているという条件を付け加えたものとを比べている。この場合に、確認条件は7つのうちの6つのだましシグナルを取り除いている。

3．パターンによる確認

　これは様々な確認条件の包括的な用語である。特定されたパターンが、この方法では基本的なシステムのシグナルを有効にするために必要なのである。例えば、確認条件はシグナルの価格に対して3つの続いたスラスト・デイを必要としている。**図14.11**は、基本的なブレイクアウト・システムの確認条件をN＝12としたときに出されるシグナルと、それに対応するシステムで3つのスラスト・デイを有効な条件として加えた場合とを比べている。確認されたシグナルでのスラスト・デイの数はチャートに書かれている。ここでも、確認条

件は7つのだましシグナルのすべてを取り除いている。

　確認条件の利点は、ちゃぶつきによる損失を取り除くことである。しかし、確認条件はそれ自体望ましくない効果も生み出している。有効なシグナルから来る投資の機会を遅らせて高収益となるはずのトレードの利益を減らしてしまうのである。例えば、**図14.9～図14.11**では、確認条件のために１９９２年６月の買いシグナル、１９９２年８月の売りシグナル、そして１９９３年３月の買いシグナルの仕掛け値を悪くしてしまった。この確認条件は、損失を避けることによる利益が、トレードを執行する時期を遅らせることによって失われる利益よりも大きければ問題ない。確認条件を含むシステムは必ずしもその基になるシステムより高い成績を上げるわけではないが、適切に設計されていれば、長期的にはかなり良い結果が得られるはずである。

フィルター

　フィルターの役割とは、成功する確率が低いと考えられるトレードをなくすことである。例えば、テクニカル・システムは市場を強気、弱気、中立に分類するファンダメンタルズなモデルと組み合わされる。テクニカルなシグナルは、ファンダメンタルズ・モデルによる判断に一致した場合に限って受け入れられる。この同意が得られない場合には、中立な立場が取られる。しかし多くの場合には、フィルターの条件は性質としてはテクニカルである。例えば、レンジ相場を定義する１組の規則を導入した場合に、レンジ相場の定義に当てはまる状況下で出されたシグナルは採用されない。フィルターを開発するシステム・デザイナーは、多くの損をしているトレードに当てはめることができる共通の特徴を探している。

　不十分な移動平均システムを使って、フィルターがどのような効果を持つかを説明することがよくある。**図14.1**において線で囲まれていないシグナルは、単純移動平均システムがたとえトレンドのある市場でも多くのだましを出しやすい傾向にあることを示している。このようなちゃぶついたトレードは、フィルターを用いることで劇的に減少する。そこでは、移動平均のトレンドと一致しているシグナルだけが採用される。例えば、移動平均を下から交差し、移動平均の上で引けた価格は、移動平均が前日のレベルに対して高いときにだけ受

け入れられる。このフィルターの条件は大きなトレンドをとらえる基本的なテクニカル分析の概念に合致しているので、直観的に理解できる。

この規則を採用する際に2つの点を指摘しておく。

1．採用されなかったシグナルは、反対のシグナルが出る前にそのシグナルの方向に移動平均が大幅に向きを変えたのなら後になって有効になる可能性もある。

2．採用されなかったシグナルの後に出てきた逆のシグナルは、それが示すトレンドをとらえるための建玉が既に建ててあるので無視される。単純移動平均システムは常に市場を分析しているので、このようなことが起こる。

図14.1の菱形で囲まれたシグナルは、今説明したフィルター規則が適用された場合にも交差が起こった時点か、その後で採用されるトレードを示している。ここで見られるように、結局、ここでの恩恵は不利益を上回っている。多くの検証研究は、**図14.1**で説明されている種類のフィルター規則を適用すると、大抵、結果は向上する。

事実、市場が移動平均の示すトレンドとは反対方向に動き、移動平均線と交差した場合、時には建玉を途転するのではなく、増し玉するために有効なシグナルとなることがある。このことは第8章で、トレンド半ばで仕掛ける技術として説明した。

前の項で説明した確認条件は、それらの条件を満たしたシグナルが受け入れられ、そうでないものは取り除かれるという意味ではある種のフィルターである。しかし違いは、フィルターがシグナルを選別するための一連の規則であることである。したがって、フィルターと確認条件の両方を用いたシステムもあり、こうしたシステムではフィルターにより選別され、確認の規則により有効となったシグナルのみが採用されることとなる。

市場の特性に応じた調整

単純トレンドフォロー型システムに対する1つの批判は、すべてのマーケットを同じように扱っていることである。例えば、ブレイクアウト・システムでN＝20とした場合、同じ20日という数字を非常に価格変動の大きい市場に

も、とても穏やかな市場にも採用している。システムに最も適したパラメータは市場の状態によるという事実から、市場の特性によって調整することが必要である。例えば、ブレイクアウト・システムの場合、Ｎの一定の値を使うよりもＮの最適値は、市場がどのような価格変動の部類に分類されるかによる。例えば、過去５０日間の２日間の値幅の平均といった価格変動によって市場を５つに分類し、シグナルを出すことに使われるＮの値はそのときの価格変動のカテゴリーに応じて決定するのである。

　価格変動性は市場を分類するためには最も論理的な選択であるが、ファンダメンタルズを基にした条件、平均出来高などの他の要素も試してみるべきである。本質的にはこの種の改善は、基本的なトレンドフォロー型システムを静的なものから動的なものへと変換しているのである。

買いと売りシグナルの差別化

　基本的なトレンドフォロー型システムは、特に売りと買いのシグナルの条件を同じであると仮定している。例えば、２０日間の高値を超えた終値で買うとか、２０日間の安値を下回った終値で売るというように。しかし、この過程を自動的に採用する理由はどこにもない。強気の市場と弱気の市場は同じ動きをしない。例えば、過去の価格のチャートを広い範囲で調査した結果、大天井から価格が崩れるときは大底から価格が上昇するときよりもスピードが速いことが明らかになっている。この結果は、売りシグナルを出すときには買いシグナルを出すときよりも微妙な条件を付けるべきであることを示唆している。しかし、このような方法を使うシステム・デザイナーは、特にシステムを最適化させ過ぎてしまう危険に気を配っている。この落とし穴については第１５章で説明する。

増し玉

　基本的なトレンドフォロー型システムの本来の弱点は、いつでも同じ量の建玉を建てることを想定していることである。大きなトレンドの場合には、大きな建玉を取る可能性を残しておくことが望ましく、どのようなトレンドフォロー型システムでもその成功はこの建玉法に掛かっているのである。増し玉していく方法の妥当なものの１つとして、戻りを待っていて、その戻りが綾であっ

たことを確認した後に増し玉するやり方がある。そのような方法は増し玉するタイミングを最適化し、そのように増し玉されたことによる損失を限定するために、手仕舞いの規則も決めておくことが必要である。この種の方法の例は第8章で説明した。増し玉戦略の別の例をここに紹介しておく。

1．建玉が買い建てのとき、市場が前の10日間の安値を下回って引ける。
2．かつ、それに続く10日間の高値以上のレベルに市場が達したときに買い乗せる。ただし、次の条件を満たしていなければならない。
　　a．買いシグナルの出た時点での価格が最近建てられた買い玉の価格を上回っている。
　　b．正味の建玉は取引単位の3倍以下。すなわち、増し玉は2取引単位までに制限する。
　（この条件は売り玉のときには逆になる）

図14.12は、N＝40のブレイクアウト・システムを1992年9月限コーヒー先物に適用し、この増し玉のルールを付け加えたものである。
　増し玉の要素がシステムに付け加えられたなら、リスク制御がとりわけ大切となる。一般的に、増し玉を手仕舞うには反対のシグナルを出すときよりもずっと精巧な条件を使うことが望ましい。増し玉を使ったシステムで採用された損切りの一連の規則を次に紹介しておく。どちらかの条件が満たされたときにはいつでもすべての増し玉を手仕舞うべきである。

1．反対のトレンドが形成されたことを示すシグナルが出たとき。
2．売り玉（買い玉）を増し玉する直前の反動からの高値（安値）を超えて（下回って）市場が引けたとき。**図14.12**は、1992年9月限コーヒーにおけるこのルールによる損切りポイントを示している。

手仕舞い

　システムに手仕舞い規則があるということは、反対売買のシグナルをトレンドフォロー型のシステムから受ける前に建玉を手仕舞うことがあることを意味する。そのような規則は損失を限定する一方で、利益を確定することにもなる。

図14.12 増し玉のシグナル（1992年9月限コーヒー）

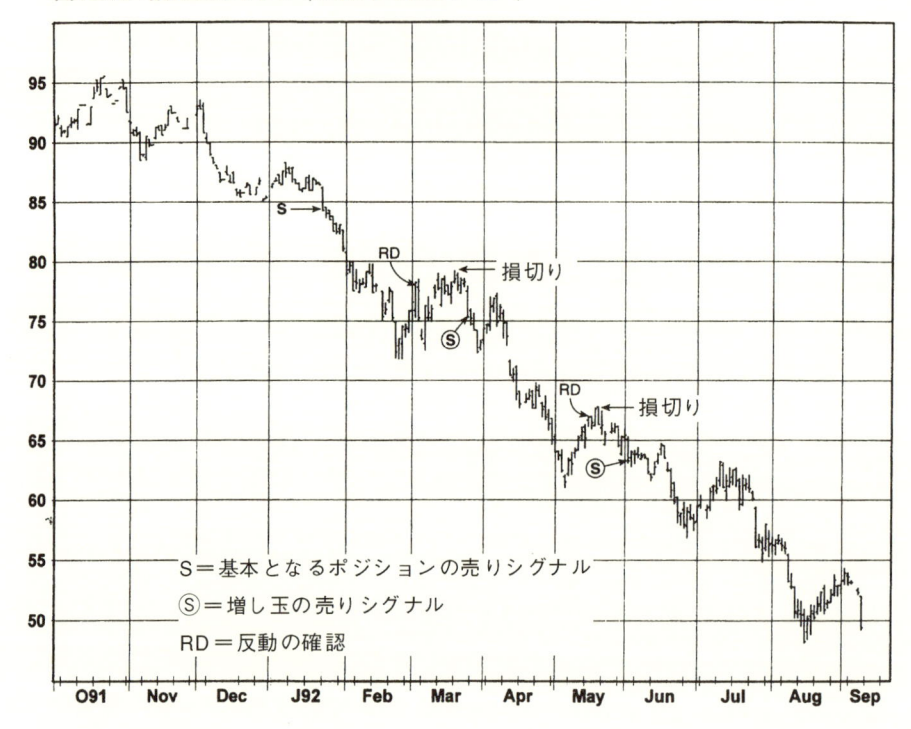

S＝基本となるポジションの売りシグナル
Ⓢ＝増し玉の売りシグナル
RD＝反動の確認

　これらは大変好ましい目標であるが、手仕舞い規則を使うことで失ってしまうものもかなり大きい。手仕舞い規則を使うと、再び仕掛ける規則を特定しなければならなくなる。そうしなければ、このシステムは大きなトレンドを逃してしまうことに反応しなくなってしまうからである。
　手仕舞い規則を使う危険性は、うまくいっている建玉を早く手仕舞い過ぎてしまうことである。しかし、手仕舞った後、一定の条件を満たせば再び玉を建てることにしておけばこれを防ぐことができるが、これはちゃぶつきの損失につながりかねない。そのため、投資成果へのマイナス効果を考慮すると、建玉の手仕舞いの規則とその後再び仕掛ける規則を加えることは一般的とはなり難い。それでも簡単なことではないにせよ、総合的なパフォーマンスを改善するように手仕舞いルールを構築することは可能だろう（収益やリスク・リターンの観点から、もし手仕舞いルールがパフォーマンスを改善するなら、単に手仕

舞うだけでなく途転することにより、パフォーマンスをより改善することができるはずである)。また、手仕舞い規則は動的なものにすることもできる。例えば、値動きが大きくなったり、トレンドの長期化によって、手仕舞いの条件を敏感なものにするのである。

逆張り型システム

逆張り型システムに関する一般的な考察

　逆張り型システムは、その最終的な目的が安く買って高く売ることであることから多くのトレーダーに大変人気がある。残念だが、この目標を達成する難しさは、その願いとは逆比例の関係にある。忘れてはならない重要な相違は、トレンドフォロー型システムが自分で自分のことを管理しているのに対して、逆張り型システムは無限の損失を被る可能性があることである。そのため、逆張り型システムはトレンドフォロー型システムと同時に使われている場合を除いては、ある種の損切りの条件を持っていなければならない。そうでないと、このシステムは大きな下降トレンドの最中に買い持ちのままでいるか、大きな上昇トレンドで売り持ちのままでいることになってしまう。ほとんどのトレンドフォロー型システムに関しては、ポジションの損失が莫大になる前に反対のシグナルが大抵得られるので、損切り条件はあってもなくてもよい。逆張り型システムを使う最も重要な利点はトレンドフォロー型システムと同時に使うことにより、優れた分散投資の機会を与えてくれることであり、全体としての変動性を下げることができる。この章でこれから議論する「分散」の項で詳しく説明する。

逆張り型システムの種類

　これから説明するものは、逆張り型システムを構築するのに使われる幾つかの方法である。

一定の価格変動があれば、逆張りをする

　これは最も分かりやすい逆張り型の方法である。例えば、この前の逆張りの買いシグナルが出て買ってから価格が一定の上昇をすると売りシグナルが出される。同様に、この前の逆張りの売りシグナルが出て売ってから価格が一定の

下落をすると買いシグナルが出される。トレードのシグナルを出すのに必要な価格の動きの大きさは値幅そのものか、比率で示される。**図14.13**は１９９３年１０月〜１９９４年７月の金の市場で４％の基準値を設けてこの種の逆張り型システムによって出されたシグナルを載せている。この章で敏感なトレンドフォロー型システムがちゃぶつきで損失を膨らますことを説明したときに使った市場とこの市場は同じものである（**図14.7**）。これは偶然ではない。逆張り型システムは、トレンドフォロー型システムが良い成績を出せないような市場で最高に機能する傾向がある。それに加えて、トレンドとは反対の方向にあるスラスト・デイのような確認条件はだましシグナルを取り除くのに使用可能である。

オシレーター

逆張り型システムは、トレード・シグナルを出す指標として第６章で見たオシレーターを使うことができる。しかし、逆張り型のトレードにシグナルを出すためにオシレーターを使ってうまくいくのは市場がトレーディング・レンジにあるときであり、トレンドのある市場では悲惨な結果になる。

反対意見（コントラリー・オピニオン）

逆張り型システムでは、トレードの時期を測るのに反対意見が使えるかもしれない。例えば、特定されたレベルを超え反対意見が浮上するなら、大変敏感なテクニカル指標による確認次第で売り指示を出すことになる。反対意見は第１０章で説明した。

分散投資

分散という用語の一般的な解釈は様々な市場にトレーディングを広げることである。これは十分な資金がある場合、唯一最も重要な分散であるが、その他に２つほど可能な分散がある。最初のものは、同じ市場で幾つかのシステムによって運用される場合である。２番目のものは、システムに幾つかのバリエーションを持たせる場合である。例えば、ブレイクアウト・システムで２単位（１００株が１単位）の株を用いて運用する場合であれば、それぞれのブレイクアウトの判定に用いる日数Nを別々にする。ここでNは、シグナルを出すために高値、安値を抜けてからの日数である。

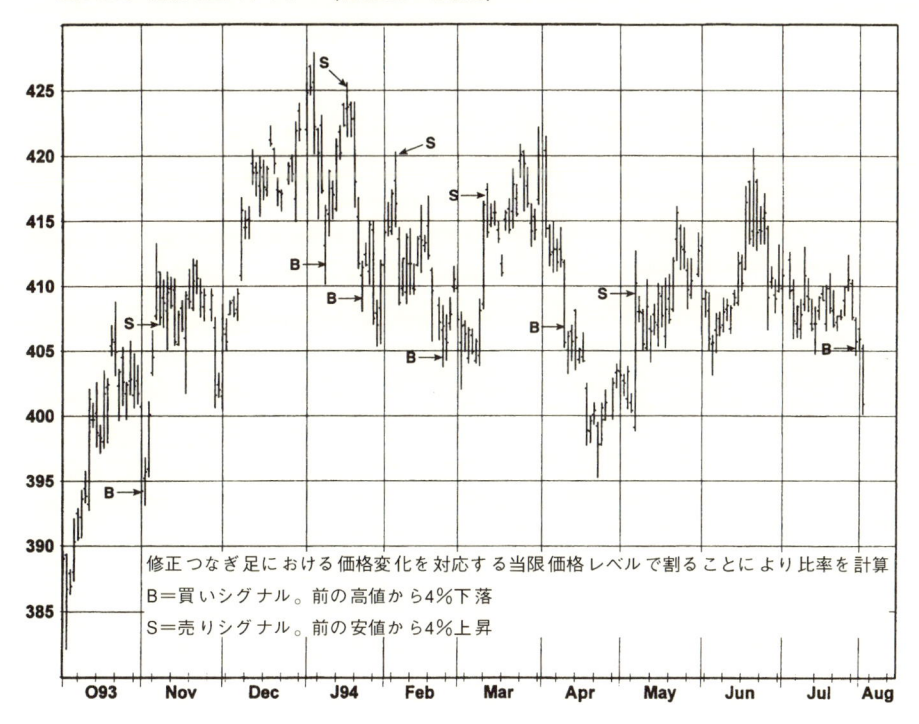

図14.13 逆張り型のシグナル（金修正つなぎ足）

修正つなぎ足における価格変化を対応する当限価格レベルで割ることにより比率を計算
B＝買いシグナル。前の高値から4％下落
S＝売りシグナル。前の安値から4％上昇

　これからの説明では、シングル・マーケット・システム・バリエーション（SMSV）という用語は、1つの市場を売買するあるシステムの1つのバリエーションという概念を意味する。ココア市場のN＝20の単純なブレイクアウト・システムはSMSVの例である。
　分散には3つの重要な利点がある。

1．自己資金の価値（エクイティー）

　異なるSMSVは全く同じ期間にそろって損失を出すことはあり得ない。そのため、様々なSMSVでトレードすることにより、トレーダーはなだらかなエクイティー曲線を達成することができる。これは同じリスクと収益の関係を持った10のSMSVでトレードする場合に、1つのSMSVで10単位トレードする場合と比べて非常に少ないキャッシュ・ポジションで高い収益率を得

られることを意味する。言い換えると、同じレベルの資金でも分散されたトレーディングのポートフォリオは、低いリスクで同じ％の収益を上げることができる。つまり、たとえ期待収益の良くないＳＭＳＶがポートフォリオに含まれていたとしても分散には意義がある。大事なことは、ポートフォリオの中で定められたＳＭＳＶとそのほかのＳＭＳＶとの相関関係である。

２．大きなトレンドへの参加

トレンドフォロー型システムでは、通常トレードの多くが損切りに終わるので、残りのトレードで大きな利益を上げる必要がある——すなわち、大きなトレンドを逃さないようにすることが重要である。このことが幾つもの市場にわたって分散することの重要性を物語っている。

３．失敗したときの保険

システム・トレーディングは野球のように、１インチの差が重要なゲームである。同じ日のたった１分の値動きの差が、ＳＭＳＶの収益性に多大な影響を与えることがある。例えば、同じブレイクアウト・システムであっても、シグナル確認のルールが少し違えば、１日違いのトレード・シグナルを出すことになるわけで、もしも先物市場で大きく窓を空けて寄り付いたり、ストップ高買い気配（ストップ安売り気配）が続いたら、その差は劇的なものになる。

バリエーションが１つのシステムを用いた場合には極端に悪い成績となってしまう可能性があるが、幾つかのバリエーションをシステムに持たせてトレードすることにより、これを避けることができる。もちろん、そうすることで、システムの運用成果が平均を大きく上回る可能性もなくしてしまう。しかしこれは、安定した運用成果を上げることが、運用を行う際の重要なポイントであるとすれば、受け入れる価値のあることである。

改良された
標準トレンドフォロー型システムの１０の一般的な問題点

一般的なトレンドフォロー型システムに関して、これまで提起した問題に対する回答を考える時が来たようである。その問題点と可能な解決法を**表14.2**に要約した。

Chapter 14 テクニカル・トレーディング・システム——構造とデザイン

表14.2　トレンドフォロー型システムの問題点と可能な解決法

トレンドフォロー型システムの問題点	可能な解決法
1. 同じようなシステムの氾濫	1A.「誰もが行うようなトレード」を避けるために独自のシステムを構築すべきである 1B. 1枚以上トレードするなら建玉の時期をずらせ
2. ちゃぶつきによる損失	2A. 確認条件を採用せよ 2B. フィルター規則を開発せよ 2C. 分散を用いよ
3. トレンドの継続と建玉数量	3　増し玉の要素を加えよ
4. 鈍感なシステムの含み益の取り損ね	4. 手仕舞いの規則を作れ
5. トレーディング・レンジでのもたつき	5. 逆張り型システムをトレンド・フォロー型システムに混ぜる
6. 一時的に生じる大きな損失の可能性	6A. 資金が許すなら1つの市場で複数のシステムを使え 6B. システムでトレードを始めるときシグナルが既に出た後に玉を建てるのであれば小さな金額でトレードせよ
7. 儲かるシステムにありがちな極端な損益の変動	7. 単独ではリスクが高すぎてトレードできないようなシステムを使うときには、それぞれに少しずつ資金を配分することにより分散せよ

トレンドフォロー型システムの問題点	可能な解決法
8. つもり売買で機能し、実践で役に立たないシステム	8. システムを的確にテストせよ。この点に関しては第15章で取り上げる
9. パラメータのシフト	9A. もし資金が許すならシステムにバリエーションを持たせてトレードすることにより分散せよ
	9B. 市場の特性に適応可能なシステムで実験せよ
10. スリッページ	10. 現実的な仮定を採用せよ。この点に関しては第15章で取り上げる。

第15章

トレーディング・システムのテストと最適化
Testing and Optimizing Trading System

> *10年一昔、歴史は愚かな行いを繰り返すが、その原因はいつでも同じである。足元の大地は移動しているのであるが、歴史は繰り返すと人々は信じているのである。*
>
> *ジョージ・J・チャーチ*

　この章の幾つかの話題は、初心者には理解しにくいものかもしれない。それはシステム・デザインとテストには、避けることのできない複雑さがあるからである。幾つかの概念は今すぐ応用できるものではないが、それらはシステムをテストするしっかりとした方法を開発するのに欠かせないものであり、トレーダーがテクニカル・トレーディング・システムで経験を積むむつれて、より重要なものとなっていくだろう。これから紹介するものは1984年9月に初めて『フューチャーズ・マガジン』に掲載された記事からの抜粋である。

特別に見栄えの良い例

　あなたは「億万長者の秘密」と題した第10回年次トレーディング・セミナーに自費で895ドルも払って参加したのである。この価格ならあなたは、講演者が幾つかの大変価値のある情報を提供してくれるであろうと考えていた。
　講演者はスーパー・ラズル・ダズル（SRD）・トレーディング・システムについて説明している。巨大なスクリーンに映し出されているのは相場チャー

トでスライドはBとSのシンボルで売買のタイミングを示している。スライドは印象的なものである。すべての買い値は売り値よりも低いのである。

この点に関して次のスライドは信じられないほど印象的である。このトレーディング・システムにより達成された純資産の流れがほぼ完全に右肩上がりなのである。それだけではなく、システムはとても保守が簡単なのである。

「1日10分と単純な算数の知識があれば大丈夫です」と講演者は言う。

そんなに簡単に儲けられるなんて、あなたは気付かなかったのである。第1回〜第9回までの年次セミナーに参加しなかったことを心から悔いてしまうのである。

家に帰るとすぐに10の市場を選び、SRDシステムでトレードを始めることになる。毎日エクイティーをグラフに書き、1カ月経つと奇妙な展開に気が付くのである。あなたの口座のエクイティーはセミナーの例のように順調な傾向を示すけれども、それが少し違っているのである。エクイティーのチャートは、下げの傾向を持っているではないか。何が悪いのだろう？

どのようなトレーディング・システムも、実際に使ってみるといろいろなことが分かる。大きな間違いは、過去の特殊で都合の良いように選別された例を基にして将来の運用成果を推定したことにある。

実生活での経験はこの点をよく説明してくれる。1983年に、私がトレーディング・システムに関した仕事に就いていたことがあった。そのとき、私は次のような非常に単純なトレーディング・システムの記事を読んだのである。

1. 6日移動平均がその前の日の値よりも高ければ、売り持ちを解消して買い持ちになる。
2. 6日移動平均がその前の日の値よりも低ければ、買い持ちを解消して売り持ちになる。

この記事は説明のために1980年のスイス・フランを使っていた。詳しくは説明しないが、このシステムに採用された1980年のスイス・フランは、1枚当たりその取引手数料を往復で80ドルと仮定して1万7235ドルの利益になったと言っていた。1枚に付き6000ドルという保守的な資金配分をしたとして、これは287％の利益を上げたことになる。2つの文にまとめら

れたシステムとしては決して悪いパフォーマンスではないであろう。このような例を用いて説明したら、トレーダーがこの明らかなお金を生む機械を見て他のトレーディング方法を捨てたくなったことが見て取れるようである。

　私はこのような単純なシステムがそのようにうまくいくことを信じていない。そこで私は、このシステムを１９７６年から１９８３年の半ばまでの長い期間にわたって、いろいろな市場でテストしてみることにした。

　スイス・フランから始めて、この期間の全体の収益は２万４７３ドルであることが分かった。言い換えれば、１９８０年を除いて、このシステムは残りの６年半でたったの３２３８ドルしか儲けられなかったのである。このトレードにあなたが６０００ドルを使ったとすると、これらの期間の平均年利回りは８％となり、１９８０年の２８７％からはかなり低いものとなる。

　しかし、ちょっと待ってくれ！　状況はもっと悪いのである。もっともっと悪いのである。

　私がこのシステムを１９７６年から１９８３年半ばまでの２５の市場に適用したとき、このシステムは２５のうち１９の市場で損失を計上した。１３の市場において調査期間の半分以上の期間で損失が２万２５００ドル、言い換えると１年で１枚に付き３０００ドル以上の損失となっている。５つの市場で損失は４万５０００ドルを上回り、これは年率に直すと１枚に付き６０００ドルにもなる。また、このシステムが収益を上げる市場においても、そのパフォーマンスは多くの他のトレンドフォロー型システムが同じ期間に同じ市場で成し遂げる利益をかなり下回っている。

　これについて何も言うことはない。これは本当に悪いシステムなのである。それでも、あなたは特別に見栄えの良い例を見てジェシー・リバモアが良き時代に使っていたトレーディング・システムに偶然に出合ったのではないかと思ったのである。感じたものと現実とのギャップというやつである。

　あなたがなぜこのシステムの出したシグナルの反対のトレードを実行しないのかと心配になるほど、このシステムは多くの市場で大きな損失を出したのである。その理由は、ほとんどの損失はこのシステムの感応度が高過ぎて巨大な取引費用を計上してしまったことにある。ここで取引費用は手数料とスリッページを含んでいる。スリッページについてはこの章の後で説明する。時として１９８０年のスイス・フランの場合のように、システムの感応度は有利になる。

しかし、この感応度は結局、このシステムの大きな弱点でもある。

　取引費用による損失は、このシステムを反対にトレードしたとしても利益にはならない。もっと言うと、すべてのシグナルの反対を実行することは取引費用を損するのと同じことなのである。そのため、取引費用を考慮すると、このシステムの逆を張る手法の魅力は吹っ飛んでしまうのである。

　教訓は単純である。特別に選別されたサンプルを基にシステム（もしくは指標）に関して結論を出してはいけない。システムが価値を持っているかどうかを判断する唯一の方法は、幅広い市場に対して長い期間にわたり過去を振り返ってテストすることの恩恵を排除して、テストすることである。

トレーディング・システムの基本的な概念と定義

　トレーディング・システムは、トレーディング・シグナルを出すことに使われる規則の集合である。パラメータは、それを変化させることによりトレーディング・システムの出すシグナルのタイミングを変化させる。例えば、基本的なブレイクアウト・システムでは、それ以前のＮ日間の高値か安値をその日の価格が上回るか下回るかすればシグナルが出る。この日数Ｎがパラメータである。このシステムの規則に則った活動はＮ＝７でも、Ｎ＝４０でも同じであるが、シグナルのタイミングはかなり違ったものとなる。例えば、第１４章の**図14.5**と**図14.6**に載せてある。

　多くのトレーディング・システムは１つ以上のパラメータを持っている。例えば、クロスオーバー移動平均システムは２つのパラメータを持っている。短期の移動平均の日数と、長期の移動平均の日数である。パラメータの値の組み合わせをパラメータ・セットと呼ぶ。例えば、クロスオーバー移動平均システムでＮが１０と４０の移動平均は１つのパラメータ・セットである。様々な移動平均値の組み合わせはすべてパラメータ・セットである。たった１つのパラメータを持ったブレイクアウト・システムなどは、パラメータ・セットはたった１つの要素から構成される。パラメータ・セットと第１４章で使われたシステム・バリエーションという用語は同じ概念である。パラメータ・セットという用語の導入がこの章まで延ばされたのは、その方がより論理的な順序でこの題材を表現できると思ったからである。

最も基本的なシステムでは、システムの用いるパラメータは1つか2つに限られている。もっと独創的で柔軟性のあるデザインか、あるいは基本システムの追加的な改良は、3つかそれ以上のパラメータを必要とするであろう。例えば、クロスオーバー移動平均システムに確認のための時間の遅れの規則を付け加えることは時間の遅れを何日にするかを決める3番目のパラメータを必要とする。もっと複雑なものに比べて、運用パフォーマンスで大きな損失が出ないようにして、例えば、パラメータの数を少なくするとかして、システムを非常に単純な形にして使うことは一般的に賢明なことである。しかし、パラメータ・セットを減らすことが重要であるからといって、重要なパラメータを漏らしてはならない。この場合に、より合理的な方法は実際にテストされるパラメータ・セットの数を限定することである。

1つから2つの単純なパラメータ・セットを持つシステムでは、すべての可能な組み合わせについてテストする必要はない。例えば、単純なブレイクアウト・システムでN＝1からN＝100までテストしたいと思うかもしれないが、このレンジではそれぞれの数についてテストする必要はない。より効率的な方法は、まず、10、20、30…………100というように間隔の開いたNを使ってシステムをテストし、そして必要ならば、トレーダーは最も興味を抱いたものに対してテストを絞り込むべきである。例えば、システムがパラメータN＝40とN＝50で特に好ましい成果が得られたのであれば、トレーダーはNの他の値をこの狭い範囲の中でテストしたくなる。しかし、この章の終わりに説明するが、そのような手間は多分必要ない。このように接近したパラメータ・セットの場合、パラメータ・セットごとのパフォーマンスの違いは偶然によるものが大きく、重要性に欠けるからである。

価格データの選択

株価の過去データは連続であり途切れることがないのでテストに適している。第2章で取引サイズの調整については説明済みである。先物のトレーダーにとっては、システムを与えられた市場でテストする第1段階は適切な価格データを選ぶことである。この選択に関する問題は既に第2章で説明した。一般的に、修正つなぎ足は好ましい選択であるが、実際の限月のデータも短期のト

図15.1　価格のサンプルとしてはふさわしくないトレーディング・レンジ（マクドナルド）

レーディング・システムに使うことができる。

期間の選択

　一般的に、テスト期間が長ければ、その結果はより信頼のおけるものとなる。期間が短過ぎれば、テストは様々なマーケットの状況の変化に対してそのシステムの能力を反映しない。例えば、**図15.1**に示された株の逆張り型システムは1996年1月～1998年2月までの最近2年間のデータを使っている。その期間は長く続いたトレーディング・レンジであって、このシステムの長期的な運用能力ということに関しては大変誤解を招くような結果を出している。

　一方、システムをテストするための期間が長過ぎると、この調査期間の最初のころは現在の市場状況からはかけ離れたものとなる。例えば、商品相場をテストするために1973年から1976年まで戻る必要はない。この期間には、空前の大きな価格上昇とそれに引き続く価格崩落がたくさんの商品市場で起こったからである。この特殊な期間を含むことは多くのトレンドフォロー型シス

テムの期待運用成果を過大評価してしまうことになる。言い換えれば、多くのトレンドフォロー型システムでこの期間にもたらされた巨大な収益は将来起こりそうもない。

　テストに使われるべき最適な期間について決定的な答えを出すことは不可能であるが、１０年、２０年が妥当な線であろう。短期のトレーディング・システムで、例えば平均トレーディング期間が数週間かそれ以下の場合には５年とか１０年の短い期間のテストでも十分である。トレーディング・システムのテスト結果がこのガイドラインよりも明らかに短い期間で行われた場合には、疑問が残る。実際に２年以下の期間に対するトレーディング・システムのテスト結果がいくつか報告されているが、信じ難いものである。

　理想的には、１５年などの長い期間においてシステムをテストし、そしてその期間全体に対して個別の１年などの短い期間に対してこの結果を評価する。このような１つの期間とその次の期間のパフォーマンスを比較するような方法がこのシステムの時間的安定性の程度を決めるには重要である。時間的安定性は、将来における安定した好ましいパフォーマンスを維持するためのシステムの可能性を確かなものにするために重要である。１５年間で素晴らしいパフォーマンスを上げたシステムであっても、よく見ると、そのうち３年間は信じられないほどの運用パフォーマンスを上げているものの、その他の年には損失を出したり、収益が損益分岐点近くであったと知ったら、そのシステムを使う気にはなれないであろう。その通りである。逆に、１５年間に素晴らしくはないが妥当なパフォーマンスを残しているシステムで、その１５年のうち１４年は収益を上げているものなら、疑いもなく多くのトレーダーにとって魅力のあるものになる。

現実的な仮定

　トレーディング・システムの使用者は、システムの実際の結果がつもり売買の結果よりも極端に悪くなることをしばしば発見する。事実、このような状況は頻繁に起こり、スリッページと呼ばれる。この結果のバラツキがプログラムのエラーによるものではないとすると、スリッページは基本的にこのシステムをテストするときに現実的な仮定を持たないために起こると考えられる。基本

図15.2　1つの価格と実際のトレードに間のギャップ（値幅制限の影響——1994年12月限コーヒー）

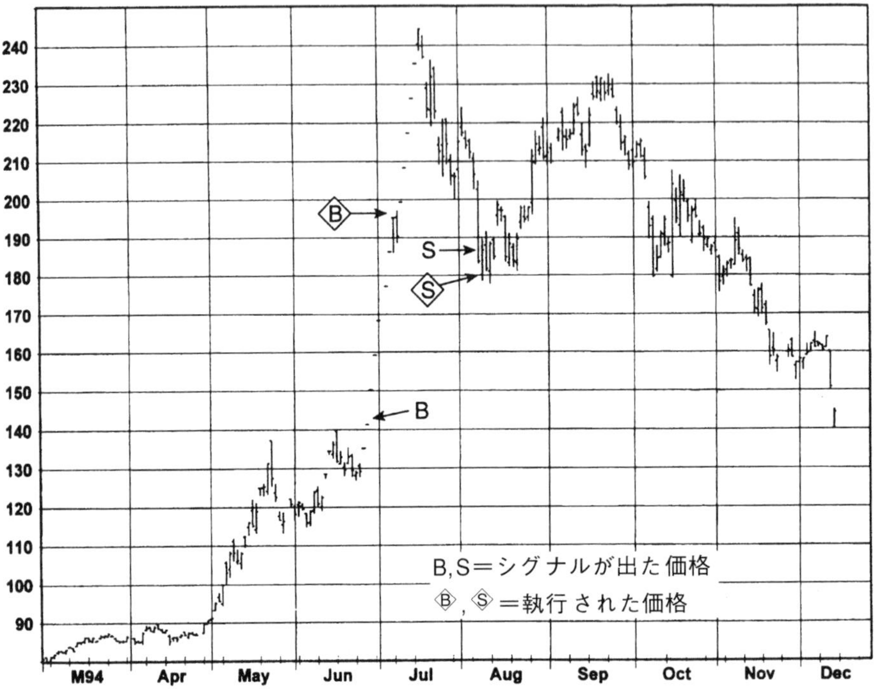

B,S＝シグナルが出た価格
Ⓑ,Ⓢ＝執行された価格

的には、そのような間違った仮定は2つのタイプがある。

1．取引コスト

　多くのトレーダーは、つもり売買でシステムをテストする際に、単に実際の手数料を計上するだけでは十分な前提となっていないことに気付かずにいる。この理由は、手数料は取引コストの一部を占めているに過ぎないからである。これと同じような問題にはならないまでも、無視できないコストは逆指し、成り行き、寄り付き、大引け注文の理論的な価格と実際の取引価格とのズレである。この問題を解決する簡単な方法は実際に過去払った手数料よりもずっと高い金額を想定すればよいのである（例：1枚当たり１００ドル）。

2．値幅制限

コンピューター化されたトレーディング・システムは、シグナルが出されると即トレードが執行されると仮定している。しかし、実際には１日の値幅制限により売買が停止してしまうので、トレードの実行が可能でなくなることもある。このような状況でトレードの実行を仮定していれば、つもり売買の結果は実際の結果をはるかに上回るものになる。**図15.2**は架空のトレーディング・シグナルとそれに対応した実際の価格を示している。シグナルの価格は４２．４セントの利益（１枚に付き１万５９００ドル）を示しているが、実際の取引は１６．２セントの損失（１枚につき６０７５ドル）となっている。

システム・トレーダーを目指す人は、その前提となるものを現実に即して置き換えると魅力的に思えたトレーディング・システムも、すぐにうまく成果が上がらなくなってしまうことに気が付くであろう。とても活発に取引を行うシステムは、取引費用がかさむので特にそうである。しかし、実戦でこのことを発見するよりもテストの段階でこのことを発見する方がはるかに好ましいのである。

<u>トレーディング・システムの最適化</u>

最適化とは、システムをある市場に適用したときに最もパフォーマンスの良くなるパラメータを探す過程のことである。最適化は、過去の市場でうまく機能したパラメータ・セットが将来においても優れたパフォーマンスを残す可能性が高いと仮定している。例えば、トレーダーは１０年の価格データを基にクロスオーバー移動平均システムをテストし、短期と長期移動平均の長さの最も高いパフォーマンスの上がる組み合わせがそれぞれ１０と４０であることを発見したとする。この値を用いて将来のトレードで最高のパフォーマンスを上げることを期待して、このシステムでトレードをした。この過程が有効であるかどうかの疑問に対しては、この項目の後で議論する。

最適化で考えられる基本的な質問は、「最高の成果」を定義するのに使われる基準は何であるかである。時として、最高の成果は最大の利益と簡単に解釈されてしまう。しかし、このような定義は完全ではない。理想的には、４つの

要素がパフォーマンスの比較で考慮されるべきである。

1．収益率

　システムでトレードするためには、利益を資金との比較で測る必要がある。2つのシステムの利益が年間1万ドルで同じように魅力的であったとしても、一方では4万ドルの運用口座が必要で、もう一方では20万ドルの運用口座が必要であると気付けば、それは違う話になる。

2．リスクの計測

　収益率に加えて、利益率の変動率、純資産の揺れなどの幾つかの純資産の変動を測定する方法が必要である。2つのシステムの利益がそれぞれ年間1万ドルで、運用口座には4万ドルが必要となる場合を考えてみよう。一方のシステムで過去のデータを用いてテストした結果、そのドローダウンの最大値は2万ドルで50％であった。もう一方のドローダウンの最大値は5000ドルで12．5％であった。この状況下で、後者でなく前者でトレードする理由は何もない。高い価格変動性を持ったパラメータ・セットやシステムを使いたくない心理的理由以外にも、トレーダーはシステム運用を開始するのに好ましくない開始日を選んでしまう可能性がある（ドローダウンがいつ始まるか知る手段はない）。リスク指標はとりわけ重要である。例えば、トレーダーが選んだ最初のシステムが最初の数カ月で2万ドルのドローダウンを経験したら、彼は利益が出るまでそのシステムでトレードを続ける気にはなれないであろう。

3．パラメータの安定性

　良いパフォーマンスを上げるパラメータ・セットを探すだけでは不十分である。パラメータ・セットがシステムで偶然出たパフォーマンスを反映していないことをはっきりさせることは大事なことである。事実、最適化の目標は最高のパフォーマンスを上げる1つのパラメータ・セットを探すことではなくて、広い範囲にわたって良いパフォーマンスを上げるものを探すことである。

　例えば、単純なブレイクアウト・システムのテストでN＝7というパラメータが最高のリスク／収益の特性を示し、パラメータがN＜5とN＞9のとき、そのパフォーマンスが急激に落ち、また、一方ではN＝25からN＝54の範囲で比較的良いパフォーマンスが上がることが分かったとしたら、後の範囲の中からパラメータ・セットを選ぶ方が理にかなっている。なぜ？　N＝7で

の例外的なパフォーマンスは過去データの特異性によるものであり、それが繰り返されるとは思えないからである。その近辺のパラメータ・セットが不十分な成果を上げているという事実は、N＝7を用いて堅実なトレードができるという根拠がないことを示している。それとは対照的に、N＝25からN＝54までの広い範囲での安定したパフォーマンスは、この範囲の中心からパラメータ・セットを選ぶことで将来性が高くなることを示している。

4．時間的安定性

前の項で説明した通り、期間全体としての好ましいパフォーマンスが幾つかの特別な期間の際立ったパフォーマンスを反映しているのではなくて、本当に全体の期間を反映していることを確かめることは重要である。

現実的な話として、多くのトレーダーは苦心して作り上げたパフォーマンスの評価が実用的でないことが分かるであろう。この点に関しては、同じシステムに対して異なるパラメータを比較すると、ここで取り上げた要素は高い相関を示すという事実に慰めを感じることだろう。一般に最高の収益を上げるパラメータは最も小さなエクイティーの変動を示すものでもある。結果として、単一システムの最適化のために、基本的な収益／リスク基準、または、単純な収益率を使用することは、たくさんの評価基準を取り入れて行われた複雑なパフォーマンス評価と同じような結果を生むことが多い。しかし、完全に異なるシステムに対してパラメータを比較するのなら、リスク、パラメータの安定性、時間の安定性の明確な考察がより重要なものとなる。

実証研究を重ねた結果、最適化に関して次のような結論に至った。

1．過去データを用いたテストではどのようなシステムであっても最適化によって大変収益の高い結果が得られる。過去に高い収益を上げるように最適化できないシステムを発見したのなら、おめでとう、取引費用が途方もなく大きくなければトレードのシグナルと反対のことをすることによって、あなたはお金儲けの機械を発見したのである。そのため、最適化による素晴らしい過去のパフォーマンスは、見栄えは良いものの何の意味も持たないのである。

2．最適化は常にシステムの将来のパフォーマンスをかなり過大評価してい

て、それはトレイラー３台分にも相当する。したがって、最適化された結果は決してシステムのメリットを評価することに使われるべきではない。
3. 大多数でないにしても多くのシステムに対して最適化はせいぜい、将来のパフォーマンスをわずかに改善する程度である。
4. 最適化に何らかの価値があるなら、それはそのシステムのパラメータの値を選ぶべき幅広い範囲を設定することである。最適化の微調整はせいぜい時間の無駄であり最悪では自己幻滅することになる。
5. 高度で複雑な最適化は時間の無駄である。単純な最適化の過程の方が、もっと意味のある情報を与えてくれるであろう――何か重要な情報が出てくればの話であるが。

　要約すると、常識に反することであるが、全く無作為にパラメータ・セットを選ぶよりも最適化によって選んだ方が長い目で見たときに良い結果が得られるのかという単純な疑問が浮かんでくる。混乱するといけないので、最適化が何の意味もないと言いたいのではない、ということを断っておこう。まず、前に示したように、最適化は良くないパフォーマンスを生むようなパラメータの範囲を決めるには有益であり、それらはパラメータ・セットの値を選ぶときに除かれるべきである。また、一部のシステムにおいて最適化は、準最適である極端な範囲を除いた後でも、パラメータ・セットの選択に優位性を与えてくれる。しかし、最適化によって達成される改善の程度は一般に思われているよりもずっと少ないので、最適化に対する前提を盲信するのではなく、しっかりと証明した上で採用する方が多くの資金を節約できると私は言いたい。

システムをデータによりテストすることとシステムをデータに合うようにこじつけること

　トレーディング・システムの使用者が陥る最も深刻な間違いは、テスト期間における最適化されたパラメータ・セットのパフォーマンスが将来のパフォーマンスのおおよそ可能な値を示していると仮定してしまうことである。残念ながら、そのような仮定はシステムの本当の可能性を過大評価することになってしまっている。価格はランダムに変動しているというのがわれわれの理解であ

る。したがって、どのパラメータ・セットがある期間において最高のパフォーマンスを残すことができるのかという質問に対して、それはかなり偶然の問題であると言わざるを得ない。確率の法則によれば、たとえ無意味なシグナルを発するシステムであっても十分に多数のパラメータ・セットをテストすれば、その中から過去において好ましいパフォーマンスを出すパラメータ・セットが得られるということを示している。調査期間における最高のパフォーマンスを残すパラメータ・セットの探索のように、最適化されたパラメータ・セットによるシステムの評価はそのシステムをテストしているのではなくて、過去のデータとシミュレーション結果にシステムをこじつけるという表現が一番似合っている。最適化によってパフォーマンスを測ることができないのであれば、どのようにしてシステムを評価したらよいのか？　次の項で２つの重要な方法を披露する。

目隠しシミュレーション

　目隠しシミュレーションは、慎重にごく最近の数年間を取り除いたデータを用いてシステムを最適化する手法である。この手法は、テスト期間において求められたパラメータ・セットを用いて、このテスト期間に続く期間についてシステムのパフォーマンスをテストするものである。理想的には、この過程は何回か繰り返されるべきである。

　例えば、１９８５年〜１９９２年のテスト期間を用いて、トレーディング・システムが最高のパフォーマンスを出すようなパラメータ・セットを求め、そこで求められたパラメータ・セットの有効性を１９９３年〜１９９４年の期間を用いてテストする。次に、１９８７年〜１９９４年までの期間を用いて最高のパフォーマンスを出すパラメータ・セットを求め、それを１９９５年〜１９９６年の期間を用いてテストする。最後に、１９８９年〜１９９６年までの期間を用いて最高のパフォーマンスを出すパラメータ・セットを求め、そこで求められたパラメータ・セットは１９９７年〜１９９８年の期間を用いてテストされる。

　システムを調整することに使われたパラメータ・セットがテストのために与えられた期間のデータではなくて、その前の期間のデータにより決められているので、こじつけにより発生するテストと現実との結果の差は取り除かれてい

る。例えば、過去のデータを基にパラメータ・セットを決めなければならないなど、ある意味で、このテストは実際の状況を模擬的に試みているのである。大切なことは最適化に用いる期間とシミュレーションに用いる期間は重複してはならないということである。最適化のための期間とシミュレーションの期間が同じであれば、シミュレーションは価値のないものである。

パラメータ・セットの平均パフォーマンス

パラメータ・セットの平均パフォーマンスを知るには、シミュレーションする前にすべてのパラメータ・セットの完全なリストを決めることが必要となる。シミュレーションは選ばれたすべてのパラメータ・セットについて行われ、すべてのパラメータ・セットで行われたテストの平均がこのシステムの将来のパフォーマンスの標準として使われる。重要な点は、この平均がすべてのパラメータ・セットから計算されたものであり、利益が得られるものだけから計算されたものであってはならないということである。

目隠しシミュレーション手法は、恐らく実際のトレーディング状況を最も近く再現する。しかし、パラメータ・セットの平均パフォーマンスは大変保守的で少ない計算で済むという利点がある。どちらの方法もシステムをテストするものとしては有効である。

1つ重要な警告は、特定のシステムの広告の中で「シミュレーションの結果」という用語は目隠しシミュレーションを基にした結果を意味しているのではなく、最適化された結果を遠回しに言っている曖昧な使われ方をしている。その場合にはこの結果に対する価値はゼロである。シミュレーション結果の一般的な間違った使われ方と歪められ方は次の項で詳しく説明する。

シミュレーション結果の真実

システムの将来のパフォーマンスを改善するための最適化の価値は議論されるべきであるが、最適化された結果がシステムの将来のパフォーマンスとして使われるには大きな間違いがある。その理由は、ある期間の最適なパフォーマンスを残すためのパラメータとそれに続く期間の最高のパフォーマンスを達成するためのパラメータとの間の相関関係は大変小さいからである。最高のパ

フォーマンスを達成するパラメータを基に作られたシステムは、そのパフォーマンスが過去に達成されたものであるがゆえに、その有効性は疑わしい。

　長年の経験の末、シミュレーションの結果に対する私の態度は、貨幣に関するグレシャムの法則と似たいわゆるシュワッガーのシミュレーションに関する法則に要約することができる。経済学の初級コースを思い出してもらえば、グレシャムの法則の言うところは、「悪貨は良貨を駆逐する」ということである。グレシャムの議論は金と銀というように2つの種類の貨幣が16：1のような任意の比率で流通していれば、固定レートで過大評価されている悪貨は良貨を締め出してしまう。そのため、金が16オンスの銀よりも価値があるのならば、16：1の比率では銀が金を流通から締め出し、人々は金を貯えてしまう。

　私の帰結は「悪いシミュレーションは良いものを締め出してしまう」である。「悪い」という用語は根拠のない前提により作られたシミュレーションを意味し、そこに示されているパフォーマンスが悪いのではない。それとは対照的に、本当に「悪い」シミュレーションは目を見張る結果を見せている。

　私はしばしば200％、400％、600％にもなる年利回りを上げる天才ホーキンスのシステムを手に入れることがある。保守的な態度を取って、とりあえず年率100％を想定してみよう。このレベルの利回りでは10万ドルはちょうど13年後に10億ドルになるのである。このようなことがあってよいのであろうか？　答えはノーである。大事なことは、事後的に考えればどのような過去のパフォーマンスも結果として作ることが可能であるということである。本当に現実味のあるシミュレーションでシステムとかトレーディング・プログラムを売ろうとすれば、通常の販売を促進しようとしているものに比べて、その結果はつまらないお笑い草のものに見えるであろう。この意味において、私は悪いシミュレーションは良い現実的なシミュレーションを駆逐するであろうと信じている。

　どのようにシミュレーション結果は歪められているのだろうか？　主要なものを紹介しよう。

1．特別に見栄えの良い例

　そのシステムのプロモーターは最適な市場、最適な年を選択し、最高のパラメータ・セットを使って、特別に良く見えるものを形作るのである。システム

が25の市場を15年間にわたって100のパラメータ・セットを使ってテストしたとしよう、トータルで1年に付き3万7500（25×15×100）通りの結果が得られる。この3万7500通りの結果の1つも驚異的な結果を出すことのないシステムを作ることは難しい。例えば、10個のコインを投げるのを1組として、3万7500組投げると、10個のコインが10個とも表であることがないとは考えられない。その通り。事実、10個が10個とも表になる確率は平均で1024回に1回は起こるのである。

2．過去のパフォーマンスとこじつけ

過去に損失を出した期間をどう処理するために事後的にパラメータを加え、追加的なシステムの規則を考え出せば、過去のパフォーマンスをどのようなレベルにすることも可能である。

3．リスクを無視する

宣伝用のシステムの結果は、証拠金に対する比率や非現実的に低い証拠金定数で利益を計算している。この1つの項目が利益を何倍にもすることができる。もちろん、このリスクは比例的に増加するが、そのようなことは宣伝では詳しく説明されていない。

4．損失を出したトレードを見逃す

システムのパンフレットや宣伝で、幾つかの条件が満たされたときに出る売買のシグナルをチャートに提示していることは大変珍しいし、また、別の局面で同じ条件が満たされながら損失に終わったシグナルを同じチャートに提示していることは決してあり得ない。

5．最適化、そしてまた、最適化

過去における最高のパラメータの選択による最適化は、システムの過去のパフォーマンスを拡大することができる。事実、パラメータ・セットが過去のパフォーマンスを最高のものにする場合、それぞれの市場でこの最高のパラメータ・セットを基にした結果はどのようなシステムであろうとも素晴らしいものに見えるはずである。たくさんのパラメータ・セットがテストされればされるほど、シミュレーションによる結果は多くなり、利回りの大きなシミュレーション結果を得る確率は高くなる。

6．現実的でない取引費用

しばしばシミュレーション結果は手数料のみを含むが、トレードを始めたい

と思った価格と実際の価格の差であるスリッページは含んでいない。敏感なシステムでは、スリッページを無視することは実際に口座を無一文にしてしまうシステムを金儲けマシーンのように見せかける。

7．でっちあげ

過去において偉大なパフォーマンスを出すシステムの規則を作ることは簡単であるので、一部のプロモーターはこのことに対して気を遣わない。例えば、ある名も知れぬ個人が完全に詐欺まがいのシステムを普及促進を装って２９９ドルで売っている。『※コモディティー・トレーダーズ・コンシュマーズ・レポート』のブルース・バブコックはこのような男を「２９９ドルの男」と呼んでいる。

これらのものはすべてのシステム・プロモーター、または、シミュレーション結果を使っている人たちすべてを非難しようとするものではない。確かに、的確な厳しい方法でシミュレーション結果を作っている人たちもたくさんいる。しかし、悲しい事実であるが、長年にわたるシミュレーションの間違った使い方がシミュレーションの結果を無意味なものにしている。宣伝に使われるシミュレーション結果は、レストランのオーナーによって書かれたそのレストランのレポートのようなものである。この場合、あなたは決して悪いレポートを見ることはないだろう。システムのシミュレーション結果が１９８７年１０月１６日の終値でＳ＆Ｐを買い持ちにしているものを見たことがないだろう。シミュレーション結果をこれからも使うことができますか？ あなたがこの前の項で説明したシミュレーションの方法を使って何をしようとしているかを知っているシステム開発者であるか、または、正直さと能力において完全に誠実であるといえるシステム開発者であれば、イエスと言えるだろう。

マルチ・マーケット・システムのテスト

ポートフォリオ・システムのテストを実際に適用することは、初心者の領域を超えたものである。しかしこの科目を理解することは、第１４章で説明したように分散が大変重要なものであることから、とにかく価値のあるものである。

どのシステムもすべての市場で機能すると期待することは多分現実的ではな

※『コモディティー・トレーダーズ・コンシュマーズ・レポート』の関連書に『トレーディングシステム徹底比較』（パンローリング刊）がある

いが、一般的には、良いシステムは活発にトレードされている先物市場の８５％かそれ以上の市場で利益を上げている。株の場合には、（多くのトレーダーは売り玉を持たないので）システムは買いとその建玉を手仕舞うタイミングを計るために使われると考えれば、良いシステムは多くの株式市場において買ってそのまま持ち続ける戦略（バイ・アンド・ホールド）の収益／リスク特性を上回る成績を上げなければならない。もちろん、いくつかの例外はある。ファンダメンタルズの情報を必要とするシステムはその定義により、１つの市場だけに適用可能である。それに加えて、株価指数などの幾つかの市場は不規則な動きをするので、そのような市場をトレードするようにデザインされたシステムは広い市場にわたってトレードするときには大したパフォーマンスにはならない。

　幾つかの市場からなるポートフォリオをテストするためには、それぞれの市場で取引されるべき株数や先物の枚数の比率をあらかじめ決めておかなくてはならない。この問題は、しばしばそれぞれの市場において１売買単位１００株とか先物１枚をこのシステムがトレードすると仮定することで解決されている。しかし、これは２つの理由によりいささか単純な方法である。第１に、一部の市場はその他の市場に比べてかなり価格変動が大きい。例えば、１枚のコーヒーと１枚のトウモロコシからなるポートフォリオではコーヒーによるトレードの結果にかなり影響されてしまう。２番目に、シェブロンとアモコのような２つの石油株や独マルクとスイス・フランのように高い相関関係を持っている株や先物をポートフォリオの中でたくさん取引しないことが望ましい。枚数の比重の決定において、過去をテストすることとは対照的にリアルタイム・トレーディングのためには、過去のパフォーマンスは第３番目の関連要素になる。しかし、この要素はその結果を歪めてしまうので、テストの過程に情報として含めることはできない。

　どのような場合でも、それぞれの市場に割り当てられるべき資金の比率はシステムをテストする前に定められるべきである。このような相対的比重がそれぞれの市場でトレードされるべき枚数の設定に使われるべきである。収益が額面ではなくて比率で測られるのであれば、それぞれの市場で取引されるはずの枚数には無関係であり、市場間の比率こそが重要である。

否定的な結果の利用

　システムが好ましくないパフォーマンスを出している状態を分析することは、ときどきそのシステムの見過ごされていた大きな弱点を明らかにすることになり、そのシステムの改良方法の手掛かりを得ることになる。このシステムの規則変更を認めるためには、そのような修正がわずかな限られた市場だけではなくて、幅広い範囲のパラメータと市場において結果が改善されていることによって保証されるべきである。否定的な結果がシステムの改善方法を示唆してくれるという点に関して過大評価し過ぎるということはない。無秩序が新しい思考の触媒になるという考えは一般的に真実であり、小説家故ジョン・ガードナーによって完璧に表現された。「完全な世界は思考を必要としない。私たちが考えるのは、何かうまくいかないことがあるからである」。

　好まざる結果から得られたアイデアは、基本的には多くの市場で使われ、かつ大多数のパラメータ・セットで機能するシステムには適用できるが、特別な市場と限られたパラメータ・セットで機能するシステムでは好ましい結果とならない。とはいえ、多くの市場と多くのパラメータ・セットでうまく働かないシステムはその結果が考えられないほど悪くない限り、原因を究明するのは難しい。結果が非常に悪ければ、そのシステムのトレード・シグナルを完全に反転すればそのシステムは魅力的なものとなるかもしれない。例えば、新しいトレンドフォロー型システムのテストで、このシステムが多くの市場で継続的に損失を出すのであれば、それは偶然にも効果的な逆張り型システムを発見したのかもしれない。そのような発見は自尊心がある場合には受け入れ難いが、もちろん無視すべきではない。システムが常に悪いパフォーマンスを出しているときに、そのシグナルの逆の売買をしたとしても、そのシステムが好ましいパフォーマンスを出すとは限らない。なぜなら取引費用の影響があるからである。

トレーディング・システムの構築とテストの道のり

1．テストに必要なすべてのデータを手に入れる。
2．システムの概念を決める。
3．この概念に準じたトレードを実行するための規則をプログラムする。

4．株式と先物市場から幾つかの市場を選び、それらの期間も選んでおく。
5．与えられたパラメータ・セットで選択した市場におけるトレーディング・シグナルを出してみる。
6．これらの市場と期間のチャートを作って何枚かコピーを取っておく。先物トレーダーは修正つなぎ足を使う。
7．これらのチャートにトレード・シグナルの印を付ける。このシステムをテストするときにはチャートを作ったのと同じ価格データを使うことを忘れずに。これは大変重要な過程である。データをプリントしたものだけでシグナルを確かめるよりも、チャートの上で視覚に訴えて事を運ぶ方がシステムの修正は簡単である。
8．このシステムが意図していることを実行しているかを検査する。注意深く検査すると、一貫性のないものを発見するが、それは以下のどちらかの理由による。

  a．このプログラムにエラーがある。
  b．このプログラムの中の規則に、幾つかの状況を予期していないか、または、予期していない影響を作り出すものがある。

後者の幾つかの例は、このシステムがシグナルを出さなければならないところでシグナルを出すことができていないか、シグナルが出ることが期待されていないのにシグナルを出してしまうか、このシステムの規則がうかつにも新しいシグナルが出ないような状況を作っているか、永久に仕掛け続けてしまう状況を作ってしまっているかが考えられる。本質的にこのような状況は幾つかの微妙な差異を見過ごしてしまっていることから起こるのである。

このシステムの規則は、プログラミングの間違いと予期せぬ一貫性のなさの両方を直すために修正されなければならない。後者の種類の修正は、期待されている概念をこのシステムで一貫して機能するようにすることが強調されるべきである。そしてもう１つ、これらの変更がこの開発過程において使われるサンプルでパフォーマンスを良くしたり悪くしたりすることにかかわりなく行われるべきであることも強調しておく。

9．必要な修正が終わった後に、7と8を繰り返す。2つの理由により、そこに示されたシグナルとそれ以前のものとの違いに特別な注意を払うべ

きである。
　　　　a．このプログラムの変更が求められているものになったか
　　　　　どうかを検査する。
　　　　b．変更が期待していない結果をもたらしていないかを明確にする。
10. このシステムが期待通りに機能し、すべての規則と予期せぬ状況に対する対処方法が完全に定義されたのであれば、そして、このような指摘の後に限り、このシステムをすべての価格データにわたって一覧表示したパラメータ・セットでテストせよ。このテストを行う前にトレードすべきポートフォリオが決められているかどうかをはっきりさせよ。
11. この章の最初に詳しく説明した通り、テストされたすべてのパラメータ・セットの平均パフォーマンスか、または、目隠しシミュレーションで得られたパフォーマンスを評価せよ。前者の方が作業は少ない。
12. これらの結果をそれに対応するポートフォリオとテスト期間を用いたブレイクアウト、クロスオーバー移動平均などの基本的なシステムの結果と比較する。このシステムの収益とリスクの特性に本当の価値があると見なされるには、この基本的なシステムのものより優れているか、または同等かつ、基本システムに対して分散効果がなければならない。

　ここに示した過程は、過去のデータをうまく使って、見栄えが良い結果を作ることを避けるために用意されたものである。これら１２段階のテストをクリアするシステムは、非常に限られていると思われる。真に優れたパフォーマンスを出すシステムを設計することは、多くの人々が考えているよりもずっと難しいものである。

システムをテストするためのソフトウエアに関する注意書き

　この前の項で説明した多くの過程を実行する幾つかのソフトウエア・プログラムが手に入る。これらはトレーディングの規則を決めたり、その規則のプログラミングをしたり、異なるテストのためにデータを整えたり、トレード・シグナルを載せたチャートを作ったり、システム・パフォーマンスの統計的な解析を作り出したりすることを可能にするのである。ソフトウエアの選択に関し

ては第１３章で説明した。

トレーディング・システムについての意見

1. トレンドフォロー型システムで、トレンドを判断する基本的な方法、例えば、ブレイクアウト、クロスオーバー移動平均などはこのシステムにとって最低限必要な要素である。ある意味で、これは単にジム・オーカットの意見を言い直したものである。「トレンドフォロー型システムには、敏感なものと鈍感なものの２種類しかない」。そのため、トレンドフォロー型のシステムを企画することは、新しいトレンドを定義するための優れた方法を発見するというよりは修正に集中することに意味がある。例えば、うまく行かないトレードを減らすためのフィルターや確認、市場特性に応じた調整、増し玉の規則、ストップ（損切り、仕切り）の規則などの改良である。
2. 複雑さのための複雑さは何の意味もない。より複雑なシステムと比べてパフォーマンスが同じであれば、最も単純なシステムを使うべきである。
3. 多くの市場でトレーディングをすることの理由は、分散によってリスクを管理することである。しかし先物トレーダーにとって、できるだけ多くの市場で取引することには別の理由がある。それは、どのような突発的で巨大な値動きも見逃さないための保険となるからである。そのようなすべての大きなトレンドをつかまえることの重要性は強調し過ぎることはない。それが並のパフォーマンスと偉大なパフォーマンスの違いを生み出すのである。第１章の**図1.2**で１９９４年のコーヒー市場と第１章**図1.1**にある１９７９年と１９８０年の銀の市場がポートフォリオのパフォーマンスに重要であった２つの目を見張る市場の例である。
4. トレーディングの資金が十分であれば、システムも市場も複数のものを用いるべきである。１つのシステムでトレードをするよりも幾つかのシステムでトレードをした方が、滑らかな運用パフォーマンスが得られる。理想的には、十分な分散は逆張り型、パターン認識、そしてトレンドフォロー型のシステムを組み合わせて始めて達成できるのである。しかし、この目標を達成するのは難しい、なぜなら逆張り型とパターン認識シス

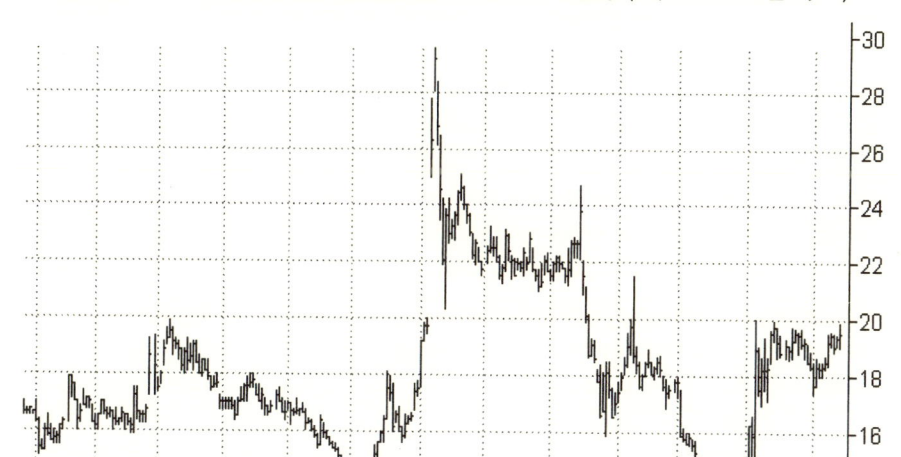

図15.3　システムではなくて市場を反映したトレーディング結果（アップルコンピューター）

　　テムはトレンドフォロー型システムに比べて開発が非常に難しいからである。

5. 十分な資金があれば１つの最適化されたパラメータ・セットでトレードするよりも多くの分散されたパラメータ・セットでトレードする方が好ましい。
6. 一般的に言って、パラメータの最適化の価値は過大評価され過ぎている。
7. ６で述べた意見は、最適化された結果がシステムのパフォーマンスを比較するために使われるべきでないことを強く示唆している。システムをテストするための２つの重要な方法は、既に説明した目隠しシミュレーションとパラメータ・セットの平均パフォーマンスである。
8. シミュレーション結果と言われるものは時として事後的に結果を最適化したものであり、そのために事実上、意味のないものである。このただし書きは特にトレーディング・システムの宣伝とかダイレクト・メールのプロモーションに見られるが、見た目を良くするために厳選して選ばれたものであることに代わりはない。
9. 良いシステムの結果を分析すると、多くの市場で１年とかそれ以上にわ

たって大きな利益を上げているが、1年で大きな損失を出している報告はほとんど見られない。このことから、これらのシステムが成功する重要な理由は利のある玉はそのままにして、損失は即座に切り捨てる原理（損小利大）に決定的に執着し、かつ、酷使していることであることが分かる。

10. その市場の価格変動が大きいからと言ってその市場を排除することはできない。事実、多くの場合、価格変動の大きい市場は高い収益性を持っているのである。
11. 良いパフォーマンスを上げているシステムの良くない部分を分離することで、そのシステムをどのように改善したらよいのかのうまい糸口を見いだすことができる。
12. しばしば見過ごされてしまうことは、システムそのものよりも、そのときどきの市場の状況がトレーディングの結果に強く反映されるという事実である。例えば、**図15.3**で1997年7月の終わりと8月の初めに買い持ちであるトレンドフォロー型システムは劇的な上方へのスパイクで利益を上げ、そして、それを打ち消すための売りシグナルが出るまでにすべてを失ってしまっている。このような出来事は不適切なリスク管理を反映しているわけではない。どのようなトレンドフォロー型のシステムであろうとそのようなことを経験するのである。

　この例では、システムの価値は特別な状況においては評価されようがないことを説明している。ある場合には、どのようなシステムであってもうまくいかない状況に市場が陥っていたのかもしれない。同様に、好ましい結果がもたらされたのは、システムそのものが優れているのではなくて、市場の状況を反映しただけなのかもしれない。このような考察は新しいシステムのパフォーマンスを十分に審査するには、ベンチマークとの比較を含むべきであることを示唆している。ベンチマークは、例えば、同じ期間と同じ市場でのクロスオーバー移動平均とか、単純ブレイクアウトなどの標準的なシステムのパフォーマンスである。
13. 先物トレーディング・システムのテストには修正つなぎ足が使われる。
14. システム開発やその手直しにはデータベースの一部だけを使うべきである。例えば、ある市場のすべての期間から一部を取り出すのである。

15. システムを手直しするための目的でシグナルに注釈を付けたチャートを使うべきである。
16. システムによって発生したシグナルの正確性と完全性をテストする際、システムが意図していたのと違う動きをするなら、(採用した運用ルールの意味するところを十分に理解していなかったためなのか、予期せぬ状況が生じたためなのかに応じて)システムは手直しされる必要がある。その手直しが、そのテストの結果を良くするものであっても悪くするものであってもその必要性に変わりはない。

Part 4 実践的トレードのガイドライン

Practical Trading Guideline

第16章

計画的トレーディング
The Planned Trading Approach

> 金儲けには時間がかかるが、失うのは一瞬である。
>
> 井原西鶴

　あなたがトレーディングでリスクにさらしている金額があなたの純資産のほんのわずかなものであり、気晴らしで投機をしているのであれば、衝動的な方法もよいであろう。しかしトレーディングの目的が資産を増やすことであるなら、組織立ったトレーディング計画が必要である。これは決して決まり文句であるからではない。成功している投機家が体系的で鍛練された方法を使っていることには、何ら疑う余地はないであろう。

　これから説明する7つのステップは、体系的なトレーディング計画を策定するためのガイドラインである。

ステップ1：トレーディング哲学の決定

　トレーディングに関する決断をどのようにするのか？　「私の友だちがブローカーから良い金儲けのネタを得たとき」「新聞記事をヒントに良いトレードの考えが浮かんだとき」「価格の動きを見て何かを感じたとき」といったような曖昧な理由でトレードを始めるのであれば、あなたにその資格はない。重要な戦略は、ファンダメンタルズ分析、チャート分析、テクニカル・トレーディング・システム、またはこれらの組み合わせを基に成り立っていなければなら

ない。同じ方法がすべてに使われる必要はない。例えば、トレーダーは幾つかの市場でトレーディングの決定を下すためにファンダメンタルズとチャート分析を合成したものを使い、他の市場ではチャート分析だけを使っている。

トレードの戦略はより特定された方がよいのである。例えば、トレードをチャート分析で計画しているトレーダーはトレード・シグナルを出すパターンを特定し、他のものについても、例えば確認の規則を特定することができる。もちろん、最も特定されたトレーディング戦略は機械的トレーディング・システムのようなものであろう。しかし、そのような完全自動方式が多くのトレーダーを魅了するわけではない。

ステップ2：トレンドのある市場の選択

トレードをどのように行うかを決定した後、投機家はトレードすべき市場を選ばなければならない。多くの投機家は時間と資金量に制限があり、そのために扱える金融商品には限りがある。3つの要素が市場の選択には考えられる。適合性、分散、価格変動性である。

トレーディングの方法との適合性

トレーダーは、計画されている方法で十分なパフォーマンスを収められる可能性が高い市場を選ぶ。もちろん、そのような決定は、過去のトレードによる経験と、特定のトレーディング戦略の過去データによるテストに基づいて行われる。

分散

分散の利点については第14章で説明した。しかし、ここで大事なことはリスクを軽減する最良の方法の1つが分散であることである。相関の強くない市場を選ぶことによって分散の効果は強くなる。例えば、投機家が金をトレードしたいのであれば、資金が潤沢にあり、かつ、様々な市場で取引できない限り、銀やプラチナを加えることは良くない選択である。同様に、投資金額の限られた株式ポートフォリオで、1つ以上の薬品会社を選んだり、1つ以上の航空会社を選ぶことは同じ欠点を持つ。

価格変動性

　資金が限られたトレーダーは、例えばコーヒーのような極端に価格変動の大きい市場ではトレードしない。それはポートフォリオにそのような市場を含むと取引のできる市場の数が限られてしまうからである。投機家の手法が変動性の高い市場に適している場合以外は、価格変動の大きくない市場に分散してトレードした方がよい。価格変動性そのものはここでは1枚当たりの取引金額での価格変動を意味する。結論として、高い価格変動とは、比較的大きな価格の動き、大きな取引サイズ、またはその両方を意味する。

ステップ3：リスク管理計画

　リスク管理は「資金管理」とも呼ばれるが、リスク管理という用語の方がその性質をより良く記述している。損失の厳格な管理がトレーディングを成功させるために最も重要な条件である。リスク管理計画は次の要素を含んでいるべきである。

1．トレード当たりの最大リスク額
2．損切り戦略
3．分散
4．相関の強い市場でのレバレッジの削減
5．価格変動性の調整
6．純資産の変化に対するレバレッジの調整
7．損失によるトレード期間の調整

トレード当たりの最大リスク額

　それぞれのトレードに割り当てられる資金の割合を限定することで、投機家は長期的な成功の確率をかなり上げることができる。理想的には、どのようなトレードに対する最大限のリスクも純資産全体の3％かそれ以下にすべきである。小さな口座ではこのようなガイドラインに従うことは価格変動性の低い株式、先物、またはミニ先物、スプレッドなどにトレードが限定されることを意味する。1つのトレードで純資産の7％以上のリスクを取らなければならない

投機家はトレーディングの財務的適合性を考え直すべきである。

トレードごとの最大限のリスクはそのトレードを始めるときの株式の数、先物の枚数で決められるべきである。例えば、トレードごとの最大のリスクが純資産の３％であり、投機家の口座の大きさが１０万ドルで、最大６００株で株式トレードをするならば、仕掛け値の５ポイント（ドル）下にストップ（損切り）を置けば、５ドル×６００株＝３０００ドル、または１０万ドルの３％であることを意味している。トウモロコシを同じ条件の下で計算すると、仕掛け値の２０セント下にストップを置けば、倍率は５０００倍なので、２０セント×５０００＝１０００ドル、または１％×１０万ドルとなり、最大枚数は３枚になる。同様に、トレード当たりの最大リスク額はリスク制御のガイドラインを破ることなく増し玉は可能かどうかの判断にも使用されている。

損切り戦略

始める前にどこで損切るのかを知らなければならない。この規則の重要性は強調し過ぎることはない。あらかじめ定められたところで損切らなければ、このトレーダーは損失の手仕舞いを遅らせることからなんら守られていないことになる。運が悪いときには、そのようなたった１回のトレーディング規律の欠落が、文字通りその投機家をゲームから締め出すことになるであろう。

理想的には、この投機家はトレードを始めるときにキャンセルするまで取り消されることのない損切り注文を出すべきであった。しかし、自分自身を信じているトレーダーたちはトレードを始めるときに心の中でストップ・ポイントを決めているが、ストップ・ポイントが値幅制限内に入るある日までそのストップ・オーダーの実際の発注を遅らせてしまうのである。ストップ・オーダーの発注に関する戦略の詳しい議論については第９章を参照。

システム・トレーダーは、リスクを管理するために損切りの規則を導入する必要が必ずしもないことに注目して欲しい。例えば、十分なトレンドの反転が見られた場合、トレード・システムが自動的に玉を途転すれば、このシステムは損切りの規則による機能を持っていることになる。それはこのような規則を明確にすることなくして、各々のトレードのひどい損失を阻止したことになる。もちろん、多くのトレードにわたり、大きな累積損失が発生する可能性があるが、それはストップが使われた場合でも同じ危険性が伴う。

分散

　異なる市場では、反動が異なる時期に起こるので、複数の市場でトレードすることはリスクを減らすことになる。簡単な例として、2万ドルの口座を持っているトレーダーが金と大豆の両方で平均3000ドルのドローダウンとなるシステムを使っている。もしどちらかの市場で2枚トレードしたら、その平均のドローダウンは30％（6000÷20000）であるが、1枚ずつトレードしたなら平均ドローダウンは例外なく小さくなる。2つの市場が逆相関であるなら、1つの市場で1枚トレードするよりも小さくなり得る。実際、2つの市場におけるドローダウンが正確に同時に発生したとしても、各市場における平均ドローダウンが3000ドルであると仮定すると、平均ドローダウンはせいぜい30％であり、それは極めてまれなケースである。もちろん、分散でリスクを軽減する利点はこのポートフォリオに相関の低い市場を組み入れれば大きくなる。また、第14章で示したように、純資産が十分であると仮定すれば、分散の概念は複数の市場だけではなく、各市場に対して複数のシステムや方法、パラメータを変えたマルチシステム・バリエーションをトレードに適用することができる。

　ここでの焦点はリスク管理であるが、分散はトレーダーに全体のリスクを上げることなく、それぞれの市場の平均レバレッジを上げることを可能とし、そうすることで利益を上げさせることが可能となる。事実、今あるポートフォリオで他の市場よりも低い平均利益の市場を加えることはこのポートフォリオの利益を上げることになる。分散によるリスク削減効果が利回りの減少を上回り、トレーダーはそれに従ってレバレッジを調整しているからである。この他あと2つの分散の利点は第14章で説明したが、大きなトレンドへの参加と失敗したときの保険である。

相関の高い市場でのレバレッジの削減

　ポートフォリオに銘柄を加えることによりトレーダーはレバレッジを増やすことができるが、相関の高い市場でレバレッジを調整することも重要である。例えば、最も活発に取引されている6つの通貨先物からなるポートフォリオと名の知れた薬品株からなるポートフォリオは、もっと広く分散された6つの市場からなるポートフォリオよりも高いリスクを持つ。なぜなら、これらの構成

要素の幾つかは非常に高い相関を持っているからである。結論として、このように同じ種類のものからなるポートフォリオのレバレッジは、個々の市場の価格変動性が同じ6つの市場からなるよく分散されたポートフォリオのレベルにまで調整されるべきである。

価格変動性の調整

あるエクイティーに対してそれぞれの市場でトレードできる株式数や先物枚数として定義されるトレーディング・リバレッジは、価格変動性の違いに応じて調整されるべきである。この規則には2つの側面がある。まず、価格変動性の高い場合には、株とか先物の取引数量は少なく抑えられるべきである。2番目に、たとえ1つの市場であっても、価格変動性による変動幅の程度に応じて株式数や先物枚数は変わるべきである。もちろん、先物は端数で取引できないので、小さな口座の投機家はそのような価格変動性の調整はできない。これが小口口座が大きなリスクにさらされてしまう1つの理由である。他の理由は、トレード当たりの最大リスクが必要以上のものになることが避けられないことと、十分に分散ができないことである。

エクイティーの変化に対するレバレッジの調整

エクイティーの主要な変動によってレバレッジは変更されるべきである。例えば、トレーダが10万ドルの口座から始めて、2万ドル失い、他のすべての条件が同じであれば、レバレッジは20％減らされるべきである。もちろん、エクイティーが増えたのであれば、このレバレッジは引き上げられるべきである。

損失によるトレード期間の調整（自己裁量のトレーダーのみ）

損失が長引くことによってトレーダーの確信が揺らいだとき、確信が戻ってくるまでポジションの大きさを一時的に減らしたり、トレードを休止することは時には良いことである。このようにすることで、最悪の状況に引きずり込まれていくことを阻止できる。この助言は、システム・トレーダーには当てはまらない。しかし、ほとんどの成功が約束されているシステムでは、損失を計上している期間はそれに続くパフォーマンスをより素晴らしいものにしようとし

ているのである。また、表現を変えれば、確信と心持ちは自己裁量に任されたトレーダーのパフォーマンスに重大な影響を与えるが、システムによる運用には関係ないのである。

<u>ステップ４：日課の確立</u>

　毎晩、何時間かを割いて相場の状況とトレーディング戦略を見直すことは大事なことである。多くの場合、トレーダーがある特定の日課を確立すると、それは３０分～６０分で済むが、わずかな市場でトレードしている場合はもっと少なくなる。この時間に行わなければならない作業は、

１．トレーディング・システムとチャートを更新する
　少なくともこれらの１つはトレードの判断を下す目的で使われているはずである。ファンダメンタル分析が利用されている市場で穀物レポートのような重要なニュースが出た後には、このトレーダーは定期的にこのファンダメンタルズの状況を再評価すべきである。

２．新しいトレードの計画を立てる
　何か新しいトレードを次の日に始めるかどうかを決める。もし何かあれば、特定の仕掛けの計画を立てる。例えば、寄り付きで買うとか。ある場合には、トレーディングの決定はそれに続く日の相場状況の評価による。例えば、トレーダーが特に株に強気であり、相場が引けた後にその企業に関する適度に弱気なニュースが流れたとしよう。そのようなトレーダーは、その日の相場が引ける１時間前の価格がそのニュースの流れた日の終値よりも高ければ、買い持ちの決断をするだろう。

３．建玉の手仕舞いポイントを更新する
　その日、価格の動きに照らし合わせて建玉の仕切値と目標値に修正が必要であるかどうかを確認するために、トレーダーはそれらを見直すべきである。ストップについて、そのような変更はトレードのリスクを減らすためにだけ行われるべきである。

ステップ5：トレード・ノートの記入

　前の項で説明した計画の日課は組織立った記録を付けることを意味している。**図16.1**はトレード・ノートとして使える1つのサンプルである。最初の4つの列はトレードを区別するためのものである。

　列5はトレードを始めたとき設定したストップ・ポイント（損切りポイント）である。このストップの見直しは列6に書かれる。列6のような幾つかの項目は鉛筆で書いた方がよい。なぜならそれらは書き直される可能性があるからである。最初のストップを別にして記録しておく理由は、この情報がトレーダーにとってこれからのトレードの分析に有効であるからである。例えば、最初のストップがあまりに遠過ぎたのか、それとも近過ぎたのかを考えるために必要である。

　列7～10は建玉に潜んだリスクについてまとめている。建玉の情報をすべて加えることにより、トレーダーは全体のポジションをつかむことができる。これらの情報は、リスクを管理したり新しい玉を建てるかどうかの決断をするのに重要である。おおざっぱな方法だが、全建玉の累積リスク額は、口座のエクイティー全体の25％か35％を超えてはならない。それぞれの建玉に対する最大限のリスクはエクイティーに対して2％を限度とすれば、この制限は少なくとも13の市場に建玉を持つまでは無関係である。

　列11と列12の目標値の使用は個人の好みの問題である。ある場合には目標値の使用は良い手仕舞いポイントを提供するが、別の状況では早期に玉を手仕舞う結果となる。結果として、目標値を使用せず、トレイリング・ストップか、相場観の変化により玉を手仕舞う方を好むトレーダーもいる。

　列13～列15は、手仕舞いの情報である。仕切り日を記録しておく理由は、トレードの期間を計算するのに使うことができ、投機家にとって自らのトレードを分析するために有効な情報であるからである。列15は手数料を計算に入れた後のトレードの利益と損失である。

　列16と列17は、トレードを始めた理由と事後的にトレードを評価したコメントの要約を書き留めるところである。このような意見は成功と失敗のパターンをトレーダーが調査するために特に有効である。もちろん、実際のトレード・ノートは、**図16.1**にあるようなものよりもずっと書き留める場所が広くな

Chapter 16 計画的トレーディング 317

図16.1 トレード・ノート

開始日	売り買い	枚数	市場	仕掛け値	最初 現在 損切り	最初 現在 累積リスク額	最初 現在 増加率	最初 現在 目的	手仕舞い日	手仕舞い価格	純損益	始めた理由	コメント
(1)	(2)	(3)	(4)	(5)	(6)	(7)(8)	(9)(10)	(11)(12)	(13)	(14)	(15)	(16)	(17)

ければならない。また、トレードのより詳しい説明が次に説明するトレーダー日誌には書かれていなければならない。

　初心者は、実際のトレードに入る前につもり売買をするべきである。トレード・ノートはこの目的にも大変優れている。それはトレードの成功の可能性を示してくれるだけではなく、新しいトレーダーが組織立った一貫性のある方法で投機をすることを身につけることにもなる。そのため、実際に取引が成立したときには、意思決定の過程は日課になっている。もちろん、実際に資金を使えば、トレードの決定をする難しさは劇的に増加するが、この新米トレーダーは何の準備もしていないトレーダーに比べれば決定的に有利な状況にあるといえる。

ステップ6：　トレード日誌の記入

　トレード日誌は、それぞれのトレードに対してこれから紹介する情報を含んでいなければならない。

１．仕掛ける理由
　この情報は、時が経って投機家がトレード戦略は特に成功しそうなのか、それとも失敗しそうなのかを判断する場合に役に立つ。

２．トレードの結果
　この基本的な情報はどのようなトレードを評価するためにも必要な情報である。この情報の要点はトレード・ノートに記載されたものが純利益か純損失であるかで決められるべきであるが、トレード日誌にそれぞれのトレードについてこの情報を書き留めておくことも役に立つ。

３．教訓
　投機家はトレードの最中に起こした間違いや正しい判断について箇条書きにしておくべきである。記録を書き留めておくという単なる行為でトレーダーが同じ間違いを繰り返すことを阻止することができる。特に、繰り返し起こる間違いは大文字で記載したり、幾つかのびっくりマークを付けておくとよい。トレード日誌は、この考察を確かなものとするために、定期的に読み返すべきである。しばらく経つと教訓は忘れ去られてしまう。個人的な体験を話すと、こ

の方法により時として繰り返してしまう過ちを根絶することができる。

　第１２章で行ったように、トレードの始まりと終わりを記したチャートを日誌に載せておくことは有益である。

ステップ７：　自己のトレード分析

　投機家は市場を分析するだけでなく、過去のトレードの方法の良しあしを明確にするために分析しなければならない。トレード日誌だけではなく、その分析に有効な２つの道具はトレード分類分析とエクイティーのチャートである。

トレード分類分析

　トレードを分類する考えは、パフォーマンスが平均を上回るか下回るかしているパターンを分離するために有効である。例えば、買い玉、または売り玉を分けることにより、トレーダーは売り玉に高い収益があるにもかかわらず買い玉に対する特別な偏向を持っていることを明らかにすることができる。このような発見により買い玉に対する偏見を直すことができる。

　他の例では、市場ごとに結果を分けることは、トレーダーが特定の株や先物で安定した損を計上しているかどうかを発見できるかもしれない。そのような事実は、そのような市場で取引をしないことで全体のパフォーマンスを上げることができる。多くの投機家は様々な市場で比較的成功しているという直感を持ちがちなので、トレード結果を市場ごとに分類することはとりわけ重要な慣習となり得る。パフォーマンスの悪い市場でのトレードを永久に止めてしまう必要はない。投機家はそのような市場でもまずいトレードの理由を解明し、トレード方法の調整を研究し、テストすることができる。

　最後の例として、日計りのトレードとポジション・トレーディングを混ぜ合わせているトレーダーにとって、それぞれの部門での正味の結果を比べることはためになる。私は、その分析がこのような方法でトレードしている投機家によって行われれば、一夜のうちに日計りトレーダーの数は半減するであろうと思う。

　もちろん、トレードを分類するためのその他の方法もある。ファンダメンタ

ルズに基づいたトレードと、テクニカルに基づいたトレード、あるシステムに基づいたトレードとそうではないトレードなどである。どちらの場合にも、このトレーダーは成功と失敗のパターンを探しているのである。分類されたトレードを分析する過程は、トレーダー・ノートを表計算ソフトを使って記録すれば大変単純化できるであろう。

評価損益の合計値のチャート

　これは終値だけを示したチャートで、その値は日々の口座の評価損益の合計を表している。この評価損益の合計は値洗いされた建玉のポジションを含んでいる。このようなチャートの第1の目的は、パフォーマンスの恐ろしいほどの崩壊があることをトレーダーに警告するためである。例えば、安定した上昇が継続した後に、口座の評価損益の合計が突然急激に下落したら、トレーダーはポジションを減らし、その状況を調査するように警告される。そのようなパフォーマンスの不意の変動は市場の状況が変化したのか、投機家のトレーディングの方法が適切でなくなったのか、最近まずいトレーディングの決断に偏ってしまっているのかのどれかである。これらの実際の原因の究明をしたからといって、それだけでは不十分である。なぜなら、このような要素のどれもがリスクの軽減を要求する強いシグナルとみなされているからである。要約すると、このチャートは評価損益の合計値の減少をなくす重要な道具である。

第17章

82のトレーディング規則と教訓
Eighty-Two Trading Rules and Market Observations

長生きすると、すべてがうまくいかなくなる。

ラッセル・ベイカー

　トレーディングに関する格言には注意を払うべきである。重要なトレーディングのルールの多くは既に知れわたっているので、新しいトレーダーに忠告する能力を失ってしまっている。そのため、相場に関する有効な洞察力も陳腐な決まり文句として扱われてしまっている。

　「損は即刻切れ」というルールを考えてみよう。これは最も重要な相場の格言の１つである。この忠告に耳を貸さない投機家はやっていけるのか？　このルールを無視している投機家はたくさんいる。当たり前であるが、投機家の口座が一度や二度の損失で消し飛んでしまうことも少なくないのである。

　多くの投機家が自分の経験から「格言の真意の再発見」をするまでこの忠告を無視することは事実である。また、この教訓が本当に自分のものになる前は同じ過ちを何度も繰り返してしまう。しかし、第17章と第18章を数回読むことによって、とりわけうまくいかないトレードが続いた後に、少なくとも初心者はこのような過ちを繰り返さなくなるであろう。もちろん決して簡単なことではないが。

　この章で掲げた教訓は、私の経験から来るものである。そのため、82のルールは適切な形で取り扱われるべきである。経験から来る意見は、正しいと思われている事実に反していることもある。結局、一般のトレーディング・ガイ

ドレインとかなり重複してしまうことになろう。これは本当に驚くべきことであり、多くのルールはトレーディングの真理として認められた合理的な原理に基づいているのである。例えば、私はリスク管理をないがしろにする投機家が成功しているのを見たことがない。その一方で、これから説明するルールの一部には他の人たちとは対立するような主観的なものもある。例えば、指値よりも成行注文を使えなど。最終的に、それぞれの投機家は自分のトレーディング真理をつかまなくてはならない。これから紹介するものがその過程を早めてくれることを願って止まない。

仕掛け

1. 大きなトレンドをとらえて行うトレードと短期売買は区別して行うべきである。このとき、損切りポイントと建玉の大きさで示される短期売買に割り当てられるリスクの大きさは、かなり少な目であるべきである。また、大きなトレンドをとらえて行うトレードの方に集中すべきである。ここで述べたルールはトレーディングの成功に重要である。多くのトレーダーによって犯される間違いは、小さな市場のブレをとらえようと必死になって大きなトレンドを逃してまうことである。彼らは、多くの手数料とスリッページを支払うだけに終わってしまう。
2. 大きな収益が見込めるのであれば、価格の小さな違いにこだわってはならない。小さな違いにこだわって逃した収益機会は５０回の有利な注文執行によって得た利益を無にしてしまう。
3. 大きなポジションを仕掛けるときは綿密に計画を立て、日中の値動きは無視すべきである。
4. チャートをチェックすることにより、今こそトレードのタイミングであることを示しているパターンができていないかを探せ。そのようなパターンの確認なくして仕掛けてはならない。ときどきこのようなパターンが確認されてもいないのに仕掛けしようとする人がいる。仮に、仕掛け値の近くに、たくさんの値幅測定目標値の集中があったり、支持／抵抗線があったりして、それを使って大きなリスクを伴わない損切りポイントを設定できる場合であっても。

5. 注文を出すかどうかはその日その日の分析によって判断する。価格が仕掛けるに足る値段に近くなければ、仕掛ける意義を記録した上で、毎日それを吟味せよ。その仕掛ける意義に従って実際に仕掛けているか、あるいは、その仕掛ける意義が魅力的なものとは思えなくなるまで、この作業を継続せよ。この規則に従わないと良いトレードを逃すことになる。よく起こることは、市場がトレードを実行すべきレベルを超えてしまってからその仕掛ける意義を思い出し、もはや悪い価格では仕掛ける気になれなくなってしまうことである。

6. トレンドが大きく反転しそうなときに、確かにトレンドはある目標値や支持／抵抗線のポイントに接近すれば勢いが弱まるものであるが、そこでトレンドが反転するのではないかと考えるよりも、トレンドがはっきり転換したことを示すパターンができるのを待つべきである。トレンドが、そのポイントで長期間にわたり抜けていない高値や安値に接近した場合にこの規則は特に重要である。例えば過去１００日間における高値や安値というようにそのトレンドが長く継続した場合に、その市場はＶ型の反転をまず起こさないことを思い出して欲しい。むしろ、何度となく高値や安値をテストしながらトレンドは転換していくのである。天井や底の形成をじっくり待つことにより、天井を付けたり底を形成する過程で何度も発生するだましによる小さな損を積み重ねてしまうことを防ぐことができる。天井とか底をとらえようとして早合点した結果、損をすることがまずいのは言うまでもないが、万一、市場がＶトップ、Ｖボトムを形成したとしても、それに続いて必ずフラッグのような揉み合いができるので、そこでリスクに見合う収益を狙えるトレードを実行するチャンスが来るのである。

7. チャートを見ていて突然直観的なものに襲われたら、それに従うべきである。どの市場を見ているのか意識がなく、チャートだけから直観した場合には特にそうである。

8. あなたが新しいトレンドの最初の部分に乗れなくとも、適切な損切りを設定できるのであれば、そのトレンドに乗り損ねたわけではない。

9. 強気、弱気の落とし穴のような最近のだましのパターンに向かってはいけない。たとえトレードを始めるときに、そのトレードを始めるたくさ

んの理由があったとしても。
10. 価格の動きが窓（ギャップ）を空けたものを伴っているなら、それに向かって仕掛けてはならない。例えば、市場が調整するのを待って仕掛けようとしているとき、実際に調整が起こったものの、それが価格ギャップを伴っていたならその仕掛けを実行してはいけない。
11. 多くの場合、指値よりも成行注文を使え。損を出しているポジションを手仕舞うとか大きな収益機会に乗ろうとしているときには特に重要である。トレーダーが市場に置いていかれると考えている場合には特にそうである。ただし、指値注文により、ほとんどの場合少しだけ有利な価格で注文を執行することができるが、この利点は、指値注文が執行されなかった場合での不利な価格での執行、または逃した利益により吹き飛ばされてしまうものである。
12. 市場が自分に有利に動いてきた後で、もともとの仕掛け値と同じような価格で増し玉してはならない。値が戻ってしまったとすれば、それはトレードにとっては好ましくない警告である。たとえそのトレードがそれまで順調であったとしても、このようなときにポジションを2倍にすると、建て玉を維持できないリスクを増すことになる。

手仕舞いとリスク管理（資金管理）

13. 仕掛けるときに損失を限定することを目的として手仕舞うポイント（損切り）を決めておくべきである。
14. 新しく形成されたパターンや市場動向がトレードに好ましくない状況ならば、どのようなトレードであろうと手仕舞うこと。たとえストップ・ポイント（損切り）に到達していなくても。自分自身に問い直すべきである。「この市場でポジションを持つことは、良いことなのかどうか？」と。その答えがポジションを持つことでないなら、即刻手仕舞うべきである。むしろ、反対方向に市場が動くサインが十分強いなら、そのポジションを途転せよ。
15. トレードの最初の前提が崩れたら、すぐに手仕舞うこと。

16. トレードの最初の日に大きな間違いを犯していたら、即刻、手仕舞うこと。特に、市場が逆の方向に窓（ギャップ）を空けた場合。
17. 自分が予測したトレンドとは反対の方向に動きつつ市場がブレイクアウトを起こしたなら、すぐに手仕舞うか、その近くにストップを設定せよ。特に、窓を形作りながらブレイクアウトが生じた場合には、常に即刻手仕舞え。
18. 自分が予測したのとは反対方向に、その株式や先物市場が、それまでよりも大きな値幅で動き始めたら、即刻そのポジションを手仕舞え。例えば、大体、５０ポイントの幅で取引されている市場が１００～２００ポイント高く始まったら、すぐに売り玉は手仕舞え。
19. 抵抗線で売って支持線で買っているとき、反転するのでなく揉み合い始めたら、手仕舞え。
20. アナリストと相場アドバイザーのために。自分の出している推奨、市場相談、トレード、相場レポートが最近当たらなくなったと強く感じたら、それまでの自分の意見を変えろ。
21. ある期間、市場を見ることができないのなら、すべての玉を手仕舞うか、すべての玉に対して一定のレベルに達したら仕切るように注文が入っていることを確かめよ。ただし、そのような場合でも、これと決めた価格で買いを入れたり、売りを入れる指値はしてもよい。
22. 含み益に自己満足するな。手仕舞いのポイントが現在の市場価格からかなり遠いとしても、それを忘れてはならない。また、自分の予測した市場の方向性に反するパターンが形成されたならば、予定より早く手仕舞うことを考えた方がよい。
23. ストップ（損切り）が執行されてしまった後、早く玉を建て直したいという思いと戦わなくてはならない。その誘惑に負ければ、一般にはさらに損失を膨らます結果となる。ストップが執行された後、玉を建て直すのは、そうするに足る市場のパターンが形成されたときだけである。それは、新しいトレードを始めるすべての条件と理由が満たされたときだけである。

その他のリスク管理（資金管理）ルール

24. トレードがうまくいかなくなったときには、①ポジションの大きさを減らす。違う投資対象に分散して投資しても、それらが強い相関を持っていれば、分散しても大きなポジションと同じリスクを持つことを忘れずに、②厳しい損切りを設ける、③新しいトレードを手控える。
25. トレードがうまくいかなくなったとき、損失を出している玉を手仕舞う。この意見はエドウィン・ルフェーブルの『欲望と幻想の市場』にあるものと関連している。「私は明らかにまずいことをした。綿花で損失を出してそれをぐずぐず引っ張った。小麦で利益を上げたのに、それを早まって手仕舞ってしまった。失敗したときに損を大きくしないことが大事である。常に、損失は早めに手仕舞い、利食いは遅めにするのである」
26. 利益が出たからといって、今あるトレード・パターンを変えてはならない。特に注意を払わなければならないことは、
    a．トレーディング・プログラムの開始時には、あまりに危険なので採用を見送ったトレードに、利益が出たからといって手を染めてはならない。
    b．通常のトレードで、突然、取引する株の数や先物の枚数を増やすな。しかし、評価益が膨らむに従って徐々に増し玉することは構わない。
27. 小さなポジションも大きなポジションと同じような考えで取り扱わなければならない。決して「たったの５０株だ」とか「１、２枚じゃないか」と言わないこと。
28. 主要なレポートか、重要な政府統計数字の発表のときに、大きなポジションを持たないこと。
29. 先物トレーダーに。片張りのポジションに対する資金管理と同じ原理をサヤ取りにも適用せよ。サヤ取りは大変ゆっくり動くので損切りに気を遣うことはないと簡単に思うな。
30. オプションは、それを手仕舞う原資産価格を決めずに買ってはならない。

継続と利食いのルール

31. 大きなトレンドをとらえるために実行したトレードなのに、まだあまり利が乗っていない時点で利食ってしまってはならない。特に、実行したトレードが正しいことが明らかであるにもかかわらず、実行したその日に利益を確定してはならない。
32. あなたの予測した方向に市場が窓を作りつつ動いた場合、手仕舞いを急ぎ過ぎてはならない。まずその窓を手仕舞いのポイントとした上で、その後の値動きに応じて手仕舞いのポイントを変えていく方式（トレイリング・ストップ方式）を採用する。
33. トレンドに乗っているのなら、利益の出ているトレードを手仕舞わずに、トレイリング・ストップを使うこと。目標が達成されたからといってトレードを手仕舞ってしまうと、大きなトレンドの収益性を生かしきれない。小さい損失を帳消しにするためには大きな利益が必要なことを忘れずに。
34. ルール３３は、次に示す規則に従うなら、トレードを始めるときに目標値を設定することを妨げるものではない。すなわち、目標値の５０％～６０％が１週間で達成されたり、７５％～８０％が２～３週間で達成されたりするような目標値までの大きな部分が短期間に達成されてしまうような状況になれば、部分的に利益を確定し、値が戻れば手仕舞った玉を建て直すというやり方を採用してもよい。これは、大きな利益を早く確定するには良い考え方である。しかし、この規則に従うと、手仕舞った建玉がその後の値動きから利益を生み出したとしても、それは失われてしまうが、全く手仕舞いをしていないと、最初の急激な戻しで保持しているすべてのポジションをあせって手仕舞ってしまうようになることもある。
35. 目標値が達成されたが、そのトレードを続けたいのであれば、トレイリング・ストップを使って続けることができる。この規則は大きなトレンドに乗るために重要である。忍耐は正しいトレードを待つためにだけ必要ではなく、うまくいっているトレードにとどまることにも必要である

ことを忘れないこと。正しいトレードから適切な利益を得ることを逃すことは利益を限定する要素となるので、できる限り避けねばならない。

36. ルール３５は、大きなポジションを持っていて、純資産価額がどんどん上昇しているときには、利益の拡大に伴い、仕切り枚数を増やしていくことにより利益を確定することを妨げるものではない。当たり前のことであるが、物事があまりにもうまくいって本当だと思えないときは、気を付けなければならない。すべてがうまくいっているのなら、利益の増大に応じて仕切り注文の量を多く（少なく）する方法で、利益を確定し、残った玉に対してトレイリング・ストップを近くに設定する良い時期かもしれない。

37. 長期的トレンドに乗って利益を上げているポジションを保持しているとき、短期間の調整局面を迎える兆候が現れたので手仕舞ってトレードの利益を確定する場合は、仕掛け直すためのゲーム・プランを立てろ。市場が思ったほど調整しなかったため、より良い価格で仕掛け直す機会が生まれなかった場合には、仕掛け直すべきことを示す市場パターンが形成されていないか、注意せよ。手仕舞ったときよりも、悪い価格で仕掛け直すことになるからといって、元の長期トレンドが継続しており、また、市場の値動きのパターンが仕掛け直しを指示しているのに、トレードを実行することを躊躇してはならない。仕掛け値が前より悪くなっても、仕掛けなければ、大きなトレンドの大部分を逃してしまうことになる。

38. 大きなポジションでトレードするなら、１００％正しくなければならないという思いを捨てろ。言い換えれば、部分的に利益を確定しろ。市場が確かな反転を達成したり、重要な損切りの場所に届かない限り、トレンドが続いている間はポジションをすべて手仕舞うことは得策ではない。

その他の原理とルール

39. 目標値、あるいは、支持／抵抗線に注意を払うよりも、市場がどのように動いているか、どのような値動きを予期させるパターンを形成してい

るかに注目しなさい。目標値、あるいは支持線／抵抗線に注意を払うことがたびたび正しい相場観を早々にも変えてしまうことになりかねないのである。

40. 行動を取らなければならないと思ったら、仕掛けるか手仕舞うかすべきである。行動を取れ！　引き延ばすな！
41. 長期の相場トレンドに対する自分の意見に対して逆に行くな。言い換えれば、市場のすべての動きの中から利を得ようとすることは、雨の中を濡れないように通り抜けようとするようなものである。
42. 勝ちトレードはその始まりから正しい。
43. トレードが明らかに間違っていたとしても、仕掛け／手仕舞いのタイミングさえ合っていれば大きな損失にはならない。例えば、信頼できるパターンでタイミング良く仕掛けたり、だましの最初の警告ですぐにトレードを手仕舞うこと。
44. 日中に判断することはほとんど間違いとなる。日中はスクリーンを消しておけ。
45. 金曜日の引け間際に必ずマーケットをチェックしろ。時に週の終わりに状況が明確になる。そのような場合、金曜日の引け間際の方が月曜日の寄り付きにトレードするよりもよい。大きなポジションを持っているのならこの規則はなおさら重要である。
46. 相場に関する夢を見て、それがはっきりと思い出せるものであるなら、それに従って行動しろ。そのような夢はしばしば正しい。なぜなら、それはあなたが無意識のうちに持っている相場の知識を反映しており、そうした知識によりあなたは、自分のこだわりが正しくトレードすることを妨げているのを防ぐことができるからである。例えば、先週だったら今より２０００ドルも安く買い持ちになれたのに、今さらどうしてこのレベルで買えるか？　など。
47. 悪いトレードの習慣からは自由になれない。最大限できることは、それらを当面封じ込めてしまうことである。怠けたり、油断すれば、それはすぐに戻ってくる。

相場パターン

48. 相場が歴史的な新高値を付け、それを維持したら相場はさらにずっと高くなる方向にある。新高値を付けたところで売るのは初心者の大きな過ちである。
49. 幅の広いレンジの上限に近いところでの幅の狭い揉み合いは強気のパターンである。同様に、トレーディング・レンジの下限辺りにできた幅の狭い揉み合いは弱気の相場である。
50. 狭く継続したレンジがブレイクアウトされたら、そのレンジの反対側に戻るリスクを回避しながら仕掛けよ。
51. 1、2週間かそれ以上続いたトレーディング・レンジからのブレイクアウトは、これから発生するトレンドの最も信頼できるテクニカルな指標である。
52. ルール51が最も一般的に当てはまるのは、以前から続いている幅の広いトレーディング・レンジのちょうど上か下にフラッグかペナントが形成された場合で、相場が信頼性の高い継続パターンとなる傾向がある。
53. 大きな窓ができたら順張りせよ。
54. 特に1、2カ月続いたトレーディング・レンジのような揉み合いパターンから飛び出した窓はときどき素晴らしいシグナルとなる。このパターンは特に弱気の市場で有効である。
55. 最初の週に「ブレイクアウエー・ギャップ」が埋められなければ、特に信頼できるシグナルと見なされる。
56. 新高値、新安値のブレイクアウトの後、2週間のうちにそのレンジに戻る窓ができれば、それは特に信頼のおける強気か弱気の落とし穴である。
57. 市場がブレイクアウトし、新高値か新安値を付けたにもかかわらず押し戻され、ブレイクアウトする前のレンジでフラッグやペナントを形成したら、天井か底が形成されたと考えられる。このフラッグかペナントが形成する揉み合いを飛び出す値動きが生まれた場合には、手仕舞う前提で仕掛けよ。
58. トレーディング・レンジをブレイクアウトしたにもかかわらず、元のレ

ンジに強く押し戻されたら（値幅の4分の3かそれ以上）、これは一種の強気、弱気の落とし穴である。。

59. 明らかなV底が形成された後、揉み合い状態が続いたならば、相場は底を打ったことを示している。しかし、この揉み合いが下の方に崩され、そして、V底に再度接近したら、相場は新たな安値を取りに行こうとしていることを示している。後者の場合には、揉み合いの上限に損失を限定するストップ（損切り）を置いた上で売り玉を建てるべきである。同様なコメントがV天井に揉み合いが続いた場合にも当てはまる。
60. V天井やV底が形成された後、数カ月にも及ぶ揉み合いが続いた場合には、大天井あるいは、大底を形成する傾向がある。
61. 幅の狭いフラッグやペナントは信頼性の高い継続パターンとなる傾向がある。そのため、比較的近くで、かつテクニカル的に重要なポイントに損切りを置き、トレンドの方向に仕掛けることができる。
62. 幅の狭いフラッグやペナントの揉み合いが、その揉み合いに入る前のトレンドとは逆の方向にブレイクアウトしたら、そのブレイクアウトの方向に動き続けると期待できる。
63. 湾曲した揉み合いは曲線の方向に動きが加速していくことを示唆している。
64. 短期の湾曲した揉み合い（第11章参照）がその曲線の方向とは逆の方向に突破されたなら、確かなトレンド反転のシグナルとなるであろう。
65. 例えば、通常の1日の平均値幅をかなり超えた長大線のようなものが主要なトレンドに反してできれば、それはトレンド反転の早期シグナルとなる。ランナウエー・ギャップを埋めるとか、前の揉み合いを完全に突き抜けるなど、それらが反転のシグナルを伴っていた場合には特にそうである。
66. 高値、安値からの2日から4日にわたるおおよそ垂直な大きな価格の動きはその次の週にも継続される。
67. スパイクは短期反転の良いシグナルである。スパイクの先端は損切りとして使える。
68. スパイクがあるとき、それがあると仮定した場合とないと仮定した場合についてチャートを分析しろ。例えば、スパイクを除いてフラッグが現

れれば、そのフラッグの突き抜けは重要なシグナルである。

69. ランナウエー・ギャップが埋まると、トレンドの反転が来るであろうと考えられる。

70. アイランド・リバーサルのすぐ後に直近のトレーディング・レンジ、または揉み合いのパターンに引き戻されると、それは重要な天井か底になるシグナルであることを表している。

71. ある株、もしくは先物が比較的堅調であるのに、他の関連する市場が大きな下げ基調にあるとき、潜在的な強さを示している。同様に、関連する市場が強いのにその市場が弱いときは、弱気のサインを示唆しているとみられる。

72. 日中に相場がほぼ順調に上がっていくときは、市場は反転することなくそのまま引けると期待できる。

73. わずかしか離れていない2つの連続したフラッグが形成されると、多分そのフラッグが形成される前のトレンドが復活すると考えられる。

74. 市場の値動きが鍋底を形成し、その天井近くに、その後、その湾曲と同じ方向に曲線を描きつつ揉み合いができたら、それは強気のフォーメーションである「カップ・アンド・ハンドル」と見られる。同じようなパターンが天井にも当てはまる。

75. 今の強いトレンドが継続するという見方が、市場でそれほど強くなければ、そのトレンドが継続することの信頼すべき指標となる。言い換えると、市場がまだ大天井や大底を打っていない状況では、市場の見方は極端なものになりやすいが、一方で市場の見方が偏ったものになっていなければ、大天井や大底を打つことはまずない。

76. だましシグナルは、そのシグナルがもともと持っていた意味よりも信頼できる。だましシグナルが出たら、そのシグナルが出る前の高値、または安値に損切りを置いて、シグナルがもともと示していた方向と反対の方向に動くものと考えて仕掛けよ。このようなだましのパターンの例として56、57、58、62、64、69が当てはまる。

77. 例えば、重要な収益に関するリポートとか主要なアメリカ政府の農業リポートなどで強気、または弱気のニュースが報じられたにもかかわらず、市場がその通りに反応しなければ、それは差し迫った相場の反転の予兆

である。あなたがポジションを持っているのならそのような展開に特に注意しなければならない。

分析と復習

78. チャートは毎日見直しなさい。特に忙し過ぎるときはなおさらである。
79. 2週間とか、4週間おきに長期チャートを定期的に見直すこと。
80. 誠実にトレード日誌を付けよ。それぞれのトレードについてチャートとノートを付けなければならない。そのノートにはトレードの理由、設定されたストップ（損切り）、もしあれば目標値、そのトレードがその後どのように進行したかの調査、間違い、正しく行われたこと、注目すべきパターンなどの観察と教訓、そして純利益と損失を記載する。そのトレードが始まったときにトレード・シートが埋め尽くされていることが大事である。そうすれば、後から作る場合に比べ、トレードを行った理由として実際の考えが正確に反映されている。
81. ある市場パターンに興味を持ち、それがどのように展開されると思ったか、もしくは、そのパターンが最終的にどのように完成されていったか、そのパターンの解釈に偏見がない場合を記録しておきたいときにはいつでも、チャート・パターン帳を付けるべきである。結果を確認するために後で読み返すことを忘れてはならない。時が経てば、そのときどきに形成される様々なチャート・パターンにより示される予測の信頼性について、過去から積み上げられた統計的な事実の蓄積によって、チャートを分析する能力が向上することになる。
82. 定期的に、トレードの規則、トレード日誌、そしてチャート・パターン・ブックを見直し、最新のものにしなければならない。例えば、3カ月おきに3項目というように。もちろん、見直しが必要だと思ったときには、いつでもこれらの要素はもっと頻繁に見直されるべきである。

第18章

Market Wiz(ar)dom──魔術師たちの金言集42カ条
Market Wiz(ar)dom

> 絶対に正しいとか市場に打ち勝つなどといったことはあり得ない。金儲けをしたのなら、それは市場の動きを理解したからである。資金を失ったなら、単に市場の動きを誤解したからだ。他に見方はない。
>
> ムサワー・マンスアー・イジャズ

　前章では、トレードの規則と市場の見方について説明した。この章は『新マーケットの魔術師』(パンローリング刊)からの抜粋であり、トレードに成功するための幅広い原理と心理的な要素について検討している。

　非凡なトレーダーたちは実に様々な手法を用いている。あるトレーダーは純粋なファンダメンタリストであり、別のトレーダーはテクニカル派である。また、この2つの方法を組み合わせる人もいる。2日は長期だと考えるトレーダーがいる一方、2カ月が短期だと考えるトレーダーもいる。しかし、この広範囲なトレーディング・スタイルの中で、私はどのような種類のトレーダーにも当てはまる原則を見いだすことができた。数十年にわたるマーケット分析、トレーディング活動、そして、2冊に及ぶ偉大なトレーダーたちとのインタビュー。以下に掲げる42の金言は、私が感じたトレードで成功するための条件を凝縮したものである。

1．動機の確認

　最初に、自分が本当にトレードをしたいのかを確認する。トレードをした結

果、自分が本当はトレードをしたくなかった、ということを悟ることになる人も多い。

2．動機の吟味

なぜトレードしたいのかを考えることである。単に興奮したいのなら、ジェットコースターに乗るかハンググライダーでも始める方がましなのである。私の場合、トレードをする根本的な動機は静寂や心の安らぎを得るためなのだ、と悟った。私の動機は、トレーディングから連想される典型的な精神状態とは全く違ったものだったのである。

　もう1つの動機は、パズルを解くのが好きで、私にとってマーケットは究極のパズルであるということだ。しかし、マーケットを分析するという知的な側面を楽しんでも、理性的ではないというトレードの性質を特に好んでいたわけではなかった。そして、このことは明らかな矛盾を生むのである。したがって、自分の動機を大変慎重に吟味する必要がある。マーケットは容赦のない場なのである。勝つためには、正しいことをほとんどすべて執行する必要がある。どこか一部分でも反対の方向に持っていこうとすれば、勝負を始める前から負けていることになる。

　どのように矛盾を解決したのかって？　トレードの感情的な側面を取り除くため、私は機械的なアプローチに１００％焦点を合わせることにした。同様に重要だったのは、機械的なシステムを設計することで、パズルを解くようなトレードの楽しい側面に自分の精力を傾けることができたことである。長い年月、機械的なシステムに情熱を注いできて、結局、私はこの方向にだけ進みたかったのだ、と実感するに至った。トレーダーが自分の相場観に基づいてマーケットにアプローチするのと比べて、機械的システムが優れている、と言っているのではない。単に、私の場合はどうかということを示しただけである。そのトレーダーごとに、対応はかなり違ったものになるであろう。

3．取引手法と性格の一致

　決定的なのは、自分の性格や安堵できるレベルに合致する取引手法を選択することである。ポジションに発生する含み益を失うことに耐えられないなら、その手法がどんなに優れていても、長期のトレンドフォローのアプローチを取

るのは最悪の結果を招くことになる。その戦略を実行できなければ、何の意味もないからである。また、価格モニターを１日中見たくないなら、または見ることができないなら、日計りトレードには手を出さないことである。トレードを決断する精神的な重圧に耐えられないなら、機械的なシステムを開発してみることである。用いる取引手法は自分にとって適切なものであり、安心できるものでなければならないのである。この点に関しては、強調しすぎるということはない。インタビューの中で、場立ちとして、そして、場立ち以外の場所でも優秀なトレーダーであるランディー・マッケイは「事実、私の知っているトレーダーは、自分に適したトレーディング・スタイルを確立している」と述べている。

　また、市販のシステムがいかに優れたものであっても、取引手法が性格に合っていなければ、そのシステムで利益を上げることはできない。勝てるシステムを入手できる確率が低い、つまり確実に５０％以下であるのに、そのシステムが自分の性格と一致している確率はさらに低いのである。標準的なリスクで、かつ収益を生むシステムを購入し、それを効果的に使うことができる確率に関しては、読者の判断にお任せする。

４．有利であること

　自分を強固に律し、世界最高水準の資金管理能力を持っていたとしても、そのトレードが有利でなければ勝つことはできない。有利でなくても勝てるのであれば、その完璧な規律とリスク管理能力を用いることによって、（長期的に）ルーレットで勝利を収めることも可能なのである。もちろん、確率の法則を考慮すれば、そんなことは不可能ではあるが。有利でなければ、規律や運用技術でかろうじてできることと言えば、運用資金を徐々に減らしていくことくらいなのである。

　ところで、有利がどういうことなのか分かっていなければ、あなたは決して有利ではないのである。

５．取引手法を確立せよ

　有利であるためには、取引手法を持たなければならない。どのような方法であるかは重要ではない。優れたトレーダーは、純粋にファンダメンタリストで

あったり純粋なテクニカル派であったりする。また、それらを組み合わせるトレーダーもいる。それぞれの中ですら、非常に多様なスタイルが存在する。例えば、テクニカルの分野では、テープ・リーダー（最近ではテープというより価格モニターを見る人）、チャート・アナリスト、機械的なシステムを使う人、エリオット波動の分析家、ギャンの分析家などがいるわけである。どれを使っているかが重要ではない。しかし、何か手法を持つことは必須である。そしてもちろん、その手法は有利なものでなければならない。

6．取引手法を開発するのは大変なことである

　トレードの成功に近道はまずない。自分自身のアプローチを構築するには、調査、観察、熟考が必要である。長い時間がかかる道のりと、重労働を覚悟しなけらばならない。自分に合った儲けることのできる取引手法を確立するには、何度も壁に突き当たることや幾多の失敗を覚悟しなければならない。何万ものプロを相手に勝負しようとしていることを、決して忘れてはならない。このような状況で、どうして簡単に勝つことができようか？　もしそれほど簡単なら、億万長者のトレーダーがもっとたくさんいるはずである。

7．才能と努力

　天性の才能があれば、トレードで成功するのだろうか？　一生懸命やれば、それで十分なのだろうか？　優れたトレーダーの多くは特別な才能に恵まれている、というのは私にとって疑いのないことである。例えば、その気があって練習すれば、基本的に誰でもマラソンを完走できる。しかし、そんな努力や願望とは無関係に、ほんの一部の人しか２時間１２分というタイムで走ることはできないのである。同じように、誰でも楽器を演奏することができる。そして同様に、練習と献身とは無関係に、コンサートでソロをとれるほどの天性の才能に恵まれた人はほんの一握りなのである。一般的に、秀でた優秀さには、天性の才能とその潜在的な可能性を現実のものにするための並外れた努力が必要なのである。生まれ持った才能がなくても、並外れた努力でそれなりのレベルに達することはできる。しかし、秀でた優秀さを実現することはできないのである。

　トレードも同様である、と私は思う。ほとんど誰でもが、最終的に利益を上

げるトレーダーになれる。しかし、秀でた優秀さを持ったトレーダーになるために、天性の才能を持ったスーパー・トレーダーたちはごく僅かなのである。したがって、勝つことのできるトレードを教育することはできるが、それにも限度がある。自分の目標に対して現実的でなくてはならない。

8．良いトレードに労力はいらない

　待てよ。トレードで成功するために、並外れた努力を必要不可欠なリストに載せたばかりであった。良いトレードをするためには、並外れた努力が必要なのに、労力はいらないのであろうか？

　実は、ここに矛盾はない。努力とはトレードそのものに払われるものではなく、良いトレーダーになるために必要な調査や観察という準備段階のことを言っているのである。この点では、努力とは洞察力、創造力、継続性、動機、願望、献身のような性質と関連しているのである。決して、トレードの過程自体が大変な努力で満たされているべきだ、ということを意味しているわけではない。決して、マーケットの中でもがき苦しんだり、格闘したりすることを意味しているわけではない。逆に、トレードの過程に無理がなく、自然であればあるほど、成功する可能性は広がるのである。『新マーケットの魔術師』第７章で取り上げた匿名のトレーダーは、禅とアーチェリーのわざを引用して「アーチェリーと同様に、トレードにおいて努力、力み、緊張、葛藤があり、自然の流れを変えようとすれば、それは間違っている。マーケットと同調、調和していないのだ。絶好のトレードとは、努力を必要としないものなのだ」と語っている。

　１キロ１キロを、きっちり３分のペースで走り続ける世界的な長距離ランナーを想像してみるといい。そして、運動不足で、体重が１００キロをはるかに超え、いつもゴロゴロしている人が１キロを６分のペースで走ることを想像してみるといい。プロのランナーは、長い距離と速いペースにもかかわらず、優雅に、そしてほとんど無理なく滑らかに走るのである。ところが、この太ったランナーは、息を切らし、あえぎ苦しんでいるのである。

　より練習し、努力したのはどちらであろうか？　どちらがより成功したのであろうか？　もちろん、世界的なランナーは、事前に懸命な練習をしているわけで、この事前の努力と献身が成功するために不可欠なのである。

９．資産とリスクの管理

　私がインタビューしたほとんどすべてのトレーダーは、取引手法よりも資産管理の方が重要だと感じていた。また、リスク管理の欠如した取引戦略を取ったため、勝てるはずのシステムやアプローチで破滅へと追いやられたケースもある。リスク管理を徹底するために、トレーダーが数学者である必要やポートフォリオ理論を理解している必要はない。リスク管理は次の３段階で示すように簡単なものなのである。

　Ａ．すべてのトレードで、自分の資本の１～２％を超えるリスクを取ってはならない。アプローチによっては、もう少し大きな数字でも妥当なのかもしれない。しかし、５％は超えないことを強く忠告しておきたい。

　Ｂ．トレードを執行する前に、手仕舞うポイントを決めておくこと。この規則は、私がインタビューしたトレーダーの多くが提言している。

　Ｃ．もし当初の資金から事前に決めた金額（例えば１０～２０％）を負けたら、一息入れて、何が悪かったのか分析し、自信を感じるまで待ち、再びトレードを始める前に、勝つ確率の高いトレード・アイデアを用意すること。金額の大きな取引口座を持っているトレーダーならば、完全にトレードを休む代わりに、トレード・サイズを小さくするのもよい。負けが続いているとき極端にトレードのサイズを小さく切り詰める戦略については、インタビューしたトレーダーの多くが触れていたことである。

１０．トレード戦略

　トレード戦略なしにマーケットで勝とうとすることは、青写真なしに家を建てるようなものである。カネのかかる、（そして避けることが可能な）間違いが発生するのは当然である。トレード戦略には、自分の取引手法に明確な資金管理と、トレードを執行するためのルールを組み合わせることが必要である。トレーダー専門の催眠術師でもある、ロバート・クラウス[※]（『新マーケットの魔術師』第７章参照）は、トレードに戦略がないことはトレーダーがマーケットで陥るすべての重大な困難の根源だ、と語った。私がインタビューした素晴らしい投資信託のファンド・マネジャーであるリチャード・ドライハウス（『新マーケットの魔術師』第４章参照）は、トレード戦略は個人の核となる哲学を反映していなければならない、と力説している。核となる哲学がなければ、

※ロバート・クラウス著『ギャン神秘のスイングトレード』はパンローリングより発売中

ポジションを維持できないだろうし、本当に苦しいとき、忠実にトレード戦略を遂行できない、と彼は説明している。

１１．規律

　恐らく、私がインタビューした優秀なトレーダーたちが最も頻繁に使っていたのが、規律という言葉であろう。しばしばそれは、実に申し訳なさそうな調子で、「１００万回も聞いたでしょうが、本当なのです。実に重要なのです」という感じで話される言葉であった。

　規律が重要である基本的な理由は２つ。第１に、効果的なリスク管理を続けるために不可欠であること。第２に、ためらうことなく行うべきトレードを選択し自分の取引手法を実行するためには必ず規律が必要なのである。規律を守らなければ、あなたは必ずと言ってよいほど間違っているトレードを選択してしまうからである。なぜか？　それは、楽なトレードを選ぶことになるからである。ＣＴＡ（商品投資顧問業者）に衣更えした数学者、ビル・エックハート（『新マーケットの魔術師』第３章参照）が言うように、「快適なものは、しばしば行ってはいけないもの」なのである。

　このテーマでの最後の言葉として、トレードを行う際、悪い癖に引きずられないようにすることは大変難しいことを忘れてはならない。悪い癖は、せいぜい表に出ないようにしておくのが関の山なのである。怠けたり、だらしなくしていると、悪い癖はすぐに現れてくる。

１２．自分に責任があることを承知せよ

　勝とうと負けようと、その結果は自分の責任である。たとえその損失がブローカーの助言であっても、投資顧問の推奨であっても、自分で買ったシステムからの悪いシグナルであったとしても、自分が決断したのであれば、自分に責任がある。自分の損失を他人のせいにして成功したトレーダーに、私は会ったことがない。

１３．自主的である必要性

　自分の考えで行動しなければならない。群衆の熱狂に巻き込まれてはならない。１８年間で口座のエクイティーを数千倍にもした先物トレーダー、エド・

スィコータが指摘したように、話題が全国紙のトップ記事になったときには、トレンドは終焉を迎えているのである。

　自主的とは、自分自身でトレードの判断をする、ということでもある。他人の意見を聞いてはならない。一度や二度、その意見がトレードに役立ったとしても、いつも必ず他人の意見を聞いていれば、マーケットに対する自分の考えを混乱させるばかりか、結局はカネのかかることになる。素晴らしい先物トレーダー、マイケル・マーカスは『マーケットの魔術師』の中で、「自分自身の考えに従うことだ。もし２人のトレーダーを組み合わせるなら、それぞれの最悪なところを取ってしまうことになる」と述べている。

　『マーケットの魔術師』で私がインタビューしたあるトレーダーとの間で、こんなことがあった。このトレーダーは、目隠しされ、箱に詰められ、プールの底に沈められても、私より上手にトレードできるかもしれないのに、それでも彼は私のマーケットに対する考えに興味を持っていた。ある日、彼が私に電話をかけてきて、「日本円についてどう思う？」と尋ねたのである。

　当時、円は、私がはっきりとした意見を持っていた数少ないマーケットの１つであった。チャートのパターンは私を大変弱気にさせる形をしていて、「円はまっすぐ下げると思うから、売るよ」と私は答えたのである。

　それに対して、円は売られ過ぎていて近いうちに反転する、という５１もの理由を彼は返してきたのである。電話を切った後、私は「明日から出張に出る。ここ数週間、トレードはあまりうまくいっていなかった。円の売り持ちは私の取引口座にある数少ないポジションの１つだった。世界で最も優れたトレーダーの１人が言うことを、私は聞き捨ててもよいのだろうか？」と考え、そのトレードを手仕舞うことにした。

　数日後、出張から戻ると、円は１５０ポイントも下落していた。ちょうどよいことに、その日の午後、例のトレーダーが電話をしてきたのである。話題が円に及んだとき、私は「そう言えば、まだ円を買っているのかい」と聞かずにはいられなかった。

　すると彼は、「いや、売っているよ」と答えたのである。

　重要な点は、このトレーダーが私を惑わせようとしていたことではない。それどころか、そのときどきで、彼はそれぞれのマーケットに関する意見を固く信じていたのである。そして、彼はタイミングよく、売り買い両方のトレード

で成功したのであろう。それに比べ、そもそも自分の行動は実に正しかったにもかかわらず、結局、私は成功できなかったのである。教訓は、優れたトレーダーからの助言ですら害になる結果をもたらすかもしれない、ということである。

１４．自信

　私がインタビューしたトレーダーたちに共通する特徴は、マーケットで勝ち続ける能力への揺るぎない自信であった。トレーダーについて膨大な調査を行った心理学者で、『マーケットの魔術師』でインタビューしたバン・タープ博士は、勝つトレーダーの基本的な特徴の１つは、彼らが「ゲームを始める前からそれに勝っている」と信じていることだ、と主張している。

　自信を持ったトレーダーは正しい判断を下す勇気を持っていて、困惑しない強さを兼ね備えている。マーク・トウェインのミシシッピーでの生活（Life on the Mississippi）での出来事は、トレーディング同様、自信がいかに重要であるかを物語っている。その中で、著者は主人公であり、蒸気船の見習い舵手である。船が川のあるところへ来ると、主人公は彼の指導教官と乗組員によりパニックに陥れられてしまったのである。彼はそれが航海の中で一番簡単な場所であることぐらいは分かっていた。

　彼と指導教官との間で交わされた会話は次のようであった。
　「あの場所で川底にぶつかるはずがないことぐらい知らなかったわけではないだろう？」
　「もちろん知っています」
　「そうだろう。知っているのならあんなにあわてることはなかっただろう。そのことを忘れないように。それともう１つ、危ないところにさしかかっても騒ぐな。そうしたからといって何の解決にもならないから」

１５．負けもゲームのうち

　偉大なトレーダーは、負けることがトレードにおいては本質的な要素である、ということをよく認識している。そして、この認識が自信に結び付いているのであろう。優秀なトレーダーは長期的にはトレードで勝てることを確信しているので、１つ１つの負けトレードに対する恐れはなく、逆に、負けることは必

然的なもので避けることができないものだと思っているのである。負けトレードに比べ勝ちトレードの数が圧倒的に多い先物トレーダー、リンダ・ラシュキ（『新マーケットの魔術師』第５章と『魔術師リンダ・ラリーの短期売買入門』[パンローリング刊] 参照）は、「負けについて悩んだことはありません。そのうち取り返すことは分かっていますから」と語っている。

　負けることへの恐怖こそが、負けの元凶となるのである。負けを背負うことに耐えられないと、結局、大きな負けを背負うことになるか、絶好のトレード・チャンスを逃してしまうことになる。いずれも、成功する可能性を台無しにするのに十分なのである。

１６．自信喪失と休憩

　自信があり、結果に対して楽観視できるときにだけトレードをするべきである。私がよく聞くのは「正しいことが何もできない」とか「また安値の直前で投げると思う」などというトレーダーたちの言葉である。このように否定的な言葉で考えるようになったら、トレードに休みを入れるべきであることを示す明確な徴候なのである。トレードへの復帰はゆっくりと。トレードとは冷たい海だと思って、飛び込む前に水を確かめること。

１７．助言を得ようとする衝動

　助言を得たいという衝動は、自信喪失の表れである。リンダ・ラシュキ（『新マーケットの魔術師』第５章と『魔術師リンダ・ラリーの短期売買入門』参照）は、「トレードに関して誰か別の人の意見を聞きたい誘惑に駆られたことに気付いたら、それは大抵、ポジションを手仕舞うべきことを示す明確な徴候」であると言っている。

１８．忍耐の効能

　好機を待つことは、トレードで勝つ確率を高める。絶えずトレードしている必要はないのである。エドウィン・ルフェーブルは彼の著書『欲望と幻想の市場——伝説の投機王リバモア』（東洋経済新報社）の中で、「絶えず間違ったことをする、実に愚かな者どもはどこにでもいる。しかし、ウォール街の愚か者どもは絶えずトレードしていなければならないと考えている」と述べている。

『マーケットの魔術師』の中で、ジム・ロジャースは「そこにカネが溜まるまで、私は単に待ちます。その後、そこまで歩いていって拾い上げるだけです」とトレードにおける忍耐を描写している。言葉を換えれば、カネを床から拾い上げることくらいにそのトレードが簡単に思えるようになるまで、ロジャースは何もしないのである。

非凡な先物・株式トレーダー、マーク・ワインスタイン（やはり『マーケットの魔術師』にインタビューを収録）は、次のように表現している。「チーターは世界で最も速い動物で、草原にいるどんな動物でも捕まえることができる。しかし、チーターはその獲物を絶対に捕まえることができると確信するまで、待っている。茂みに隠れ、1週間でもその好機が訪れるのを待っている。幼い、または病気か足の不自由なレイヨウを待っている。そして、獲物を逃がす可能性が全くないときにだけ、チーターは攻撃を仕掛けるのである。これこそが、私にとってのプロのトレードの縮図なのである」

19．居座ることの重要性

好機を待つだけでなく、忍耐は、仕掛けている途中のトレードを投げ出さずに持ち続けるためにも重要である。機能しているトレードから十分な利益を引き出せないことは、収益を限定してしまう主な要因となるのである。ルフェーブルの『欲望と幻想の市場』から再び引用すると、「私が考えて大儲けしたわけではない。ただ、じっと座っていただけさ。分かるかな。座っていただけだって」。エックハート（『新マーケットの魔術師』第3章参照）はこのテーマについて特に印象深いコメントをしている。「利益を上げていれば破産できない、というのが一般的によく知られた、そして誤った格言だね。実に多くのトレーダーたちが、これで破産に追いやられる。アマチュアは大きな損失を被ることで破産する。しかし、プロは小さな利益を取ってしまうことで破産する」

20．低リスクなアイデアの開発

バン・タープ博士がセミナーで使っている訓練の1つは、リスクの低いトレードのアイデアを参加者に列挙させることである。このリスクの低いトレードのアイデアを書かせることの長所は、次の2つの極めて大切な要素を組み合わせることが必要だからである。忍耐（リスクの低いトレードのアイデアは限ら

※参考文献：バン・K・タープ著『新版魔術師たちの心理学』『タープ博士のトレード学校ポジションサイジング入門』（ともにパンローリング刊）

れているから）とリスク管理（定義される通り）である。リスクの低い戦略について考える時間を取ることは、すべてのトレーダーにとって役立つ訓練である。トレードしているマーケットやその方法により、アイデアの細かい部分はトレーダーごとにかなり多様化している。私が参加したセミナーでは、参加者たちは低リスクのトレードのアイデアの長いリストを作り上げた。例えば、自分が間違っているという確かな証拠をマーケットの動きから得ようとするトレードはリスクが小さい、というのがあった。トレードとは無関係であるが、低リスクのアイデアを述べているもので私が気に入っているのは、「ドーナツ屋を開業するなら、警察署の隣がいい」というのがある。

21．多様なトレード・サイズの重要性

　長期間ずっと勝ち続けているトレーダーは、有利なトレードをしている。そして、その有利さの認識はトレードによって大きく異なっている。確率が変化するどんな賭け事でも、賭け金を有利さに従って変化させることで、最終的に勝つ確率を最大化することができるのは数学的に証明されている。最適化されたブラック・ジャックでの賭け戦略は、この考え方についての完璧な例である。

　例えば、その指標が信頼できるという前提で、確信の度合いが高いなどの理由から、より有利なトレードのアイデアを持っていれば、そのトレードを積極的に執行するのは理にかなったことなのである。高い収益を上げるヘッジ・ファンド・マネジャー、ドラッケンミラー（『新マーケットの魔術師』第4章参照）は、「長期的に『より多く』の収益を上げるには、資金を維持し、ホームランを打つことだ。そのトレードに絶大な確信があるときには、大胆に立ち向かわなければならない。勇気がなければ、強欲にはなれない」と言っている。マーケットの魔術師たちの多くにとって、本当にアクセルに足をかけるのはいつで、そのときに勇気を持って踏み出す判断力が、単に良いだけではなく、卓越した収益を実現する助けとなってきたのである。

　インタビューした中には、自分の置かれている状況に応じてトレード・サイズを変化させるトレーダーもいた。例えば、マッケイ（『新マーケットの魔術師』第3章参照）は、自分のポジションを100対1の比率で変化させることも珍しいことではない、と述べていた。このアプローチが負けている期間のリスクを減らし、勝っている期間の利益を増やすのに役立っていることを、彼は

認識しているのである。

２２．段階的な仕掛けと手仕舞い

　トレードでは、一度に仕掛けたり手仕舞ったりする必要はない。段階的に仕掛けたり手仕舞ったりすることは、ポジションを微調整したりトレードの選択肢を広げたりするための柔軟性を確保することになる。ほとんどのトレーダーは、完璧でありたいという生来の願望によって、よく考えることもなくこの柔軟性を犠牲にしている。その定義から、段階的に建玉を調整する方法は、仕掛けたり手仕舞ったりしたときの価格がその他の部分が実行されたときの価格に比べて悪くなることを意味する。このアプローチの潜在的な有効性を示す１つの例として、ポジションをじっと抱え続けている多くのトレーダーよりも彼が長期的に勝者であり続けることを可能にしたのは、この段階的なトレードであったと一部のトレーダーは言っている。

２３．正しいことは天才であることよりも重要である

　多くの人がマーケットの天井と底を拾おうとする理由の１つは、自分の賢さを世の中に顕示したいという願望からだ、と私は思う。ヒーローになることではなく、勝つことを考えるべきである。いかに大天井や大底に近いところで拾ったかをトレードの成功として判断するのではなく、むしろ望ましいリスク／リターン特性をベースに判断するべきなのである。完璧なトレードではなく、それぞれのトレードで、一貫して収益を上げることを目指すのである。

２４．ばかに見えることを心配してはいけない

　先週、「私の分析によると、たった今、Ｓ＆Ｐにはっきりとした買いシグナルが出たんだ。マーケットは高値を更新するぞ」と、オフィスのみんなに公言したとする。ところが、それ以降のマーケットの動きを調べてみると、どうもおかしい。マーケットは、上昇するどころか崩れている。先週の発言とは関係なく、マーケットは弱含んでいると直感することになる。そのことを認識したかどうかにかかわらず、先週の予想のせいで、判断力が歪められているのである。なぜか？　マーケットは高値を更新すると公言してしまって、愚かな姿をさらしたくないのである。その結果、マーケットの動きを、可能な限り自分に

都合よく解釈するようになる。「マーケットは下値を追ってはいない。確信のない買い方を振るい落とすための単なる押しだよ」、この手のこじつけの結果、負けているポジションを長い間ずっと抱え続けることになる。この問題への簡単な対応は、自分のポジションのことを他人に話さないことである。

　（私のように）マーケットに対する自分の意見を言うことを商売にしているとしたら、あなたはどうすればよいのだろう？　その場合のルールは、以前の自分の意見との食い違いを感じるようになったら、その懸念を自分のマーケットに対するスタンスを変える契機とするのである。

　私の個人的な例として、１９９１年当初、私はドルが大底を打ったという結論に達していて、ある講演で観衆の１人が通貨に対する予想を聞いてきたときがあった。ドルは何年もかけて上向く、と自信を持って予言したのである。数カ月後、１９９１年８月、ソ連のクーデターと共にドルは上昇し、クーデターの失敗が報じられる前にドルの価格はそのもとのレベルに戻ってしまった。私は自分の意見と市場の動きが一致していないことに気が付いた。そして、ドルが何年にもわたって上昇を続けると言明した数カ月前の予想を思い出していた。これらの予想に対する不愉快な、きまりの悪い思いは、自分の意見を変えるときだと私に告げていたのである。

　仕事の経験が浅かったとき、このような状況でもマーケットに対する当初の意見を何とか正当化しようとしたものであった。何度も恥をかいて、遂に私は教訓を得ることになった。この例では、私が当初の予想を変えたことは幸運であった。ドルは翌月から暴落を始めたからである。

２５．行動することは慎重であることよりも重要なときがある

　トレードを仕掛けるため、マーケットの調整局面を待つというのは慎重そうに聞こえるが、多くの場合、それは間違っているのである。自分の分析、方法論、あるいは第六感が、調整を待つのではなく、成り行きで仕掛けるようにシグナルを出したのなら、それに従うべきなのである。特にマーケットが（意外なニュースなどで）突発的に大きく動き、その後、良い値段で拾えた記憶がある場合に注意が必要である。マーケットの調整はないだろうと思えるのであれば、そのようなことを考えても無駄である。このようなタイプのトレードは人の自然な行動に反して行うからこそ、成功することが多いのである。

２６．動きの一部が取れれば十分

　新しいトレンドの最初の分を取り逃したからといって、（適切な損切りのポイントが決められる限り）そのトレンドに対してトレードすることを放棄してしまわないこと。マッケイ（『新マーケットの魔術師』第３章参照）は、１つのトレンドで最も簡単な部分は中間の部分である、と語った。したがって、彼の手法では、トレードを執行する前にトレンドの一部を取り損ねていることになる。

２７．勝ちトレードの数よりも収益を最大化せよ

　収益そのものではなく、収益機会を最大化するように行動するのが人間の性格だ、とエックハート（『新マーケットの魔術師』第３章参照）は説いている。この行動での問題は、収益（や損失）の大きさに配慮しなくなる可能性であり、収益の最大化を困難にしている点である。エックハートは、「トレードの勝率は最も価値のない統計値で、パフォーマンスと逆行することさえある」と明確に結論付けている。このテーマについて、素晴らしいオプション・トレーダー、ジェフ・ヤス（『新マーケットの魔術師』第６章参照）は、「ポーカーとオプション取引との双方に当てはまる基本的な概念は、多くの手で勝つことではなく、収益の最大化を主眼とすることである」と語っている。

２８．不実であることを学べ

　家族、友人、そしてペットとの関係で、忠実であることは評価されるべきことである。ところが、トレーダーにとっては致命的な欠点となる。ポジションに対して忠実になってはならないのである。トレードの初心者は、自分の当初のポジションに対して忠実になり過ぎるものである。マーケットの逆の面に乗っているというサインを無視しがちで、最良の状況を期待しながらトレードが大きな損失へと転がっていくのである。しかし、経験が豊富なトレーダーは、資金管理の重要性を身に付けているので、トレードが間違っていたのを一度認識すれば、すぐに手仕舞うのである。そして、本当に熟練したトレーダーは、マーケットが逆の動きを示したら、損を出してでもポジションを１８０度転換するのである。１９８７年１０月１９日に発生した株式市場の大暴落の前日、ドラッケンミラー（『新マーケットの魔術師』第４章参照）が、悪いタイミン

グで売りから買いへ転換したことを思い出すべきであろう。自分の誤りに気付き、さらに重要なことは、大きな損失を出しながらも、迷わずポジションを売りへと戻したのである。その結果、最悪になったかもしれないこの月を最終的には収益に導いたのである。

２９．部分的な利益を引き出せ
　トレードの規律が自己満足へと変化するのを避けるため、収益の一部を確定するのである。トレードのし過ぎ、負けトレードをぐずぐずと手仕舞わないのを「利益なんか関係ない」と言って正当化するのは実に簡単なのである。収益を現実化し、実際のカネとして認識するため、取引口座から出金してみるのもいい。

３０．期待とは、使ってはいけない言葉である
　マーケットが戻ってくるのを期待して負けポジションをずるずると持っていたり、仕掛け損ねたためより良い仕掛けの機会を求めてマーケットの反転を期待する、などという期待はトレーダーが使ってはいけない言葉なのである。もし逃がしたトレードが儲かるとすれば、いくら待っても期待したマーケットの反転は起こらないであろうし、起こったときには遅すぎるのである。仕掛け直すときに、適切な損切りポイントを決めることができたら、すぐに仕掛け直すのである。多くの場合、これが唯一の方法である。

３１．楽なことをするな
　エックハート（『新マーケットの魔術師』第３章参照）は、次のような幾分挑発的な主張をしている。人は楽な選択をしがちであるため、何も考えずに起こした経験よりもむしろ悲惨な経験をすることになる。要するに、人の天性はあまりに貧困なトレードの決断を行うようにできているので、コインをはじいたりダーツを投げたりしている方が、ほとんどの人にとっては安全だ、と言っているのである。手堅いトレード・ルールに反して、人が導かれやすい楽な選択の例として、損をするのが分かっていながら賭けに出るとか、もっと利益が出るはずの建玉を手仕舞ってしまうとか、上昇トレンドや下降トレンドがはっきりしているのにその逆を張ってしまうとか、過去の値動きからすれば最も利

益が出るようなトレード・システムを設計する（買う）ことなどをエックハートは挙げている。楽なことではなく、正しいことをせよ、というのがトレーダーへの暗黙のメッセージである。

３２．勝たなければならないのなら、決して勝てない

　古いウォール街の格言に、「脅えたカネで勝つことはできない」というのがある。その理由は単純である。負ける余裕のないカネを危険にさらせば、トレードの感情的な落とし穴がすべて増幅されてしまうからである。ドラッケンミラー（『新マーケットの魔術師』第４章参照）が駆け出しのころ、重要な金銭面での支援者の破産が産声を上げたばかりの彼の投資会社を危うくした。彼は自分の会社を救うため、土壇場の一発トレード、巨大な賭けをした。彼がＴビル（米財務省証券）を買ってから１週間も立たないうちに市場は大底を打ったにもかかわらず、彼はすべての資金を失ったのである。勝たなければならなかったことが、間違い（例えば、過度のレバレッジや無計画さ）を助長したのである。自暴自棄になったトレードに付随する不注意を、マーケットが大目に見てくれることはないのである。

３３．窮地から簡単に脱することができそうなら再考せよ

　心配していたポジションを手仕舞うとき、予測した値段より良い値段でマーケットが手仕舞わせてくれるなら、あわてて手仕舞おうとしてはならない。ニュースや直前の大引けに関するテクニカル的な分析で不利な値動きが発生することについて心配しているとすれば、他のトレーダーたちの多くも自分と一緒に心配しているのである。

　マーケットがこのような強い不安に対して反応していないという事実は、元のポジションを支持する方向に非常に大きな力がかかっていることを強く示唆しているのである。株価指数先物で驚異的なトラック・レコードを打ち立てたマーティー・シュワルツが『マーケットの魔術師』で提唱したこの考え方は、巨額の通貨トレードで知られるビル・リップシュッツ（『新マーケットの魔術師』第２章参照）があるトレードを手仕舞ったときの話として掲載されている。ヨーロッパ市場が閉じた後の金曜の午後、通貨市場は極端に薄く、このときリップシュッツは、マーケットが強く反転しているにもかかわらず膨大なドルの

売りポジションを抱えていることに気が付いた。有利な価格で手仕舞うために日曜の夜に東京市場が始まるのを週末の間待たなければならなかった。東京でドルが期待されていたより弱く始まったとき、彼はほっとして、ポジションを投げなかったのである。そして、トレーダーとしての本能に従い、手仕舞いを遅らせたのである。この決断により、彼はそのポジションをはるかに良い値段で手仕舞うことができた。

34．心を閉ざすのはよくないことである

開かれた心は、トレードに秀でた人々の間で共通の特徴のようである。例えば、驚異的な安定収益を上げる投資信託運用者、ギル・ブレイク（『新マーケットの魔術師』第4章参照）がトレードを始める契機となったのは、マーケットが予測不能であることを友人に証明するためだった。自分が間違っていると気付いたとき、彼はトレーダーになったのである。ドライハウス（『新マーケットの魔術師』第4章参照）は、「心とはパラシュートのようなもので、開かれたときにのみ役に立つ」と語っている。

35．マーケットは興奮を求めるには高価な場所である

興奮はトレードのイメージとして定着しているかもしれないが、それとトレードに成功することとは（逆に作用するということを除いて）全く無関係である。最も大きなCTAの1つであるミント・マネジメントの創始者、ラリー・ハイトは『マーケットの魔術師』で、コンピューター化されたトレーディング・システムに完全に従ってトレードすることを理解できない友人と彼との会話を、次のように描写した。「ラリー、なんでそんなやり方でトレードができるんだい？　退屈だろう？」と友人が尋ねた。ラリーは、「興奮するためにトレードするわけではないからね。勝つためにトレードするからさ」と答えたのである。

36．トレーダーの落ち着いた状態

成功するトレードに関係する精神状態があるとすれば、それは興奮とは正反対のものであろう。ＮＬＰ（神経言語プログラム）の実践者、チャールズ・フォルクナー（『新マーケットの魔術師』第7章参照）は、非凡なトレーダーは、

マーケットがどうなっていようと関係なく、平静で超然としていられる、と観察している。自分の考えとは逆方向に走っているポジションに対してマーケット・プロファイル・トレーディング手法の開発者として知られる先物トレーダー、ピーター・ステイドルマイヤーが示した「うーん、どれどれ」という反応がこの考えの典型だ、と彼は語っている。

37．ストレスの認識と除去

　トレードにおけるストレスは、何かがうまくいっていないという徴候である。ストレスを感じたら、原因を考え、問題を取り除くよう行動することである。例えば、ストレスの最大の原因が負けポジションを手仕舞えずにいる優柔不断さであったとする。この問題を解決する１つの方法は、単に、ポジションを建てるときはいつでも損失を限定する注文を出すことである。

　私個人の例を挙げてみよう。私の以前の仕事の１つは、推奨するトレードを自分の会社のブローカーにアドバイスすることであった。この仕事は、トレード自体をすることに大変似ている。しかし、両方をやってみて、トレードの推奨の方がトレードすることよりも難しい、と私には思える。

　何年間も、収益につながるアドバイスをした後、連敗が続いたのである。私には、正しいことが何もできなくなったのである。マーケットの方向を正しく予想できたとしても、私がアドバイスする買い指値はほんの少し安過ぎ（あるいは、売りは高過ぎ）たのである。マーケットの正しい流れに沿って仕掛けても、修正反動であと数呼値というところでストップ注文が執行されてしまったのである。

　そこで、私は、コンピューター化されたトレーディング・プログラムやテクニカル指標を幾つも開発・提供することにより、アドバイスの内容を多様化して、この問題に対応した。同時に、私はそれまで通り、マーケットに対する主観的な判断も続けた。このようにして、私の主観的なアドバイスだけで、結果が左右されないようにしたのである。トレードに関するアドバイスや情報の幅を広く分散し、これらの負担を主として機械的に処理することで、私の個人的なストレス源を大幅に減らすことができた。その結果、調査の質も改善することができたのである。

38．直感に注意せよ

　直感とは、単に潜在意識下での認識である、というのが私の考えである。覚醒意識が行うマーケット分析は、多くの正しいトレード判断を下すために必要でない要因（例えば、現在のポジション、以前の予想を変えることへの抵抗）により影響を受け客観的であり得ない。しかし、潜在意識はそれらの要因によって抑えられることがないのである。ただ、不幸なことに、簡単に潜在意識の領域に出入りすることが私たちにはできないのである。しかし、潜在意識からの訴えが直感として浮かんだら、トレーダーは注意を払う必要がある。前にちょっと出てきた禅を持ち出すトレーダーは、「起こってほしいこと、起こること、この２つを区別することがコツだ」と表現している。

39．人生の使命と努力を愛すること

　『新マーケットの魔術師』でインタビューしたトレーダーたちと話をしていて、トレードは自分がやりたかったことなのだ、と彼らの多くが感じていることを明確に認識することになった。トレードとは、彼らにとって人生における使命なのである。チャールズ・フォルクナー（『新マーケットの魔術師』第７章参照）が引用したＮＬＰの共同創始者ジョン・グリンダーの「カネを払ってでもやりたいほど愛すべきもの」という使命についての言葉を思い出していただきたい。

　インタビューを通して、マーケットの魔術師たちがトレードに傾けるあふれんばかりの熱意と愛情に、私は心を打たれた。トレーダーの多くはトレードを描写するとき、ゲームとの共通点を引き合いに出していた。実は、このような努力に対する愛情は、成功するためには不可欠な要素なのかもしれない。

40．成功の要素

　リハビリに成功した運動選手についてのゲリー・ファリスの研究から、フォルクナー（『新マーケットの魔術師』第７章参照）が挙げた目標を達成する上での重要な６段階は、トレードで成功するという目標にも同様に適用できる。その６段階とは、

　Ａ．臨機応変に攻めることと退くことの使い分けを覚えよ。
　Ｂ．妥協せずに全力プラスαの目標を設定せよ。

C．気が遠くなりそうな目標は小さなものに分類・分解し、それを1つ1つ達成せよ。
D．現在に集中せよ。最終的な目標のことを考えるより、今、手掛けていることに集中せよ。
E．自分の力で目標を達成せよ（他人に頼るな）。
F．自分自身で自分を評価せよ。

41．価格はランダムには動かない＝マーケットには勝てる

　市場の価格はランダムに動くと信じている学者を見て、この業界で最も優秀なリスク／収益記録を打ち立てたモンロー・トラウト（『新マーケットの魔術師』第3章参照）は「だから彼らは学者で、学者じゃない私はトレードで儲けられるのさ」と言った。価格の動きがランダムであるかどうかの議論に決着は付いていない。たくさんの偉大なトレーダーとインタビューをしてきて、ランダムウォーク理論は間違っているということに、私はほとんど疑いを持っていない。この考えを裏付けているのは、マーケットの魔術師たちが記録した勝ちの大きさではなく、彼らがほとんど一貫して収益を生んでいることである。例えば、偉大なトレーダーであるギル・ブレイク（『新マーケットの魔術師』第4章参照）は、勝つ月は負ける月の25倍であり、最悪のドローダウンが5％でしかなく、それでも平均で年45％の収益を上げている。世界中がトレーダーだらけだったとしても、純粋な偶然だけでこのような結果になることはとてもあり得ない。確かに、マーケットで勝つことは簡単なことではない。そして、実際、プロの相場師の数はどんどん増えているため、勝つことはより難しくなってきている。しかし、勝つことは可能なのである！

42．釣り合いの取れたトレードを

　トレードばかりが人生ではない。

付録

追加の概念と数式
Additional Concepts and Formulas

　この章には、本文では長過ぎて取り扱えなかった多方面にわたる定義と数式が含まれている。ここで取り扱うものは本文にある概念に比べて、数段複雑である。基本から一歩踏み出したいと思っているトレーダーにとって新たなる学習の格好の機会となるだろう。

反動計数

　これは第8章「小さな反動からの反転」で取り扱ったトレンドに再び参加する方法に似ている。反動計数が4に達したときに「反動」が識別される。反動計数はまずはゼロである。上昇相場で、この数はこの数を増やした前の高値と安値に対して同じか、それより低いときに1ずつ増える。市場が新高値を付けたときには、この計数はゼロになる。同じことが下げ相場にも当てはまる。

　スラスト計数が3になったときは「主要なトレンドの続行」を示している。このスラスト計数は最初はゼロであり、反動が定義されてから観測し始める。上昇相場での反動では、アップ・スラスト・デイごとにスラスト計数は1加えられ、その反動の安値が破られたときはゼロに戻る。

　シグナルが受け取られると、この反動の安値は損切りの標準となる点として使われる。例えば、建玉は、市場がこの反動の安値を下回る点に近付いたときに手仕舞まわれてしまう。同じような方法で、下落相場でのトレンドの続行は決められる。

Appendix
付録――追加の概念と数式

　図A.1は、今特定した定義を使った小さな反動の反転を説明している。反動と認められた点は記号ＲＤで示されている。これらの場所の前に反動の計数値が示されている。買いシグナルはスラスト計数が３になったところに付けられる。これらの地点の前にスラスト計数値を文字で示している。どの開始地点であっても、損切りの手仕舞いは、最も近い損切りレベルを終値が下回ったところとなる。この例では１９９５年１月に起きている。最後のＲＤ地点が買いシグナルを伴っていないのは、市場がスラスト計数が成り立つ前にその直近の損切りレベルの下で引けてしまったからであることに注目して欲しい。

図A.1　小さな反動の反転（1995年3月限砂糖）

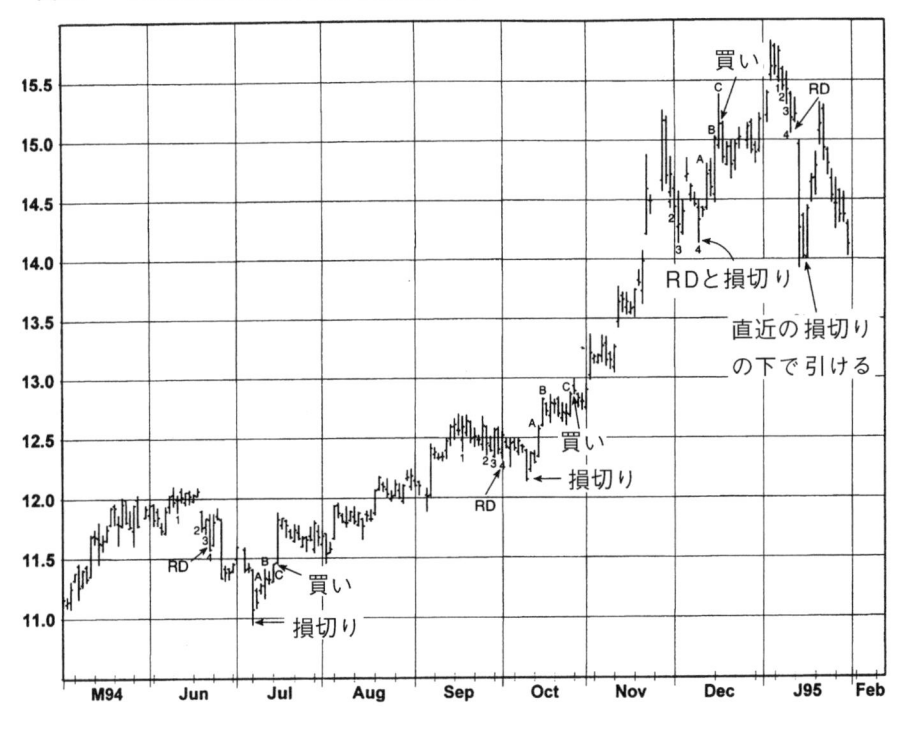

相対力指数（RSI）

相対力指数（RSI）は第6章でみたモメンタム・オシレーターで知られるテクニカル指標に属する。ウエルズ・ワイルダー・ジュニアが1978年に彼の著書『ワイルダーのテクニカル分析入門』（パンローリング刊）でRSIを紹介した。その算出式は、

RSI＝100－［100÷（1＋RS）］

RS＝相対力＝計算期間の値上がり幅の平均を計算期間の値下がり幅の平均値で割ったものである

相対力（RS）はこの算出式の重要な数値である。その他の計算部分はRSIの大きさを0～100の間に納まるように指数化しているだけである。
14日RSIは、14日間の値上がり幅の平均値を14日間の値下がり幅の平均値で割ったものである。「値上がり幅」「値下がり幅」は1日のモメンタムの計算である終値から終値への価格の変化の絶対値である。例えば、今日の終値が前日の終値よりも高ければ、今日は「上昇」日であり、今日と前日の終値の差がその日の値上がり幅となる。今日の終値が前日の終値よりも安ければ、今日は「下落」日であり、今日と前日の終値の差が今日の値下がり幅になる。もし14日間が8回の上昇日と6回の下落日で成り立っていれば、8日分の上昇の総計は14で割られ、同様に6日分の総計も14で割られる。ここで重要なことは、下落日にも絶対値が使われ、負の数とはならないことである。これは、前の日よりも安い終値を持つ1日の値上がり幅はゼロであり、同様に前の日よりも高い終値を持つ1日の値下がり幅はゼロであるということである。RSIは値上がり幅の平均値を値下がり幅の平均値で割ったものである。これはRSIを算出する式に組み込まれている。ワイルダーは追加の平滑化の手法を最初の期間の後に続くRSIの計算を単純化するために使っていた。
RSIの例は、第6章と第10章に掲載した。

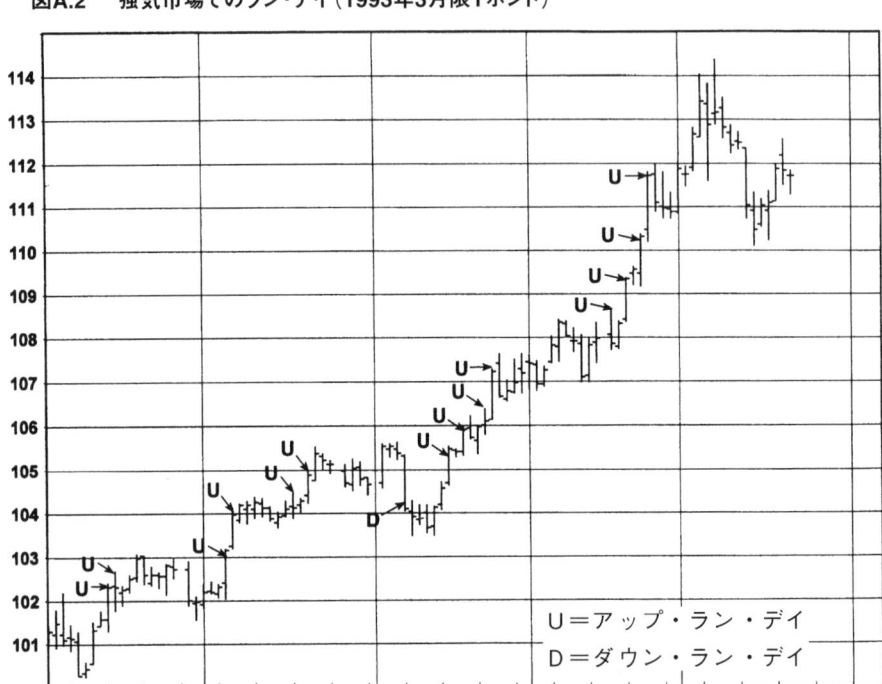

図A.2　強気市場でのラン・デイ（1993年3月限Tボンド）

U＝アップ・ラン・デイ
D＝ダウン・ラン・デイ

ラン・デイ

　ラン・デイは強いトレンドのある日である。ラン・デイは第5章で紹介したスラスト・デイより強力なものであるが、スラスト・デイの条件に満たないこともある。ラン・デイは次のように定義される。

アップ・ラン・デイ
　アップ・ラン・デイは以下の2つの条件を満たす。
1. ラン・デイの真の高値は、過去N日間の真の高値の最大値よりも高い（例　N＝5）。
2. ラン・デイの真の安値は、その日からN日間の真の安値の最小値よりも安い。

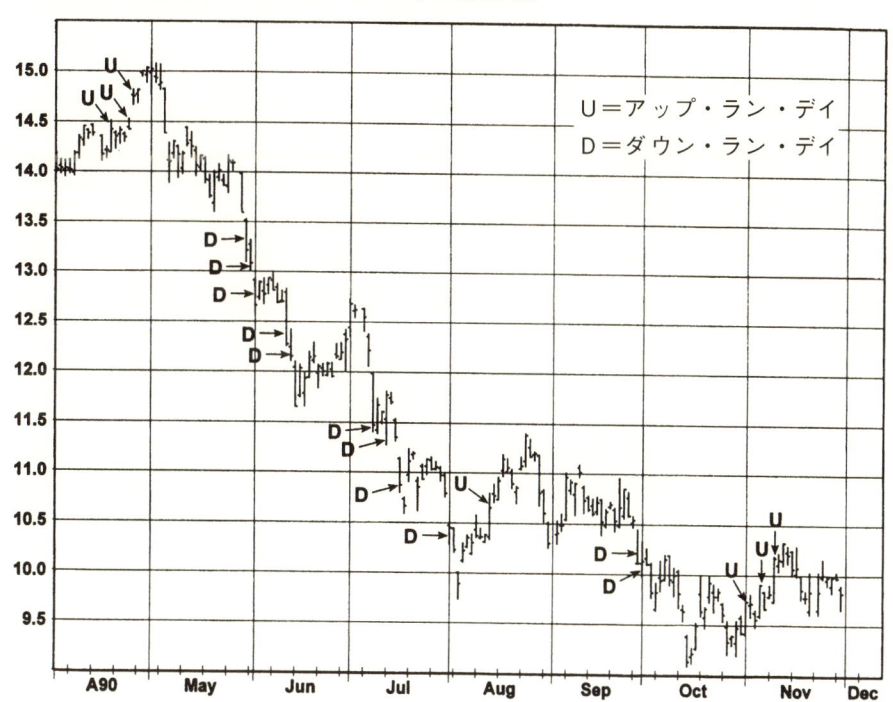

図A.3　弱気市場でのラン・デイ（1991年3月限砂糖）

U＝アップ・ラン・デイ
D＝ダウン・ラン・デイ

ダウン・ラン・デイ

下落ラン・デイは以下の2つの条件を満たす。

3．ラン・デイの真の安値は、過去N日間の真の安値の最小値よりも安い。
4．ラン・デイの真の高値は、その日からN日間の真の高値の最大値よりも高い。

注意：真の安値、真の高値の定義については付録の後半に出てくる「真のレンジと真のレンジの平均」を参照。

これらの定義から分かるように、ラン・デイはそれが起きてからN日後にならないと定義できない。また、ラン・デイの多くはスラスト・デイであること、スラスト・デイでなくてもラン・デイの定義に当てはまることに注目して欲しい。例えば、その日の安値が過去5日間の安値よりも低く、その高値がそれに

続く5日間の高値よりも高く、そしてその終値がその前の日の安値よりも高いことは可能である。

図A.2と**図A.3**は、N＝5としたときのラン・デイの例である。見て分かる通り、ラン・デイは相場がトレンドに乗っているときに起こりやすい。アップ・ラン・デイの実現は、特に価格が密集していれば、市場は強気の状態にあると受け止められる（**図A.2**参照）。同様に、ダウン・ラン・デイの支配は相場が弱気である証拠である（**図A.3**参照）。

スパイク・デイの公式

第5章で説明したスパイク・デイは理解するのも、相場チャートから見つけ出すのもやさしい。しかし、数学的に正確に定義することも可能である。スパイク・ハイの定義の例は次の条件を満たすもので、スパイク・ローの定義も同様である。

1. $H_t - \text{Max}(H_{t-1}, H_{t+1}) > k \times ADTR$

    H_t　　＝その日の高値
    Max　＝H_{t-1}とH_{t+1}のより高い方
    　　　　（スパイク・ローはMinで、H_{t-1}とH_{t+1}でより安い方）
    H_{t-1}　＝前の日の高値
    H_{t+1}　＝次の日の高値
    k　　　＝乗数（例えば、0.75）
    ADTR ＝過去10日間の日々の真の値幅の平均。ADTRの定義については「真の値幅と真の値幅の平均」を参照

2. $H_t - C_t > 3 \times (C_t - L_t)$

    C_t　　＝その日の終値
    L_t　　＝その日の安値

3．H_t＞過去N日間の高値

　　　N　　＝定数（例えば、50）

　前記の最初の条件は、過去１０日間の真のレンジの平均の少なくとも４分の３以上で、その周辺の高値よりも高いスパイク・ハイを保証している。この場合、kは０．７５とした。２番目の条件は、その日の終値がその日の値幅の下部２５％までにあることを示している。３番目の条件は、その日の高値がN＝５０とした場合、過去５０日間で最も高い高値を上回っていて、その日はそれ以前に比べて上昇していることを示している。一般的に、Nの高値はそれ以前の大きな上昇を必要としているのである。

　スパイク・ハイの定義が３つの構成からなるのは数学的に正確に表現しようとしたためである。他にも様々な定義がある。スパイク・デイの定義は第５章に掲載した。

ストキャスティックス

　ストキャスティックスはオシレーターの一種で、直近の終値とN日間の絶対的な価格レンジを比べることでモメンタムを測っている。ここで絶対的価格レンジはレンジの高値からレンジの安値を引いたものである。例えば、１０日ストキャスティックスでは、今日の終値と過去１０日間の最も安い安値の差を、過去１０日間の最も高い高値と最も安い安値の差で割ったものである。その結果は１００倍される。最初の行の公式は％Kと呼ばれている。

$$\%K = 100 \times (C_t - L_n) \div (H_n - L_n)$$

　　　C_t　　＝今日の終値
　　　H_n　　＝過去n日の最高値
　　　L_n　　＝過去n日の最安値

　ストキャスティックス指数の２本目の線は％Dで、それは％K（デフォルト

値＝3日）の単純移動平均である。

%D　　＝3期間の%Kの移動平均＝平均(%K,3)

最初の定義の%Kと%D（一般的には5日間が用いられ、「速いストキャスティクス」呼ばれる）は雑音を多く含むため、「遅いストキャスティクス」と呼ばれる平滑化されたストキャスティクスが通常のソフトウエアでは使われ、それが「ストキャスティクス」と呼ばれている。もともとの%Dは新しい「遅い」%Kになり、この線を3日移動平均により平滑化したものが、新しい「遅い」%Dとなる。

ストキャスティクスの例は第6章に掲載した。

真のレンジと真のレンジの平均

真のレンジの公式は、ウエルズ・ワイルダー・ジュニアによって開発され、1978年『ワイルダーのテクニカル分析入門』（パンローリング刊）に掲載された。

与えられた日のレンジ（R）は、高値（H）から安値（L）を引いたものである（H－L＝R）。しかし、真のレンジ（TR）は、真の高値（TH）から真の安値（TL）を引いたものである（TH－TL＝TR）。真の高値と真の安値は以下のように定義される。

　　真の高値＝その日の高値か、前日の終値のどちらか高い方。
　　真の安値＝その日の安値か、前日の終値のどちらか安い方。

真のレンジの算出式は市場の状態をより正確に反映している。なぜなら、日々の窓（ギャップ）を考慮しているからである。日々の真のレンジの平均（ADTR）は、単純な日々の真のレンジ値の移動平均である。それは週足、月足、日中といった具合に計算される。それは市場の価格変動性の基準として使用されている。

図A.4はレンジと真のレンジを比べている。1日目と2日目の間で窓が空い

図A.4　レンジと真のレンジの比較

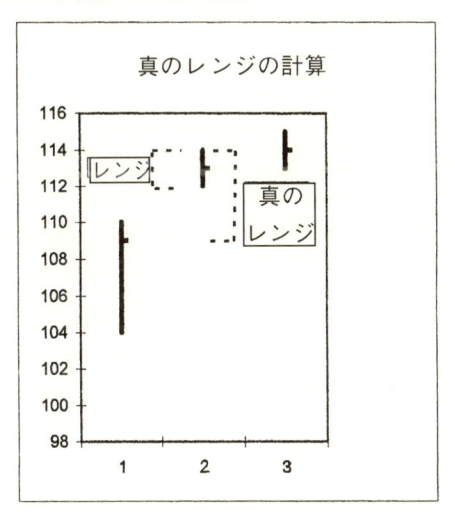

真のレンジの計算

ていることに注目して欲しい。2日目の標準的なレンジはその日の高値と安値の差である。しかし、真のレンジは真の高値である2日目の高値から真の安値である1日目の終値を引いたものである。明らかに、真のレンジの計算は1日目と2日目の間の窓（ギャップ）に呼応して価格変動のエッセンスを取り込んでいる。

加重移動平均*

　第3章で定義され、第14章でテクニカル・トレーディング・システムの構成要素として使われた、単純移動平均はその価格への加重は均一である。例えば、10日移動平均といえば、10日間の終値を足し合わせ、それを10で割ったものである。それに比べ、加重移動平均（LWMA）は最も古い価格は移動平均の中での加重は1であり、2番目のものは2であり、それが繰り返される。直近の加重は移動平均の日数である。LWMAは加重を掛けた価格の総計を加重の総計で割ったものである。それを、算出式で示すと、

$$\mathrm{LWMA} = \frac{\sum_{t=1}^{n}(P_t \times t)}{\sum_{t=1}^{n} t}$$

t　＝時間係数（最も古い日：１、２日目：２、……）
P_t　＝時間tのときの価格
n　＝移動平均の日数

　例えば、１０日ＬＷＭＡでは、１０日間前の価格は１を掛け、９日前の価格には２を掛け、すべての価格をそのようにして、直近の価格には１０を掛ける。この加重を掛けられた価格の総計は１から１０までの数値の和である５５で割られ、ＬＷＭＡが得られる。

　指数加重平均（ＥＷＭＡ）は滑らかな０から１までの定数、aを価格に掛けたものとその前の日のＥＷＭＡを１－aで掛けたものを足したものである。その算出式は、

$$\mathrm{EWMA}_t = aP_t + (1-a)\mathrm{EWMA}_{t-1}$$

　それぞれの日のＥＷＭＡは前日のＥＷＭＡから算出されている。それは以前の価格すべてに加重が掛かり、その加重は日を追うごとに指数的に落ちて行くことを意味している。それぞれの日の加重は、

$$a(1-a)^k$$

k＝現在からさかのぼる日数（現時点では、k=0 そのため$a(1-a)^k$はaになる）

　aは０と１の間にあるので、それぞれの特定した日の加重は時間がさかのぼるに従って急激に減少する。例えば、a＝０．１であれば、昨日の価格の加重は０．０９であり、２日前の加重は０．０８１で、１０日前は０．０３５になり、３０日前では０．００４になる。

指数加重平均の平滑化定数 a は、大体の単純移動平均の長さ n に対応していて、a と n の関係は、

$$a = \frac{2}{(n+1)}$$

か、

$$n = \frac{(2-a)}{a}$$

このように、例えば、加重移動平均の定数が０．１であれば１９日単純移動平均と大体同じであることが分かる。また、４０日単純移動平均は平滑化定数が約０．０４８７８の指数加重移動平均と大体同じである。

＊ここで用いた２つの参考文献は、①Perry Kaufman, The New Commodity Trading Systems and Methods, John Wiley & Sons, New York, 1987;②Technical Analysis of Stocks & Commodities, bonus issue 1995, sidebar, page 66.

長大線

長大線は第５章で説明したが、価格変動比率（ＶＲ）がk（例えばk＝２．０）よりも大きい日であると数学的に定義することができる。このＶＲは今日の真のレンジを過去Ｎ日間の真のレンジ（例えば、Ｎ＝１５）で割ったものである。

用語集
Grossary

アイランド・トップ（Island top）
　　　　上昇が続いた後、窓（ギャップ）がその上にでき、1日、または、それ以降も窓が埋められず、その後、窓が下にできること。

アイランド・ボトム（Island bottom）
　　　　下落が続いた後、窓がその下にでき、1日、または、それ以降も窓が埋められず、その後、窓が上にできること。

アップ・スラスト・デイ（Up thrust day）
　　　　スラスト・デイ参照。

アップ・ラン・デイ（Up run day）
　　　　ラン・デイ参照。

移動平均（Moving average）
　　　　価格データを滑らかにし、トレンドを認識しやすくするように計算すること。最も基本的なものは単純移動平均であり、今から過去N日間の終値の平均で決められる。加重平均・指数平滑移動平均は、現在の価格をそれ以前の価格に比べ強調するように特別な加重計算を使っている。

ウエッジ（Wedge）
　　　　上昇ウエッジでは価格がくさびを打つように上昇し、また、下落ウエッジでは価格がくさびを打つように下落して行く収束パターン。ウエッジはときどき何年にもわたることがある。

売られ過ぎ（Oversold）
　　　　価格があまりにも急激に大きく下降し、上方への調整が今にも入りそうなとき。

押し／戻り（Retracement）
　　　　先行した価格の動きに反した価格の動き。例えば、株が30ポイン

ト上り、15ポイント下げた場合、これは50％の押しである。

オシレーター（Oscillators）

　　　市場のモメンタムの中立を表す平行線の上や下に動く逆トレンド、モメンタムを基本にした指標の集合。それらは買われ過ぎ、売られ過ぎの価格レベルを設定するのに使われる。例えば、相対力指数やストキャスティックスが含まれる。

終値折れ線チャート（Close-only chart）

　　　終値だけで描かれていて、その日の高値と安値を無視しているチャート。これはライン・チャートとも呼ばれる。現物のデータとスプレッドのような価格データは終値だけでチャートを描いているが、それは十分な日中の取引データが集まらないからである。

価格変動（Volatility）

　　　市場が示す価格の不安定性の量。活況なマーケットは、価格が極端に上下に動くが、この市場の価格変動は大きい。

確認（Confirmation）

　　　市場で起きた出来事がテクニカルなトレード・シグナルの有効性を強めること。例えば、長期にわたる抵抗線を上方へブレイクアウトしたとき、その最初のブレイクアウトの後に5日間にわたり終値がそのレベルを上回れば確認されたことになる。

買われ過ぎ（Overbought）

　　　価格があまりにも急激に大きく上昇し、下方への調整が今にも入りそうなとき。

逆張り（Countertrend）

　　　大きな価格の動きを待って、市場が調整に入るという仮定の下に反対方向に玉を建てる指標、または、システム。

ギャップ（Gap）

　　　窓参照。

キャンドルスティック・チャート（Candlestick Chart）

　　　ローソク足参照。

グッド・ティル・キャンセル（Good-till-canceled=GTC）

　　　通常の注文のように注文を出した日の取引終了後に自動的に取り消

されず、取り消されるまでそのまま継続される注文のこと。

クローズ・オンリー・チャート（Close-only chart）
終値折れ線チャート参照。

クロスオーバー移動平均システム（Crossover moving average system）
例えば１０日間の短期移動平均が、例えば３０日の長期移動平均を上に交差したときに買いシグナルを出し、短期移動平均が長期移動平均を下へ交差したときには売りシグナルを出すシステムのこと。

継続パターン（Continuation pattern）
数多いチャート形態の１つで、その形が起こる前に形成されていたトレンドが続くことを示唆している。

こじつけ（Fitting）
特定した過去の価格データに対して良い結果をもたらすように最適化されたトレーディングの規則を作ること。システムをテストするというのは最適化されたパラメータ・セット（テスト期間中最もパフォーマンスの良いパラメータ）でのパフォーマンスでシステムを評価することは過去の結果に対する「こじつけ」とみなせる。

古典的なダイバージェンス（Classic divergence）
価格は上昇の過程で新高値を付けたが、モメンタム・オシレーターの極大値は以前の極大値よりも小さいこと。価格は下落の過程で新安値を付けたが、モメンタム・オシレーターの極小値は以前の極小値よりも大きいこと。

最適化（Optimization）
トレーディング・システムの結果が最も良くなるパラメータを探す過程のこと。例えば、単純移動平均の平均する期間を探すことなど。

三角形（Triangle）
揉み合いのパターンで価格が徐々に一点に集まるもの。連続パターンの中で最も一般的であり、天井や底の型でもある。

時間的安定性（Time stability）
トレーディング・システムの結果を、ある時期のテストと別の時期のテストで比較したもの。

シグナル・ライン（Signal line）

MACDとかストキャスティックスに見られるような指標の移動平均はその指標がシグナル・ラインを上に交差したり、下に交差したときに買いと売りのシグナルを出す。その移動平均線のこと。

資金管理（Money management）
トレードのリスクを制限するルール。その延長として、定められた状況でどの程度の株式とか先物を保持するのかを決める。

支持線（Support）
価格が繰り返し下落し、跳ね上がり、底を付けているように見える価格帯。

4半期サイクル（Quarterly cycle）
株価指数の先物市場で使われる限月のローテーション。3月、6月、9月、12月限。

収益／リスク基準（Return/risk measure）
収益性とその収益性を達成するために許容できるリスクをトレード、または、システムごとに定めた基準。単純な例はシステムの勝ちトレードの平均を負けトレードの平均で割ったもの。高い収益／リスク比率はそのシステムにとっては望ましいものである。

純資産曲線（Equity curve）
終値だけで構成される種類のチャートで口座にあるトレーディング資金の上下動を記録する曲線。

真の高値（True high）
今日の高値か、前日の終値のどちらか高い方。真のレンジ参照。

真の安値（True low）
今日の安値か、前日の終値のどちらか低い方。真のレンジ参照。

真のレンジ（True range）
真の高値から真の安値を引いたもの。上記の定義を参照。これは市場の価格変動性を測定するものである。真のレンジは通常のレンジの計算よりも値動きを正確に反映している。なぜなら、それは1日の窓も考慮しているからである。平均した日々の真のレンジ（ＡＤＴＲ）は単純に日々の真のレンジの値の移動平均である。それは、また、週間、月間、または、日中でも計算される。

ストップ・ロス（Stop-loss）
　　　トレードの損失を大きくしないために手仕舞うため、あらかじめ定められた価格ポイント。損切りポイント。

スパイク・ハイ（Spike high）
　　　前後する日の高値よりも急激に高い高値の日。ときどき、スパイク・ハイの日の終値はその日の値幅の下限に近いものになる。

スパイク・ロー（Spike low）
　　　前後する日の安値よりも急激に安い安値の日。ときどき、スパイク・ローの日の終値はその日の値幅の上限に近いものになる。

スプレッド（Spread）
　　　例えば、トウモロコシと小麦というような2つの商品の価格差、または7月限のトウモロコシと12月限のトウモロコシのように同じ銘柄でも限月の差を描いたチャート。スプレッドは先物限月とそれの基となった現物の価格差を指すこともある。

スラスト・デイ（Thrust day）
　　　アップ・スラスト・デイとは、前日の高値を超えて引けた日のことで、ダウン・スラスト・デイとは、前日の安値を下回って引けた日のこと。一連の上昇スラスト・デイや下降スラスト・デイは価格の強さや弱さをそれぞれ示している。第5章を参照。

スリッページ（Slippage）
　　　仮想では理想的な費用で売買できるが、現実に売買したときには不利な価格で注文が通ったり、先物の場合では値幅制限などに影響されるので、その理想的な費用と実際の費用との差のこと。

底のパターン（Bottom pattern）
　　　マーケットの底でできるパターン。第5章を参照。

ダイバージェンス（Divergence）
　　　価格とモメンタムが逆方向に動く現象。

ダウン・スラスト・デイ（Down thrust day）
　　　スラスト・デイ参照。

ダウン・ラン・デイ（Down run day）
　　　ラン・デイ参照。

高値（ＲＨ）／相対高値／山（Relative high）
　　　　その日の高値がその前後Ｎ日間よりも高いこと。例えば、Ｎ＝５では、相対高値はその前後５日のどの日の高値よりも高い。

ダブル天井／ダブル底（Double top/double bottom）
　　　　２つの高値、または、２つの安値からなる天井（底）の形。このパターンを形成する２つの高値（安値）は全く同じである必要はなく、大体同じと思えるところにあればよい。大きな値動きの後のダブル天井／ダブル底は主要なトレンドの変換点と見られる。

だましシグナル（Failed signal）
　　　　市場がチャートのシグナルの方向へ行かなかったとき。そのような出来事は反対方向へ大きな動きをする可能性があることを示唆している。

ちゃぶつき（Whipsaw）
　　　　価格が繰り返したり、突然、急にそのトレンドを反転させたりすることから起こる多くのだましシグナルによって、ほとんどトレンドフォロー・システムで連続して損失を出すこと。図3.21参照。

長大線（Wide-ranging day）
　　　　前日に比べて価格の足が非常に長いこと。その日の価格変動は最近の価格変動性の平均を大きく上回っている。

つもり売買（Paper Trading）
　　　　実際に資金を使わずに、仮想的トレードをすること。

強気の落とし穴（Bull Trap）
　　　　主な上方へのブレイクアウト直後、下落方向へ価格が反転すること。

抵抗線（Resistance）
　　　　価格が繰り返し上昇してきて、そこで押し戻される価格帯のこと。あたかもそこで天井を打っているように見える。

天井パターン（Top pattern）
　　　　重要な相場の高値ポイントを示しているような価格の型。

トリプル天井／トリプル底（Triple top/triple bottom）
　　　　ダブル天井とダブル底の型と同様に２つの高値、または、安値からできているのではなくて３つで構成されているもの。

トレイリング・ストップ（Trailing stop）
　　　　トレードの利益を確定するために逆指値の仕切り注文（プロテクティブ・ストップ）を断続的に上昇相場では上げ、下落相場では下げること。

トレーディング・レンジ（Trading range）
　　　　比較的限定された価格帯で価格が上下に行ったり来たりする価格の揉み合いの期間。

トレンド（Trend）
　　　　ある期間にわたって価格が上昇、または、下落したりしているパターンが確認できること。上昇トレンドは継続的に高値が高くなり、安値も高くなるもの。下落トレンドは継続的に高値が安くなり、安値も安くなるもの。高値が高くなることと安値が安くなることは必ずしも必要ではない。

トレンド・チャネル（Trend channel）
　　　　トレンド・ラインと平行に引かれた線。

トレンドフォロー・システム（Trend-following system）
　　　　特定な価格の動きを待って、そのトレンドが継続するという仮定の下にそれと同じ方向にポジションを取る指標、または、そのシステム。

トレンド・ライン（Trend line）
　　　　上昇トレンドを決めるためにチャート上の一連の価格の低い地点を結んだ線、または、下降トレンドを決めるために一連の価格の高い地点を結びんだ線。

ドローダウン（Drawdown）
　　　　純資産曲線の天井から底までのトレーディングの損失。トレーディングの口座が７万５０００ドルで純資産のピークとなり、その後、連続して合計で２万５０００ドルの損失を出した場合、それは３３．３％のドローダウンである。

内部トレンド・ライン（Internal trend line）
　　　　極端な高値、安値を除外して、その前の幾つかの高値や安値の近くを注意深く描いたトレンド・ライン。

ネックライン（Neckline）

ヘッド・アンド・ショルダー天井の両肩の間の安値、または、ヘッド・アンド・ショルダー底と両肩の間の高値を結んだ線のこと。

乗り換え（Rollover）
1つの先物限月が納会に近付き、次の限月が売買対象限月になること。例えば、Ｓ＆Ｐ５００の３月限が納会に近付くと、それは６月限に乗り換えられる（ロールオーバーされる）。

バー・チャート（Bar chart）
取引日の安値から高値までの値幅を垂直な線で表したチャート。その日の終値はバーの右側に出た水平な突起で示される。また、その日の始値はバーの左側に突き出た水平な線で表わされることもある。

パターン認識システム（Pattern recognition system）
価格のパターンで価格の動きの方向を重要視していないもの。例えば、トレンドフォロー型とか逆張り型でないものなどである。それに先行した価格の動きの内容ではなくて、パターンそのものを重要視している。例えば、スパイクとか長大線などに注目している。

パラメータ（Parameter）
シグナルを出す時期を変えるためにトレーディング・システムに設けられた値。例えば、単純移動平均システムで移動平均を計算するのに使う日数はパラメータである。

反対意見（Contrary opinion）
多くの投機家が強気（弱気）のときは、買い持ち（売り持ち）にしたいと思っている人は既に買ってしまっている（売ってしまっている）とする理論。結果として、新しい買い手（売り手）はわずかしか残っていないので、市場が反転することを阻止できないと、反対意見を持つ人は考える。

日々の真のレンジの平均（Average daily true range）
真のレンジ参照。

Ｖ天井／Ｖ底（V top/V bottom）
急に反転してできた天井や底の型。市場が急激に上昇したり、下落したりして、天井や底を作るが、すぐに反転して、テクニカル的には何の反転の証拠も残さない。

フィルター（Filter）
　　　成功する確率の低いトレードを減らすための規則とか条件。フィルターは確認の規則とは異なるものでトレード・シグナルが出るときだけに適用され、その後は適用されない。

プライス・エンベロップ・バンド（Price envelope band）
　　　支持線／抵抗線のレベルを探す方法。プライス・エンベロップ・バンドの上限は移動平均からあらかじめ定められた比率を足したものと定義され、プライス・エンベロップ・バンドの下限は移動平均からあらかじめ定められた比率を引いたものと定義される。その結果、得られた指標は多くの価格の動きを含んでいる。

フラッグ（Flag）
　　　一般に１週間から３週間の短期の連続パターンで上限と下限が平行であるもの。

ブレイクアウト（Breakout）
　　　トレーディング・レンジ、または、トライアングルなど様々な揉み合いのパターンの上限や下限を放れる価格の動き。第５章参照。

分散（Diversification）
　　　多くの市場や多くのシステムを、同じ市場や異なる市場でシステムの設定を変えてトレードすること。

ヘッド・アンド・ショルダー（Head and shoulders）
　　　３つの部分からなる天井を作る形態で、中央のヘッドと呼ばれるものが両脇のショルダーと呼ばれるものよりも高いものである。同様に、ヘッド・アンド・ショルダー天井は３つの部分からなり、中央の安値は両脇の安値よりもさらに安い。

ペナント（Pennant）
　　　上限と下限の線が収束する一般的に１〜３週間の短期間の連続パターン。

ポイント・アンド・フィギュア・チャート（Point-and-figure chart）
　　　一連の×と○の列を使った時間を無視した１つの連続した流れで表現したチャート。一部のチャートのソフトウエアでは○の代わりに四角とか他の記号を使っている。それぞれの×は与えられた価格の動き

の大きさを示し、それはボックス・サイズと呼ばれている。価格が上昇を続ける限り、ボックス・サイズと同じ価格上昇に対して×が列に加えられる。しかし、価格の下落がリバーサル・サイズと等しいかそれよりも大きい場合には、新しい列の○が始まり、下に向けて付け加えられていく。

増し玉（Pyramiding）
　　今あるポジションをさらに買い増ししたり、売り増しして、ポジションを増やしていくこと。

窓（Gap）
　　価格の間に跡切れがあることで、今日の安値が前日の高値よりも高い場合、または、今日の高値が前日の安値よりも低い場合に起こる。

マネー・ストップ（Money stop）
　　資産を目減りを保護するために損切り注文を置くポイントのことで、テクニカルに重要なポイントに設定されるのではなく、許容できる金額でそのポイントを決めること。

保ち合い（Sideway）
　　相場が膠着状態にあり、上にも下にも動かないこと。

モメンタム（Momentum）
　　価格変化の比率やそのスピード。

安値（ＲＬ）／相対安値／谷（Relative low）
　　その日の安値がその前後Ｎ日間のどの安値よりも安いこと。

弱気の落とし穴（Bear trap）
　　主な下方へのブレイクアウト直後、上昇の方向に価格が反転すること。

ラウンド・トップ／ラウンド・ボトム（Rounded top/rounded bottom）
　　鋭角的な天井とか底ではなくて、価格が比較的滑らかな曲線で特徴付けられる天井や底の型のこと。この基準は型の外側の境界が湾曲しているかどうかである。円形天井／鍋底とも言う。

ラン・デイ（Run day）
　　非常に強いトレンドのある日のこと。アップ・ラン・デイはその日の高値が過去Ｎ日間の高値よりも高く、その日の安値がその次のＮ日

間の安値よりも安い日である。Nは特定された数である。ダウン・ラン・デイは過去N日間の安値よりもその日の安値が安く、その日の高値がそれに続くN日間の高値よりも高い日である。

リバーサル・ハイ・デイ（Reversal high day）
　　　　価格上昇過程での新高値を付け、その前日の終値を下回って引けること。この強いものは、大引けで前日の安値を下回る。

リバーサル・ロー・デイ（Reversal low day）
　　　　価格下落過程での新安値を付け、その前日の終値を上回って引けること。この強いものは、大引けで前日の高値を上回る。

レンジ（Range）
　　　　与えられた期間の高値と安値の値幅のこと。例えば、1日のレンジとはその日の高値からその日の安値を引いたもので、週間レンジとはその週の高値からその週の安値を引いたもの。

ローソク足（Candlestick Chart）
　　　　1次元の単純なバー・チャートの表現を、色を付け、バーの実体と呼ばれる部分を始値と終値で示して2次元にしたもの。値が上昇した日の実体は白で、値が下げた日の実体は黒である。また、この始値と終値で示される実体の部分を超えた高値と安値は「ひげ」と呼ばれる垂直な線で示される。

投資関連お勧めホームページ

【テクニカル系】
http://www.turtletrader.com/
http://tradehard.com/
http://www.mrci.com/gbooklbr.cfm

【投資・相場総合】
http://www.panrolling.com/
http://www.futuresmag.com/
http://www.geocities.co.jp/WallStreet/7028/

【情報提供】
http://charts.quotewatch.com/
http://quote.yahoo.co.jp/
http://www.cnnfn.com/
http://www.bloomberg.com/jp/markets/index.html
http://www.fyii.net/
http://www.worldlinkfutures.com/

【書籍検索】
http://www.mgordonpub.com/
http://franchise.fantasticshopping.com/traders-moneymentor/
http://www.amazon.com/
http://www.mktbooks.com/traders/ctcr/

【検索】
http://www.yahoo.co.jp/
http://www.infoseek.co.jp/
http://www.goo.ne.jp/
http://www.lycos.co.jp/

訳者

森谷博之
もりや・ひろゆき

1980年上智大学理工学部卒。外資系金融機関、アフリカ開発銀行にて国際金融、リスク関連業務に従事した後、1999年オックスフォード・ファイナンシャル・エデュケーション設立。HEDCO‐Ireland 国際コンサルタント。ストラッスクライド大学MBA取得、エディンバラ・ビジネススクールMBA取得。ロンドン大学金融経済学修士。

アドバイザー

及川 茂
おいかわ・しげる

1982年東京大学法学部卒。同年住友商事入社。為替・貴金属等のマーケット関連業務、資金運用、投資関係業務全般に従事した後、現在、住商キャピタルマネジメント代表取締役、日本証券アナリスト協会検定会員。訳書に『外国為替のオプション』(東洋経済新報社)。

免責事項

　この本で紹介してある方法や技術、指標が利益を生む、あるいは損失につながることはない、と仮定してはなりません。過去の結果は必ずしも将来の結果を示したものではありません。

　この本の実例は、教育的な目的でのみ用いられるものであり、売買の注文を勧めるものではありません。

　以下の声明はNFA（NATIONAL FUTURES ASSOCIATION＝米国先物協会）の勧告によるものです。

　「仮定に基づいた、あるいは実験によって得られた成績は、固有の限界があります。実際の成績記録とは異なり、模擬的なものは実際の取引を示しているものではありません。また、取引は実際行われたわけではないので、流動性の不足にみられるようなある種の市場要因により、利益が上下に変動する可能性があります。実験売買プログラムは、一般に、過去の事実に基づく利益を元に設計されがちです。本書の記述によって引き起こされたと考えられるあらゆる不利益に関する抗議は、一切行われるべきではありません」

1999年11月30日	初版第1刷発行
2004年1月15日	新装版第2刷発行
2006年2月2日	第3刷発行
2006年11月1日	第4刷発行
2007年11月1日	第5刷発行
2008年6月2日	第6刷発行
2009年11月1日	第7刷発行
2010年4月2日	第8刷発行
2010年11月3日	第9刷発行
2014年7月1日	第10刷発行
2017年3月1日	第11刷発行

ウィザードブックシリーズ㊿

シュワッガーのテクニカル分析
初心者にも分かる実践チャート入門

著 者	ジャック・D・シュワッガー
訳 者	森谷博之
発行者	後藤康徳
発行所	パンローリング株式会社
	〒160-0023 東京都新宿区西新宿7-9-18-6F
	TEL 03-5386-7391 FAX 03-5386-7393
	http://www.panrolling.com/
	E-mail info@panrolling.com
編 集	エフ・ジー・アイ(Factory of Gnomic Three Monkeys Investment)合資会社
装 丁	Cue graphic studio TEL03-5300-1755
組 版	マイルストーンズ合資会社
印刷・製本	株式会社 シナノ

ISBN978-4-7759-7027-0

落丁・乱丁本はお取り替えします。
また、本書の全部、または一部を複写・複製・転載、および磁気・光記録媒体に
入力することなどは、著作権法上の例外を除き禁じられています。

Ⓒ Hiroyuki Moriya 1999 Printed in Japan

アレキサンダー・エルダー

ウィザードブックシリーズ9
投資苑
心理・戦略・資金管理

定価 本体5,800円+税　ISBN:9784939103285

現在17刷

世界12カ国語に翻訳され、各国で超ロングセラー！
精神分析医がプロのトレーダーになって書いた心理学的アプローチ相場本の決定版！成功するトレーディングには3つのM（マインド、メソッド、マネー）が肝心。投資苑シリーズ第一弾。

ウィザードブックシリーズ50
投資苑がわかる203問

定価 本体2,800円+税　ISBN:9784775970119

ウィザードブックシリーズ56
投資苑2

定価 本体5,800円+税　ISBN:9784775970171

ウィザードブックシリーズ57
投資苑2 Q&A

定価 本体2,800円+税　ISBN:9784775970188

ウィザードブックシリーズ120
投資苑3

定価 本体7,800円+税　ISBN:9784775970867

ウィザードブックシリーズ121
投資苑3　スタディガイド

定価 本体2,800円+税　ISBN:9784775970874

ウィザードブックシリーズ194
利食いと損切りのテクニック
トレード心理学とリスク管理を融合した実践的手法

定価 本体3,800円+税　ISBN:9784775971628

自分の「売り時」を知る、それが本当のプロだ！
「売り」を熟知することがトレード上達の秘訣。
出口戦術と空売りを極めよう！
『投資苑』シリーズでも紹介されている要素をピンポイントに解説。多くの事例が掲載されており、視点を変え、あまり一般的に語られることのないテーマに焦点を当てている。

ジャック・D・シュワッガー

現在、マサチューセッツ州にあるマーケット・ウィザーズ・ファンドとLLCの代表を務める。著書にはベストセラーとなった『マーケットの魔術師』『新マーケットの魔術師』『マーケットの魔術師[株式編]』(パンローリング)がある。
また、セミナーでの講演も精力的にこなしている。

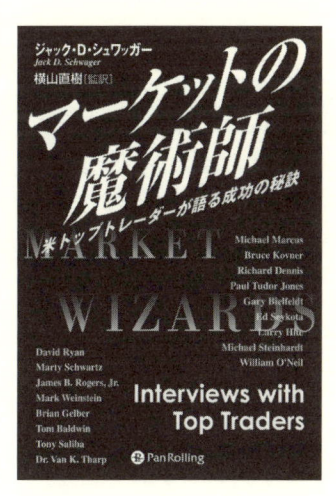

ウィザードブックシリーズ19
マーケットの魔術師
米トップトレーダーが語る成功の秘訣

定価 本体2,800円+税　ISBN:9784939103407

トレード界の「ドリームチーム」が勢ぞろい

世界中から絶賛されたあの名著が新装版で復刻!
投資を極めたウィザードたちの珠玉のインタビュー集!
今や伝説となった、リチャード・デニス、トム・ボールドウィン、マイケル・マーカス、ブルース・コフナー、ウィリアム・オニール、ポール・チューダー・ジョーンズ、エド・スィコータ、ジム・ロジャーズ、マーティン・シュワルツなど。

ウィザードブックシリーズ201
続マーケットの魔術師
トップヘッジファンドマネジャーが明かす成功の極意

定価 本体2,800円+税　ISBN:9784775971680

『マーケットの魔術師』シリーズ
10年ぶりの第4弾!

先端トレーディング技術と箴言が満載。「驚異の一貫性を誇る」これから伝説になる人、伝説になっている人のインタビュー集。マーケットの先達から学ぶべき重要な教訓を40にまとめ上げた。

ウィザードブックシリーズ13

新マーケットの魔術師

定価 本体2,800円+税　ISBN:9784939103346

知られざる"ソロス級トレーダー"たちが、率直に公開する成功へのノウハウとその秘訣

投資で成功するにはどうすればいいのかを中心に構成されている世界のトップ・トレーダーたちのインタビュー集。17人のスーパー・トレーダーたちが洞察に富んだ示唆で、あなたの投資の手助けをしてくれることであろう。

- ●ビル・リップシュッツ　　　　八年間負け知らずで五億ドルを稼いだ「通貨の帝王」
- ●ランディ・マッケイ　　　　　毎年、前年以上の収益を達成し続けている「ベテラン・トレーダー」
- ●ウィリアム・エックハート　　驚異的な勝ち組「タートルズ」を生み、年間収益率60%を誇る「実践的数学者」
- ●モンロー・トラウト　　　　　システムと相場観を調和して、最高のリターンを叩き出す「ポジション・トレーダー」
- ●アル・ウェイス　　　　　　　四年をかけて150年分のデータを分析し尽くした「チャートの生き字引」
- ●スタンレー・ドラッケンミラー　ソロスの下で、柔軟さと多様性を身に付けた「売りの名人」
- ●リチャード・ドライハウス　　「高値で買い、さらに高い値で売る」極意で年率30%を誇る「買いの名人」
- ●ギル・ブレイク　　　　　　　損失補填まで保証し、年利益率20%以下に落としたことがない「堅実性の覇者」
- ●ビクター・スペランディオ　　マーケットの年齢と確率を計算し、年平均72%を18年続ける「究極の職人」
- ●トム・バッソ　　　　　　　　どんな事態にも冷静沈着に対応する精神を持つ「トレーダーのかがみ」
- ●リンダ・ブラッドフォード・ラシュキ　音符を読むように価格変動を予測する「ナンバーワン短期トレーダー」
- ●マーク・リッチー　　　　　　膨大な収益をアマゾン・インディアン救済のために使う「ピットに降りてきた神様」
- ●ジョー・リッチー　　　　　　高等数学の行間を読み取り、世界一のトレーディング・オペレーションを構築した「直感的な理論家」
- ●ブレアー・ハル　　　　　　　有利なオプションを組み合わせて、6年半で137倍の収益を上げた「元ギャンブラー」
- ●ジェフ・ヤス　　　　　　　　相手の取引技術や知識によって自在に見方を変える「オプションの戦略家」
- ●ロバート・クラウス　　　　　「勝利に値する人間である」ことを潜在意識に認識させることが、成功への第一歩になる

ウィザードブックシリーズ208

シュワッガーのマーケット教室
なぜ人はダーツを投げるサルに投資の成績で勝てないのか

定価 本体2,800円+税　ISBN:9784775971758

一般投資家は「マーケットの常識」を信じて多くの間違いを犯す

シュワッガーは単に幻想を打ち砕くだけでなく、非常に多くの仕事をしている。伝統的投資から代替投資まで、現実の投資における洞察や手引きについて、彼は再考を迫る。本書はあらゆるレベルの投資家やトレーダーにとって、現実の市場で欠かせない知恵や投資手法の貴重な情報源となるであろう。

ウィリアム・J・オニール

証券投資で得た利益によって30歳でニューヨーク証券取引所の会員権を取得し、投資調査会社ウィリアム・オニール・アンド・カンパニーを設立。顧客には世界の大手機関投資家で資金運用を担当する600人が名を連ねる。保有資産が2億ドルを超えるニューUSAミューチュアルファンドを創設したほか、『インベスターズ・ビジネス・デイリー』の創立者でもある。

ウィザードブックシリーズ179

オニールの成長株発掘法【第4版】

定価 本体3,800円+税　ISBN:9784775971468

大暴落をいち早く見分ける方法

アメリカ屈指の投資家がやさしく解説した大化け銘柄発掘法！投資する銘柄を決定する場合、大きく分けて2種類のタイプがある。世界一の投資家、資産家であるウォーレン・バフェットが実践する「バリュー投資」と、このオニールの「成長株投資」だ。

ウィザードブックシリーズ71

オニールの相場師養成講座

定価 本体2,800円+税　ISBN:9784775970577

キャンスリム（CAN-SLIM）は一番優れた運用法だ

何を買えばいいか、いつ売ればいいか、ウォール街ではどうすれば勝てるかを知っているオニールが自立した投資家たちがどうすれば市場に逆らわず、市場に沿って行動し、感情・恐怖・強欲心に従うのではなく、地に足の着いた経験に裏付けられたルールに従って利益を増やすことができるかを説明。

ウィザードブックシリーズ93
オニールの空売り練習帖

定価 本体2,800円+税　ISBN:9784775970577

売る方法を知らずして、買うべからず
「マーケットの魔術師」オニールが
空売りの奥義を明かした！

正しい側にいなければ、儲けることはできない。空売りのポジションをとるには本当の知識、市場でのノウハウ、そして大きな勇気が必要である。空売りの仕組みは比較的簡単なものだが、多くのプロも含めほとんどだれも空売りの正しい方法を知らない。オニールは本書で、効果的な空売り戦略を採用するために必要な情報を提供し、詳細な注釈付きのチャートで、最終的に正しい方向に向かうトレード方法を示している。

ウィザードブックシリーズ198
株式売買スクール

著者　ギル・モラレス、クリス・キャッチャー

定価 本体3,800円+税　ISBN:9784775971659

伝説の魔術師をもっともよく知る2人による
成長株投資の極意！

株式市場の参加者の90％は事前の準備を怠っている。オニールのシステムをより完璧に近づけるために、大化け株の特徴の有効性を確認。

ギル・モラレス

ウィリアム・オニール・アンド・カンパニーの元社内ポートフォリオマネジャー兼主任マーケットストラテジスト。現在はモカ・インベスターズの常務取締役を務めている。オニールの手法をもとに、1万1000％を超える利益を上げた。また、オニールと共著で『オニールの空売り練習帖』(パンローリング)も出版している。スタンフォード大学で経済学の学士号を修得。

クリス・キャッチャー

ウィリアム・オニール・アンド・カンパニーの元社内ポートフォリオマネジャー兼リサーチアナリスト。現在はモカ・インベスターズの常務取締役を務めている。オニール手法をもとに、7年間で1万8000％のリターンを達成した。カリフォルニア大学バークリー校で化学学士号と原子物理学の博士号を修得。

マーク・ダグラス

シカゴのトレーダー育成機関であるトレーディング・ビヘイビアー・ダイナミクス社の社長を務める。商品取引のブローカーでもあったダグラスは、自らの苦いトレード経験と多数のトレーダーの間接的な経験を踏まえて、トレードで成功できない原因とその克服策を提示している。最近では大手商品取引会社やブローカー向けに、本書で分析されたテーマやトレード手法に関するセミナーや勉強会を数多く主催している。

ウィザードブックシリーズ32

ゾーン 勝つ相場心理学入門

定価 本体2,800円+税　ISBN:9784939103575

「ゾーン」に達した者が勝つ投資家になる！

恐怖心ゼロ、悩みゼロで、結果は気にせず、淡々と直感的に行動し、反応し、ただその瞬間に「するだけ」の境地…すなわちそれが「ゾーン」である。
「ゾーン」へたどり着く方法とは？
約20年間にわたって、多くのトレーダーたちが自信、規律、そして一貫性を習得するために、必要で、勝つ姿勢を教授し、育成支援してきた著者が究極の相場心理を伝授する！

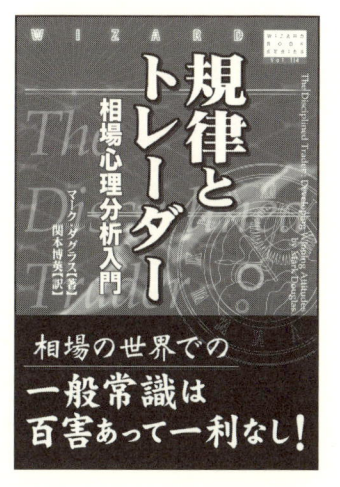

ウィザードブックシリーズ114

規律とトレーダー 相場心理分析入門

定価 本体2,800円+税　ISBN:9784775970805

トレーディングは心の問題であると悟った投資家・トレーダーたち、必携の書籍！

相場の世界での一般常識は百害あって一利なし！
常識を捨てろ！手法や戦略よりも規律と心を磨け！
本書を読めば、マーケットのあらゆる局面と利益機会に対応できる正しい心構えを学ぶことができる。

ラリー・R・ウィリアムズ

50年のトレード経験を持ち、世界で最も高い評価を受ける短期トレーダー。トレーダー教育の第一人者としても有名で、これまで何千人というトレーダーを育ててきた。

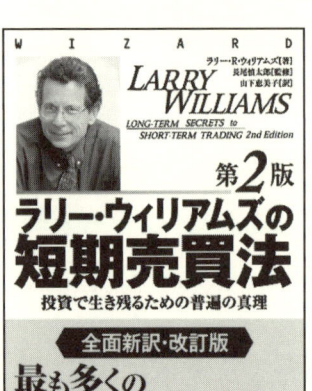

10000%の男

ウィザードブックシリーズ196

ラリー・ウィリアムズの短期売買法【第2版】
投資で生き残るための普遍の真理

定価 本体7,800円+税　ISBN:9784775971604

短期システムトレーディングのバイブル！

読者からの要望の多かった改訂「第2版」が10数年の時を経て、全面新訳。直近10年のマーケットの変化をすべて織り込んだ増補版。日本のトレーディング業界に革命をもたらし、多くの日本人ウィザードを生み出した教科書！

ジェイソン・ウィリアムズ

ジョンズ・ホプキンス大学で訓練を受けた精神科医。顧客のなかには、良い精神状態を保つことで資産の運用効率を最大にしたい富裕層も含まれている。ラリー・ウィリアムズの息子。

ウィザードブックシリーズ210

トレーダーのメンタルエッジ
自分の性格に合うトレード手法の見つけ方

定価 本体3,800円+税　ISBN:9784775971772

最強のトレード資産であるあなたの性格をトレードに活用せよ！
己を知ることからすべてが始まる！

トレードには堅実な戦略と正確なマーケット指標が欠かせない。しかし、この2つがいざというときにうまく機能するかどうかは、その時点におけるあなたの心の状態で決まる。つまり、不利な状況で最高のトレードシステムが砂上の楼閣のごとく崩壊するかどうかは、あなた次第なのである。

ウィザードブックシリーズ 216

高勝率システムの考え方と作り方と検証

ローレンス・A・コナーズ【著】

定価 本体7,800円+税　ISBN:9784775971833

あふれ出る新トレード戦略と新オシレーターとシステム開発の世界的権威!

コナーズがPDFで発売している7戦略を1冊にまとめた本書は、ギャップを利用した株式トレード法、短期での押し目買い戦略、ETF（上場投信）を利用したトレード手法、ナンピンでなく買い下がり戦略の奥義伝授、ボリンジャーバンドを利用した売買法、新しいオシレーターであるコナーズRSIに基づくトレードなど、初心者のホームトレーダーにも理解しやすい戦略が満載されている。本書には、高度な数学的知識もPC技術も必要ない。本書を参考にして、自分の性格に合ったもので、自分にできることに特化してシステムを作り、トレード技能を磨けば、心理的な負担も裁量トレードで必ず経験する迷いも大幅に軽減されるだろう。

ウィザードブックシリーズ 217

トレードシステムの法則

キース・フィッチェン【著】

定価 本体7,800円+税　ISBN:9784775971864

利益の出るトレードシステムの開発・検証・実行とは

本書は、トレード戦略によってどういったことが達成可能かという現実的な話から始まる。世界の最も優れたマネーマネジャーたちの過去5年にわたるパフォーマンスに始まり、トレード戦略のパフォーマンスを最もよく特徴づける統計量、個人的なリスク許容量に合った「トレーダブルな戦略」を構成するものは何かを定義するうえで手助けとなる一連の質問のほか、戦略開発における最大の問題の1つであるカーブフィッティングについても議論する。さらに、「Build, Rebuild, and Compare」（構築、再構築、比較）、またの名をBRACテストとも言う独特の手法も紹介する。BRACテストは戦略開発におけるカーブフィッティングの度合いを知るための方法だ。

ＦＸ関連書籍

行き過ぎを狙うＦＸ乖離（かいり）トレード
著者：春香

１分足のレンジで勝負！行き過ぎを狙うＦＸ乖離（かいり）トレードで見極める

定価 本体2,000円+税　ISBN:9784775991060

【独自のインジケーターで短期（1分足）のレンジ相場の行き過ぎを狙う】1ヵ月分（2011年1月）の「トレード日誌」で勝ち組トレーダーの頭の中を公開！

17時からはじめる東京時間半値トレード
著者：アンディ

17時からはじめる東京時間半値トレード

定価 本体2,800円+税　ISBN:9784775991169

予測が当たっても儲からないことはある。予測以上に考えなければならないのは「どうポジションを作るのか」です。「半値」に注目した、シンプルで、かつ論理的な手法をあますことなく紹介！

世界の"多数派"についていく「事実」を見てから動くＦＸトレード
著者：浜本学泰

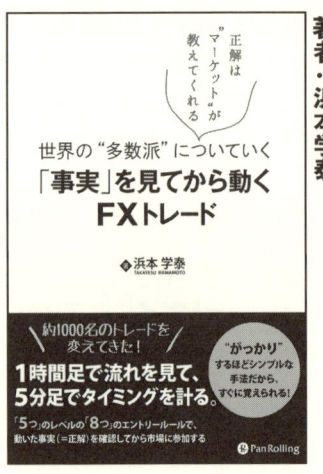

世界の"多数派"についていく「事実」を見てから動くＦＸトレード

定価 本体2,000円+税　ISBN:9784775991350

〜正解は"マーケット"が教えてくれる〜"がっかり"するほどシンプルな手法だから、すぐに覚えられる！

待つＦＸ　１日３度のチャンスを狙い撃ちする
著者：えつこ

待つＦＸ　１日３度のチャンスを狙い撃ちする

定価 本体2,000円+税　ISBN:9784775991008

毎月10万円からスタートして、月末には数百万円にまで膨らませる専業主婦トレーダーがその秘密を教えます。

関連書籍

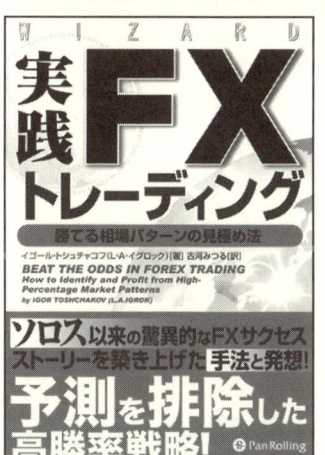

実践FXトレーディング
ウィザードブックシリーズ 123
著者:: イゴール・トシュチャコフ

定価 本体3,800円+税　ISBN:9784775970898

ソロス以来の驚異的なFXサクセスストーリーを築き上げた手法と発想！ 予測を排除した高勝率戦略！ 勘に頼らず、メカニカルで簡単明瞭な「イグロックメソッド」を公開。

FXトレーディング
ウィザードブックシリーズ 118
著者:: キャシー・リーエン

定価 本体3,800円+税　ISBN:9784775970843

外為市場特有の「おいしい」最強の戦略が満載！ テクニカルが一番よく効くFX市場！ 今、もっともホットなFX市場を征服するには……？

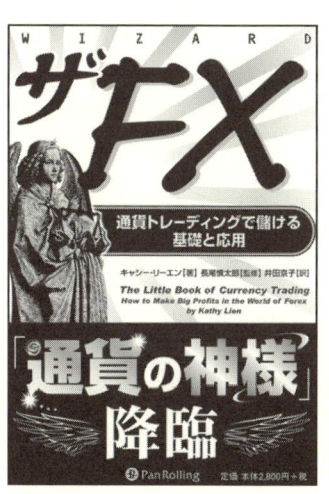

ザFX
ウィザードブックシリーズ 186
著者:: キャシー・リーエン

定価 本体2,800円+税　ISBN:9784775971536

これからFXトレードを目指す初心者とFXトレードで虎視眈々と再挑戦を狙っている人のためのバイブル。

FXの小鬼たち
ウィザードブックシリーズ 148
著者:: キャシー・リーエン　ボリス・シュロスバーグ

定価 本体2,800円+税　ISBN:9784775971154

普通のホームトレーダーでもここまでできる!! マーケットで成功するための洞察と実践的なアドバイスが満載！ プロたちを打ち負かす方法が今、明らかに！

関連書籍

FXメタトレーダー入門
著者：豊嶋久道

定価 本体2,800円+税　ISBN:9784775990636

リアルタイムのテクニカル分析からデモ売買、指標作成、売買検証、自動売買、口座管理まで！　FXトレード・売買プログラミングを真剣に勉強しようという人に最高級の可能性を提供。

FXメタトレーダー実践プログラミング
著者：豊嶋久道

定価 本体2,800円+税　ISBN:9784775990902

メタトレーダーの潜在能力を引き出すためには、メタトレーダーと「会話」をするためのプログラム言語「MQL4」の習得が求められる。強力なプログラミング機能をできるだけ多く紹介。

システムトレード 基本と原則
著者：ブレント・ペンフォールド

定価 本体4,800円+税　ISBN:9784775971505

トレードで生計を立てたい人のための入門書。大成功しているトレーダーには「ある共通項」があった!!
あなたは勝者になるか敗者になるか？

FXメタトレーダー4 MQLプログラミング
著者：アンドリュー・R・ヤング

定価 本体2,800円+税　ISBN:9784775971581

メタエディターを自由自在に使いこなす！　MQL関数徹底解説！　自動売買システムの実例・ルールが満載。《特典》付録の「サンプルプログラム」がダウンロードできる！

関連書

ウィザードブックシリーズ228

FX 5分足スキャルピング
プライスアクションの基本と原則

ボブ・ボルマン【著】

定価 本体5,800円+税　ISBN:9784775971956

132日間連続で1日を3分割した5分足チャート【詳細解説付き】

本書は、トレーダーを目指す人だけでなく、「裸のチャート（値動きのみのチャート）のトレード」をよりよく理解したいプロのトレーダーにもぜひ読んでほしい。ボルマンは、何百ものチャートを詳しく解説するなかで、マーケットの動きの大部分は、ほんのいくつかのプライスアクションの原則で説明でき、その本質をトレードに生かすために必要なのは熟練ではなく、常識だと身をもって証明している。

トレードでの実践に必要な細部まで広く鋭く目配りしつつも非常に分かりやすく書かれており、すべてのページに質の高い情報があふれている。FXはもちろん、株価指数や株や商品など、真剣にトレードを学びたいトレーダーにとっては、いつでもすぐに見えるところに常備しておきたい最高の書だろう。

ウィザードブックシリーズ200

FXスキャルピング
ティックチャートを駆使したプライスアクショントレード入門

ボブ・ボルマン【著】

定価 本体3,800円+税　ISBN:9784775971673

無限の可能性に満ちたティックチャートの世界！ FXの神髄であるスキャルパー入門！

日中のトレード戦略を詳細につづった本書は、多くの70ティックチャートとともに読者を魅力あふれるスキャルピングの世界に導いてくれる。そして、あらゆる手法を駆使して、世界最大の戦場であるFX市場で戦っていくために必要な洞察をスキャルパーたちに与えてくれる。

坂本タクマ

1967年5月20日兵庫県生まれ。1989年、東北大学4年のとき、漫画家デビュー。麻雀漫画を描きながらパチンコを打つ日々を送るうち、白夜書房『パチンカーワールド』でパチンコ漫画を描き始める。2002年から株式トレードを始めると同時に白夜書房（現ガイドワークス）『パニック7ゴールド』で実践株式投資漫画を描き始める。宮城県仙台市在住の楽天イーグルスファン。しかし、楽天株には興味はナシ。

Rubyではじめるシステムトレード

定価 本体2,800円+税　ISBN:9784775991282

どうにかして株で儲けたい！　プログラミングのできるシステムトレーダーになる!!

トレードで勝つためには、極力感情を排除することが重要だ。そのために、明確なルールに従って機械的に売買する「システムトレード」がどうも有効らしい。しかし、プログラミングが壁になって二の足を踏んでしまう。そういう人たちのために、自分の手を動かし、トレードアイデアをプログラムで表現する喜びを味わってもらおうとして書いたのが本書の一番の目的だ。儲けたいという情念が指先からほとばしり、キーボードを通じてコンピューターへと伝わっていく。それが筆者のプログラミングスタイルだ。

マンガ パチンコトレーダー 初心者の陥りやすいワナ編

定価 本体700円+税　ISBN:9784775930755

「額に汗して働け」？
額だけでなく手にも背中にも脇にもじっとり汗かいてますから!!
資金100万円からトレードを始めた人間の真実の記録。

マンガ パチンコトレーダー システムトレード入門編

定価 本体700円+税　ISBN:9784775930779

志は高くテンションは低く! 目指せ「生涯10億円」
パチプロ兼マンガ家坂本タクマ。テレビニュースや知り合いの耳より情報をもとにトレードで一喜一憂し、なかなか勝てない日々が続いた。「材料トレードでは勝てない…」そう気がつき「システムトレード」への移行を開始する。